S0-BYY-763

Los gozos y las sombras
II. Donde da la vuelta el aire

Sección: Literatura

Gonzalo Torrente Ballester:

Los gozos y las sombras

II. Donde da la vuelta el aire

El Libro de Bolsillo
Alianza Editorial
Madrid

®

Primera edición en "El Libro de Bolsillo": 1972
Undécima reimpresión en "El Libro de Bolsillo": 1990

Calle Milán, 38, 28043 Madrid; teléf. 200 00 45
ISBN: 84-206-1969-8 (Obra completa)
ISBN: 84-206-1372-X (Tomo II)
Depósito legal: M. 30.154-1990
Papel fabricado por Sniace, S. A.
Impreso en Lavel. Los Llanos, nave 6. Humanes (Madrid)
Printed in Spain

A Josefina

... porque, como un león rugiente, vuestro adversario el diablo os acecha, buscando a quién devorar.

(I, Pedro, X, 8-9.)

Yo no estoy en pecado; soy pecado.

(Don Juan.)

I

El episodio de las botellas rotas sorprendió por lo imprevisto —a nadie se le hubiera ocurrido jamás que Cayetano se metiera en semejante fregado—; pero, al mismo tiempo, la naturaleza del episodio, la diversidad de sus partes y sus consecuencias aparentes llenaron a la gente de confusión y de curiosidad legítima por conocer los trámites reales del suceso. Cayetano atravesó el pueblo, a media noche, con su automóvil, y salió por el Sur, hacia la carretera de Pontevedra. Regresó sobre las siete y media de la mañana por la misma carretera, y alguno que le alcanzó a ver en el camino dijo que el coche venía echando chiribitas. Se duchó luego, desayunó, y a las ocho en punto, a toque de sirena, estaba a la puerta del astillero con la pipa en la boca, la boina puesta y las manos en los bolsillos, tan campante y como si nada. Después fue hacia las gradas, a dirigir el trabajo, hablando en inglés al capataz.

El Eco del Noroeste lo trajeron a las diez. Alguien, en la oficina, hizo un alto en el trabajo y leyó los titulares, como siempre. Pero aquella mañana, en vez de comentar en voz alta las noticias políticas, pasó el diario a un compañero, con secreto; y el compañero leyó tan sólo el suelto titulado «También hay un señoritismo de izquierdas»: un suelto a doble unida, en negritas y con subtítulo: «Repugnante espectáculo dado en un café cantante por un millonario socialista.» «¿Crees que es él?» «¡Toma! Verde y con asas.» Siguieron trabajando, pero el diario corrió por todas las mesas de la oficina y los comentarios se hicieron al oído. Aquella mañana esperaban con ansia el toque meridiano de la sirena para salir a la calle y desahogarse. Unos se metieron en la taberna, otros marcharon en grupo, y el jefe de Contabilidad, Martínez Couto, buen empleado, aunque cornudo consentido —quizá una cosa a causa de la otra, o viceversa—, se coló en el Casino a ver si alguien le preguntaba algo. No iba nunca, solían tomarle el pelo; pero lo excepcional de la situación autorizaba la excepción. Nadie se sorprendió al verle entrar; más bien lo consideraron natural, e incluso necesario, y en seguida cayeron sobre él y lo asaron a preguntas. Pero Martínez Couto no sabía nada. En realidad, venía a comentar.

Por el temor de que Cayetano los cogiera con la palabra en la boca, se pusieron vigías en la puerta, turnados con sigilo cada cuarto de hora, para avisar cuando le viesen aparecer por el cabo de la calle; pero no apareció. Hacia las doce y media llegó don Lino, y un poco más tarde, el boticario. Hasta entonces se había llegado a la conclusión de que la rotura de ciento cincuenta botellas en un café cantante era una hazaña, pero todos consideraban la noticia insuficiente. Se apetecían detalles y, sobre todo, matices. Don Lino se negó a conceder al hecho cualquier carácter excepcional. Según su punto de vista, se trataba de una maniobra política de *El Eco del Noroeste,* repugnante libelo de derechas, que, sin duda, exageraba la verdad, un punto mínimo de verdad, la rotura de una sola botella, y aprovechaba el incidente para desacreditar a Cayetano ante la clase trabajadora. Don Baldomero, en cambio, sin saber por qué, se inclinaba a creer que la rotura de las botellas, en la cifra dada por *El Eco...,* hubiera constituido una diversión de Cayetano, y como don Lino le acosara exigiendo el fundamento razonable de su convicción, el boticario tuvo que declarar su fe absoluta en las aseveraciones de *El Eco del Noroeste,* que salía con censura episcopal casi directa, y que podía haber exagerado en los adjetivos, pero que era incapaz de mentir en la sustancia del hecho y, sobre todo, en la cuantía de las botellas rotas. La tesis de don Lino tuvo poco seguidores; ninguno la del boticario. A la hora de comer no habían llegado a un acuerdo. La cuestión quedaba en el aire. La discusión se aplazó para la hora del café.

Vino más gente que nunca. El chico de los recados se entretenía en colgar por las paredes guirnaldas de papel para un baile que se preparaba, y acabó mucho antes de lo pensado, porque todo el mundo le ayudó. El juez barajaba las cartas del tresillo; el médico hacía con las fichas del dominó efímeros castillos. Don Lino sostenía su tesis machaconamente, y el boticario la suya; pero nadie jugaba. Llegó Carreira, el dueño del cine, con un montón de fotografías en las que Jean Harlow, escasa de ropa, aparecía en posturas y actitudes seductoras: corrieron de mano en mano sin despertar el habitual entusiasmo —salvo, si acaso, la exclamación irreprochablemente admirativa de don Baldomero—. En seguida se volvió al tema: hasta que el vigía entró corriendo y anunció que Cayetano subía ya la calle hacia el Casino. Se improvisaron las partidas, para afectar normalidad. Sólo don Baldomero quedó en su mecedora, impertinente, junto a Carreira, que insistía en dar más importancia a las piernas de Jean Harlow, siquiera fuese porque el número de personas preocupadas por ellas excedía bastante al de las que se cuidaban de las juergas de Cayetano; y porque Jean Harlow pertenecía al mundo entero, y Cayetano era apenas propiedad de Pueblanueva. El amo entró tranquilamente, preguntó al chico por qué colgaba guirnaldas, dejó en el perchero la boina y el impermeable, y pidió café. Le saludaron como siempre, y si don Baldomero no interviene, la cosa se hubiera dilatado. Pero don Baldomero sacó la conversación, mentó el suelto de *El Eco,* y don Lino, por orden de Cayetano, tuvo que leerlo en voz alta, temblorosa y atropellada: a cada insulto levantaba la vista y pedía perdón a Cayetano, que sonreía. Cayetano no se irritó. Pidió una conferencia telefónica y se puso a hablar con el presidente de la entidad bancaria que sostenía económicamente *El Eco*. Le habló de tú a tú; le habló con altanería y seguridad. En resumen: que le amenazó con retirar del Banco sus fondos y negociar con otro Banco, si *El Eco* no completaba la noticia y enteraba a sus lectores de que «el millonario socialista, después de la aventura de las botellas, había pasado la noche con dos mujeres y las había dejado satisfechas». En este momento, don Baldomero dejó de sonreír, y en su rostro cuajó una mueca admirativa. Y los presentes dijeron todos lo mismo, en voz más o menos baja:

—¡Qué tío!

Indudablemente, con la segunda parte, la hazaña quedaba mucho más completa, y Cayetano la redondeó al asegurar que había regresado a una media de ochenta, que en la recta de Caldas había alcanzado los ciento veinte, y que no le habían fallado los reflejos ni una vez. Alguien rió... y tuvo que echar un pulso con Cayetano, que estaba dispuesto a contender con todos. Nadie aceptó el desafío.

Pero no por el hecho de quedar la aventura redondeada resultaba más clara. Emparejados a la salida del Casino, el boticario y el maestro se expusieron sus puntos de vista, que sólo coincidían en reconocer un fondo de misterio —para el maestro, ni siquiera eso, sino sólo un último dato incógnito—. Don Lino se negaba a aceptar que Cayetano, políticamente responsable, se jugase su reputación con un acto de señoritismo: «A mi razón, decía, no le bastan las apariencias. Mi razón exige poner en claro lo misterioso, porque lo misterioso no existe, no es más que el resultado de ignorar las causas de los efectos.» El punto de vista de don Baldomero revelaba, no sólo su resignación racional ante el misterio como entidad superior a la razón, sino el convencimiento de que ciertas formas de estupidez obedecían a causas misteriosas que nunca podrían ser dilucidadas; pero se cuidó de especificar que no toda la aventura de Cayetano le parecía estúpida, y que alguna de sus partes le despertaba una admiración molesta e involuntaria, pero indudable; «porque, amigo mío, ¿cuántos años hace que usted y yo somos incapaces de contentar a dos mujeres?». Cuando se separaron, el boticario se dirigió al pazo del Penedo. Tuvo que detenerse en dos tabernas y beber dos vasos de vino; pero, por fin, llegó. En el zaguán, Paquito el *Relojero* le tomó el pelo y le pidió un pitillo.

Carlos se hallaba en la habitación de la torre leyendo o acaso dormitando. Escuchó el relato con atención; hizo algunas preguntas y pidió algunas precisiones. Después dijo que la aventura de las botellas no era más que el resultado de la conversación que, la noche anterior, había tenido allí mismo con Cayetano: algo así como la pública respuesta a un desafío privado. Fue entonces don Baldomero quien preguntó, y Carlos hubo de referirle la entrevista, con todos sus detalles, y cómo había terminado. Con esto, y con la explicación médica que Carlos dio, la hazaña quedó despojada de misterio, pero no por eso don Baldomero sintió disminuida la admiración por Cayetano, sino más bien incrementada con un plus de temor, porque don Baldomero creía, contra la opinión de Carlos, que aquello no era más que un comienzo, y que el pueblo entero iba a asistir a una serie continuada de hazañas semejantes, o equivalentes, o simplemente extraordinarias; que iban a ser testigos de una exhibición de poder de la que muchos —¿quiénes, señor?— serían víctimas. Las razones de Carlos, que creía conclusa la aventura y liquidadas las consecuencias del desafío, no le parecieron válidas al boticario. «¡Hace muchos años que lo conozco, don Carlos! ¡Le vi nacer, le vi crecer, y sé cómo las gasta!»

—Yo, en cambio, puedo decir que le trato hace dos meses escasos; no mucho, y le aseguro que sé su alma de memoria, y que puedo predecirle con un mínimo error lo que hará y lo que dejará de hacer. Vaya tranquilo, que esto se habrá acabado.

De regreso a Pueblanueva el boticario, todos los elementos del suceso desaparecieron de su imaginación y de su memoria, y quedó sólo, hecha más de interrogantes que de certezas, la segunda de sus partes. Cayetano había dicho: «Pasé la noche con dos mujeres, Fulana y Zutana, que cantan en el café del Brasil, y las dejé satisfechas.» No es que don Baldomero dudase de que fuera verdad; es que apetecía detalles con apetito famélico. Varias veces, a lo largo de aquella tarde, y por la noche, antes de dormir, intentó la reconstrucción de los hechos, pero su imaginación se reveló como instrumento insuficiente en materia pornográfica: sentía con toda claridad limitada su imaginación por su propia experiencia, incapaz de saltar a la experiencia ajena, porque él, durante toda su vida, no había pasado de satisfacer a una sola hembra, aunque esto lo hubiera hecho a conciencia. Casi entre sueños, se decidió a ir a Vigo al día siguiente. La idea del viaje le hizo despertar cada media hora: la idea del viaje, y la tos continua de su mujer, a la que recomendó una visita al médico. «Mañana voy a Vigo a comprar ciertas cosas. Si quieres vamos por Santiago, o te recojo a la vuelta.» Pero doña Lucía prefería ir sola.

Cogió el primer autobús; consumió la mañana en visitas de negocios y, en seguida de comer, corrió al café del Brasil y ocupó una mesa de la primera fila. Estaba el café lleno de mozalbetes y, en el escenario, se movía una mujer. Nuria, la *Catalana,* era una furcia delgadita y movida, desvergonzada de cara, pero bonita, que cantaba con el aire más inocente del mundo cuplés francamente verdes. En uno de los números salía con una especie de pijama color salmón, cortitos los pantalones, hasta dejar los muslos descubiertos, y cantaba un estribillo que coreaba el público:

Si con el pijama
me meto en la cama,
¿qué me pasará?
Si mi maridito
se pone nervioso,
¿me lo romperá?
Y espero que ustedes
me den su opinión:
si debo o no deeebooo
llevar pantalón.

Se armaba un cisco de mil demonios. Cada cliente daba su consejo particular, y don Baldomero, en éxtasis cachondo, estuvo a punto de dar el suyo. Le contuvo sólo una remota conciencia de respetabilidad. Salió después Nina de Meris, que cantaba tangos. El público, a quien Nuria había excitado, se ponía ahora sentimental, y coreaba:

... al mundo nada le importa.
Yira, Yira,
aunque te cueste la vida,
aunque te quiebre un dolor,
no esperes nunca una ayuda,
ni una mano, ni un favor.

Bien. Don Baldomero se eximió de la psicosis colectiva porque cazó al vuelo a Nuria, la convidó a su mesa, y se gastó con ella varios duros en lo que Nuria pidió: dos o tres copas de Marie Brizard. Cuando la cupletista tuvo los cascos calientes, le fue fácil sacarle los detalles que precisaba. Quedó bastante confuso: esperaba nutrir su apetencia de matices cualitativos y se halló ante un relato en que predominaba abrumadora la cantidad, pero que, por lo demás, era de una gran monotonía. Pensó que quizá Nina de Meris, la otra protagonista, fuese más sensible que Nuria para el detalle. Esperó a que el espectáculo terminase. Las convidó a champán. Nina de Meris tenía, más bien, una idea de conjunto, en que cualidad y cantidad se mezclaban en una impresión general de exaltación, satisfacción y hastío. «Fíjate tú lo aburrida que quedé, que cuando él se marchó tuve que entendérmelas con ésta, para dormir después tranquila.» Don Baldomero no lo comprendió bien, pero no se atrevió a pedir explicaciones. Y aunque el recuerdo de Lesbos pasara por su mente, se resistió a aceptar su efímera resurrección en una ciudad industrial y lluviosa.

El viaje y los convites le salieron por cuarenta duros. Nina de Meris había dicho que no tenía qué hacer de cinco a siete, y que la idea de pasar la tarde sola le asustaba; pero don Baldomero no recogió la invitación por miedo a que le pidiese mucho dinero. Marchó a las cinco y cuarto a coger, por los pelos, el autobús de las cinco y media. Iba a arrancar el coche, cuando se le ocurrió comprar *El Eco*... Se llevó una decepción. El órgano de las derechas, en una nota muy visible de la primera plana —doble recuadro—, recogía velas y culpaba a un falso informador. «La verdad de los hechos es que sólo fue rota una botella, y como resultado de una apuesta inocente.»

Fue de noche al casino. Le preguntaron dónde había estado. Respondió que en Vigo. Le preguntaron qué había hecho. Respondió que pasar un par de horas en el café cantante. Desapareció inmediatamente todo interés por las partidas en marcha.

—¿Qué fue lo de las botellas?

—Pues que compró las que había en el anaquel, más de ciento cincuenta; mandó que le apartasen la mitad, y dejasen la otra en los estantes. Una socia se las iba entregando, una a una; otra socia daba señal de disparar cada diez segundos por el reloj. Entonces, con la botella que le daban, rompía una de las que había en el anaquel. Y así hasta romperlas todas.

Don Lino comentó:

—Increíble.

—Todo lo increíble que usted quiera; pero cuarenta personas que había allí le aplaudían, y hasta hubo quien apostó si fallaría el tiro cuando estuviese cansado. Y no falló ni uno solo.

—Sigo juzgándolo increíble. Y, sobre todo, innecesario.

—Mi querido don Lino, no sabe usted cómo cambia el mundo cuando uno se mete en un antro de ésos. Imagínese usted una Fulana de unos veinticinco años, delgada, movida y sin pizca de vergüenza. Empiezan a tocar, y sale medio desnuda, y canta así.

Saltó al medio del salón, se recogió la chaqueta por la cintura, los pantalones por media pierna. Dio meneo a las caderas y a los brazos, y cantó con voz de tiple:

Si con el pijama
me meto en la cama...

Hicieron corro.

—¡A ver, a ver!

Remedó los movimientos de Nuria, terminó el estribillo.

—¡Y cincuenta sujetos pegando voces y diciéndole que se quitase los pantalones; y ella haciendo como que se los quita, pero sin llegar a quitárselos; y venga a bajarlos y a subirlos, y al bajarlos enseñaba el ombligo, y al subirlos se daba la vuelta y tiraba hacia arriba, para que viésemos el comienzo de las nalgas! ¡Y a todo esto, dale que tienes al solomillo, por un lado y otro, y moviendo las tetas, y moviéndose toda, como si ya estuviera en la cama con el marido!

Cerró los ojos.

—Todo por una setenta y cinco.

—Parece usted pagado por los curas para hacer la propaganda de los espectáculos sucios —dijo don Lino.

—Los curas no se meten en eso.

—Pero no me negará usted que defienden la prostitución.

—La prostitución se defiende sola.

Metió baza el juez.

—No se trataba ahora de eso, sino del café cantante.

Don Baldomero había quedado en medio del corro, con la chaqueta y los pantalones remangados. Guiñó un ojo.

—Había otro número en que la socia salía en camisón, y decía que se le había perdido una llave, y que a ver si alguno de los presentes le prestaba la suya.

—Habría voluntarios a repipí.

—Todos.

—¿También usted?

Don Baldomero se arregló el vestido.

—Uno ya peina canas, y sabe que ciertas cosas no pueden hacerse donde campan los mozalbetes.

—Pero usted de buena gana lo haría.

—¡A ver!

—Pues no estaría mal poner aquí un café de ésos —opinó Carreira—. Una setenta y cinco las puede gastar cualquiera.

—¿Y habló usted con las socias? —preguntó alguien.

—Lo hubiera hecho, pero para sacarles algo habría

que gastarse los cuartos, y yo, la verdad, no estaba dispuesto. Una botella de champán la venden por diez duros, y es lo menos que piden las artistas cuando alternan.

—De modo que habrá que fiarse de la palabra de Cayetano.

Hubo opinantes dispuestos a la fe; otros se resignaron al descreimiento o a la duda. Don Baldomero se limitó a escuchar. No se atrevía a revelar las confidencias de Nina de Meris, pero necesitaba contárselas a alguien. Era tarde para subir al pazo del Penedo. Lo dejó para el día siguiente, y marchó a casa. Doña Lucía se había acostado, y parecía dormir. De vez en cuando, tosía un poco. Don Baldomero no pudo evitar la comparación entre el cuerpo inerte de su mujer y el de Nuria, la *Catalana.*

Dejó recado en casa de doña Mariana de que si Carlos quería tomar café con él en la botica.

Hacía una tarde desnevada, de viento frío y nubes negras, que se perdían, veloces, detrás de las montañas. Graznaban las gaviotas, y los salseros verdosos golpeaban el pretil del muelle.

Doña Lucía dijo que iba a seguir el mal tiempo, y que el baile del Casino iba a estar deslucido.

—Pero ¿vas a ir al baile?

—Tengo que cuidar de mis ovejitas.

—¡Buena estás tú con las ovejitas, y mucho vas a cuidarlas en cuanto un tío las apriete! Lo que tenías que hacer era ir al médico y meterte en la cama.

—¿Ya quieres desterrarme de la vida?

—Quiero que te cuides y no hagas disparates. No tenías que haberte levantado.

—Pues pienso ir al cine.

—¿También?

—Tengo que saber si mis ovejitas pueden ver esa película. Me han dicho que es muy fuerte.

—De antemano te digo que no pueden.

—Aun así, tengo que verla.

Le aterró la idea de meterse con ella en el cine, y pidió a Carlos que les acompañase. Carlos estaba aburrido, y de humor hosco. Dijo que bueno.

—¿Qué es lo que le sucede hoy, hombre? ¿Riñó con alguien?

—Quizá sea el tiempo.

—No me dijo lo que le pareció el cuento de Cayetano.

—Lo que usted averiguó ayer no altera en lo más mínimo mi punto de vista. Llegó a dudar de sí mismo, y necesitó convencerse de su fuerza. Nos dejará tranquilos una temporada.

—Insisto en que se equivoca.

Cuando doña Lucía supo que Carlos les acompañaría al cine, improvisó una merienda. Don Baldomero pretextó algo de la botica, y los dejó solos. A doña Lucía se le iluminó la cara.

—Tengo que hacerle una confidencia, Carlos. Esta mañana...

Se levantó, comprobó que la puerta estaba cerrada y que la criada trabajaba en la cocina.

Antes de sentarse dijo a Carlos:

—Usted es un caballero...

Y él le respondió con un gesto.

Doña Lucía se sentó a su lado. Estuvo a punto de cogerle una mano, pero no se atrevió. Tampoco osó mirarle. Bajó la cabeza, como para ocultar el rostro.

—Esta mañana, Cayetano me salió al paso.

—¿Cómo?

—¡Es indudable que me esperaba! Jamás le ha visto nadie, a las nueve, por la carretera del monasterio. Salíamos de misa, llovía fuerte, y tuvimos que abrigarnos... Entonces pasó con su coche y se detuvo.

Levantó la cabeza, con exagerada expresión de espanto; tomó a Carlos de un brazo.

—Fíjese bien. Ibamos todas. Las hay bonitas, como usted sabe. Chicas jóvenes, atractivas. Inés Aldán es una verdadera belleza y, además, ¡tan distinguida! No es como esa ordinariota de su hermana... Pues bien: nos invitó a subir al coche, y se las compuso para que yo me sentase a su lado...

—Parece natural. Es el lugar de honor.

—Y el de peligro. Por eso acepté. Me dio miedo que cualquiera de mis ovejitas pudiera estar unos minutos al lado del demonio.

Hizo una pausa breve.

—Porque Cayetano es el verdadero demonio.

—En eso, al menos, está usted de acuerdo con su marido.

—Vinimos poco a poco, con el pretexto de que la carretera está mala, pero, en realidad, para alargar el tiempo.

—¿Y qué?

—Me dijo que mañana me sacaría a bailar.

Dio énfasis trágico a las palabras, y se quedó mirando a Carlos, sin soltarle el brazo.

—A mí. A una pobre mujer casada y enferma. ¡A una tuberculosa! Porque yo, don Carlos, estoy tuberculosa...

Le asomaron las lágrimas.

—¿Qué va a pasar mañana en el baile, don Carlos?

—Que Cayetano la sacará a bailar.

—¿Y mi marido? ¿No piensa usted en lo que hará mi marido?

—Nada, supongo. Todo lo más, mirar.

—¡Nada! ¡Qué mal conoce usted a Baldomero! Me tiene abandonada; pero si Cayetano intenta bailar conmigo, habrá un escándalo.

Se decidió, por fin, a cogerle las manos.

—Yo se lo imploro, Carlos. Contenga a mi marido, evite la tragedia.

—No pensaba ir al baile.

—¡Vaya usted, por favor! Baldomero le tiene mucho respeto. Si usted le dice que en los países civilizados una dama puede bailar honestamente con un caballero que no sea su marido, le hará caso. Incluso puede usted, si quiere...

Titubeó.

—... puede usted sacarme también a bailar. ¡Hágalo, se lo suplico! Así no llamará la atención de nadie que me saque después Cayetano.

Le soltó las manos y se apartó un poco sin mirarle.

—... en el caso de que usted quiera hacerme el honor de bailar conmigo y si mi enfermedad no le causa repugnancia...

Se tragó un sollozo. Carlos le aseguró que bailaría con ella.

Evidentemente había algo de gata en la cara de Jean Harlow, algo de gata encelada; pero Lucía no lo consideraba como razón suficiente para que Carlos mantuviese la vista clavada en la pantalla. Otra cosa era su marido, al que un palo con faldas bastaba para encandilar. Un palo con faldas. Bueno, no. Ella podía considerarse como un palo con faldas y ya no encandilaba a su marido. No pasaba de un decir. A su marido le gustaban las mujeres llenitas; le gustaba, desde luego, Jean Harlow. No había más que mirarlo de refilón: tenía los ojos saltones y alargaba hacia adelante el labio superior, mientras clavaba los dedos en el brazo de la butaca. También eran ganas de engañarse: el brazo de la butaca es duro, y no puede de ninguna manera sustituir a las piernas, o a lo que sea, de Jean Harlow. Pero los hombres son así de ilusos. Van al cine dispuestos a creer que lo que ven es cierto...

Jean Harlow estaba casada y se llevaba mal con su marido. Quería divorciarse. ¡La muy pécora! Era de esas que piensan que lo acabado, acabado, y ahí queda eso, como si no hubiera moral; y, luego, vuelta a empezar. Se puso inmediatamente de parte del marido, y le duró la parcialidad unos minutos: hasta que Jean Harlow entró en un salón de té muy recatado y se sentó junto a un hombre guapo y viril, que la trataba con respeto y amor. Doña Lucía, contra su voluntad, comenzó a explicarse que a Jean Harlow le apeteciese cambiar de hombre. No estaba bien, pero había sus razones... El sujeto era guapo, tenía un mirar romántico, y trataba a Jean Harlow con ternura. Doña Lucía se conmovió. «¡Ternura! ¡Eso lo desconocen los hombres españoles! ¡No piensan más que en la carne, y una agradece el cariño mucho más que el placer!» La pareja salió del salón de té y entró en un automóvil. Era de noche, y las calles de Nueva York rutilaban. Sobrevino un atasco, el coche se detuvo y, ¡zas!, el hombre cogió a Jean Harlow por la cintura y la besó en la boca. ¡Dios mío con qué delicadeza! Jean Harlow estaba desprevenida; doña Lucía, también. El beso le sacudió los nervios hasta la punta de los pies y, de repente, se sintió invadida y arrebatada, sintió como si el cuerpo de Jean Harlow, todavía abrazada, todavía estremecida, se saliese de la pantalla y envolviese el suyo, lo asumiese y lo llevase consigo, incorporado al beso, al abrazo y a la ternura del galán. A partir de este momento, doña Lucía vivió dentro del cuerpo de Jean Harlow y, poco a poco, fue sintiéndolo suyo, gozosamente ensanchada, como si el cuerpo nuevo fuese un molde que hubiese de llenar, hasta que las caderas, los pechos, los brazos y las piernas coincidiesen, hasta que los dos cuerpos, rotas las exclusas misteriosas de su ser, fuesen regados por la misma sangre y los animase la misma salud. Se recogió en sí misma y asistió a su propia transformación, a su propio arrebato. No estaba allí, convoyada por su marido y por el amigo de su marido, sino hecha luz en la pantalla. Sus ojos abiertos sorbían las imágenes que, en su interior, se trasmudaban en vida propia y la hacían reír, llorar, gemir o desvanecerse de dicha. Se olvidó de sí misma.

....

—¡Vamos, que ha terminado! —dijo don Baldomero, y la cogió del brazo.

—¡No me toques!

Se levantó con brusquedad y apartó la mano de su marido. La apartó como un niño hubiera apartado el alfiler que amenaza la superficie tersa del globo colorado. Se sentía metida en un cuerpo lleno y transido, y temía que algo le despojase, que la dejasen con su antiguo ser enteco y esmirriado.

Dejó que saliese antes para no ser estrujada en el pasillo y en las escaleras. En la calle echó a correr hacia su casa.

—Me encuentro mal, voy a acostarme. Por favor, no me despiertes.

Estaba la cama helada y húmeda. Pidió una botella caliente, se la puso a los pies, y creó, para su cuerpo nuevo, un cálido refugio, y allí lo guardó como un tesoro. Pensaba que con aquel cuerpo le gustaría a Cayetano bailar con ella, y hasta la mirarían con envidia. Sintió entonces haber comprometido a Carlos. Si bailaba antes con Carlos, se rompería el hechizo, y entregaría a Cayetano el viejo cuerpo encanijado. No bailaría con Carlos. No bailaría. Necesitaba conservar aquella sangre prestada que ahora regaba sus venas y que parecía querer salirse de ellas. Tosió.

—Seguramente que hoy vendrá Rosario.

—¿Qué quiere? ¿Que no me acueste?

—Que dejes el portón arrimado y una luz en el zaguán.

—Hasta mañana.

Paquito salió, pero volvió en seguida.

—¿Sucede algo?

—Un pitillo. Ando mal de tabaco.

Carlos le ofreció el paquete, y Paquito cogió uno.

—Coge más.

—No, gracias. Tengo que acostumbrarme. Estos días estoy ahorrativo, y ya me he quitado de comprar tabaco. Ya sabe para qué. Se acerca la primavera.

Sonrió y salió otra vez. Pisó fuerte por el pasillo. Batió con ruido la puerta de la escalera. Un poco más tarde se le oyó arrimar la del zaguán.

A Carlos se le había ocurrido que aquella noche Rosario tenía que venir. No sabía por qué, ni si era un presentimiento. Había preparado una bandeja con café y galletas y había encendido la chimenea de su dormitorio. Cuando supuso que Paquito ya no subiría, salió de la torre y fue a ver si los leños se habían encendido, si la habitación se calentaba. Llevaba en la mano el quinqué encendido. Tuvo que hacer fuego otra vez, y atizarlo, porque la leña estaba húmeda. Pasó algún tiempo antes de que la llama fuese satisfactoria y segura. Le dolían las rodillas y la espalda. Se incorporó y echó un vistazo. Realmente, la habitación estaba destartalada, había desconchados por todas partes y agujeros en el piso, por los que entraba el aire. Añadió una manta a la cama. Al hallar frías las sábanas, pensó que debiera haber traído unas botellas de agua para calentarlas, porque Rosario llegaría mojada y tiritando.

Era inexplicable lo de Rosario. El era pobre, no había más que ver la casa en que vivía. Rosario se engancharía a su pobreza para siempre. Algún día tendría que regalarle algo, un traje, un mantón, unos zapatos, y eso costaba dinero, más de lo que él tenía. En cosas de oro no había ni que pensar. (Rosario, delicadamente, se había despojado de todos los regalos de Cayetano.) Las mujeres no son fácilmente comprensibles.

Salió del dormitorio y volvió a la torre. Pasaba de las diez. Vendría, seguramente, en seguida. Apagó la luz y abrió las maderas de la ventana. La rama del tejo golpeaba los vidrios —como siempre—. Había que cortar aquella rama, tan monótona. Apenas se veía Pueblanueva, pero se oía llover. La casa de Cayetano estaba al fondo, donde la sombra se iluminaba un poco con el resplandor difuso de unos focos eléctricos.

¡Qué poca cosa era, bien pensado, Cayetano! Porque le habían birlado una mujer, cosa que puede sucederle a cualquiera, había armado aquel bochinche del café. Y ahora, seguramente, se pavoneaba con su triunfo, y, cuando levantaba una mano, mostraba el brazo que había disparado setenta y cinco botellas contra otras setenta y cinco, sin fallar una. Si ahora estuviera allí, como había estado unas noches antes, le analizaría el hecho, con todos sus detalles, lo desentrañaría hasta demostrar a Cayetano que, por haberlo hecho, era realmente inferior, y que no era aquél el camino para curarse.

—Porque, en el fondo, eres un neurótico. Esto no hay quien lo mueva.

Se sentía, en cierto modo, poderoso. Comprender a Cayetano era como dominarlo, quizá como poseer su libertad. De proponérselo, podría adivinar sus acciones, prevenirse si fuera necesario. En todo caso, podría imaginarlas con un margen escaso para lo imprevisible. Le parecía incluso que las abarcaba ya de una sola mirada, sin proponérselo, como se abarca la propiedad desde la ventana a que uno se asoma para tomar el aire; y lo que veía, no le daba temor.

Las diez y media. Atravesó la casa corriendo. Huyeron, espantados, los ratones. En el salón hacía un frío tremendo. Abrió las maderas y espió las veredas del jardín, buscó entre los ruidos el de la verja metálica al chirriar. En el jardín se movían los árboles en la sombra, y el ruido de la lluvia era un poco más fuerte.

Quizá los padres de Rosario se hubieran acostado tarde, o los hermanos, y ella estuviese esperando todavía el silencio para saltar la ventana y echarse a los sembrados, como un fantasma. Tenía que agradecerle el sacrificio de venir sola, y de mojarse. Hubiera sido más cómodo para ella dejarle la ventana abierta y que entrase, como Cayetano. Aunque quizá a ella le gustase más así, por alguna razón ignorada.

Golpeaba el suelo con los pies helados, soplaba sobre las puntas de los dedos. El jardín era una masa negra y rumorosa, y en su rumor nada metálico surgía. Dieron las once en uno de los relojes arreglados por Paquito, y otros relojes repitieron la hora, cerca o lejos. Empezó a convencerse de que Rosario no vendría, de que algo le habría sucedido, y de que bien pudiera valerse de Paquito para traer y llevar recados y convenir las horas puntuales, aunque sus relaciones con Paquito no se habían planteado en el terreno del celestineo contratado y voluntario, sino, todo lo más, en el del inevitable y gracioso, y no podían cambiarse las cosas sin correr el riesgo de aceptar, ante la conciencia del loco, el papel de sustituto de Cayetano. Marchó del salón, apagó las luces del cuarto de la torre, entró en su dormitorio, y aún se demoró un poco ante la chimenea, que ahora resplandecía y calentaba el aire a su alrededor. Desde la cama siguió mirando el baile de las llamas, desvelado, y con una molestia que no quería confesarse.

Llegó Rosario, sin embargo, ya dadas las doce; sintió sus pisadas leves por el pasillo, unos golpes en la puerta. Rosario entró. Dejó el mantón sobre una silla y se sentó en el borde de la cama.

—Me pegaron —dijo.

Desabrochó la blusa y mostró un cardenal cerca del hombro.

—Mire. Y dicen que van a echarme de casa.

Carlos la atrajo y la besó.

—¿Quieres quedar conmigo?

—Eso es lo que quieren, que me vaya.

—Bueno. Estarás mejor.

—Y ellos se reirán de mí. Y usted pasará por tener en su cama un plato de segunda mesa.

—¿Qué quieres entonces?

—Nada, señor. Ahora, estar con usted. Usted me quiere.

Se abrazó a Carlos con fuerza, sollozando. Carlos la abrazó también, y ella gimió:

—Aparte la mano. También ahí me duele.

Tenía sólo dos trajes, los dos deteriorados. No podía presentarse dignamente en el baile. Se vistió, sin embargo, el mejor, y bajó al pueblo. Don Baldomero no estaba en la botica. Mandó recado a doña Lucía, y recibió respuesta de que subiese.

Doña Lucía, en bata y con bigudíes en el pelo, estaba pálida y un poco ausente. Dio la mano a Carlos sin levantarse. Le preguntó si quería café.

—Lo que quiero es que me mire usted bien. ¿Le parece que estoy vestido como para ir a un baile?

Doña Lucía le contempló con un alegre resplandor en la mirada.

—A ver, dé la vuelta.

Carlos, riendo, la obedeció, e interrogó luego con un movimiento de las manos.

—¡Don Carlos, por Dios! ¿No tiene usted otro traje?

—Es el mejor.

—Usted es un caballero, Carlos. Usted debe vestirse como quien es.

—Por esta vez me he descuidado. Pienso, además, que

el hábito no hace al monje. De modo que si usted no le pone muchos defectos...

—¡No, Carlos, por favor! No vaya usted así al baile. Le tendrían compasión.

—¿Usted cree?

—¡No los conoce bien! Usted puede andar a diario como quiera, pero un día señalado... Todo el mundo se pone lo mejor que tiene.

—Eso es lo que yo hice.

—No debe usted ir así, don Carlos.

El afectó disgusto.

—Lo siento.

—¡Oh! No crea que vaya a divertirse mucho. Ya sabe usted cómo son las diversiones del pueblo, vulgares y monótonas. ¡Con lo que usted habrá visto por el mundo en materia de bailes! También yo lo lamento. Había pensado en un vals... Usted, que estuvo en Viena, lo bailará muy bien.

Carlos negó con la cabeza.

—Carlos, si usted hubiera tenido un traje oscuro, aunque no fuese muy nuevo, me hubiera hecho feliz. Yo misma se lo hubiera planchado. Esperaba el vals con usted, un vals que he soñado bailar toda mi vida y que ya no bailaré jamás.

—¡Quizá Cayetano...!

—¡Por favor, no lo nombre! Un hombre así, tan tosco, sólo puede bailar el fox-trot.

—Irá muy bien vestido.

—Por eso no quiero que usted vaya con ese traje. Las comparaciones, ¿comprende?, y las risas. Usted no debe humillarse. Si no va al baile, será como si los despreciase.

—Usted bien sabe que iba solamente por usted.

—¡Gracias! Sabe que se lo agradezco, y cómo lo deploro. Tendré que resignarme a lo que suceda.

Hizo una pausa y bajó la mirada.

—Quizá le diga a Cayetano que no. Estoy enferma.

Tendió la mano a Carlos, se la tendió alta y con el dorso hacia arriba, como había visto hacer en algunas películas; pero Carlos se limitó a estrecharla.

Le sonrió, oyó sus pasos alejarse y el ruido de la puerta. Entonces, involuntariamente, se palpó el cuerpo y comprobó que su envoltura irreal permanecía intacta. Cerró los ojos y vio su cuerpo levantarse, moverse al compás de una música que venía del corazón, y danzar solitario, en un salón enorme, de suelo muy encerado, un vals cortesano. Por una puerta inmensa y lejana entraba un hombre vestido de uniforme y se acercaba hacia ella, le pedía que bailase. Era, naturalmente, Cayetano.

A aquella hora, Clara bajaba a la lonja a comprar el pescado. Carlos la esperó paseando entre las vendedoras y su tumulto. Tenía que moverse con cuidado si no quería tropezar, resbalar y dar de bruces sobre una cesta reluciente de pescado fresco. No pudo, sin embargo, evitar que alguien le aconsejase, a gritos, la conveniencia de no estorbar e irse a pasear bajo la lluvia.

Halló a Clara inclinada sobre una cesta, escogiendo la mercancía. Traía recogido el cabello dentro de un pañuelo oscuro, y la cara húmeda.

Ella le dijo «Hola» y «Espera un poco». Luego discutió el precio y tardó en ponerse de acuerdo. Después metió el pescado en un capacho.

—Si quieres, acompáñame. Tengo que comprar otras cosas.

Fue con ella hasta una tienda y esperó a la puerta.

—Bueno, ya estoy libre. ¿Qué milagro?

Le miraba resuelta, sin alegría y sin pena.

—No me has hecho caso durante todos estos días.

—Tuve que hacer.

—Cortejar a la Vieja, desde luego, y acompañar al cine a doña Lucía.

—Fue un compromiso.

—¡Si no te lo reprocho! No tienes obligación de andar conmigo, pero tampoco la tenías para ofrecérmelo cuando yo no te lo pedí. No me hubieras hecho esperarte.

—¿Lo hiciste?

—Todos los días. Algunos bajé a comprar pescado sin necesidad, sólo por si se te ocurría venir.

Carlos inició una explicación falsa. Clara la cortó apenas iniciada.

—No tienes por qué justificarte, y menos con mentiras. Dejemos solamente las cosas claras: nos veremos cuando caiga, sin ninguna obligación.

—Hoy venía a proponerte que fuésemos al baile juntos.

—¿Al Casino?

—Creo que se celebra allí.

Clara caminó en silencio unos instantes.

—Eres poco listo, Carlos. Deberías haber adivinado que yo no iré al Casino nunca.

—¿Por qué? Ahora tienes un lindo traje.

Ella se encogió de hombros.

—¿Y qué? Puede importarme tenerlo para ti; puede incluso gustarme que la gente me vea con él, pero nunca los del Casino. ¿No lo comprendes? Los del Casino son gentuza. Y más de una señora fingiría escandalizarse al verme.

—Yendo conmigo, puedes estar segura de que eso no sucedería.

—¿Y qué? Aunque viniese la Junta en pleno a pedírmelo, no iría jamás a ese baile. Hay cosas por las que no paso.

Pasaban cerca de la taberna donde habían estado otras veces. Carlos la invitó a entrar.

—Bueno. Un ratito.

Un grupo de marineros jugaba a la brisca en una mesa cerca del mostrador. Se sentaron lo más lejos posible. Clara no quiso tomar nada.

—¿Qué cosas son ésas por las que no pasas?

—Que los santos no quieran nada conmigo me parece natural; pero que esa colección de zorras que va al Casino aparte la cabeza cuando paso, no lo tolero. Y, sin embargo...

Quedó en silencio y sonrió.

—Ya ves —continuó—. En eso, la Vieja y yo estamos en la misma situación. Si fuésemos como ellas, ni lo de la Vieja ni lo mío tendría importancia; otras han hecho cosas peores, como deshacer un niño, que yo sé quién lo hizo, y mucha más gente lo sabe, y por ahí anda ella, como si nada. Pero lo nuestro... —miró a Carlos e intercaló—: también lo tuyo..., se mide por otro rasero. Es algo de lo que tienen que acordarse siempre, como si olvidarlo fuese a causar un mal.

—¿Por qué dices eso?

—Porque es así. Llevo años observándolo. Ni los disparates de mi padre, ni el hijo de doña Mariana, ni lo de Juan, ni lo mío, dejan de recordarse por esa gente, incluso de recordárnoslo, y si no se atreven a hacerlo francamente, lo hacen por alusiones. Parece como si les fuese necesario.

Jugaba con una miga de pan olvidada por alguien en la mesa. Disparó contra ella un dedo y la lanzó fuera.

—Si todos en el pueblo hiciesen lo mismo, no me importaría. Pero son sólo los que van al Casino. Con los de abajo me entiendo bien. Damos por supuesto que todos tenemos los mismos pecados, y a otra cosa.

Le resplandeció de pronto el rostro, y dio un golpe en la mesa.

—¡Ya está! Llévame al baile del «Paraíso».

—¿Qué es eso?

—El lugar adonde van los marineros y toda esa gente.

Carlos se sintió cogido. Su mano recorrió las rodilleras del pantalón, sus ojos buscaron el borde rozado de la manga.

—¿Tú crees que para ir a ese baile estará bien este traje?

Clara abrió los ojos.

—¿No pensabas ir con él al Casino?

—Es distinto. Allí puedo ir vestido de cualquier modo. Si se sienten despreciados, allá ellos; pero a los marineros no puedo despreciarlos. Ir peor vestido que ellos es, desde luego, ofenderlos.

Clara le miró largamente; le miró el tiempo necesario para obligar a Carlos a apartar de ella su mirada.

—Yo te explicaré de otra manera, Carlos. Si vas conmigo al «Paraíso», lo más seguro es que mañana le vayan con el cuento a la *Galana*. Si no la encontramos allí...

Rió.

—Tendría gracia, ¿verdad? Y mucho más si ella iba también con otro.

—Estás diciendo bobadas, Clara. ¿Por qué hablas de la *Galana?*

—¿Por qué hablan los demás? Nadie te ha visto con ella, ni rondar su casa. Sin embargo, me dejaría cortar la cabeza a que es tu querida, y cualquiera de ésos lo mismo que yo. ¡No intentes negarlo, porque no soy nadie para meterme en eso, y allá tú y ella! Además, si necesitas dar a Cayetano en las narices y no encontraste mejor medio que quitarle la amiga, hiciste bien. Pero si es así, ¿por qué no prescindes de mí?

—Quieres decir por qué vine a buscarte.

—Sí. Quizá quiera decir eso y algo más.

—Dilo.

Clara bajó la cabeza. Los reflejos claros del cabello le brillaban y temblaron un momento.

—Me había hecho ilusiones, eso es todo. Aquí mismo, en esta mesa, aquel domingo. Creí que te gustaba y que habías venido para algo a Pueblanueva. Para algo que valiera la pena, no para liarte con la querida de Cayetano.

Carlos respondió con un matiz de ironía.

—Para algo que te valiera la pena, a ti, ante todo.

—Naturalmente. Reconozco, sin embargo, que me hice ilusiones sin que me dieras pie. Seguramente el deseo de dejar de estar sola me hizo creer que tú habías venido para acompañarme.

Cogió el capacho de la compra e hizo ademán de levantarse.

—Bueno. Es igual.

Carlos alargó el brazo y la retuvo.

—Espera.

—¿Para qué?

—Siento algo así como necesidad de que también me escuches.

—No. Me convencerías de cualquier cosa, de que he sido una estúpida, y no quiero que *tú* me convenzas.

Se levantó.

—Además, no me dirías la verdad. Y, sobre todo, me

ocultarías algo de lo que estoy convencida. De que en algún momento te gusté.

Se colgó el capacho al brazo. Carlos quiso levantarse, pero ella le indicó que permaneciese sentado.

—No vengas. Puedes creerme que siento no haber aprovechado ese momento. Y, sin embargo, quizá sea la primera cosa buena que hice en mi vida.

Salió con paso tranquilo y, desde la puerta, se volvió y sonrió. Había en su rostro una gran nobleza resignada.

Rosario vio la sombra de un hombre junto a la cancela del corral; un hombre vestido de oscuro, como una mancha alargada que se destacaba sobre el pilar encalado del hórreo.

Se detuvo apenas un instante y continuó tranquila. Agarró, sin embargo, por el asa, el canastillo que llevaba; lo agarró con fuerza para golpear con él si fuese necesario.

El hombre llevó la mano al borde de la boina.

—Rosario.

—¿Quién eres?

—Ramón. ¿No te acuerdas?

Rosario titubeó.

—Estuviste en mi casa. Fuiste a ver a mi madre.

—Sí.

—Yo soy Ramón.

—Ya.

Se miraron en la oscuridad. Los ojos de Ramón relampagueban.

—Pasaba... —dijo.

—¿Y qué?

—Pensé si querrías ir al baile.

Rosario rió.

—Sí. Al «Paraíso». Ahí al lado.

—No.

—Tengo ropa nueva, ¿sabes?

—No es por eso. Los viejos no me dejan ir.

—Podía hablarles.

—No, no. No me dejan. No te conocen.

—¿Es que no quieres?

—Es que no me dejarían.

—Ya.

Otro silencio.

—¿Sabe tu madre que estás aquí? —preguntó ella.

—No.

—Tenías que habérselo dicho.

—A ella le parece bien.

—¿Ya habéis hablado?

—El otro día, cuando estuviste.

—¿Y qué?

—Le parece bien.

—¿Y a ti?

—Yo puedo venir todas las noches un rato.

Rosario adelantó un paso, casi hasta rozarle. El quedó quieto, envarado.

—¿Sabes lo de Cayetano?

—Sí.

—¿No te importa?

Ramón se encogió de hombros.

—Vuelve mañana —añadió Rosario—. Hablaré a mi madre.

—¿No quieres venir al baile?

—No, no. No puedo. De veras.

Abrió la cancela y entró en el corral.

—Pero vuelve mañana.

El perro se le acercó y le hocicó las piernas.

—¡Quieto, «Carraza»!

El perro ladró a Ramón.

—¿Quién anda ahí? —preguntó desde el interior la vieja *Galana*.

—Soy yo, mi madre.

Alumbrada por la luz de la cocina, se volvió a medias y dijo adiós con la mano.

—¿Había alguien? —le preguntó su madre.

Rosario vació sobre la mesa el contenido del canastillo.

—Ramón.

—¿Quién es?

Rosario lo explicó.

—¿Qué quería?

—Me pidió la palabra.

La madre no respondió. Atizó unos leños y la miró.

—Es un buen muchacho, muy buen labrador. Ya hizo el servicio. Su madre está bien. Tienen la casa y unas tierras. No son más hermanos.

—¿Le mandaste volver?

—Sí, mañana.

La orquesta se componía de piano, violín, saxofón, batería y fuelle. Los músicos vestían de gauchos convencionales, y en la cara exterior del bombo habían pintado el título criollo de la agrupación. El del acordeón y el de la batería cantaban cuando era menester; tangos con acento regional y fox-trotes en fingido americano. Su gauchismo era sólo una apariencia: vivían en el pueblo de enfrente.

Cuando la orquesta descansaba, ponían discos en la gramola.

Doña Lucía entró, con cuatro de sus ovejitas, pasadas las once y media. Treinta parejas bailaban un charlestón anticuado. En tres o cuatro cotarros de señoras se comentó la llegada. Al exagerar el maquillaje, doña Lucía había recordado a la Dama de las Camelias, y sabía que su entrada en el baile sería como la entrada en la Ópera de Margarita Gautier. Llevaba preso en el traje un ramillete de camelias blancas, cuyo simbolismo no entendería nadie, seguramente.

Esperó junto a la puerta el silencio de la orquesta. Atravesó entonces el salón, seguida de sus ovejas, las cuales, sin embargo, no llegaron al rincón al que se dirigían, solicitadas en el camino por algunos mozalbetes. Doña Lucía se sentó y, con ojos entornados, examinó la gente de los grupos. No estaba Cayetano. Tampoco estaba su marido. Pero, tras los cristales de un mamparo, resplandecía la luz verde del tresillo. Cayetano estaría allí.

Llamó al botones.

—Ven, guapo. ¿Está por ahí dentro mi marido?

El chico le respondió que sí.

—Dile de mi parte que he llegado.

Se alejó el botones hacia el reservado de los jugadores. Vio doña Lucía, por la puerta abierta, sombras quietas, difícilmente identificables. Salió en seguida el botones y se acercó a ella.

—Dice que bueno.

—Oye, guapo... ¿Y está...?

—¿Quién?

—Nadie, nadie. Gracias. Tráeme un refresco.

Se abstrajo del baile, y acomodó el asiento de modo que viese la salida del reservado sin torcer la cabeza. Cada vez que una sombra se movía o que alguien salía, le saltaba el corazón.

—No ha venido. Se ha burlado de mí.

Sin embargo, el día anterior, por la mañana, le había dicho claramente que bailaría con ella. Se lo había dicho al despedirse, secretamente, mientras las ovejitas descendían del coche; y, antes, había arrimado la pierna hasta la suya y la había dejado quieta. Y cuando ella le había dicho, muy por lo bajo: «¡Es usted el diablo, Cayetano!», él había sonreído.

—Bueno. Después de todo...

En el acordeón empezaron a sonar unas escalas muy altas y muy lánguidas, perseguidas de cerca por el piano. Entró en seguida el violín, y sólo al final del preludio esbozó la caja un repique suave, como un trueno lejano y prolongado. La voz del tenor empezó a cantar:

> Se arrastran los compases compadrones
> de un tango que se encoge
> y que se estira.
> Su música doliente pareciera
> sentir que una nostalgia se aproxima.

El bandoneón se encogía y estiraba como un tango; pero doña Lucía había cerrado los ojos, sellados por la palabra nostalgia, inmediatamente aislada de las otras, inmediatamente robada y apropiada. Llenó con ella el corazón, y decidió en seguida que era una nostálgica, y que en su imaginación se guardaban, como recuerdos, imágenes de algo que sólo en sueños había vivido y que ahora añoraba.

—¡Dios mío! Recuerdos de ensueños, sólo eso.

De ensueños y de esperanzas, que era lo mismo, porque la mayor parte de sus esperanzas las había hecho de la materia de los ensueños, tan imposibles como ellos.

—¡Para qué habré pensado que vendría!

Una voz de barítono se sumó el cantante, en contraste con la entrada simultánea del saxofón.

Te invito a penetrar en este templo
donde todo el amor lo purifica...

¡Si fuera cierto! ¡Si el amor lo purificase todo, si no fuera pecado! Pero sin el pecado, ¿sería de verdad amor? Ella desconocía el amor virtuoso. No había podido, al menos, experimentarlo. Porque con su marido, ¿había sido feliz? ¿Lo había amado verdaderamente?

Una mano se posó en su hombro. Abrió los ojos sobresaltada, como si aquella mano la hubiera lastimado.

—¿Qué haces, Lucía?

Era la señora de Cubeiro, embutido en seda prieta su cuerpo grande y fofo. Seda rosa, con adornos de terciopelo azul y un collar grande de perlas falsas.

—¿Dormías? ¡O es que te encuentras mal!

—Sí. Me encuentro mal. No debía venir al baile.

—¿Para qué vienes?

—Mis ovejitas. Es necesario que me cuide de ellas.

La señora de Cubeiro guiñó un ojo y se sentó a la derecha de doña Lucía.

—Pues no te duermas, porque una al menos de tus ovejitas se está dando un verde morrocotudo con mi sobrino.

—¡Dios mío!

En un rincón, al otro lado, el cuerpo de un muchacho casi tapaba el de Julita Mariño. Estaban de pie. El muchacho manoteaba.

—Es un escándalo. La juventud de ahora carece de vergüenza.

Doña Lucía, sin embargo, sonrió.

—Si es tu sobrino, no importa. A los muchachos no hay que temerlos. Todo se les va en palabras.

—Pues que se descuiden los padres de Julita y verán si mi sobrino...

La señora de Cubeiro hablaba con voz picada y gesto de convicción; pero, de repente, doña Lucía había dejado de hacerle caso.

—El peligroso es ése. El gavilán.

Cayetano, con la gabardina al brazo, miraba al salón, y poco a poco, todas las que bailaban y las que en los asientos esperaban ser sacadas a bailar, y las madres de todas, le fueron mirando. Vestía un traje oscuro, que, por contraste, recordó a doña Lucía el raído, el arrugado de Carlos.

—¡Ya quisiera Julia Mariño que Cayetano se fijase en ella! ¡Ya quisiera su padre! El almacén les va mal, y me han dicho que andan detrás de un préstamo de Cayetano. Si la niña se metiese por medio...

—¡Qué pueblo repugnante!

—¡Pues mira! ¡Parece que Cayetano...!

Había entrado y avanzaba pausadamente hacia el rincón donde Julia Mariño se divertía.

—¿Será capaz de quitársela a mi sobrino?

—Pero ¡no a mí!

Doña Lucía recogió el chal y atravesó el salón atropellando a las parejas. Llegó junto a Julita antes que Cayetano. Llegó a tiempo para decirle:

—Estoy asombrada, Julia. Tu conducta con ese jovencito está siendo muy comentada.

El muchacho se sacó el pitillo de la boca.

—Señora, yo...

—Vete inmediatamente.

Julia se había aplastado a la pared, pero no escuchaba a doña Lucía: miraba a Cayetano que se acercaba, que la comía con los ojos. Julia Mariño, temblorosa, se arregló el cabello.

Doña Lucía leyó en su cara o vio su temblor. Giró sobre sí misma, cubrió con el suyo el cuerpo de la muchacha y miró a Cayetano con furia.

—Gavilán. No tiene nada que hacer aquí. Tendrá que pasar por encima de mi cadáver.

Cayetano soltó una carcajada amable, al tiempo que le tendía la mano. Ella cedió la suya, y Cayetano se la besó.

—Vengo a bailar con usted —dijo como un susurro.

A doña Lucía le temblaron las piernas, y en sus ojos renació la luz.

—¡Por Dios, Cayetano, no sea atrevido! ¿Qué va a decir la gente... y mi marido?

—¿Su marido? ¿Por qué va a decir nada? Además, con pedirle permiso...

—¿Usted? ¿Pedirle permiso usted?

—¿Por qué no? Ahora mismo.

Fue hacia el reservado de los jugadores. Doña Lucía se volvió a Julia decepcionada.

—¡Ya ves mi sacrificio por guardar tu pureza, hija mía!

—Sí. Ya lo veo.

Don Baldomero arrastraba de as. Quería sacar una puesta. Cubeiro, a su lado, discutía la oportunidad del arrastre.

—Si están las cartas donde deben, la puesta es mía.

—¿Y si no están?

—¡Caray, leñe! ¡Es usted un aguafiestas!

Cubeiro, entonces, levantó la cabeza y miró por encima del boticario. Respondió simplemente:

—Yo, no.

Cayetano puso una mano sobre el hombro de don Baldomero. El boticario se sobresaltó, dejó caer las cartas, miró al rostro de los que jugaban y, por fin, a Cayetano.

—¿Sucede algo?

—¡No pasa nada, hombre, no se asuste! ¿O es que me tiene miedo?

—¡Como llegó usted de esa manera...!

—Prudentemente, como quien no quiere estorbar.

El boticario echó atrás la silla y se torció hacia Cayetano.

—Bueno, ¿qué quiere? ¿El sitio? Déjeme sacar la puesta y se lo cedo. Cabalmente tengo ganas de dormir.

—No quiero el sitio. Quiero rogarle que me permita bailar con su señora.

—¿Cómo?

Don Baldomero se sorprendió. Se sorprendió Cubeiro.

Se sorprendieron los jugadores y los curiosos. Miraron a Cayetano, miraron al boticario. Cayetano estaba amable, sonriente. Tenía en la mano la petaca e iba a ofrecer. Pero don Baldomero le miraba con espanto. Todos se echaron a reír.

—¿Bailar con mi señora? ¿Para qué? ¿O es que es la moda?

Cayetano le puso entre los labios un puro corto y delgado y se apresuró a acercarle fuego.

—Ande, fume y no se asuste. Si quiero bailar con su señora es porque la tiene usted abandonada en un rincón. Y como yo quiero bailar, no me parece correcto hacerlo sin invitarla antes a ella, que es la más distinguida del Casino.

Guiñó un ojo; lo guiñó encogiéndose un poco para que le quedase el rostro en la zona de la luz, a la vista de todos.

—En fin, esto es lo que se hace en los países civilizados.

—¡Ah!

—Claro está que si usted no lo permite...

Don Baldomero se levantó. Llevaba el puro entre los dientes, las manos en los bolsillos; la chaqueta abierta dejaba paso al vientre y a la cadena del reloj.

—Las señoras de los presentes son tan distinguidas como la mía.

Seis o siete voces respondieron que no: a coro y con risotadas.

—Doña Lucía es de lo más fino de Santiago —resumió el juez.

—¿Ve usted?

Cubeiro se levantó también.

—Nos pasamos la vida pidiendo que haya paz en este pueblo, y cuando el amo nos la brinda, no la queremos.

—Entonces, ¿por qué no baila el amo con tu mujer?

—Por mí no hay inconveniente.

Cayetano se situó entre los dos, les cogió de los hombros y los aproximó.

—Voy a bailar, si lo permiten, con las señoras de todos ustedes. Pero ya que por ella empezó la cosa, reclamo que doña Lucía sea la primera. Sin que eso —añadió— lo tomen por desdoro de las otras.

—¡Eso, eso! ¡Abajo las costumbres anticuadas!

Don Baldomero se encogió de hombros.

—Allá usted. Y por mí que no quede. He visto caprichos más raros.

Se sentó y recogió las cartas.

—Pero que sea pronto. En cuanto saque la puesta me voy a casa. Estoy muerto de sueño.

Los puntos y los mirones volvieron a la mesa. Las cartas no estaban donde debían estar, pero, a pesar de eso, don Baldomero sacó la puesta: los otros habían jugado mal. Había jugado mal don Lino, desastrosamente: parecía temeroso de algo. Se distraía.

—¿No va a ver cómo baila su señora? —preguntó al boticario.

—Sí. Y después le tocará a usted ver cómo baila la suya.

—¡Qué suerte que la mía sea gorda y vieja! —casi gritó Cubeiro—. No tengo por qué preocuparme, aunque baile con Cayetano toda la noche.

—No sea imbécil —cortó, seco, don Lino.

Don Baldomero se levantó. Bailaban las parejas. En el centro habían dejado un espacio libre, en el que Cayetano trazaba, con el cuerpo delgado de doña Lucía, figuras complicadas de tango reo.

—¡Es usted un exagerado, Cayetano! —murmuró ella, desfallecida.

—Respóndame. ¿Quiere verse conmigo?

—¡Soy una mujer casada!

El bandoneón trepaba por una escala de notas sentimentales; doña Lucía seguía difícilmente al bailarín.

—La espero mañana en Santiago. Cuando salga del médico.

—¡No me espere! No iré.

—A la hora del café, en el hotel Compostela. Es un sitio elegante donde pueden entrar las damas sin dar que hablar.

—¡No me espere!

—¡A la hora del café!

El tango terminaba. Doña Lucía fue devuelta a su marido. La orquesta inició un pasodoble y Cayetano se dirigió al rincón donde, esponjada como una pava, esperaba la señora de Cubeiro.

—Vámonos —dijo doña Lucía—. No puedo más.

Se apoyó en su marido. Nadie se fijó en ella, porque la señora de Cubeiro, gorda, brillante y saltarina, atraía la atención de todos. Su marido reía.

—¡Mira cómo la goza!

—Es usted un insensato —susurró don Lino a su oído.

—¿Por qué?

—¿No le parece que hay algo raro en esto? ¿No le da miedo?

Cubeiro se encogió de hombros.

—¡A mí, plin! Mi mujer está pasada de calores, y no tengo hijas.

Se volvió hacia el maestro y le empujó hacia lo oscuro de la sala de juego.

—Yo, en su lugar, no me preocuparía. Me parece que la cosa no va con nosotros.

—¿Por qué lo dice?

—Es algo que me da en las narices. O yo no conozco a Cayetano...

—¿O qué?

—Nada, nada. Pero no se preocupe.

Había mandado a Rosario sentarse a sus pies, junto al fuego. Apoyaba en sus piernas la espalda, y la cabeza en las rodillas. Le había destrenzado el cabello y jugaba con él. Lo extendía, por encima de los hombros y la espalda, y miraba los reflejos del fuego.

—Señor, dijo Rosario.

—¿Qué?

—¿Y si quedo embarazada?

—Me caso contigo.

Ella volvió la cara y le miró.

—No lo piense, señor.

—¿Por qué?

—Ya se lo dije más veces.

—Bien. Si no quieres casarte, te vienes a vivir al pazo.

—Tampoco.

—¿Entonces?

—Habría que pensar en un marido.

Rosario sintió que el cuerpo de Carlos se sacudía.

—Es lo que se hace, señor —continuó—. No habría de faltar quien lo quisiera.

Hizo una pausa leve.

—La Granja de Freame es una tentación para muchos.

—Pero la llevan tus padres...

—Sí, claro. Pero ellos han de morir, y mis hermanos... Uno quiere irse a Cuba.

Dio una vuelta y quedó arrodillada frente a Carlos.

—Hay un mozo que anda detrás de mí, un tal Ramón. Es labrador y viene por la granja. Si el señor quisiera...

—¿Qué?

—No es más que dejarle que venga un rato, después de cenar, a hablar por la ventana. También puede venir antes de cenar, y los domingos por la tarde.

Abrazó las rodillas de Carlos y hundió la cara en su regazo.

—Así el señor estaría más tranquilo...

—Rosario, tú no entiendes las razones por las que no puedo hacer eso.

—Si el señor no lo quiere... Pero es lo mejor. Es una tranquilidad. También por mis padres. Dejarían de pegarme.

Le miró con ojos fijos, enternecidos.

—Es una inquisición, señor. No sabe qué mal me tratan. Todo porque, por mi culpa...

Carlos la cogió por los hombros y la alzó hasta sentarla en las rodillas.

—La culpa es mía. No vuelvas a hablarme de eso.

—Señor, si yo no hubiera querido...

Acercó la boca al oído de Carlos. Habló con voz queda.

—El señor sabe que yo le busqué. Desde aquel día, cuando el señor vino, que viajamos juntos en el autobús.

—¿Por qué lo hiciste?

—¿Yo qué sé? Estaba en mi suerte.

Le dio un beso y arrimó el rostro hasta acariciar el de Carlos.

—Pero nunca pensé en casarme con el señor.

—Piensas casarte con otro. Ese Ramón...

—Un día el señor se cansará de mi cuerpo. Y a mí, en mi casa, no me quieren. Así el señor es libre. También querrá casarse alguna vez y podrá, sin que yo le dé preocupaciones.

Doña Lucía se abrochó parsimoniosamente la blusa, mientras el médico encendía las luces y devolvía brillos a níqueles y porcelanas. Todo era blanco, frío, estremecedor. Sobre el esmalte de la pared brillaba la humedad rezumante. En algunas partes corrían menudas gotas. Cesó, de pronto, el ruido de los rayos X.

—¿Qué? —preguntó ella después de un silencio.

—Mucho reposo. ¿Puede pasar una temporada en la montaña?

—Sí, supongo...

—Váyase en seguida.

—Pero ¿tan mal me encuentra?

—No la encuentro bien.

Doña Lucía buscó en el bolso un pañuelito y se limpió una lágrima.

—Dígame cómo estoy.

El médico tenía en la mano el abrigo de doña Lucía y le ayudó a ponérselo.

—Ya le escribiré a su marido. Mejor que venga a hablar conmigo.

—No puedo curarme, ¿verdad? —dijo ella con un trémolo dramático.

—Sí, puede curarse, pero tiene que cuidarse mucho.

—Ya sé que estoy moribunda.

El médico la empujó suavemente hacia la puerta.

—No exagere y no haga tonterías. Váyase a la montaña por unos meses.

—¿Y mi marido? ¿Quién me lo cuidará?

El médico rió.

—No se preocupe. Sabe cuidarse solo.

Doña Lucía bajó los ojos. La tembló la voz.

—Hay otros deberes de esposa...

—Ande, ande. Piense en usted. Ya escribiré a su marido. Mejor que me telefonee.

En la calle se sintió cansada. Miró el reloj: pasaba un poco de las dos. ¡Cuatro horas, todavía, hasta la salida del autobús! Llovía. El aire estaba frío, era sucio el blanco de las paredes, negra la piedra de las esquinas. Los zuecos de las aldeanas chapoteaban en los charcos de la calle: aldeanas con cestas cargadas, inverosímilmente equilibradas sobre la cabeza. Las miró, envidiosa. Aldeanas rubias, rollizas, coloradas; algunas, con los vientres hinchados de la maternidad. Hablaban a gritos de cómo las había ido en el mercado. Una de ellas la miró, y al verse mirada sintió vergüenza de su palidez. Se metió en lo oscuro del portal, pero volvió a salir. Con el paraguas abierto, arrastrando los pies, llegó al restaurante.

—Cualquier cosa...

Tuvo que precisar. Cuando el mozo se alejaba, le llamó otra vez y encargó vino. Empezó a jugar con el panecillo: le recortó los cabos y las esquinas, hasta darle forma de ataúd.

—¿Le pasa algo, señora?

—No, nada. Gracias.

Un sorbo de caldo, unos trozos de pescado. No tenía ganas. Bebió un vaso de vino. Se sirvió inmediatamente otro, pero pensó que, con el estómago casi vacío, podría emborracharla. Comió un poco más. Al segundo vaso se sintió más fuerte.

—Café. Tráigame también café.

Eran las tres menos cuarto.

—¿Queda muy lejos de aquí el Compostela?

—No, señora. Ahí, a la vuelta. Ya sabe, en la misma plaza de donde salen los autobuses.

«Le diré a Cayetano que estoy muriendo, para que comprenda todo el horror de su seducción. Le diré que mis besos podrían emponzoñarle, y que abrazarme sería como abrazar a las Parcas.»

Le vino, de momento, la duda de si la Parca sería lo que pensaba, un esqueleto descarnado con guadaña, o si sería otra cosa. Lo fue pensando por el camino y la duda la distrajo. Frente a la puerta del hotel se recobró. Por un momento dejó que el cuerpo se apoyase, fatigado, en el paraguas cerrado; pero antes de subir las escaleras se irguió repentinamente, se miró en el espejo del bolso, echó unos polvos a la nariz.

—Moribunda, sí; pero fea, ¿por qué?

Un «botones» vestido de azul le abrió la puerta. No quiso preguntar nada. Vio, al fondo, las columnas del patio, los colores de la alfombra.

—Gracias. Voy allí.

Todavía vaciló entre entrar erguida o desmayada. Se encontró con que Cayetano le salía al encuentro.

—Empezaba a impacientarme. ¿Cómo está usted?

—Casi muerta. Ayúdeme.

Cayetano la empujó por la cintura hasta el sillón, la sostuvo mientras se sentaba.

—Voy a morir pronto, Cayetano. Pida usted para mí algo que me dé fuerzas.

—¿Coñac?

—Lo que usted quiera. No me hará toser, ¿verdad? Sería horrible.

Cerró los ojos.

—Estoy cansada, muy cansada —murmuró—. Tendrá usted que perdonarme.

Apoyó la cabeza en el respaldo del sillón, mantuvo los ojos cerrados sobre una sonrisa triste. Cayetano intentó cogerle una mano.

— ¡No! Aquí me conoce todo el mundo.

Con los ojos abiertos ya, añadió dulcemente:

—Repórtese.

Cayetano encendió la pipa.

—¿Viene usted del médico?

—Sí.

—¿Qué le dijo?

—Que me quedan tres meses de vida. Cuatro a todo tirar. El médico me leyó mi sentencia de muerte.

—Eso es para meterle miedo.

—No, Cayetano. La verdad es que me voy a morir. La verdad es que me iré pronto, tan sola y triste como he vivido. Porque, ¿qué llevo de la vida? Pena, dolor, aburrimiento. Eso, aburrimiento. Me he aburrido siempre.

Llegaba el camarero con lo pedido.

—Será mejor que eche el coñac en el café.

—¿Usted cree que no me hará toser?

—Así, no. Y en seguida nos iremos.

—¿Adónde?

—Puedo llevarla a dar un paseo en coche.

—¡Me conoce todo el mundo!

—Un paseo es algo inocente; además, bien puedo llevarla a usted a Pueblanueva. Es lo que se le ocurrirá a cualquiera.

Doña Lucía sorbió el café.

—Me he aburrido siempre —repitió—. Un aburrimiento mortal, sin esperanza. Y ahora voy a morirme.

Entró en el automóvil disimulando el rostro bajo el paraguas. Salieron a una carretera. Cayetano iba en silencio. Había pasado las últimas casas cuando ella preguntó:

—¿Adónde me lleva?

—A pasear.

—Me da usted miedo. O...

—¿O qué?

—... me doy miedo a mí misma.

Cayetano detuvo el coche de un frenazo fuerte. Se volvió hacia ella.

—Eso, ya ve, no lo entiendo.

—¡Es que usted no lleva la muerte encima! Si la llevara, como yo, sentiría una rebelión.

Entornó los ojos.

—Algo así como las ganas de ser feliz.

Cayetano puso en marcha el coche. Atravesaban un pinar oscuro, con guedejas de niebla enredadas en las copas. Salieron pronto al valle, ancho, verde, apagado. Bajo la lluvia, algunas mujeres trabajaban en la siembra.

—Esas pobres esclavas —dijo doña Lucía— tienen momentos de dicha. Son madres, no se aburren, acaso amen a su manera.

—Y usted, ¿se aburre ahora?

Lo preguntó como un escopetazo. Doña Lucía vaciló, y dijo luego:

—No. Ahora no. ¿Cómo voy a aburrirme? Estoy triste, y siento dolor en el alma. Pero no soy feliz.

—¿Quiere serlo?

—¿Cómo?

—Le pregunto si quiere ser feliz ahora mismo.

—¡Cayetano!

—Respóndame.

—¿Qué es lo que me propone?

—Respetuosamente la invito a acompañarme.

—¿Para qué?

—Lo sabe usted de sobra.

—Cayetano, ¿se da usted cuenta...?

—Sí.

—Soy una mujer honrada, soy una buena esposa.

—Pero se aburre y no es feliz.

—Lo que usted me propone es un pecado.

—En eso, no me meto.

—¡Voy a morir y perderé mi alma!

—Vea si le compensa.

—¡Cayetano, es usted un monstruo!

—Alabado sea Dios.

—Si cedo a la tentación me matará el remordimiento.

—¿Qué más le da, si va a morir de todos modos?

—Es usted cruel.

—Le ofrezco ser feliz. En lo demás no me meto.

Doña Lucía bajó en silencio la cabeza.

—¿Qué me responde?

—Que responda por mí el destino.

Cayetano frenó. Detuvo el coche y le dio la vuelta.

—¿Adónde vamos?

—No pregunte.

Arrancó, y a poco se metió por una carreterilla afluente. El coche saltó en un bache y se detuvo en seguida frente a una casa solitaria, encalada, con las ventanas y las puertas pintadas de verde. En el costado y sobre la puerta principal se anunciaban vinos y comidas.

Asomó por encima de la media puerta una vieja enlutada, arrugada, y esperó a que bajase Cayetano, a que ayudase a bajar a doña Lucía. Entonces, la vieja franqueó el postigo.

—Buenas tardes, don Cayetano y la acompaña.

Cayetano le golpeó un hombro.

—¿Qué hay? ¿Estás sola?

—Los hombres están en el lugar.

—La señora viene cansada y quería echarse un poco.

—Ya sabe dónde es. ¿Les sirvo algo?

—Te avisaré.

De la taberna arrancaba una escalera muy limpia. Subieron. Cayetano guió por un pasillo iluminado por una ventana, abrió una puerta y empujó a doña Lucía dentro de un comedorcito con suelo de madera muy blanca y enarenada. En un costado, una cortina de encaje de bolillos medio ocultaba la alcoba.

Doña Lucía se detuvo en el umbral.

—¿Este es su antro, Cayetano?

—Un antro claro y limpio, como ve.

—¡Si las paredes hablasen!

—Pero no hablan.

—¡Cayetano, esto es como la antesala del infierno para mi alma!

—Está a tiempo de arrepentirse.

Lucía atravesó el umbral.

—Hace frío.

—Por algún lado hay una estufa. Espere, que la enciendo.

—¡Todo lo tiene preparado!

Cayetano entró en la alcoba y sacó una estufa de petróleo. Mientras la encendía, ella se sentó junto a la mesa y escondió la cara entre los brazos cruzados.

—El hambre de felicidad me arrastra hacia el abismo. Me siento descender. Me siento a la altura de Rosario la *Galana* y de tantas otras mujeres que usted ha seducido y engañado. ¿Cómo podré mirar a las mujeres honradas?

—No hay mujeres honradas.

—¡Yo lo he sido hasta hoy!

Ardió la llama en la estufa. Cayetano la aproximó a

la mesa. Ella no se movió. Cayetano empezó a quitarle el abrigo. Sin hacer resistencia, preguntó ella, mimosa:

—¿Qué haces?

—Vas a tener calor con esto encima.

Le dejó hacer. El abrigo voló hasta quedar encima de una silla. Cayetano la cogió por la barbilla y le levantó la cara.

—¿Vas a besarme?

—Claro.

—No me beses en la boca. Mis labios son venenosos.

Los tendió, sin embargo. Pero Cayetano no la besó. La cogió en brazos y la llevó a la alcoba. Quedó doña Lucía tendida sobre la colcha, mientras Cayetano traía la estufa. Se sentó luego en el borde de la cama y empezó a desabrocharla la blusa. Doña Lucía, con los ojos cerrados otra vez, sonreía entre feliz y amarga; feliz, con una muequecilla de amargura, con un pequeño rictus. «Te doy todo a cambio de tu ternura», murmuró. Dejaba que la despojasen. Empezaba a sentir sobre la piel el calor cercano de la estufa. De pronto:

—¡No! ¡Eso no!

Las manos de Cayetano se detuvieron en los hombros, donde intentaba desabrochar algo.

—¿Cómo no?

—¡No, Cayetano, eso no! ¡Por piedad, eso no!

Cayetano la cogió por los brazos, pero ella se desasió y saltó de la cama.

—¡No, por piedad, no, Cayetano!

Acogida al rincón, protegía el pecho con las manos.

—Sé razonable.

—¡Respeta mi pudor!

—¡Con pudor no hay felicidad posible!

—¡Cayetano, soy una dama indefensa!

La mano del hombre se levantaba y avanzaba hacia ella. La vio con horror, poderosa, los dedos fuertes que empezaban a crisparse. Cayetano no sonreía. Miraba con seriedad, con dura sequedad.

—Vamos, no seas niña.

—¡Cayetano!

Cayetano apartó, implacable, los brazos de Lucía, los

brazos débiles, delgados, cruzados contra el pecho, y dio un tirón. Le quedaron en la mano los burujos de algodón que hinchaban la seda rosa, un poco ajada.

—¡Caye... tano!

Ella cerró los ojos y resbaló hasta el suelo. Sus brazos ya no intentaban proteger el pecho liso, de impúber. Caían inertes como los brazos de un muñeco.

Cayetano apretó con rabia el armatoste de seda y algodón.

—¡Puñetera loca! ¡Mira tú...! ¡Y ahora se me desmaya!

La recogió, la acostó bien tapada; echó encima de la colcha la seda rellena.

—¡La puñetera loca!

Le dieron ganas de reír. Salió, riendo, del comedor; bajó, riendo, las escaleras.

La vieja se había sentado en un banco, junto a la puerta, y desgranaba mazorcas doradas de maíz. Al sentirle alzó la vista.:

—¿Quiere algo?

—La señora se ha puesto mala. Sube a ayudarle y lleva un poco de aguardiente. Con cuidado, que está tísica.

—¿Se queda aquí?

—Mandaré en seguida un automóvil a recogerla. No la dejes sola.

Le dio un billete. Al subir al coche volvió a reír.

El autobús de Santiago llegó a las siete y media. Había cerrado la noche y llovía menudo, sin fuerza. Las luces de la calle se velaban suavemente con la lluvia. A la puerta de la central de autobuses esperaban hasta seis mujeres, de las que llevan maletas, y otros tantos muchachos desharrapados. Los muchachos fumaban en corro un pitillo que se pasaban de boca en boca. De vez en cuando, uno de ellos se asomaba a la plaza, fuera de los soportales; decía: «Aún no viene», y volvía al turno de chupadas. Una de las mujeres les llamó «Cochinos» y empezaron los insultos; pero antes de que se enzarzasen, llegó el autobús. Corrieron a las portezuelas, se ofrecieron para llevar lo que fuese. Doña Lucía se asomó a una ventanilla y llamó a uno de ellos:

—¡Toma! —le dio una moneda—. Vete a mi casa y di que venga alguien.

—Si hay que llevar alguna maleta…

—No, no. Que venga mi marido, si está; si no, la criada.

Por encima del rostro de doña Lucía asomó una cabeza aldeana.

—¡De prisa! Que la señora viene mala.

—¿Adónde he de ir? —preguntó el rapaz.

—¡A la botica! ¿Es que no la conoces?

El rapaz salió pitando bajo la lluvia azul. La gente había descendido del autobús. Doña Lucía, renqueante, quejumbrosa, bajó la última, ayudada de su compañera. Se había quitado la pintura y venía demacrada. Le temblaba la mano al agarrarse; se crispaba, convulsa, en el brazo de la aldeana.

—Espere aquí. Arrímese. Le traeré una silla.

Se dejó conducir, esperó arrimada a una columna, se dejó sentar. Suspiraba; gemía de vez en cuando.

—¿Viene enferma?

—Viene muy mala, la pobre. No dejó de llorar todo el camino.

—Nunca tuvo buena cara. ¿Y de qué es?

—Será de tisis. No hay más que verla.

—De lo que mueren todos. Mi pobre hijo Romualdo, que en gloria esté…

La criada apareció corriendo, al cabo de los soportales, con un paraguas. Doña Lucía había cerrado los ojos. La criada preguntó qué pasaba.

Se lo explicaron.

—¿Y el marido? ¿No estaba en casa el marido?

La criada no respondió. Se acercó a doña Lucía.

—Ande, levántese. Yo la ayudaré.

—¡No puedo más!

—¡Si no hiciera locuras…!

La levantó sin esfuerzo.

—¿Quiere que la lleve en brazos?

—¡Mujer…!

Se fueron caminado bajo el paraguas. Doña Lucía

escuchó los comentarios de las que quedaban, las condolencias. Al salir de la plaza apuró el paso.

—¿Qué prisa tiene?

—Quiero llegar a casa. Voy a morirme.

—Ande, que no será aún.

Al llegar a su dormitorio se dejó caer en un sillón.

—Vete al Casino y que venga mi marido. Es decir, si el juego o las mujeres no le retienen.

—¡Ande, calle y no se meta con él! Ahora se lo traeré.

Se oyó un portazo al cabo de la escalera. Doña Lucía se levantó, encendió todas las luces y abrió la puerta del armario. Se miró en el espejo.

—Soy una mujer bella —dijo en voz alta—. Soy la mujer más bella de Pueblanueva, aunque esté tísica.

Cerró el armario y se quedó un rato arrimada a él, llorando.

—No merezco ese desprecio.

Volvió a abrir el armario, buscó un camisón rosa y empezó a desnudarse. Antes de ponerse el camisón se contempló de nuevo.

—Mi cuerpo es casi espíritu, pero los hombres sólo quieren la carne. Son unos cerdos. Jean Harlow: eso es lo que les gusta.

Apagó todas las luces, menos la lámpara nocturna, y se metió en la cama. Sintió en seguida ruido en el portal, reconoció los pasos de su marido en la escalera y en el pasillo. Don Baldomero subió disparado.

—¡Lucía! ¿Qué te pasa?

Ella le hizo señal de que se acercase.

—Muy pronto te verás libre de mí.

El se sentó en el borde de la cama.

—Vamos, cuenta.

—¿Para qué? Ya te escribirá el médico. Yo, a lo mejor, exagero.

—Tienes muy mala cara.

—La de siempre. Sólo que tú no te fijas.

Don Baldomero sacó la petaca, pero ella le detuvo.

—No fumes, te lo suplico.

—Pero ¿tan mal te encuentras?

—Estoy muriendo.

Empezó a llorar. El le cogió la mano e intentó consolarla.

—No será tanto, mujer. ¡Si me hubieras hecho caso! Vengo diciéndote hace un siglo que fueras a Santiago. Un neumotórax a tiempo...

—¿Para qué? Sólo me hubiera curado la felicidad, y ésa..., ¿dónde encontrarla?

Don Baldomero le soltó la mano.

—Algo te habrá dicho el médico.

—Que me vaya a la montaña. Y yo digo: ¿para qué? ¿Para morirme sola y despreciada como he vivido?

—No puedo abandonar la farmacia, pero iré de cuando en cuando. Y ya verás cómo mejoras.

Ella dejó caer los brazos desmayadamente sobre el embozo.

—A estas alturas, ni la felicidad puede curarme ya. Estoy tocada de muerte y, aunque resignada, me da pena de mí misma. Aún soy joven, y ¡llevo tan poco de la vida! Dolor y desprecio.

Le dio la tos. Don Baldomero corrió a la cómoda y trajo una medicina.

—Toma esto y no hables.

Esperó, con la píldora y el vaso de agua en las manos, hasta que pasó el arrechucho.

—¡Gracias! Déjame sola. Y, por favor, no duermas conmigo. Manda que te preparen la otra cama.

—Como quieras.

—Marcharé a la montaña en cuanto me sienta con fuerzas para el viaje. Y no te aflijas por mí, ni sientas remordimiento. No somos responsables de nuestro destino. El tuyo fue de hacerme desdichada, y el mío...

Volvió a llorar. Don Baldomero permaneció de pie unos minutos; luego salió al pasillo. Bajó corriendo las escaleras y entró en la rebotica. Se sentó cerca de la camilla, lió un cigarrillo y, de pronto, empezó a sollozar.

Estaba oscura la mañana, oscura y lluviosa. Iban a ser las ocho y todavía no clareaba. La lluvia golpeaba las vidrieras y, a veces, una pequeña ráfaga de viento las sacudía. Inés entró en la cocina. Arrodillada ante el llar, Clara soplaba furiosamente sobre unos leños, tercos en no encenderse. Inés preguntó por el paraguas.

—¿Vas a salir con esta mañana?

—Como siempre.

—¡También son ganas de mojarse!

Clara fue a un rincón, donde el paraguas, abierto, se secaba. Lo cerró y se lo entregó a Inés. Esta le preguntó si lo necesitaría pronto.

—No pases cuidado. Si tengo que bajar, con un saco me arreglo.

—Hasta luego.

Inés salió al corral, lo atravesó. En la carretera, un grupo de mujeres cargadas de cestos iba al mercado. Saludó y pasó adelante. Lucían todavía las bombillas gastadas del alumbrado público; a su resplandor se veían las gotas de lluvia como un velo.

Al llegar a las primeras casas cerró el paraguas y se acogió a la protección de los aleros.

En el portal de Rula esperaban ya tres o cuatro muchachas. Se saludaron en voz baja y caminaron, dos delante, dos detrás, una en el medio. En casa de Julia esperaban otras cuatro.

—Yo no iría a casa de la boticaria. Me han dicho que ayer llegó muy enferma de Santiago.

—Hay que ir.

En casa de doña Lucía bajó la criada.

—Dice que está muy mal y que no cuenten con ella. Dice que ya no podrá volver más, y, si hacen el favor, que vengan a visitarla cuando regresen.

Para algunas fue una lata; para otras, una pena.

—Sin una señora que autorice, no está bien que vayamos solas todos los días. Un día o dos no importa. Pero siempre...

—Figuraos que nos sale otra vez al paso Cayetano.

—¡Qué horror!

—Y tú, ¿no dices nada, Inés?

—Yo siento que nuestra hermana esté enferma, pero no creo necesaria la autoridad de nadie para poder ir tranquilamente a la iglesia.

—Mujer, eso ya se sabe. Pero a estas horas y tan lejos... Aún si fuera en el verano.

—Figúrate si sale Cayetano...

—Si tanto teméis a un hombre, ¿qué será del diablo?

—Lucía dice que Cayetano es el diablo. ¿Tú lo crees?

Inés sonrió en la oscuridad.

—Hacer la señal de la cruz, y si escapa...

—Dejemos a Cayetano en paz. Lo que yo digo es que mi madre no me dejará venir si no nos acompaña una persona que autorice.

—Yo puedo autorizaros —dijo Inés.

—Sí, claro, es cierto. Tú vas a meterte monja y, además, eres mayor.

—Yo, simplemente, no tengo miedo.

Habían salido del pueblo y caminaban por la carretera, junto a la mar. Quedaban lejos las últimas luces de Pueblanueva, dormida.

—Pues yo no las tengo todas conmigo. Mira que si nos sale al paso Cayetano...

—¿Lo temes o lo deseas?

—¡Ay, mujer, no te pongas así! ¿Cómo voy a desearlo?

—Pues si lo temes, reza y no aparecerá.

Quedaron en silencio. Al llegar al monasterio clareaba el día por encima de los montes, pero, sobre la mar, el cielo estaba oscuro y hosco. Una bandada de gaviotas graznaba en el aire.

—Va a seguir el mal tiempo —comentó alguien.

—Si llueve, nos chafarán el carnaval —dijo en voz baja Julia Mariño.

Su compañera le dio un codazo.

—Que no te oiga ésa. Ya sabes cómo es. ¿Vas a ir al baile?

—Ya veré si puedo. Mi madre dice... Estoy preparando el disfraz, por si acaso...

Entraron en la cripta. Inés ocupó el asiento de doña Lucía.

—Mírala. Ya empieza a autorizarnos.

Hubo una risa leve. Salía el padre Ossorio, ya revestido. Empezó la misa. En seguida cantaron.

Inés se abstrajo. Cantaba, o respondía, mecánicamente. Estaba de rodillas, con las manos cruzadas sobre el pecho y el velo muy echado sobre el rostro para que no la viesen. Sus ojos se habían clavado en el oficiante, seguían sus movimientos, y el alma interpretaba su significación. Cuando alzaba las manos para orar, o cuando las recogía y juntaba. Cualquiera de las otras podían hacer lo mismo, todas habían sido instruidas; pero ella las sabía dispersas, aburridas quizá. Las otras se habían quedado atrás en el camino del espíritu; sólo ella había recogido la semilla.

Terminado el Evangelio, el preste les habló:

—Hoy conmemora la Iglesia a su hijo Simeón, mártir y obispo. Estamos celebrando, como habéis visto, la misa «Statuit», en cuyo evangelio, según San Mateo, cuenta el Señor la parábola del rico que, teniendo que ausentarse, entregó los bienes a sus siervos.

Se apoyó ligeramente en el cuerno del altar, movía la mano diestra y miraba al fondo de la cripta, como si su auditorio se escondiese en las últimas sombras. El rico había entregado a un siervo cinco talentos, dos a otro. El tercero, que había recibido uno solo, corrió a esconderlo bajo tierra. Y todo lo demás. ¿Qué es lo que pretendía el Señor explicar con la parábola? Hay una interpretación vulgar, que dice... Pero nosotros estamos obligados a escudriñar la palabra de Dios y extraerle el sentido. El siervo que enterró su dinero puede ser como el cristiano que recibe de Dios la libertad, y no sabiendo qué hacer con ella...

Poco a poco las palabras se hacían más delgadas. Como todos los días. Empezaba sencillamente, luego se remontaban, y era difícil seguirle. Inés pensó que, si miraba atrás, sorprendería el sueño en los ojos de sus compañeras. Sorprendería, al menos, la incomprensión y el tedio. También como todos los días. Cuando el padre Ossorio abandonaba la sencillez, ella se sabía seleccionada, arrancada a las otras, porque sólo ella podía seguirle y entenderle. En realidad, el padre Ossorio, sin saberlo, sólo hablaba... para ella. Las palabras del padre Ossorio eran como el puente tendido cada mañana entre el alma de Inés y la Divinidad, como la escala por la que ascendía, por la que se alejaba, por la que se perdía en la dicha, pero envuelta por ellas siempre, en ellas apoyada. Sabía que, de cesar, ella descendería inmediatamente. Cuando acababa la homilía y el padre Ossorio volvía al centro y entonaba el credo, el alma de Inés regresaba de la altura, se metía en su almario, se alejaba del Señor. Hasta el día siguiente.

Una de las muchachas se había dormido, efectivamente. Despertada a codazos, incorporó su voz al coro que cantaba el credo. Otra de las muchachas cuchicheó; Inés volvió la cabeza, ordenó silencio con un gesto.

«Cuando me marche al convento, ninguna de ellas volverá aquí.» Para el «Orate» ya se habían sosegado y respondieron correctamente. «Pero ¿me marcharé algún día? ¿Lo deseo de veras, lo necesito, o es algo que deseé alguna vez, algo en que sigo pensando por rutina? Si el padre Ossorio pudiera confesarme, seguramente me diría qué debo hacer. Nunca nos ha aconsejado la vida monástica. Su predicación nos orienta hacia la vida, nos enseña cómo hemos de vivir, cristianamente, en el mundo. Sin embargo, yo me he consagrado a Dios en mi corazón, yo ya he votado por Dios...» La interrumpió el «Sanctus»; durante el canon se esforzó por no pensar en sí misma, por entregarse a las palabras del misal, por hacerlas único habitante de su alma. Después de la elevación, insensiblemente, siguió leyendo, pero, en su interior, dialogaba consigo misma. «El convento es un accidente. Puedo seguir así un año y otro, hasta que Dios disponga de mí. Vivo en caridad y con sacrificio. En el convento estaré mejor. Quizá Dios me ordene quedar, precisamente porque mi vida aquí es muy trabajosa, y quizá por eso me regale cada mañana esta felicidad de sentirme cerca de El. En el convento no la tendría, seguramente...» *Agnus Dei qui tollis peccata mundi.* «Me la da porque la necesito para no desfallecer.» Dos o tres chicas se habían acercado al comulgatorio. Las otras, de pie, iban a seguirlas. Fue ella también. Al arrodillarse dejó de pensar en sí misma, dejó de sentirse ella misma. Sus compañeras esperaban en silencio, con las cabezas inclinadas. Desde el altar, el padre Ossorio las bendecía.

....

—Pues mira, parece que va a mejorar el tiempo. Ya no hay gaviotas.

—Falta hace. Está una harta de tanta lluvia. Todo el mundo anda acatarrado.

—¿Iremos a casa de doña Lucía?

—¿Ahora? ¿No será muy temprano?

—Lo bueno sería ir todas juntas.

—Ya me diréis para qué nos quiere a todas. Conque vayamos dos o tres, le basta.

—¿Tú puedes ir, Inés?

—Inés debe ir. Al fin y al cabo ella...

Decidieron, finalmente, que iría Inés con Julita y Rula.

—¿Qué vamos a hacer nueve mujeres en la habita ción de una enferma? Es mejor así. Vosotras sois sus amigas particulares.

Se deshizo el grupo al llegar al pueblo. Inés no había dicho nada, no había asentido siquiera, pero se unió a Julita y Rula. Iba delante de ellas, bajo el paraguas enorme. Rula y Julita habían iniciado, bajo el suyo, un cuchicheo.

—Mamá quiere que vaya al baile con ella, pero a mí me gustaría ir sola.

—¿Te atreves?

—Ya lo creo. Casi lo prefiero.

—Si me llevaras contigo...

—Bueno, con tal de que nadie lo sepa. Porque ya sabes luego cómo se ponen y lo que dicen. Y como una no va a hacer nada malo... —calló un momento—. ¿De qué es tu disfraz?

—¿Y el tuyo?

Julita arrimó los labios al oído de Rula. Esta se estremeció.

—¡Qué horror!

—¡Si vieras qué bien me sienta! Lo encontré revolviendo en el desván, en unos baúles viejos. Tuvo que ser de mamá. Está un poco picado, pero lo zurciré.

—Yo no sé aún de qué podré disfrazarme. De destrozona...

—Lo mejor será que te vengas a mi casa con lo que tengas, y allí nos vestimos y salimos juntas por la puerta del jardín.

—Sí, pero no tiene que saberlo nadie. ¡Si se entera doña Lucía!

—O ésa... —indicó a Inés con un movimiento de la cara.

Las mandaron pasar en seguida. Doña Lucía se había atado los cabellos con un pañuelo. La luz de la mañana la hacía más pálida.

—¡Hijas mías, mis ovejitas! ¡Ya veis lo que Dios me envía!

Se echó a llorar. Julita y Rula corieron a su lado, pero ella las detuvo.

—No os acerquéis. Contamino.

Retrocedieron. La mano alzada, el brazo escuálido de doña Lucía, les parecía una advertencia aterradora.

—Sentaos lejos. Ahora os traerán el desayuno. ¡Estaréis hambrientas, ovejitas mías! Gracias por haber venido. ¿Y las demás?

—Por no molestarla... Acordamos venir nosotras.

—¡Qué delicadeza! Dios os bendiga. He pensado en vosotras toda la noche.

La criada asomó la jeta por la puerta entreabierta.

—¿No son más que estas tres?

Se retiró sin esperar respuesta.

—He pensado, sobre todo, en ti, Inés. Por tu edad y por tu perfección espiritual pareces destinada a sustituirme. Pero ¿podrás hacerlo todo el tiempo necesario? Si te vas al convento, ¿qué será de estas criaturas? ¡No lo quiero pensar, solas, sin pastor, y ese lobo que las ronda!

—Me iré al convento cuando Dios lo disponga, no antes.

—De todas maneras... —se removió en el lecho—. ¿Quieres ponerme bien las almohadas, Inés? Dios te lo pague. De todas maneras, cuidarte de estas niñas no será fácil. Ya sé, ya sé que estás más cerca de Dios que yo, y que por ese camino eres la mejor guía. ¡Mucho mejor que yo, ya lo creo! Pero no es eso sólo. Además de guiar, hay que guardar; y para guardar hay que conocer los peligros del camino. Yo los conozco mejor que tú, Inés, precisamente por estar en el mundo.

Suspiró profundamente y añadió:

—Por ser una pobre pecadora a la que pronto Dios llamará a su juicio.

Entró la criada con el servicio de café y una bandeja de bollos.

—¿Usted no va a tomar nada, señora?

—¿Yo? ¿Para qué?

—Pues siga así, ya verá adónde llega.

—Ponme un poco de café. Si Dios me ayuda a tomarlo... ¡Pobre de mí!

Julita se acercó con la taza y se la ofreció. Doña Lucía tomó un sorbo y rechazó la taza.

—No puedo. Sólo tengo ganas de morir.

—Ande, otro sorbito.

Olvidada de la contaminación, Rula se había sentado en la cama y sostenía ahora la taza.

—¡Hija mía! ¡Qué buena eres!

Tomó por fin el café. La ayudaron a sentarse, le rellenaron de almohadones el espacio entre espalda y cabecera. Entornaron las maderas de la ventana, porque la luz empezaba a molestarle.

—Estoy un poco más confortada. Y voy a preveniros, por lo pronto, contra los actos que se anuncian de una misión. Empezarán con un rosario de penitencia el Miércoles de Ceniza. ¡Mucho cuidado! A eso sólo va la gentuza. Lo toman como pretexto para reírse y juerguearse. A vosotras os ha escogido Dios para un cristianismo de selección. Tenéis la obligación de dar ejemplo. Nada de mezclarse con esos que hacen una diversión de los actos del culto.

Se tragó una tosecilla y respiró hondo.

—Ya veréis cómo el diablo estará al acecho. El diablo está ahora vacante, ¿y qué mejor que el rosario de la aurora para pasar revista a sus futuras víctimas?

Miró a Inés con ternura.

—Inesita, ya sé que para ti no hay peligro; pero estas criaturas, jóvenes y fuertes, sentirán pronto la llamada de la naturaleza. Tienen que casarse, y tienen que llegar vírgenes al matrimonio.

Julia Mariño tosió; a Rula le dio la risa.

—¡Ay señora, de qué nos habla!

—En eso manifestaréis vuestra victoria contra el diablo. Por ahí empezará la regeneración de este pueblo. Se entrega al amo la que quiere; pero donde hay virtud y fortaleza, el amo no puede nada. Mi último ruego es que resistáis el cerco que ha de poneros, pero...

Se interrumpió y las miró —a Julita y a Rula— con tristeza.

—... pero si alguna de vosotras cae, os suplico que aguardéis a mi muerte. No quisiera irme del mundo con ese dolor.

—Bueno, señora, ¿quién piensa ahora en morirse?

—Yo. Estoy muy enferma. Dentro de unos días me llevarán a la montaña con el pretexto de curarme. No voy a curar, pero estaré lejos, y mi agonía no perturbará ninguna conciencia. Voy a estar sola, y lo agradezco: tengo mucho que pensar en mi alma y muchas cosas que poner en orden antes de morir. El Señor fue despreciado, y me mandó también el desprecio para darme ocasión de imitarle. ¡Cuánto voy a sufrir, hijitas mías, y qué soledad! Espero que vosotras, desde aquí, me ayudaréis con vuestras oraciones.

Rula se había compungido; Julita hipaba en un rincón; Inés, de pie junto a la cama, contemplaba a la enferma serenamente.

Llamaron a la puerta. Entró un ordenanza con la gorra en la mano.

—Ahí fuera está Mauricio, el de Xoane. Dice que usted le mandó venir.

—Sí. Que pase.

Cayetano se levantó de la mesa de escritorio y esperó. Mauricio apareció en la puerta. Daba vueltas en las manos a una boina chica y mojada. Allí quedó.

—Pasa, hombre.

—Con permiso.

Cayetano le tendió la mano. Mauricio, el de Xoane, le miró con mirada temblorosa, miró la mano tendida; luego alargó la suya y la retiró en seguida.

—Siéntate.

—¿Quién, yo?

—¡Siéntate, hombre! Y no tiembles, que no como a nadie. ¿Quieres echar un vaso?

Mauricio se sentó en el borde del sofá y aceptó con un movimiento de cabeza. Cayetano fue a una mesilla y sirvió dos vasos.

—Tinto, ¿verdad?

—Sí, señor.

—¿Y un pitillo también?

—Bueno.

—Ahora dime, ¿cómo va la comparsa de este año?

Mauricio dio un respingo.

—¿Le han venido con cuentos? No nos metemos con usted. Le doy mi palabra.

Cayetano, riendo, dejó la butaca y se sentó en el sofá, junto a Mauricio. Le echó la mano por el hombro.

—Ni me han venido con cuentos, ni tenías por qué meterte conmigo. De otra manera, no te hubiera llamado.

—¡Ah!

—De modo que dime cómo va.

—Tenemos el cartel a medio pintar, y la música hecha. Estamos con la letra.

—¿Lo hacéis vosotros todo?

—El cartel lo pintan fuera. Yo doy la idea, y lo tengo que pagar. La letra, este año, la hace un seminarista de Muxía que colgó la sotana. Un tío muy listo.

—¿Y cuánto te cuesta todo?

—Unos cuarenta duros. Veinte por el cartel y veinte por la letra.

—De modo que lo que se dice hecho, sólo tienes la música.

—Esa la hago yo.

—Y aún faltan unos doce días para el domingo de Carnaval.

—Aún.

—Lo primero, la letra, porque tendréis que ensayarla. El cartel con que esté aquí el día antes...

—Claro.

Cayetano dio una palmada en la rodilla de Mauricio.

—Tienes que hacerme un favor.

—¿Yo?

—Voy a darte una historia —cogió un papel escrito de encima de la mesa—. Aquí está. Hoy mismo te vas a Muxía y se la das al seminarista, y que haga una letra nueva. Después que te pinten el cartel con lo que aquí se cuenta. La música puede servir la misma.

—¿Puedo... leerlo?

—¡Claro!

Mauricio sacó del bolsillo unas gafas con armazón de acero, se las caló y empezó a leer.

—¡Ji, ji! ¡Ji! ¡Ji, ji, ji! ¿Fue cierto esto?

—¿Qué más da?

—¡Ji, ji! Claro que fue cierto. Pueden salir unas buenas coplas.

—Es lo que importa. Buenas coplas y buen cartel. Para eso, pagarás doble al seminarista y al pintor. Y con lo que sobre...

Tendió a Mauricio unos billetes.

—¿Para... nosotros?

—Con lo que sobre, de momento, merendáis. Corro con todos los gastos, y esto no es más que el anticipo.

Mauricio no se atrevía a tender la mano. Cayetano dejó el dinero encima del sofá, se levantó y dio unos pasos.

—Que esté bien ensayado. Si alguno tiene que dejar de trabajar, correré con sus jornales; y si alguno trabaja en el astillero, queda desde ahora mismo dispensado de venir.

—Sí, señor. Juan, el de Balbina, y Manolo el *Pico*.

—Que vengan a hablar conmigo.

Se detuvo frente a Mauricio y le miró severamente.

—Ahora bien: esto no lo sabemos más que nosotros, ¿entiendes? Tú y yo. La historia la oíste contar. El dinero te vino caído del cielo. Inventa lo que quieras.

A la primera sospecha de que te has ido de la lengua, te hundo.

Mauricio, puesto de pie, bajó la cabeza.

—Sí..., señor.

—No te dejes ahí el dinero y lárgate ahora mismo a Muxía. Será mejor que alquiles un coche para llegar antes.

Buscó en el bolsillo y tendió un par de billetes más.

—Para el coche.

Dejó salir a Mauricio, dio unas vueltas, después, por la oficina. Cuando sonó la sirena, se adelantó a la salida de los obreros y marchó al Casino. Se le emparejó, a poco, Cubeiro. Entraron juntos. El juez escuchaba unos discos.

—¿Hay partida?

—¿Sólo de tres?

—Alguien más vendrá.

Llegó en seguida don Lino. Armaron la partida. A eso de las doce y media apareció don Baldomero y se sentó a mirar. Cayetano poco más hizo que responderle al saludo: parecía muy metido en el juego. Se discutió una jugada: Cayetano no llevaba razón y arrojó las cartas.

—Allá ustedes. Dejo el puesto al boticario. Si está de humor para jugar...

—¿Por qué no he de estarlo?

—Me dijeron que su señora llegó ayer muy enferma. Por cierto, ¿qué le sucede?

Don Baldomero ocupó el puesto que Cayetano dejaba vacante.

—¿Qué va a pasarle? Lo que a la gente que no se cuida. Tiene dos cavernas en los pulmones que le caben dos puños. Me lo dijo el médico por teléfono esta mañana. ¡Todo por no ir a tiempo a hacerse las neumotórax! Fue a Santiago y volvió medio muerta de miedo. Ahora tiene que ir una temporada a la montaña, pero de poco le servirá.

—¡Vaya por Dios! Y usted quedará triste.

—¿Quién? ¿Este? —intervino Cubeiro—. ¡Ya verá qué triste queda! El buey suelto bien se lame.

—Me refería al motivo —dijo Cayetano—. ¿Y cuándo marcha?

—¡Vaya usted a saber! Está en la cama y anda muy preocupada por esas chicas que van con ella al monasterio. Le da pena dejarlas solas.

—Su señora es una santa... Si necesita usted el coche para el viaje, lo pongo a su disposición.

Don Baldomero dejó caer las cartas que acababan de servirle.

—¿Lo dice de veras?

—En casos como éste, querido don Baldomero, se olvidan las rivalidades políticas. Si usted quiere mi coche, dígamelo, y podrá disponer de él, con chófer, todo el tiempo que quiera. Bastará que me avise un par de días antes.

Cayetano se levantó y cogió el impermeable.

—Salude a su señora de mi parte y dígale cuánto lo siento...

Salió de prisa. Llevaba las manos en los bolsillos y la cabeza agachada. Al llegar a la playa fue bordeando el malecón, lentamente, sin mirar a nadie, sin contestar a los saludos. Pasaban los trabajadores hacia el astillero, le miraban ensimismado, hablaban entre sí. Llegó al final del muelle, se arrimó a la farola, y así se estuvo un rato. A veces sonreía.

Cambió luego de rumbo, cruzó las calles bajas y subió al mercado. Empezaba a vaciarse de gente; pero Paquito el *Relojero* estaba todavía en su caseta, con un reloj en la mano y una lente en el ojo derecho. Al verle la dejó caer.

—¿Qué me quiere? Ya no tenemos que ver nada.

—No te pongas así, hombre. Es un recado para tu amo.

—No tengo amo, ya se lo dije otro día.

—Para tu casero, entonces. Le dices que, si no prefiere que vaya yo a su casa, que esta noche le espero a tomar café en la mía. Si no recibo aviso, le esperaré a las diez.

Paquito se colocó la lente.

—Está bien.

—Y este año, ¿no vas junto a tu novia?

Paquito respondió secamente:

—Aún no llegó la primavera.

Cayetano bajó al astillero. Hizo que buscasen a su chófer.

—Te vas a casa de Mauricio, el de Xoane, y si no lo encuentras, averiguas el coche que cogió para ir a Muxía y sales a la carretera a buscarlo. Corre lo que haga falta y cógelo antes que llegue. Le dices que no hay nada de lo dicho, que me traiga personalmente el papel y que el dinero que le di lo considere como regalo.

Encendió un cigarrillo y bebió un trago. Una campana avisó la hora de comer. Fue a buscar a su madre y la llevó del brazo hasta el comedor. Don Jaime esperaba de pie, junto a su silla, y no se sentó hasta que doña Angustias lo hubo hecho. Cayetano le miró con rencor.

—Será mejor que te llegues a casa de Rosario y le digas que esta noche no venga, no sea el diablo que me tenga que quedar abajo, y ella me espere en balde.

Paquito le miró sin hablar. Se puso la pajilla y salió en silencio.

—Llévate un paraguas.

—No llueve.

Se perdían en el corredor los pasos del *Relojero,* cuando Carlos le llamó:

—Oye. Te pido perdón por haberte mandado a casa de Rosario. En realidad, debía de pedírtelo de favor. Yo no puedo ir, y tú eres el único que está en el secreto. Te ruego que lo hagas.

Paquito se echó a reír, saludó con el sombrero y se fue corriendo.

Carlos cambió de traje, se miró al espejo, meneó la cabeza y volvió a ponerse el que tenía. Cogió la boina en el perchero, se puso la gabardina y salió al jardín. Un viento frío barría las nubes y sacaba ruido a las copas de los árboles. A veces se descubría la luna y llenaba el jardín de sombras negras. Bajó la escalerilla, siguió por el camino de la playa hasta la calle del malecón. Empezaban a cerrarse las puertas, y la calle estaba desierta. Salía de alguna taberna la música de una canción tocada en el gramófono y coreada por la clientela. Pasó de largo por la casa de doña Mariana, cerrada también, oscuras las ventanas. Al llegar a la taberna del *Cubano* se detuvo. Dentro sonaban voces varoniles y, por encima de todas, la de Juanito Aldán. Estaba explicando el fracaso de la República por no haber realizado un programa social.

—No es cuestión de salarios altos. Salarios altos y carestía se persiguen uno a otro como el gato y el ratón, y quien pierde es el obrero. Es cuestión de propiedad de los bienes productivos, pero no por el Estado, como quieren los comunistas. El comunismo hace también política de salarios, como que el Estado es el único capitalista. El comunismo...

El murmullo apagó la perorata. Alguien objetaba:

—A mí que me doblen el jornal, y ya verán.

—A ti que te hagan propietario de los barcos a través del Sindicato, y entonces ya veremos tú y yo.

—Los barcos son de la Vieja.

—¿Pensáis que lo serán eternamente?

Carlos dejó de escuchar. Se deslizó por la acera, pegado a las paredes.

Más adelante, la calle, oscurecida, se iluminó: los faros del astillero alumbraban desde los postes altos, y en algún lugar un canalón movido por el viento hacía estridentes ruidos. Llegó a casa de Cayetano. Un guarda del astillero le salió al paso.

—Por aquí, señor.

Iba delante y alumbraba el suelo con una linterna eléctrica. Le llevó hasta la puerta del despacho privado y llamó. Abrió en seguida y dijo:

—Ya está aquí el señor que esperaba.

Se hizo a un lado. Carlos entró, y el guarda cerró la puerta sin ruido. Cayetano, de pie, le sonreía.

—Dame eso, lo pondremos en cualquier parte —dejó la gabardina y la boina de Carlos en una silla—. Has sido puntual. ¿Quieres sentarte?

Le señaló un sillón, y él se sentó en el de enfrente. Quedaba entre los dos el largo sofá vacío.

—Debía haberte enviado el coche. Perdóname que no lo haya hecho. No puedo explicarte por qué lo olvidé.

Carlos le dio las gracias. Dijo que un paseo nocturno, de vez en cuando, no le venía mal.

Estaba encendida la chimenea, y, cerca de los asientos, lucían dos estufas eléctricas. Encima de la mesilla había una bandeja con el servicio de café. Cayetano prendió la llama del infernillo.

—He preferido hacerlo yo mismo para que no nos molesten.

—Es muy buena esa cafetera. Doña Mariana me ha regalado una igual. Hace un café excelente.

Cayetano le miró con fijeza inquisitiva.

—¿La quieres mucho? —preguntó.

—¿A quién? ¿A la Vieja?

—¿La quieres como a tu madre, Carlos?

—La quiero, simplemente.

—¿Recuerdas a tu madre? ¿Recuerdas, al menos, cómo la querías?

—¿A qué viene esto?

Cayetano sirvió el coñac y le ofreció una copa.

—Estás aquí por causa de mi madre. Entiéndeme, no porque ella me haya mandado traerte, sino porque...

Se interrumpió.

—Bueno, ya lo entenderás. Tendrás que entenderlo, aunque no quieras, porque voy a permitirme el lujo de ser totalmente sincero. Puedo hacerlo porque soy el vencedor.

Carlos llevó la copa a los labios.

—Brindemos por tu victoria. Ciento cincuenta botellas rotas y dos putas satisfechas.

—Esa no es mi victoria.

La respuesta fue brusca, casi grosera. Carlos apartó la copa de los labios.

—Es, al menos, lo que yo conozco.

—Pues vas a enterarte de lo que no puedes saber a menos que yo lo diga. Anteayer llevé a la cama a la mujer del boticario.

Carlos dejó la copa sobre la mesa. Hizo una pausa; luego, una mueca de desdén.

—¡Una tuberculosa medio histérica!

—Yo no creía lo de la tuberculosis. Debo decirte también que, aunque la llevé a la cama, no me acosté con ella, porque se me desmayó al descubrir que tiene las tetas postizas, y yo no abuso de una mujer desmayada.

Rieron los dos al mismo tiempo.

—Yo ya sabía lo del postizo —dijo Carlos—; te lo hubiera dicho, de habérmelo preguntado.

—Yo solamente lo sospechaba, y te confieso que la curiosidad ayudó a vencer la repugnancia. Pero eso no importa. La llevé a la cama. Recuerda que me dijiste, el otro día, que nada podría contra las beatas del monasterio. Pues la capitana está en el bote, al menos moralmente. Dentro de pocos días me acostaré con alguna de las chicas. Ya lo sabrás por la gente, porque no pienso ocultarlo.

Echó el café. Carlos bebió un sorbo del suyo y ponderó el sabor.

—Lo de Lucía me iba a servir, de paso, para bajarle los humos al marido. Te aseguro que siento de veras que no pueda enterarse de que lleva unos buenos cuernos. Pero no debe saberlo.

—¿Misericordia? En un hombre como tú, la misericordia es debilidad.

—Pensaba que lo supiese todo el mundo; pensaba armar una burla de las que se recuerdan durante siglos; lo hubiera hecho como lo tenía pensado. Pero esta mañana me enteré de que Lucía tiene los pulmones agujereados y que le queda poco tiempo de vida.

—Misericordia —repitió Carlos.

—He dicho que no.

—No lo entiendo, entonces.

—Supónte que el boticario le da una buena soba al enterarse y que ella se muere de las resultas. Es lo probable. Lo sabría todo el mundo, y lo sabría mi madre.

—¿Tu madre es para ti la medida del bien y del mal?

—Exactamente.

—No pensabas en ella cuando pegaste a Rosario.

—No, y por eso hubiera hundido el mundo cuando mi madre lo supo.

Carlos alzó las cejas y cogió su tacilla de café. Intentó sonreír, le salió una muequecilla, rápidamente borrada. Tosió.

—Espero que tu madre no apruebe que te acuestes con ninguna de las beatas. Son muchachitas jóvenes, probablemente vírgenes. Seducir a una de ellas es una mala faena.

—Eso no tiene importancia.

—Quizá tu madre, que es muy religiosa, según tengo entendido, piense de otra manera.

—En todo caso, son cuentos a los que está más acostumbrada. Lo resuelve rezando por mí.

Carlos bebió de un sorbo el café y se levantó. Se acercó al Reynolds y miró. Cayetano encendió la lámpara grande. Quedó el despacho alumbrado y reluciente.

—Así lo verás mejor.

—Gracias.

Cayetano volvió a su butaca mientras que Carlos permanecía inmóvil frente al cuadro. Cayetano golpeaba con los dedos el brazo del asiento, la alfombra con un pie. Carlos no se movía.

—¿Tanto te interesa el cuadro *ahora?*

Carlos regresó al asiento calmosamente.

—*Ahora* no me interesa nada.

—Esperaba que reconocieses que te he vencido.

—Yo buscaba la mejor manera de decirte que el haberme llamado para esto es *también* señal de debilidad.

Cayetano echó hacia adelante el torso, con un movimiento violento.

—Recuerda que te di a elegir entre tu casa y la mía. En todo caso, la debilidad es la tuya por haber venido. En mi casa...

Carlos alzó la mano.

—Perdona. Tu invitación fue irreprochable, y he venido haciéndole honor. No me refiero a eso.

Rió, sacó la petaca y ofreció un pitillo. Cayetano lo cogió y sacó el encendedor.

—Andas buscando la manera de salir airoso a tu modo; es decir, de envolverme con palabrería.

—Las palabras son mi terreno.

Se levantó y se sentó en el sofá, próximo a Cayetano. Echó una bocanada larga y pidió más café.

—Escúchame. Tu determinación de dejar en secreto lo de la boticaria, cualesquiera que sean las causas, es el acto de un hombre que está seguro de sí mismo. Ya ves que no digo un acto misericordioso. Pero hacerme venir para que lo sepa lo ha estropeado.

—Cuento con tu discreción. En eso estoy seguro de ti.

—Gracias, pero los tiros van por otro lado. Me lo has contado porque necesitas que yo lo sepa, que yo te juzgue al saberlo.

—Es natural. Mediaba un desafío.

Carlos sonrió.

—Todo el que necesita del juicio de otro es porque lo considera superior. Haciéndome venir, contándome lo sucedido con doña Lucía, reconoces en mí una superioridad...

Se interrumpió, bebió el café y miró a Cayetano de refilón.

—... que no he buscado. Insisto en esto: nunca he pretendido que me tengas por superior, a condición que no me tengas por inferior. Alguna vez te dije que no quería entrar en este juego, y si estoy en él, es porque lo has querido. Bien. En el juego, cada cual usa sus armas, y ya conoces las mías. Puedo añadirte que cuando rompes ciento cincuenta botellas y tranquilizas a dos putas para que lo sepa el pueblo, es porque consideras necesaria la admiración del pueblo. Esto es elemental... Pero, lo mires como lo mires, es señal de...

—No sigas.

Carlos se encogió de hombros.

—Te estoy diciendo el evangelio.

—El evangelio son patrañas, como todo lo que dices.

—Otra señal de debilidad es negarte a reconocer la evidencia.

Cayetano pegó un salto.

—¡Coño! ¿No comprendes que me estás pinchando y que me obligarás...

—... a una exhibición constante de poder? ¡Allá tú! El poder verdadero no se exhibe. Al poderoso le basta su conciencia, no el reconocimiento ajeno.

—¡Mierda!

Se acercó a Carlos con el rostro descompuesto.

—Vas a ser el causante de que haga muchas cosas que no pensaba. ¿Eres de los que creen que me gusta el daño por el daño? Pues siempre que lo hago, alguien tiene la culpa. ¿Por qué no vienes afuera, a un lugar donde estemos solos, y te lías conmigo a sopapos?

Carlos se levantó.

—Si sólo me vencieras, nada se habría resuelto. Te seguiría preocupando mi juicio, porque sabes que no es en el terreno de los sopapos donde yo reconozco la superioridad. Tendrías que matarme, o tendría que marcharme. Tú verás si estás dispuesto a matarme. De momento, pienso quedarme aquí.

Cayetano, quieto, apretó los puños. Sonrió luego, fue al sillón y se arrimó al respaldo.

—Me queda, al menos, la satisfacción de saber que soy el más valiente.

—Sólo más fuerte.

—No es cosa de fuerza, Carlos. Quizá llegue un día en que te ofrezca una pistola cargada y a ver quién mata a quién.

Fue hasta la chimenea. Se estuvo unos instantes de espalda. Dijo en voz baja:

—Debía ser hoy mismo, ahora mismo.

En voz lo suficientemente baja para que Carlos no pudiera oírlo.

—Un terreno común, ¿comprendes? —dijo, volviéndose bruscamente—. Donde seamos iguales. Esto de hablar y hablar no conduce a nada.

Carlos se aproximó a la silla donde había dejado su gabardina.

—Te agradezco el coñac y el café. Estaban realmente buenos.

Cayetano se le acercó con paso lento y sonrisa reticente.

—¿Serías capaz de permitirme que te llevase en mi coche?

Carlos pestañeó.

—Naturalmente.

—¿No tienes miedo?

—No —hizo una ligera inclinación—. Yo también sé hasta qué punto puedo confiar en ti.

—Vamos.

Salieron. Carlos se sentó en el asiento delantero. Cayetano condujo el coche a velocidad, con pulso seguro.

Fueron en silencio. Ante el portal de Carlos, Cayetano dijo:

—A veces me ciega la sangre. No olvides que pegué a Rosario.

—Gracias por haberme traído.

Esperó a que el coche arrancase y, con paso corto, caminó hacia la entrada. Paquito esperaba tras el portón.

—Le sentí llegar. Arriba está ésa.

—Te dije que no viniera.

—Se empeñó cuando supo que usted iba a verse con Cayetano.

Rosario, sentada frente a la chimenea, miraba al fuego mortecino. Se levantó al sentir la puerta. Vio a Carlos, corrió hacia él, le abrazó y le besó en la boca.

—¡Señor, señor!

Siguió besándole. Le miraba con los ojos muy abiertos. No lloraba.

—Señor, pasé mucho miedo.

Entró, sin llamar, un lego y se acercó al padre Eugenio. El fraile joven que bruñía pan de oro sobre una tabla levantó la cabeza, miró un momento y siguió dale que tienes a la piedra de ágata.

—Le llama Su Reverencia. Que vaya en seguida.

—Gracias.

Salió el lego. Fray Eugenio se quitó el mandil y se echó el escapulario.

—¿Volverá antes de la hora de comer?

—No lo sé. Cuando suene la campana, deja el trabajo.

Salió al claustro. Hacía frío, y volvió al taller a recoger la capa. En el claustro se tropezó con un hombre de paisano, figura de menestral, que parecía venir de la celda del prior. Le miró y saludó, se volvió dos o tres veces para mirarle. No le había visto nunca, menos aún en el monasterio. Era un hombre fuerte y tosco, que le había devuelto el saludo con una sonrisa ancha.

Llegó a la celda del prior, golpeó en la puerta.

—Adelante.

Abrió y quedó en el umbral. El prior le hizo seña de que se acercase y le tendió la cruz para besarla.

—Siéntese, padre.

En la celda del prior hacía menos frío. La chimenea estaba apagada, pero había un braserillo junto a la mesa. Además, estaba orientada al Sur.

—Quítese la capa. Déjela ahí, en cualquier parte. Mire esto.

Le tendió unos papeles. Fray Eugenio los cogió, les echó un vistazo: números y números.

—¿Qué es?

—El presupuesto de las obras. ¿No recuerda? ¡Lo del colegio...!

Fray Eugenio le devolvió los papeles.

—Comprendo.

—Vea la cifra total. Yo me había equivocado en muy poco. ¿Le dije quince mil duros? Hay un buen hombre que lo hace por setenta mil pesetas, mobiliario incluido.

Dejó el presupuesto sobre la mesa y sonrió.

—No es caro. Faltan las ropas, es cierto; pero me he informado de que, en muchos internados, los chicos llevan sus colchones y sus sábanas. De todas maneras, hay que comprar ropa.

Se acercó a su cama y levantó la colcha que la cubría.

—Vea. Mis sábanas están remendadas, como las de usted, y mi única manta, agujereada y raída. Me muero de frío, igual que usted y que todos los demás. ¿Recuerda si el padre Hugo nos prescribió el frío obligatorio?

Sorprendido, fray Eugenio volvió la cabeza rápidamente.

—No. No sé. No me acuerdo.

—La Regla no nos obliga a pasar frío. La Regla es humana: nos permite comer carne, beber un vaso de vino a las comidas y usar una o dos mantas, según el clima. La Regla fue escrita por hombres normales, no por locos. Este monasterio de acatarrados, de bronquíticos y de tísicos es una ofensa a Dios. Tenemos que comprar ropa.

Se sentó.

—Padre Eugenio, es de suponer que su amigo, el señor Deza, habrá hablado ya a doña Mariana Sarmiento. Las pinturas de la iglesia, recuerde. Váyase al pueblo y vea de hablar a esa señora. Las cosas, si se dejan dormir, se olvidan.

—Sí, reverendo padre.

—¿Cuánto le parece que tardará?

—¿En ir y volver?

—No. En pintar la iglesia.

—Unos meses. Seis, ocho. Depende de la prisa que se den los albañiles en la restauración. Mientras, puedo preparar los cartones.

—Tendrá usted que trabajar con ayudantes.

—Los mismos chicos que me ayudan ahora.

—Hable las cosas de modo que pueda aprovechar el verano. Así los chicos no perderán estudios.

—Sí, reverendo padre.

El prior buscó entre los papeles de la mesa y cogió uno.

—Ahora, lea eso.

Era una carta. Fray Eugenio la leyó. Al devolverla miraba al prior con los ojos muy abiertos y una de sus manos había quedado en el aire.

—Sí, padre Eugenio. Me ofrecen una mitra. Es la segunda vez, ¿comprende?, y yo no puedo aceptarla por...

Guardó la carta con un movimiento brusco.

—Bueno. Usted ya sabe por qué no puedo aceptarla. Váyase ya.

Fray Eugenio cerró la puerta suavemente, se detuvo

un instante en el claustro y luego corrió a las cuadras a buscar la mula. Cuando salió, había cesado la lluvia y clareaba por encima de la mar, hacia el Oeste. El aire estaba frío y transparente, como recién lavado, y, bajo las nubes, se apagaban los verdes de los prados. Por el camino no hizo más que mirar, buscar colores en las cosas, pensar cómo podría pintarlos luego. Todavía llovió un poco; pero cuando llegó al pazo del Penedo, había clareado definitivamente y un viento alto empujaba las nubes.

Le recibió Paquito el *Relojero*.

—No está el señor. Bajó al pueblo esta mañana. Seguramente podrá encontrarlo en casa de la Vieja.

Sonrió.

—Quiero decir de doña Mariana, ya sabe.

—Gracias.

—Si quiere un pienso para la mula, aquí tenemos.

—Gracias.

—¿No quiere nada? Arriba hay vino, y con este frío...

Fray Eugenio sonrió.

—Téngame el estribo. Eso sí que se lo agradeceré.

Cabalgó. El *Relojero* permaneció en la puerta hasta que el fraile se perdió de vista.

Al llegar al cruce de la carretera, fray Eugenio vaciló. Tomó luego por el camino del monasterio, pero unos pasos más allá volvió la cabalgadura y la encaminó al pueblo. Dejó la mula donde acostumbraba hacerlo los domingos y, a pie, se acercó a casa de doña Mariana. Vaciló otra vez al levantar la mano para asir el llamador; se decidió: tres golpes rápidos. Esperó un poco. Bajó la criada.

Al ver al fraile abrió los ojos y sonrió.

—¿Está don Carlos Deza?

—No sé. Voy a ver.

Cerró la puerta con brusquedad. Fray Eugenio quedó en el portal. Le dieron ganas de marcharse. Iba a salir, cuando volvió a abrirse la puerta, y la criada dijo:

—Que pase.

—¿Está don Carlos?

—No sé. Dice la señora que pase.

—Es que yo... es a don Carlos a quien quiero ver.

La criada se encogió de hombros.

—Usted verá. Pase o cierro.

Entró. Estaba caliente el aire, y dejó la capa en el perchero. Al colgarla se vio entero en el espejo, sorprendido. Hacía bastantes años que no se había visto en un espejo, sino en aquel pedacito, resto de otro mayor, en que se miraba para afeitarse y en que su cara entera no cabía. Se encontró viejo, cargado de hombros, abrumado.

—Venga. Haga el favor.

Se dejó llevar hasta el salón. Entornaba los ojos para no ver las cosas, para que no se le recordase el tiempo en que había vivido entre objetos como aquellos, en una casa caliente y con alfombras.

—Espere. Puede sentarse.

La criada cerró la puerta, y se sintió cogido, sin escapatoria. Las ventanas del salón estaban entornadas, semicorridas las cortinas; una luz suave iluminaba los verdes y los oros de las paredes, el rojo cálido de la alfombra, el marfil de las sillas. Avanzó un paso, los cuadros le solicitaron. Lanzó una mirada circular y corrió al fondo, adonde estaba la chimenea. Abrió del todo una ventana para ver bien el Sorolla. Pero sólo un instante consideró la calidad de la pintura: doña Mariana, casi joven, dominaba el mundo desde el cuadro, y le dominaba a él. Se quedó quieto, sin apartar los ojos. Pensaba: «Buen retrato.» Lo dijo en voz alta: «Buen retrato, muy buen retrato.»

Se volvió al oír la puerta al abrirse. Doña Mariana entraba: tranquila y sonriente. Le tendió la mano.

—¡Por fin! Diez años viéndonos cada domingo y sin hablarnos. Ya iba siendo hora, ¿no te parece?

Fray Eugenio inclinó la cabeza y estrechó la mano que se le tendía.

—Buenos días, señora.

—Déjate de remilgos y tutéame. Debes andar por los cincuenta, ¿no? Ya casi eres un viejo.

Le miró fijamente. Recorrió, de arriba abajo, su figura. Fray Eugenio esperó con la cabeza baja y las manos temblorosas.

—No te pareces a tu padre. El era más gordo y, en los últimos años, más tosco. ¡Claro! Se pasaba el día en las tabernas, con gentuza, y las noches...

Fray Eugenio alzó una mano.

—No me haga recordar a mi padre. Le aseguro que lo he olvidado hace tiempo.

—Has hecho bien. No merecía que nadie lo recordase. Pero yo, ¡ya ves!, tengo buena memoria. ¿Te gusta el cuadro?

—Sorolla fue un gran retratista.

—Tú entiendes de eso, ¿verdad?

—Hace años quizá. Ahora...

Doña Mariana le cogió de un brazo. A fray Eugenio le sacudió la sorpresa, pero no se apartó.

—Vamos allá. Aquí hace algún frío.

Le empujó hacia la entrada.

—Yo venía... Yo buscaba a don Carlos Deza.

—Sí, ya me lo dijeron. Vendrá a comer dentro de un rato. Mientras tanto, hablaremos.

Cerró tras de sí, y añadió, ya en el pasillo:

—Porque tenemos que hablar, ¿no crees? Tenemos que hablar desde hace veinte años. Tenemos una conversación aplazada desde que regresaste de París, y me gustaría que alguna vez...

—Aquello ya está muerto.

Entraron en el saloncito de doña Mariana. Ella le indicó el sillón frente a la chimenea. Fray Eugenio, al sentarse, sintió en sus manos la superficie suave del terciopelo y se estremeció. Un tumulto de recuerdos fue suscitado por aquella sensual blandura. Cerró los ojos con fuerza, cerró los puños, apartó su piel de todo contacto.

—Aquí estarás mejor. ¡Qué cara de frío tienes! ¿No quieres tomar nada? Vamos, quiero decir una copa, si es que lo de ser fraile te lo permite.

Se había sentado mientras hablaba y le sonreía. El tono de sus palabras era cordial.

—Puedo beber algún vino, pero estoy casi en ayunas.

Doña Mariana rió y pidió que, con el vino, trajesen algo de picar. Buscó tabaco del que Carlos solía olvidar sobre los muebles y ofreció un cigarrillo al fraile.

«Podrás fumar, ¿verdad?» Luego se sentó frente a él.

—Tú dirás.

El fraile tardó en responderle.

—Venía en busca de don Carlos; pero, en realidad, era a usted a quien tenía que hablar —la miró y añadió apresuradamente—: Por mandato del prior.

—¿Lo de la iglesia?

—Sí. Las pinturas, recuerde. Habían hablado usted y don Carlos...

—Bien. Eso está acordado desde entonces. Cuando quieras empiezas.

—El prior va a meterse en obras. Quiere organizar un internado...

—Yo pagaré lo que pidas.

—Entiéndame. Personalmente, me considero pagado con la ocasión de pintar —vaciló nuevamente— algo que llevo dentro como un deseo y que nunca podría pintar sin usted. Pero el prior...

—Lo comprendo. Si trabajas en la iglesia, dejas de trabajar en el monasterio. Es justo.

—El otro día, doña Angustias hizo una oferta... Dinero a cambio de un altar de la Virgen de Lourdes...

—¡El famoso altar! Mira por dónde tengo yo la culpa de que vayáis a estropear el monasterio con un altarcito de cemento.

Fray Eugenio bajó la cabeza.

—La culpa la tengo yo.

—Has hecho lo que debías, y te lo agradezco. ¿Cuánto quiere el prior?

—Veinticinco mil pesetas.

—Y doña Angustias, ¿cuánto ofrece?

—El prior piensa pedirle cincuenta mil.

—¡El doble, justamente! Hace bien. Es más rica que yo. Además, lo hace por su alma, y yo no lo hago por la mía.

—Quiéralo o no, también se beneficiará su alma.

Doña Mariana negó con la cabeza.

—Está feo que te diga... Bueno, dejemos eso. Yo no lo hago por mi alma. Lo hago para que pintes eso que tienes ganas de pintar, que será muy hermoso, y también un poco por fastidiar a la gente. Habrá algo, al menos, por lo que tendrán que respetarte y recordarte en este pueblo.

Fray Eugenio no la miraba. Movía los ojos, los enviaba de una cosa en otra. Los detuvo —de pronto— en la fotografía de Germaine. La señaló.

—¿Es usted?

—¿Yo? ¡En mi vida fui tan guapa!

Alargó la mano a la repisa de la chimenea y cogió el portarretratos.

—Es Germaine, mi sobrina; la hija de mi sobrino Gonzalo...

—¿La hija de...?

Se había sobresaltado el fraile. Una ansiedad súbita le transformaba el rostro. Sin pedir permiso, cogió, de manos de doña Mariana, el retrato y lo miró ávidamente. El sobresalto duró un instante. Devolvió el retrato.

—Yo era amigo de sus padres. Yo la he visto casi recién nacida. Se parece mucho a usted.

—Tienes más suerte que yo, porque no la he visto nunca. Ni tampoco Carlos, a quien encargué especialmente que la visitase. Parece como si se empeñasen...

Hizo una pausa, sin terminar la frase.

—¿Recuerdas bien a mi sobrino?

—Hace veinte años. Se cambia mucho en tanto tiempo.

—¿Cómo era entonces?

—Bueno, un buen hombre, aunque un poco ridículo. Le gustaba parecer lo que no era. Entiéndame bien: vivía entre nosotros, los artistas, y quería que se le tuviese por uno de ellos. Me atrevería a decir que se disfrazaba de artista y que esto le hacía feliz. Pero tenía un gran corazón.

—Si hace veinte años hubieras venido a verme, te hubiera preguntado detalles. Ahora lo habrás olvidado todo.

—Casi todo.

—¿Quién era su mujer?

Fray Eugenio se sintió espiado, sintió que a la mirada de la Vieja no escapaba un solo movimiento de su rostro, un solo resplandor de sus ojos. Recogió las manos en las mangas y se inclinó un poco, bajo el mirar.

—Una chica de provincias. Estudiaba en París música y canto; tenía una hermosa voz, pero quedó afónica de una enfermedad, y entonces se casó.

—Tú la conocías mucho, claro.

—Le hice un retrato como regalo de boda. Quizá Carlos se lo haya dicho. Gonzalo lo conserva.

—¿Recuerdas su muerte?

—Yo estaba, entonces, en Italia. Lo supe por una carta de Gonzalo. La última vez que la vi todavía no había nacido la niña: como usted sabe, ella murió de parto. Cuando volví a París, la niña tenía unos meses.

Doña Mariana cogió el retrato y se lo tendió.

—¿Recuerdas la cara de su madre? ¿Se parece Germaine a ella?

—Muy poco. La boca y la barbilla. Se parece más a usted.

—Nuestra sangre es fuerte —dijo doña Mariana—. Puede más que las mezclas y que los sujetos débiles. ¡La de años que hace que nuestras familias no emparentan! Y, sin embargo, nos parecemos. Y Carlos me contó que, al verle Gonzalo, le tomó por hermano tuyo.

Le había mirado fijamente, le había aprisionado el rostro con la mirada. El fraile resistió y no apartó sus ojos.

—Es distinto. Entre esa chica y usted hay algo más que el aire de los Churruchaos. ¿Me permite?

Cogió el retrato y se lo mostró sin apartar la vista.

—Vea. Los ojos, la frente, los pómulos, la nariz... El mismo dibujo que los de usted. Aquí hay algo más que pelo rojo y piel pecosa. Hay un parentesco próximo, inmediato.

Doña Mariana apartó el retrato.

—Tienes razón. No debe extrañarte, porque su padre es mi primo carnal —sonrió. Fray Eugenio sonrió también.

—En realidad, de quien quería saber algo es de su madre. Claro que si no te acuerdas...

—Era lo que nosotros llamamos una señorita de provincias. Bonita, honesta y con una manía musical quizá excesiva, acaso un poco cursi. Se sintió muy desdichada cuando perdió la voz.

—¿Piensas que por eso se casó con mi primo?

—¡Qué sé yo! Pero puedo asegurarle que, sin su desgracia, Gonzalo no se hubiera nunca atrevido a proponerle el matrimonio; ella esperaba llegar a gran diva, y eso la alejaba de Gonzalo. Acaso él estuviera ya enamorado, pero, oficialmente, se limitaba a acompañarla y a admirarla. La llevaba al Conservatorio, la esperaba a la salida. Si le salía ocasión de cantar en público, él le buscaba el público. Era algo así como un padre enamorado de la carrera de su hija. Cuando ella enfermó, él se portó casi heroicamente. No sólo hizo de padre, sino un poco de madre, de enfermera, de amiga. Fue entonces cuando la conocí.

—¿Antes no?

—Antes, Gonzalo me hablaba de ella, me había llevado a escucharla, pero no me la había presentado. Sospecho que, sin darme cuenta, serví para facilitar el matrimonio.

—¿Por qué sin darte cuenta?

El fraile se encogió de hombros.

—Hay cosas que se saben y que no se ha pensado nunca en ellas. Están ahí, quietas.

—¿Por qué lo dices?

—Esta es una de ellas. Y no sé si acertaré. Ya le dije que Gonzalo andaba como disfrazado de lo que no era, y yo era eso; es decir, un artista. Tengo la impresión de que me usó como refuerzo.

A doña Mariana le dio la risa.

—Siempre tuve a Gonzalo por un mentecato.

—Era un hombre excelente. Y aquello fue, si usted quiere, una argucia de enamorado.

—Una argucia estúpida.

—Es posible. El la creyó necesaria.

—Y tú entonces, ¿pensabas ya en meterte fraile?

—No.

—¿Cómo te vino la idea?

—¡Qué sé yo! Hace ya tanto tiempo... Esas cosas se olvidan.

—Sobre todo, cuando se quiere olvidar —doña Mariana sirvió vino—. Ya tarda Carlos. Voy a mandarle recado para que venga a comer. Te quedarás con nosotros, ¿verdad? Vamos, si no te está prohibido.

—El prior está en todo y contó con esto. Me ha autorizado a aceptar la invitación.

Fray Eugenio marchó a eso de las cuatro. Quedaba puntualizado lo referente a las obras de la iglesia, la fecha en que, aproximadamente, fray Eugenio podría empezar a pintar y la forma de pago. Llevaba consigo un cheque de cinco mil pesetas como anticipo, para tranquilidad del prior.

Carlos le acompañó hasta donde había dejado la mula. Regresó después a casa de doña Mariana.

—¿Tienes mucha confianza con el fraile? —le preguntó ella.

—Sólo relativa.

—Cuando empiece a pintar, tendrás ocasión de hablarle todos los días. Quiero que ganes su confianza.

—¿Por qué?

—Hay algo en su pasado que me gustaría saber. Me pareció adivinarlo esta mañana, al hablar con él; pero se dio cuenta y escurrió el bulto con habilidad.

—Un hombre como fray Eugenio tiene necesariamente un pasado. No es corriente que un pintor se meta a fraile.

—Lo que yo creí, durante unos minutos, es que Germaine es su hija.

—¡No!

—No, efectivamente; no lo es. Sin embargo, Eugenio Quiroga tiene que ver con mi sobrino Gonzalo más de lo que nosotros sabemos y más de lo que él mismo dice. O poco conozco a las personas.

II

La señora de Mariño se encerró con su marido en el despacho del almacén cosa de media hora. Se les oyó discutir, se oyó gritar a la señora de Mariño. Cuando salió, pasaba de las cinco. A su hora, Julita se había sentado en el mirador, en una sillita baja, de asiento pajizo, y hacía que bordaba sus iniciales en el embozo de una sábana de hilo destinada a su ajuar; en realidad, leía una novela. De vez en cuando, sin levantar apenas la cabeza, miraba a través de una rendija de la cortinilla: se veía toda la calle, hasta abajo, cerca del muelle: los que iban, los que venían y los que se paraban a charlar.

—Julia, arréglate, que vas a venir conmigo.

—¿Adónde, mamá?

—De visita.

—¡De visita! ¡Qué aburrimiento!

Dejó el bastidor en el suelo, ocultó el libro y se levantó.

—¿Qué me pongo?

—El traje y el abrigo nuevos. Arréglate bien. Quiero que vayas guapa.

Julia subió a su cuarto, abrió el armario y empezó a desvestirse. Se mudó de arriba abajo, sin prisas, quitándoselo todo delante del espejo y viendo cómo le caía cada prenda. Revolvió luego en los trajes colgados, eligió uno y se lo puso. Cambió también los zapatos por unos de gran tacón. Echó después el último vistazo y sonrió. Volvió a mirarse y remirarse, sin sonreír. Se arregló el pelo y se pintó los labios. Cerró en seguida el armario, pero lo abrió de nuevo: hurgó en su fondo y sacó un envoltijo encarnado con algo negro. Lo acarició y cerró los ojos. Estuvo así unos instantes.

—¡Julia, que se nos hace tarde!

Rápidamente devolvió a su escondite el envoltorio, cerró con llave y la ocultó debajo del colchón.

—Voy, mamá.

La señora de Mariño bajaba ya la escalera. Julia corrió hasta alcanzarla. El señor Mariño esperaba en el portal.

—¿También viene papá? —preguntó Julia.

—No. Papá se queda —evidentemente, la señora de Mariño estaba de mal humor: llevaba en la cara el gesto de las grandes decisiones.

El señor Mariño le dijo algo en voz baja.

—¡No pases cuidado, hombre! ¡Yo sé cómo hacer las cosas!

La señora de Mariño se abrochó el abrigo hasta arriba.

—Si lo hubieras dejado de mi mano, ya estaría arreglado. ¡Vamos, niña! ¡Y tápate el escote, que hace frío!

La señora de Mariño era alta y huesuda. Tenía la mandíbula fuerte y los ojos vivaces. El señor Mariño, algo más bajo que ella, un poco gordo, no se parecía a su hija, aunque la gente dijera cuando los veía juntos: «No puedes negar que es hija tuya.» Al señor Mariño no le gustaba la observación, pero sonreía y acariciaba a Julia. Cuando se casó, se había dicho que su mujer iba preñada de otro. Hacía de esto mucho tiempo, y no habían tenido más hijos. ¡Vaya usted a saber de quién iba embarazada! Sin embargo, la boca del señor Mariño y la de Julita eran por un estilo: de labios gruesos y pequeños, bien dibujados, de color encendido. Los de su esposa eran delgados, alargados, y las comisuras le caían un poco. Julia quería más a su padre que a su madre.

—No te sueltes de mi brazo y no mires a nadie.

—¡Ni que fueran a comerme!

Bajaron hasta el muelle.

—¿Adónde vamos?

—A casa de doña Angustias.

Julia se estremeció.

—¿A casa de Cayetano?

—No. A casa de doña Angustias.

—Pero... viven en la misma casa.

—¿Y qué?

A la entrada del astillero el guarda saludó. La señora de Mariño le preguntó si doña Angustias estaba en casa. El guarda creía que sí, pero, para cerciorarse, preguntó por el teléfono interior.

—Diga usted que está aquí la señora de Mariño. Que si puede recibirme.

Al cabo de un rato el guarda trajo la respuesta y las acompañó hasta la puerta de la casa. Allí esperaba una criada, que las llevó a la sala.

—Que se sienten un momento. La señora vendrá en seguida.

La sillería tenía puestas fundas blancas, y el espejo estaba velado con una gasa azul. Julita empezó a fisgar.

—Mira, mamá. Damasco amarillo. De seda.

—¿De qué querías que fuese? ¿De algodón? ¡Si ellos no tienen damascos...!

Julia se acercó a una vitrina. Descubrió el interruptor de la luz y lo encendió.

—¡Mira, mamá, qué abanicos! ¡Y cuántas cosas chinas! ¡Y de oro! ¡Qué riqueza!

—Hay una mujer en el mundo que será dueña de todo esto —dijo la señora de Mariño con voz dura y solemne—. No sabemos quién será, pero puede ser cualquiera. Incluso tú.

—¿Yo, mamá? ¡Qué risa! ¡Qué tonta eres!

Se abrió la puerta. Entró, sonriente, doña Angustias. Saludó a la señora de Mariño, besó a Julia, le dijo que estaba muy guapa y muy crecida, y las invitó a pasar a otro cuarto, el cuarto en que ella solía sentarse a coser, porque había brasero y se estaba mejor. La señora de Mariño pidió permiso para que, mientras hablaban, su hija esperase en el balcón, mirando cómo trabajaban en el astillero, porque tenía que decir a doña Angustias algo confidencial. Julia se quitó el abrigo y se acercó al mirador. Nunca había visto el astillero por dentro, y lo encontró feo, con tantos montones de chatarra y tanto barro en las veredas. Estaba la tarde de un gris azul, y las aguas de la mar parecían negras. Había un vaporcito atracado junto a la pequeña dársena, y de la chimenea salía un humillo blanco. Chirriaban los chigres y la grúa sacaba de la bodega una viga de hierro: desde el barco en construcción, Cayetano dirigía la maniobra. Parecía un obrero como los otros, con el mono azul y la boina calada hasta las cejas.

La señora de Mariño iba a pedir a doña Angustias que influyese cerca de Cayetano para sacar de un apuro el negocio de los Mariño. El negocio de los Mariño iba muy mal. Había letras impagadas y amenaza de embargo. El día anterior había venido un señor de Vigo y había dado un plazo. La señora de Mariño intentaba hablar en voz baja, pero Julia podía escucharla sin gran esfuerzo. ¡Era de aquello de lo que sus padres cuchicheaban desde algún tiempo atrás! ¡Era por eso por lo que su madre gritaba a veces y decía al señor Mariño que no sabía vivir!

—Mi marido no se hubiera atrevido nunca a venir. ¡Como es el presidente de las derechas, y Cayetano dicen que es socialista! Pero yo le dije: doña Angustias es una buena cristiana, es la señora más señora del pueblo y ella, si puede, nos ayudará. Por eso vine yo y no él. Mi marido no se hubiera atrevido. ¡Todo por la política, que separa a los hombres!

Doña Angustias sonrió y le tomó la mano.

—Tiene razón. La política separa a los hombres, pero a nosotras nos une el Señor. ¡Qué sería de los hombres si no rezásemos por ellos!

—¡Y que lo diga! ¡Lo que llevo rezado yo por causa de este asunto! Y si he venido a molestarla, a la Santísima Virgen se lo debo. Ella me inspiró la idea. ¡Si usted supiera con cuánta devoción le pedí ayuda! Sin ir más allá, esta mañana llevé una vela a la Milagrosa para que moviese el corazón de usted, y el de su hijo.

Doña Angustias sonrió.

—A la Virgen de Lourdes, no a la Milagrosa. Llévele una vela a la Virgen de Lourdes. Lo concede todo. El Señor no sabe negar nada de lo que la Virgen de Lourdes le pida.

La grúa había aflojado los cables, la viga quedó en su sitio. Se escuchó el tableteo de martillos y taladradoras. Cayetano repartió cigarrillos y encendió el suyo... Oscurecía. De repente sonó la sirena: un pitido largo, grave. Los obreros descendieron del casco en construcción. Cayetano se descolgó por un cable, ágilmente, y llegó el primero al suelo. Julia pensó que vendría a saludar a su madre. Sacó del bolsillo un estuchito, y dio un toque de rojo al perfil de sus labios. Su cara no cabía en el espejo: se miró por partes.

—Créame usted, señora: de mi hijo cuentan muchas calumnias. Es la envidia. Porque yo no le digo que sea un santo, y sus pecados bien que me hacen sufrir, pero son pecados de hombres, pecados como los de los demás hombres, de los que ninguno está libre. ¿Y sabe usted por qué lo calumnian? Por envidia. Como si lo que tiene lo hubiera robado. Pues yo le digo que lo que tiene se lo debe a su trabajo, que mientras otros están en el Casino, ahí lo tiene usted a él, trabajando como cualquier obrero.

—Tiene razón. La gente es muy envidiosa. Y, en este pueblo, no digamos.

—Y quien no lo calumnia por envidia lo calumnia por otras razones. Sin ir más allá, ¿por qué la boticaria habla tan mal de mi hijo? Dios la perdone, porque está muy enferma; pero nadie me quita de la cabeza que esa tuberculosis que le vino es la justicia de Dios omnipotente, el que castiga sin palo ni piedra. ¿Sabe usted que dice de mi hijo que es el diablo, y que las chicas que quieran guardarse de él no tienen más que acompañarla a ese cisma del monasterio?

—¡No me diga! ¡Me deja de una pieza! —la señora de Mariño puso cara de asombro. Abría y cerraba el bolso rítmicamente, más despacio o más de prisa, según los nervios.

—Como lo oye. Mi hijo es el demonio. Esa es la especie que levantó la boticaria. Y ya me dirá usted por qué.

La señora de Mariño se levantó enérgicamente.

—¡Julita!

—Dime, mamá.

Doña Angustias le advirtió en voz baja:

—Su hija no debe oír estas cosas.

—¿Que no debe oírlas? ¡Ven acá, Julia! ¿No sabe usted que es de las que van al monasterio? ¡Por algo nunca lo vi con buenos ojos!

Doña Angustias la miró con extrañeza. Julia, de pie ante ellas, esperaba. La señora de Mariño volvió a sentarse.

—Julia, vas a decir la verdad de lo que te pregunte como si estuvieras delante del confesor.

—¡Ay, mamá!

Todavía terció doña Angustias:

—Déjela. La pobre niña...

—Perdóneme, señora, pero esto lo quiero aclarar. Vamos a ver: ¿os habló doña Lucía alguna vez de Cayetano?

Julita enrojeció.

—Mamá...

—¡Vamos, dilo en seguida! La verdad, ¿eh? Sin titubeos.

Julia tartamudeó.

—Bueno... Sí... Alguna vez...

—¡Sé más clara!

—Muchas veces. La última, el otro día. Cayetano nos encontró en el camino, cuando veníamos, y nos metió a todas en el coche. Doña Lucía...

Se interrumpió y miró dulcemente a doña Angustias. Esta la animó:

—Sigue, bonita. No te importe.

—Nos dijo, nos dijo...

Hizo un puchero.

—... nos dijo que Cayetano era el diablo que venía para hacernos desgraciadas.

—¿Lo ve usted?

Bajo la mirada amilagrada de doña Angustias, la señora de Mariño se santiguó lentamente.

—¡En el nombre del Padre, del Hijo y del Espíritu Santo! Lo veo y no lo creo. ¿Y qué más?

—No hace falta más, bonita. ¡Déjela ya!

La señora de Mariño cerró el bolso de un golpe fuerte.

—Pues ya lo sabes: se acabaron las misas del monasterio y la amistad con doña Lucía. En lo sucesivo, conmigo a misa de doce.

Julia no se movió. Miró a su madre, miró a doña Angustias.

—Yo no sabía que fuera cierto.

—¿El qué?

—Eso de que Cayetano...

La señora de Mariño palideció.

—Pero ¿qué estás diciendo?

Acudió al quite doña Angustias.

—¡La pobrecita! ¡Ella qué sabe! Anda, bonita, vuelve al mirador. Y no creas lo que te digan de mi hijo. Es un hombre como todos, ni más bueno ni más malo que los otros.

—No, señora.

Regresó al mirador. Se había juntado un corro casi debajo, y en el centro Cayetano hablaba. No se oían sus palabras, sino sólo un murmurllo. Julia le miró fijamente, con una sonrisa débil, apenas insinuada, en los labios. Pensó que, si no era el diablo, podía ser seducido por el diablo, como otro hombre cualquiera.

—¡Nada, nada, doña Angustias! Ahora mismo, cuando salga de aquí, veré a las madres de todas esas niñas, y les diré la clase de pájara que es doña Lucía. ¡Pues no faltaba más! Le aseguro que el cisma del monasterio se acabó para siempre.

Doña Angustias despidió a la visita en la puerta del

jardín, y regresó a la camilla. La criada había servido el café. Entró Cayetano.

—Hola, mamá.

La besó en la frente y se sentó a su lado. Doña Angustias le acercó el tazón.

—¿A qué vinieron ésas? —preguntó Cayetano.

—¿Esas?

—Las de Mariño.

Doña Angustias le miró severamente y le puso el azúcar.

—«Esas», hijo mío, son una gente cristiana y respetable.

—Yo sé lo que me digo, mamá. ¿A qué vinieron?

—A pedirme un favor.

—No.

Mojó un pedazo de bollo en el café.

—Aún no sabes de qué se trata.

—De lo que sea. Desde luego, no. ¡Pues no faltaba más! ¡Un favor a Mariño! Así lo vea entre la Guardia Civil...

—Tienes que oírme primero.

Cayetano apartó el tazón y se volvió hacia su madre.

—Mira, mamá; ese Mariño es un sinvergüenza y un hipócrita, un chupacirios que se da golpes de pecho y me pone verde porque no soy como él, pero que se gasta los cuartos con una querida que tiene en Santiago de tapadillo y que le come un riñón. Por eso le va mal el almacén. A mí me importa un bledo lo que haga y en qué se gasta los cuartos, pero no aguanto la hipocresía, y menos que me llame ladrón y me eche la culpa de todas las desgracias del pueblo, empezando por las suyas. Si se hubiera callado la boca, yo habría seguido comprando en su almacén cosas que puedo comprar en otra parte. Pero ¡a un tío santurrón, cacique, hipocritón, darle yo un céntimo! Ni una peseta, mamá.

—No se trata de dar, sino de prestar en condiciones. Tienen alguna finca de garantía, que, si no le ayudas, se verán obligados a vender, y es lo único que pueden dejar a su hija. Además, ¿quién te dice a ti que son verdad esos cuentos? Si te levantan calumnias, ¿por qué no han de levantárselas a otros? Los Mariño son una gente dignísima.

—Por eso, cuando vienen a pedir, echan por delante a la niña —sonrió—. Que no está nada mal, por cierto.

Doña Angustias se santiguó.

—¡Qué horror, hijo mío! ¡Qué cosas se te ocurren! Una muchachita inocente..., ¿cómo puedes pensar...?

—La he estado viendo en el balcón, mamá. Media hora sin quitarme los ojos de encima, y haciendo todo lo posible para que yo me fijase en ella.

—Habrá estado mirando el astillero. Es una criatura virtuosa, y sus padres, por mucho que me digas...

—Bueno, mamá. Ya está bien. Ni con niña ni sin niña soltaré un céntimo. Y la niña, que se ande con cuidado...

—¡Cayetano!

Le miró duramente. Cayetano se sintió rechazado y bajó la cabeza.

—Bueno...

—Si hicieras algo a esa niña me darías el disgusto más grande del mundo. ¡Fíjate bien! Te obligaría a casarte con ella.

—Mamá...

—¡No hay mamá que valga, Cayetano! Esas cosas no se dicen. Después te quejas de que la gente...

Cayetano la abrazó por la cintura y la atrajo hacia sí.

—Dame un beso, mama. Se acabó. Pero bien entendido que no daré un céntimo a Mariño. ¡Estaba listo, si fuese a sacar de apuros a todos los que vengan a embaucarte!

Doña Angustias se dejaba besar. Había desaparecido la dureza de sus ojos.

—De eso, ya hablaremos...

—Ahí están las chicas ésas. ¿Qué hago? ¿Las paso aquí?

Doña Lucía entreabrió los ojos en la penumbra y movió un poco la cabeza.

—¡Llévalas a la sala!

—¿Es que se va a levantar? ¡No está para esas bromas!

—Hoy me encuentro algo mejor —suspiró—. De aquí allí podré ir, aunque me ayudes un poco. Abreme las maderas.

El dormitorio se iluminó con una luz gris y triste.

—El tresillo de la sala tiene las fundas puestas.

—¡No importa, mujer! ¡Son de confianza!

La criada salió.

—¡Van a ponerlo todo perdido! —dijo, mientras salía.

Se la oyó hablar. Sonó en el corredor un ruido de pasos quedo, rumor de medias palabras. También una risita.

Doña Lucía se incorporó. Sentada en el borde de la cama buscó la zapatillas. Vio cómo sus pies se movían, los vio como si fuesen ajenos. Alzó uno de ellos y lo acarició.

—Son los pies de una reina —dijo, y suspiró profundamente.

Volvió la criada.

—¿Dice algo?

—Nada. Ayúdame.

La criada le acercó el salto de cama: rosa, con lazos y volantes. La ayudó a salir del lecho, la vistió, le dio el brazo. Doña Lucía se detuvo ante el espejo del tocador y dio un toque de polvos a la nariz. Arrastrando los pies llegó a la sala.

—¡Hijas mías queridas! Pero ¿sólo vosotras?

Estaban, con Inés, Sarita Couto, Pepa Ferreiro y Rula Doval. Se pusieron de pie al entrar doña Lucía. Sarita Couto rió. «¡Qué camisón!», y Pepa Ferreiro le dio un codazo: «No es un camisón; es un salto de cama.»

—¿Sólo vosotras? ¿Y las demás? ¿Dónde está Julia?

Se dejó caer en la butaca más próxima a la puerta. Las chicas se sentaron.

—Su madre no la dejó venir —dijo Rula.

—¿A mi casa? ¿No la dejó venir a mi casa?

—No, señora. Al monasterio. Ya no irá más.

Doña Lucía se volvió a Inés.

—Pero ¿por qué? ¿Ha sucedido algo?

—Nada. No ha sucedido nada.

—La madre de Julia dice que ya está bien de madrugar, y que no hacemos nada solas por esas carreteras, y que si queremos ir a misa que vayamos a Santa María, que está más cerca —explicó Rula—. Me lo dijo ella misma, esta mañana, cuando fui a buscar a Julia. Y que hablará a mi madre para que no me deje volver al monasterio.

—¡Dios mío, Dios mío! ¿Por qué?

Doña Lucía se tapó la cara con las manos. Las chicas se miraban y cuchicheaban.

—Va a llorar —murmuró Rula.

—¡Qué fracaso, Dios mío! ¿Cómo podré presentarme ahora delante del Señor? ¡Mi obra de dos años deshecha como un castillo de arena!

La criada había salido, y volvía ahora, con una toquilla.

—Tome. Póngase esto. Si no se hubiera preocupado de ellas no habría cogido tantos catarros y no estaría ahora como está.

Desde la puerta añadió:

—Mejor le hubiera sido cuidar a su marido.

El portazo de la criada creó un silencio.

—¡Decid algo, os lo pido, algo que me consuele! ¡Tú, Inés! ¿También tú me abandonas?

—Yo iré, como siempre, al monasterio.

—Eres la que menos lo necesita. Gracias a Dios estás libre de toda tentación. Pero estas otras... ¿Qué va a ser de ellas si cunde la desbandada? —tosió un poco—. ¡Dios mío, os veo ya perdidas! ¿Será que Dios me exige un sacrificio hasta el final? ¿Tendré que ir arrastrándome por esas carreteras hasta morirme un día por salvaros?

Le temblaba la voz, tendía los brazos y las manos hacia el sofá en que Rula, Pepa y Sarita se habían sentado. Los brazos, en el aire, componían dos interrogaciones acuciantes y escuálidas.

—No, señora, no. Nosotras...

—¡Y yo, que os había llamado para aconsejaros un retiro durante el Carnaval! ¡Yo, que pensaba en vosotras para que vuestras oraciones compensasen a Dios de las ofensas que van a hacérsele estos días!

Pepa Ferreiro sonrió.

—Para eso ya están ahí los misioneros. El miércoles empiezan.

—Y tú, ¿vas a ir?

—Eso dijo mi madre.

—Y la mía.

—¡También la tuya, Sara! ¡Dios bendito!

—Y tampoco me deja volver al monasterio. Hoy es el último día.

La boticaria pareció desmayarse. Inés se levantó y se acercó a ella.

—Doña Lucía... No se ponga así... Al fin y al cabo...

La boticaria cogió la mano de Inés y la apretó.

—Gracias, gracias. Tú me eres fiel. ¿Quieres llamar a la criada? ¡Que me traiga café!

Inés salió. Las otras quedaron en silencio. No se atrevían a mirarse ni a mirar a doña Lucía.

Bebió doña Lucía su café. De vez en cuando, se detenía y suspiraba.

—Ya me encuentro mejor. De todos modos...

Se enderezó en el sillón.

—... os ofrezco mi casa por si queréis pasar aquí la tarde de hoy. Podéis ver la comparsa desde los miradores. Ya que no en la iglesia, al menos en mi casa estaréis seguras.

—¿Puede pasarnos algo? —preguntó Pepa con voz pueril.

Rula rió. «No seas pasmada», dijo en voz baja.

—El pecado andará suelto. Os acechará el diablo como un león rugiente. ¿Y aún preguntas si puede pasaros algo? ¡El Carnaval es el triunfo del infierno sobre el pudor y la vergüenza! El bien se hace cara a cara, pero el mal busca la máscara. Ya sé que vosotras no vais a disfrazaros. Pero, aun así, el aire de la calle contamina —hizo una pausa—. Os lo aseguro: la contaminación de la calle es peor que mi aliento, porque es el alma la que se envenena.

Intentó incorporarse. Inés acudió otra vez.

—Gracias.

Apoyada al sillón, dejó caer el brazo libre con desmayo.

—No tengo fuerzas. Es el último consejo que os doy, la última vez que me atrevo a hablaros en nombre de la Religión y la Moral. El Señor os aparta de mí: El sabrá por qué lo hace. No han de faltaros nunca mis oraciones en esta vida ni mis súplicas en la otra. Pero no sé si os bastarán. Hay que cooperar con la Gracia y seguir el buen consejo. Vuestra salvación, hijas mías, queda ahora en vuestras manos. ¡Mis ovejitas!

Le dio un sollozo, volvió la cabeza y escondió las lágrimas. Salió de la sala.

—Vámonos —dijo Inés, pasados unos instantes.

En la calle, Inés quedó sola. Las otras iban en dirección contraria. Clareaba la mañana y las losas mojadas reflejaban un solecillo tímido. Corrían, calle abajo, chiquillos con caretas de cartón. Más arriba, en la plaza, unas máscaras madrugadoras chillaban en el ámbito vacío. Una de ellas se acercó a Inés; pero, al mirarla, dio la vuelta y se fue.

Cuando entró en la cocina, Clara le dijo:

—El café debe estar frío. ¿Cómo has tardado tanto?

—Nos llamó a su casa doña Lucía.

Clara empezó a cubrir la mesa.

—Me dijeron que está enferma.

—Sí.

—¿Ya no va a misa con vosotras?

Inés negó con la cabeza. «No puede moverse.» Clara la miró. Puso luego tres tazas y tres cucharas y sirvió el café.

—Voy a avisar a Juan.

Desde la puerta del pasillo dio unas voces.

—¡Eh, Juan, el café!

Juan apareció vestido, afeitado, casi pulcro. Dejó la gabardina encima de una banqueta.

—¿Vas a salir tan temprano?

—Sí. Y quizá no venga a comer.

—No irás al baile.

—¡Al baile! ¿A qué baile?

—Hoy es domingo de Carnaval.

—¡Ah!

Juan tomó un sorbo de café.

—Hoy es un día importante —dijo—. Puede ser el gran día.

—¿Para ti?

—Para el pueblo. Es decir, para los pescadores.

Echó en la taza unos trozos de pan y los remojó con la cuchara.

—Vamos a discutir una idea mía. Si prospera...

—¿Vamos a ser ricos?

Juan rió.

—Yo nunca seré rico, ni lo deseo. Pero quizá nos alcance también el beneficio.

Inés había dejado de comer y escuchaba. Clara la señaló con un movimiento de la mano.

—Para decir medias palabras, más vale que no digas nada.

Juan extendió los brazos sobre la mesa, las palmas de las manos hacia arriba.

—Se trata de conseguir de la Vieja que ceda los barcos al sindicato para su explotación colectiva.

Cerró los puños bruscamente.

—¿Os dais cuenta de lo que eso significa? ¿Lo comprendes, Inés?

—Pero ¿cederlos cómo? ¿Alquilados? —interrogó Clara.

—No. Gratuitamente.

Clara se echó a reír.

—¡Estáis locos! Eso es como regalaros los barcos.

—Mi idea es que los ceda al sindicato durante un plazo, pongamos cinco años, y que después el sindicato los compre a un precio razonable. Naturalmente —añadió Juan— esto último es una cláusula teórica. Dentro de cinco años las cosas habrán cambiado y no habrá que pagarlos.

—¿Y si la Vieja no quiere? Que no querrá...

—Entonces iremos a la huelga.

Clara volvió a reír.

—¡Iremos! ¡Cómo si tú fueses uno de ellos! ¡Cómo si tú...!

Se interrumpió. Inés seguía mirando a Juan; lo miraba con amoroso entusiasmo. Clara pensó que si acababa la frase la paz de aquel domingo se rompería.

—Bueno. Que tengas suerte. ¿Y vas a ser tú quien le hables a la Vieja?

—He pensado que Carlos...

Clara torció la boca.

—¿Ese...? Aunque si sólo es cosa de hablar quizá lo haga. Es para lo único que sirve.

A Juan le brillaba la mirada. No se quejó de que el café estuviera frío, ni del pan duro, ni de que el azúcar fuese poco. Lió un cigarrillo, fue al llar, lo encendió en una brasa y se puso la gabardina. Tarareaba. Antes de salir acarició a Inés, y dio a Clara un cachete en la mejilla.

—Carlos nos ayudará, ya lo verás. Es el único amigo de la Vieja, y a nosotros nos quiere.

La casa de La *Chasca* estaba un poco más arriba, pasado el soto. Se llegaba hasta ella por un camino angosto y pino, entre setos de zarza, bajo las ramas desnudas de los castaños. Los zapatos de Clara resbalaban en las guijas, se le enganchaban los tacones en el barro arenoso.

La *Chasca* freía pestiños. Le ofreció. Le dio, con ellos, vino.

—¿Qué te trae?

—Venía a ver si tienes alguna ropa negra. Algo que sirva para un disfraz de viuda.

La *Chasca* rio con risa ancha, sensual.

—¿Para un disfraz? ¿Es que vas al baile?

—No. No es eso.

La *Chasca* apartó la sartén de la lumbre y puso en jarras los brazos.

—No te veo de máscara por la plaza, como cualquiera.

Clara se encogió de hombros.

—A veces...

—Veré si tengo algo. El luto de mi madre debe andar por el arca.

Salió. Clara se sentó en la esquina del llar, hurgó en los leños encendidos. Entró el marido de La *Chasca,* dijo «Buenas tardes» y marchó en seguida. De un leño salió disparado un haz de chispas. Al olor del aceite se mezclaba el de la miel de un frasco.

En realidad, pensaba buscar a Carlos y decirle algo. La *Chasca* regresó con un atadijo bajo el brazo.

—Ahí lo tienes. Va también el pañuelo para la cabeza.

—Te lo devolveré de noche.

—¿Vas a ir por la carretera disfrazada?

—Ya buscaré donde cambiarme.

—Yo que tú no iría sola.

—Ya veré.

Se levantó para salir. La *Chasca* la retuvo por un brazo.

—¿Va mal eso?

—¿Eso, qué?

—Lo del novio.

—No va.

La *Chasca* le soltó el brazo.

—Con el cuerpo que tienes no me diera Dios más trabajo que enganchar a un señorito.

—¿Quién te dijo que es un señorito?

—¡Vaya! Ahora con secretos. Si no es el largo ése del pazo del Penedo, que es más feo que pegarle a Dios, me dejo cortar un brazo.

Quería buscar a Carlos, pero Carlos, a lo mejor, no bajaba al pueblo aquella tarde. Quería, si lo encontraba, provocarlo. Empezaría burlándose de él.

Llegó a las cuatro en punto. Hacia la plaza, al final de la calle se veía un tumulto de gente. Preguntó a la castañera qué pasaba.

—Los de la comparsa. ¿No vas?

Clara le mostró el atadijo.

—Quería ponerme esto. Si me dejas la llave…

—Bueno.

La castañera se remangó la saya y hurgó en la faltriquera. Sacó una llave de hierro grande.

—En seguida te la traigo.

—No hace falta. La escondes en cualquier parte y,

cuando quieras volver a vestirte, ya sabes dónde está. Después me la traes; yo me iré tarde.

Señaló un puchero de barro.

—La cena la tengo aquí. Con calentarla...

Salió de la plaza, bajó por una calleja. La castañera vivía en una casita baja, chica, sin más hueco que una puerta pintada de verde. Entró. No había más que una habitación, cocina y dormitorio a la vez. Cerró la puerta por dentro, echó la llave. Aquello estaba oscuro. Buscó a tientas en el vasar y halló cerillas. Encendió luego una vela.

Se quitó el traje, dejó sus ropas encima de la cama y se puso las de la *Chasca*. Le venían cortas y anchas. No había espejo donde mirarse. Las cintas del mandil, apretadas, sirvieron de ceñidor.

Del bolso sacó un antifaz. Al salir, agarró una escoba usada y se la echó al hombro.

En vez de esconder la llave se la enganchó en la cintura.

La comparsa seguía junto al malecón. La rodeaban dos o tres filas de máscaras, chiquillos, mujeres: caretas de cartón, narigudas o chatas, lúbricas, diabólicas o bobaliconas. Los hombres escuchaban algo más lejos. Clara se abrió paso hasta quedar en la segunda fila.

Los de la comparsa se habían puesto en corro. Uno, en el medio, aguantaba una especie de estandarte donde estaban pintadas las escenas de una historia. Otro, director del cotarro, las señalaba con un puntero, conforme cantaban. Iban vestidos de pantalones blancos, chaqués cortos y chisteras de cartón charolado; en vez de antifaces llevaban narices y bigotes postizos: narices largas, gruesas, coloradas, y grandes bigotes rectos o caídos.

Galiña negra
ten un traballo
que sólo ela
pode aturar:
galos por riba,
galos por baixo,
todos a mira
de galear.

«Galiña negra», según ilustraba el cartel, era una jamona rolliza, abundante de tufos. Mientras se solazaba con uno de los galanes —el director mostraba un lecho grande bajo cuyas ropas algo enorme se escondía—, junto a la puerta, en el corral, en el tejado, en el camino, otros galanes, impacientes, esperaban el turno. Se veía, en otro cuadro del cartel, al marido de «Galiña negra» con grandes cuernos cabríos, timonel de un pesquero en mares tormentosos.

—¡Vamos, vamos, a cantar! ¡A real la copla! ¡A cantar todos!

Detrás de Clara, alguien dijo el nombre verdadero de la llamada «Galiña negra».

«¡Esa zorra había de ser!» La gente empezó a cantar. Al terminar, estallaron las risas.

—¡Y ahora, sanseacabó! ¡Al astillero, muchachos!

Marcharon en columna de a dos. Delante, el director hacía cabriolas. Le seguía el del estandarte. Con platillos, tambor y bombo, marcaban el ritmo de la marcha.

Clara se dejó arrastrar por el gentío. Agarrada a la escoba caminaba al compás de los chiquillos. Una máscara, vestida de labriego, le tiró un viaje al pecho. Ella le respondió con un escobazo, que derribó la careta y la montera del atrevido. Quedaron al descubierto una cara imberbe y rubia, unos ojillos azules, asustados.

—¡Mira quién es!

Unas mujeres rieron. La máscara recogió la careta y quedó con ella en la mano, indecisa; luego, escapó. Clara siguió corriendo tras la comparsa. Al llegar al astillero volvió a formarse el corro, y el director se acercó al guarda jurado de la puerta y le habló unas palabras.

—Atención ahora, muchachos, a ver qué bien os sale.

Levantó la batuta. El corro era más holgado, y la chiquillería esperaba en silencio. A veces cruzaba el aire una serpentina o se escuchaba el estampido de un buscapié. Cuando Cayetano asomó por la puerta del astillero, el director hizo una pirueta de saludo y dio la señal.

Cayetano se metió entre la gente y le hicieron sitio

en la primera fila. Reía. Clara se fue acercando hasta quedar junto a él. Le miró. Cayetano seguía riendo con ojos alegres. Tenía el sombrero echado atrás y la pipa colgando de los dientes.

—Es guapo —pensó Clara—. Y no parece tan malo como otras veces.

Repentinamente se apartó, salió del corro y echó a correr. Quedó lejos la música de la comparsa. Clara corría. Al llegar junto a la taberna del *Cubano* se detuvo a tomar alientos. Dentro, la voz de Juan sobresalía de otras voces. Le dieron ganas de entrar. Empujó la puerta suavemente, asomó la cabeza. La taberna estaba llena. Olía a vino, a hombres, a aceite de sardinas. Sentados o de pie, los pescadores escuchaban, y Juan hablaba, apoyado en la pared del fondo, bajo el calendario brillante con la estampa de la República. Le caía sobre la frente un mechón rojo, movía la mano con calma, con resolución, y todo él resplandecía. Clara no entendió el concepto de sus palabras.

—¡Largo! No se puede entrar.

Le cerraron la puerta. La escoba le cayó al suelo. Se agachó a recogerla, pero olvidó echarla al hombro. Con ella a rastras, se acercó a la ventana de la taberna y miró a través del vidrio turbio. En aquel momento Juan escuchaba. Tomó otra vez la palabra, movió la mano con energía, se apartó de la pared y se acercó al concurso, como queriendo convencerles uno por uno. Carmiña, la hija del *Cubano,* le trajo vino, que Juan bebió de un trago, sin mirarla, y siguió hablando.

Clara se alejó, sin prisa. Le sofocaba el antifaz, y lo alzó un poco. Unos mozos se metieron con ella:

—¡Destrozona! ¡Máscara del polvo!

Juan parecía otro.

—¡Vente conmigo, viuda, ya verás si te consuelo!

Se halló junto al Casino. Un gaitero tocaba, y una pareja de niños disfrazados bailaba una *muiñeira* frenética. Se arrimó para mirar. El juez, el boticario y el dueño del cine jaleaban a la pareja. Don Baldomero hizo un guiño a sus compinches.

—¡Fíjense en la viuda! ¡Vaya caderas!

—¡Eh, tú, preciosa! ¿Se te perdió el marido? ¡Ven para aquí, que lo tenemos guardado!

—¡Anímate, prenda, y baila también un poco!

Don Baldomero dijo al juez por lo bajo:

—Andese con cuidado, no vaya a ser la señora de alguno de nosotros que venga a espiar.

—La suya no puede ser, y la mía no tiene esas hechuras. ¡Si las tuviera...!

Arrojó a Clara una serpentina azul. El boticario y el dueño del cine le imitaron. Un mozalbete volcó sobre el pañuelo negro una bolsa de *confetti,* y un niño le aplastó en el pecho la cáscara de un huevo llena de harina. Clara escapó calle arriba, envuelta por las serpentinas. Las voces la persiguieron.

La gente llenaba la plaza. Una charanga tocaba un fox-trot, y bailaban a su son labriegos, aldeanas, destrozonas, caras en que la estupidez o la lubricidad se habían inmovilizado; bocas, narices enormes; voces broncas o en falsete. Se halló en mitad de un corro de danzantes, gritones, estrepitosos. Un marino oliendo a tinto la agarró de la cintura y la obligó a bailar: daba vueltas sobre sí mismo, y la llevaba en volandas, sin dejarle pisar el suelo. Empezó a marearse.

—Déjame ya.

Quiso soltarse, pero se sintió más fuertemente estrechada, las piernas por el aire. Cerró los ojos. El corro se había apretado y empujaban. El marinero tropezó y cayeron al suelo. Las máscaras del corro rieron, se echaron encima. Sintió una mano hurgándole en las piernas, y una voz que decía: «Es señorita. Lleva las medias finas.» Dio una patada a ciegas. Alguien gritó. Pudo ponerse en pie y pretendió escapar. La agarraron. No sabía quién. Estaba en medio de un tumulto en que todo el mundo chillaba, cantaba, manoteaba. La empujaban, la abrazaban. Intentó abrirse paso a puñetazos: le devolvían risas y sofaldeos. No se reían de ella ni la acariciaban a ella, sino a cualquiera que se pusiese a tiro: manos impersonales buscaban carne impersonal, enmascarada. Le dieron ganas de llorar, pero, súbitamente, se abandonó, y fue otra vez empujada, manoseada. Oleadas de harapientos la traían y llevaban al compás de una música de la que sólo se oían el bombo y los platillos: chin-chin-pum; chin-chin-pum; chin-chin-pum..., o algo así, que se le había metido en la cabeza y gobernaba el ritmo de la mascarada. Hasta que, sin saber cómo, se encontró aislada, en una esquina de la plaza, cerca de un grupo de señores que contemplaban la juerga, reían y jaleaban. El boticario, el juez, el dueño del cine, el de la gasolinera, Carlos. Carlos reía como los otros. Sintió un odio súbito, violento. Buscó a su alrededor y halló un montón de serpentinas sucias, pisoteadas; las recogió, hizo una pelota y la envió al rostro de Carlos. Pasó rozándole la nariz, y Carlos se volvió y la miró. Clara escapó, calle abajo, hasta la casa de la castañera. Se arrojó encima de la cama, fatigada, y lloró de rabia, de tristeza. Le dolían, además, los huesos. Después, quedó dormida.

La despertaron unos golpes en la puerta y voces que daba la castañera. Corrió a abrir.

—¿Estabas dentro?

—Quedé dormida.

Cambió de ropas. La castañera le ofreció algo de comer.

—No. Debe de ser muy tarde. Gracias.

Salió corriendo. Una pareja de máscaras rezagadas cantaban en un extremo de la plaza. El suelo estaba sucio, el aire olía a sudor y a muchedumbre. Apuró el paso.

Inés esperaba en la cocina, ante el hogar encendido.

—Como tardabas me puse a hacer la cena.

—¿Y Juan?

—Acaba de llegar.

Clara se sentó en un escabel, junto a su hermana.

—Hoy le he visto en la taberna.

—¿Y qué?

—¡Habías de ver cómo le escuchaban todos y cómo hablaba!

Inés volvió hacia ella la cabeza y la miró con simpatía.

—Vino contento.

—¿Te contó?

—No, pero se le notaba. Dijo que estaba cansado y que le llevara la cena a la cama.

Clara se levantó.

—Anda. Deja eso. Yo lo acabaré.

Cuando estuvo la cena preparó la de Juan y se la llevó ella misma. Llamó a la puerta y entró. Juan, sentado en la cama, escribía. Clara se sentó junto a él.

—¿Qué? ¿Contento? ¿Fue bien la cosa?

—Mejor de lo que esperaba, aunque no del todo bien.

Apartó los papeles y requirió el plato.

—Hay algo que no les cabe en la cabeza. Quieren que el mundo sea de otra manera, pero no saben cómo tiene que ser, y cuando se les ofrece una solución, les da miedo o fantasean.

—Te estuve viendo por la ventana. Me gustó cómo hablabas.

Juan la miró con extrañeza.

—¿Tú?

—Sí. Un momento nada más.

Juan se llevó el tenedor a la boca, mascó un rato en silencio.

—Son duros de pelar, pero los convenceré. Y entonces...

No dijo más. Se distrajo, mirando al frente, como si ya estuviese contemplando el futuro. Clara se levantó y salió. Desde la puerta dijo:

—Anda, cena, que se te va a enfriar.

Rula Doval llegó después de cenar a casa de Julia Mariño. Venía vestida de oscuro, y traía el misal y el libro de oraciones. La mandaron pasar al comedor.

—¿Tampoco vas al baile tú? —le preguntó el padre de Julia.

—¿Yo, señor? ¿A un baile de máscaras? ¡Dios lo haga mejor!

—Pues seguid así y ya veréis cómo os quedáis solteras —dijo la señora de Mariño—. ¿Hay que llevarte a casa?

—No, señora. Vendrá a buscarme mi madre cuando salga del baile.

—Entonces vendremos juntas, porque nosotros también vamos. No os quedaréis dormidas...

—¿Dormidas? ¡Mamá, vamos a pasar el tiempo rezando!

—Por eso os lo digo.

El cuarto de Julia estaba en el piso superior; al pasar por la escalera, Rula recogió un paquete que había dejado en la sombra.

—¿Qué traes? —preguntó Julia.

—Lo que encontré.

Echaron el pasador a la puerta, por si acaso. Cerraron las ventanas, corrieron las cortinas.

—Podíamos poner un disco mientras se van —dijo Rula.

—¡Eres tonta! ¡Para que nos oigan!

Se sentaron en la alfombra, cuchichearon. El rumor parecía de rezos. Pasado un rato, alguien golpeó en la puerta.

—Nos vamos. Si queréis algo, la criada queda en casa.

Julia corrió al mirador y apartó un poco la cortina. Sus padres se alejaban: ella, de prisa, y él, un poco remolón.

—A papá le gustaría más quedarse en casa. Ya no está para bailes—. Encendió todas las luces. Rula, a su lado, respiraba con ansiedad.

—Anda, enséñame eso.

—Lo tengo en el armario.

Buscó debajo de la almohada un manojo de llaves, abrió el armario y hurgó en su fondo. Fue sacando piezas y entregándolas a Rula.

—Toma, coge. Esa es la capa... Eso, una especie de pantalones... Y esto...

Alzó las manos y mostró, cogidas de las puntas, unas mallas enterizas de color rojo fuego.

—Hay también una chaqueta.

Rula le arrebató las mallas y las palpó.

—Son finas... ¿Te vas a poner esto?

—Claro. Es el disfraz. Me está de rechupete.

—Pero... ¡es como ir desnuda!

—Bueno.

Rula la miró con asombro y severidad. Julia corrigió, baja la mirada:

—Se pone una la capa, ¿comprendes?, y va bien envuelta. Además... —señaló los calzones: unos gregüescos negros, acuchillados de rojo— también me pondré eso.

Echó el disfraz sobre la cama.

—Enséñame lo tuyo.

—¿Lo mío? ¡Bah! Un traje de colombina, ajado. ¡Voy a pasar más frío de aquí al Casino...!

Julia empezó a desvestirse.

—Frío, también lo pasaré yo, porque esto no debe ser de mucho abrigo.

Fue dejando caer sobre la alfombra sus prendas interiores conforme se las quitaba. Rula, sentada, las recogía y las miraba.

—Tienes cosas bonitas.

—Le voy sacando a mi padre lo que puedo.

Al ver que también se quitaba las bragas, Rula reprimió un grito de espanto.

—Pero ¿vas a ir desnuda?

—¡Claro! Debajo no se puede llevar nada, ni siquiera sostén.

Torció el torso y enseñó a Rula los pechos, como para demostrar que el sostén no hacía falta. Después, así desnuda, se miró al espejo, y tuvo la sensación de que aquella mujer que desde el espejo la miraba emitía un poder extraño y turbador, un poder que sujetaba sus ojos a la imagen del cuerpo desnudo. Hizo un esfuerzo y se volvió.

—¡Si por cualquier casualidad se entera tu madre!

—El disfraz lo tenía ella entre sus ropas de soltera: de modo que si alguna vez lo puso...

—¡Qué escándalo!

Julia, desnuda, se demoró todavía como buscando algo, y volvió a mirarse.

—¡Ay, mujer, vístete ya! ¡No tienes vergüenza!

Parsimoniosamente Julia se puso las mallas y obligó a Rula a que le abrochase los botones de la espalda;

botoncitos menudos, como de sotana, aunque rojos. Terminaban justamente en el arranque del rabo, corto y erecto.

—Pero... ¡también rabo!

—Es un disfraz de demonio.

—Pero ¡Julia!

Julia Mariño, metida en las mallas rojas, con el rabo en la mano, se volvió enérgica.

—¡Bueno! ¿Te atreves o no te atreves?

Dio unos pasos hacia Rula, acoquinada.

—Sí, sí..., claro..., pero...

La mirada de Rula la recorrió, entre asombrada y envidiosa. Julia Mariño sonrió y fue al armario. Dentro de las mallas el cuerpo conservaba todo su poder. Parecía incluso haberlo aumentado.

—¡Ay, hija! ¡No mires así! ¡Pareces el demonio!

—Anda. Ponte tu traje mientras termino.

—Mi traje..., sí... Es una porquería. Lo limpié un poco, pero resulta deslucido.

—También yo tuve que zurcir eso. Estaba picado. Mira.

Los gregüescos puestos parecieron tranquilizar a Rula, y hasta rió cuando hubo de ayudar a Julia a meter el rabo por un agujero. El rabo no le gustaba.

—Porque, claro, con eso ahí, la capa no caerá bien.

Se la puso. Efectivamente, el rabo hacía bulto. Rula le sugirió que se lo sujetase al cinturón si no quería cortarlo.

—Gracias a Dios que se te ocurre algo práctico.

Con el rabo sujeto la cosa quedaba mejor.

—Ahora, el gorrito con sus cuernos... ¿Los ves? ¡Mira qué monos! ¡Parecen los de una mariposa! Y la capa, y ya está. ¡Ah! Había también un collar...

Lo buscó y se lo puso. Un enorme medallón dorado con una cabeza de diablo, que le quedaba entre los pechos.

—Pero ¿y la chaqueta?

Rula, puesta la capa, se embozó en ella.

—Tiene más gracia así.

—Vas verdaderamente escandalosa. Ir así al baile debe de ser pecado.

La falda de colombina le venía larga a Rula. Tuvieron que acortarla.

—Y ahora, ¿cómo voy así por la calle?

—Te echas el abrigo por encima.

—Sí, y que nos conozcan todos.

Julia salió y volvió con una capa azul.

—Toma. Te pones eso. Es mi capa de cuando iba al colegio.

Le tendió, además, un antifaz.

—Quítate los zapatos para no despertar a la criada. Agárrate bien a mí y, por Dios, que no tropieces.

Bajaron las escaleras; salieron —silenciosas— al jardín. Se calzaron.

—No te sueltes.

—Tengo miedo.

—¡Vamos! A buena hora... Cuidado, no vayas a resbalar.

Un vientecillo húmedo meneaba las ramas desnudas de los frutales y el resplandor de la luna hacía el huerto más sombrío. Entre las sombras, Julia parecía un diablo verdadero, y el jardín, un rincón desolado del infierno. Rula se santiguó.

—¿No hay perro?

—¡Eres tonta!

Rula se arrimó a la pared.

—Yo no voy.

—Pues te quedas en el jardín toda la noche vestida de colombina, porque en mi casa no entras.

Corrió a la puerta, entró y cerró.

—¡Abre, Julia! ¡Abre, mujer, no te pongas así! —susurró Rula.

—Como despiertes a la criada te luces.

—¡Abre, por Dios!

Julia entreabrió la puerta.

—¿Qué demonios te pasa?

Se oyó un sollozo.

—Es que... me da vergüenza ir junto a ti con este traje tan sucio.

—Pues al llegar al baile nos separamos, y cada cual por un lado.

Atravesaron el huerto. Julia arrancó unas camelias.

—Toma. Para que te adornes.

Ya en la calle se puso los guantes que había colgado del cinturón.

—Ahora tan tranquilas. Con estas capas nadie nos va a conocer.

Echó a andar, taconeando fuerte. Rula la siguió dando saltitos.

—Julia, mujer, no corras tanto...

A la puerta del Casino el conserje quiso verles la cara.

—Descúbrete tú.

—No. Descúbrete tú.

Llegaba hasta el portal la barahúnda del baile. Al conserje le habían encasquetado un gorrito de papel.

—Mire —dijo Julia—. Entre un momento y diga al señor Doval que salga.

El conserje marchó.

—¿Por qué a mi padre y no al tuyo?

—¡No seas imbécil y entra ahora! ¡Escóndete en la escalera!

Se acercaban unas señoras con unas muchachitas disfrazadas. Julia entró y se escondió en la caja de la escalera. Perdió de vista a Rula.

—¡Conserje, que ésta se cuela!

—¡Eh, conserje! ¿En dónde está el conserje?

—¡Eh, conserje!

Rula corrió escaleras arriba. Una señora comentó que aquello no podía ser, y que si entraba todo el mundo en los bailes del Casino iba a resultar un escándalo.

Julia se escurrió en el cuarto del conserje, y salió por otra puerta al pasillo de los servicios. Después entró en el salón bien embozada. Vio a su madre, junto a la orquesta, cotorreando y moviendo las manos con violencia. Buscó un rincón alejado y se acogió a él.

—No, no bailo. No, no bailo.

—Este diablo parece tonto.

Temía que su madre reconociese el disfraz.

Quieta, en postura tímida, sus ojos escrutaban el

salón, inspeccionaban una a una las parejas. La golpeaban las serpentinas, la sofocaba el polvo, la capa le estorbaba. Había una silla a su lado y pensó en subirse a ella para mirar mejor, pero desistió por miedo a ser reconocida. Aislada del tumulto, su disfraz resultaría llamativo.

Un grupo de parejas, cogidos todos de la mano, intentaba envolver a los que bailaban. Vio a Rula metida en danza. Rula también la vio. Rompió la cadena y se le acercó.

—¿Pudiste entrar?

—¡Vete, no me hables! ¡Van a reconocernos!

La empujó hacia el barullo. Rula perdió un zapato. En tanto lo buscaban, Julia se metió entre los bailarines.

Había descubierto a Cayetano, asediado de una mora y de un vulgar capuchón. Se abrió paso a codazos. La mora acusaba a Cayetano de haberse dejado soplar a la *Galana*. El capuchón, con voz grave, insistía en el episodio de las botellas rotas.

Julia se agarró al brazo de la mora, y cuando vio que Cayetano la miraba, dejó caer el embozo de la capa, hasta descubrir el pecho, para taparlo en seguida y huir.

—¡Eh, tú, diablillo, espera! —le gritó Cayetano.

Volvió la cabeza y vio que Cayetano, libre del capuchón y de la mora, intentaba seguirla. Se abrió paso hasta la puerta; ganó el pasillo y corrió a la salida. El conserje alargó el brazo para detenerla; lo esquivó y salió a la calle. Cayetano seguía detrás.

—¡Espera! ¡Espera!

Fue calle arriba. Le estorbaban los zapatos y los abandonó. Al volver la esquina vio que Cayetano también corría. Hizo un esfuerzo por alcanzar la puerta del jardín, el necesario para no caer rendida hasta alcanzarla.

Cayetano se inclinó a recogerla. Traía en la mano los zapatos abandonados.

—¡Déjeme! ¡Por favor, déjeme!

—¡Dime quién eres!

—¡Déjeme o grito!

—Antes ponte los zapatos, que te vas a acatarrar. ¿En dónde vives?

—Eso a usted no le importa.

Cayetano la tenía cogida por los hombros. Intentó apartar la capa.

— ¡Quieto!

Se arrancó bruscamente de los brazos de Cayetano, pero perdió la capa. Pudo empujar la puerta del jardín, entrar y cerrarla rápidamente. Quedó arrimada a ella, escuchando.

—Oyeme, Julia —dijo la voz queda de Cayetano—. Si no me abres llevaré a tu padre la capa.

— ¡Váyase!

—No sin que me abras. Vas a coger una pulmonía.

— ¡Eche la capa por encima de la tapia!

—Quiero dártela a ti.

—¿Y se marcha?

—Si eres buena, sí.

—¿Y qué es ser buena?

Descorrió suavemente el cerrojo, entreabrió la puerta y sacó la mano.

—Deme la capa.

Cayetano empujó, entró, cerró tras sí. Julia, arrimada al muro, tenía la cabeza baja y sollozaba.

— ¡Váyase!

—Me voy si me das un beso.

La cogió por la cintura, suavemente, y la besó. Ella no hizo resistencia.

—¿Cuántos años tienes?

—Diecinueve.

La apartó bruscamente. Julia, arrojada contra la pared, estaba atractiva, alumbrada por la luna. Le temblaba el medallón entre los pechos, temblaba todo su cuerpo.

—Dime la verdad. ¿Tu padre sabe algo de esto?

—¿Mi padre? Si se entera me mata.

—Entonces, ¿por qué lo hiciste?

—Tuvo la culpa Rula Duval. Me trajo este disfraz y me convenció para que fuésemos al baile sin que lo supiera nadie. Ella está allí.

Le temblaba también la voz. Cayetano le puso la capa.

—Anda. Vete a la cama.

—¿No dirá nada?

Cayetano no respondió. La miró fijamente y salió a la calle. Encendió un pitillo y permaneció junto a la puerta cerrada. Estaba seguro de que detrás, Julia Mariño esperaba todavía. ¡Tenía la carne dura y los ojos brillantes y grandes! Lo de no saber besar se arreglaba en unos días.

Arrojó el cigarrillo y encendió otro. Se le recordaron, de repente, las palabras de su madre, palabras que le ataban como cadenas las piernas, las manos y la voluntad. Pero, al otro lado de la puerta, la respiración queda, anhelante, de Julia, le empujaba, le atraía; podía más que el amor a doña Angustias; o, al menos, podía tanto, y le hacía tambalearse entre el deseo de entrar y el de volver al Casino tranquilamente.

—Le voy a dar un buen par de bofetadas a la mocosa ésta. Va a saber lo que es andar provocando a los hombres. Y a su padre también le diré unas palabras en cuanto le eche la vista encima.

Todavía esperó, y pensó que le gustaría que Carlos estuviese allí y pudiera escuchar, como él, la respiración de Julia, y verle entrar y oír cómo la mandaba acostarse.

Empujó la puerta y se oyó un gritito ahogado. Entró a tiempo de asir a Julia por la muñeca. La atrajo de un tirón.

—¡Mira! ¡O te vas a la cama o te hago un hijo aquí mismo! ¡Largo!

Julia Mariño no se movió. Dejó caer la capa y levantó el rostro. Sonreía.

Todas las puertas estaban cerradas, nadie esperaba en ellas. La de Julia, la de Pepa Ferreiro, la de Sarita Couto. Inés cerró el paraguas y siguió sola. Estaban las calles desiertas, era de noche todavía.

Arriba, en el barrio que trepaba por la ladera del monte, algunas ventanas se veían iluminadas. Una de las últimas puertas del pueblo se abrió y se cerró en seguida. Más allá, todo oscuro. Se había levantado viento...

Se detuvo a la salida del pueblo. La carretera clareaba suavemente entre murallas de sombras; la mar batía en alguna parte, batía fuerte, y las gaviotas empezaban a graznar.

Era así todas las mañanas, y ella iba también sola, otra clase de soledad. Iba sola porque no escuchaba la charla inacabable de doña Lucía, ni los cuchicheos de Julita y Rula, ni risas, ni comentarios, ni advertencias. Iba sola; pero delante y detrás de ella caminaban sus compañeras. Nunca se le había ocurrido tener miedo, nunca las sombras y los ruidos del camino la habían hecho temblar. Ahora temblaba. Se le encogía el corazón y una cosa le subía a la garganta.

Volvió sobre sus pasos, atravesó el pueblo casi corriendo. Oyó voces dentro de alguna casa; unos marineros pasaron cargados de redes. Una taberna estaba abierta. Pero la oscuridad envolvía al pueblo, lo tragaba. Llegó corriendo a su casa, jadeante.

Clara estaba en la cocina.

—¿Y tú? ¿Te pasa algo?

—Tengo miedo.

—¿A qué?

—No sé. No me atrevo a ir sola.

—¿Sola?

Clara dejó la vela encima de la mesa y empezó a prender una piña.

—Las demás ya no van.

La piña empezó a arder. Clara la llevó al fogón y puso encima unos leños.

—Como la boticaria está enferma...

—Pues el fraile se queda sin clientes.

—Tengo que ir.

Lo dijo con pasión. Clara se la quedó mirando.

—¿Por qué no vienes conmigo? —añadió en seguida Inés.

—¿Al monasterio? Y la casa, ¿quién la hace?

—Volveremos temprano.

—Supón que a Juan le da por madrugar... Y mamá, que hay que lavarla.

Inés tendió las manos.

—Te lo ruego. Diré a Juan que espere. Yo no puedo faltar, ¿no lo comprendes?

—¿Y mañana?

—Vendrás también... Hasta que busque otras amigas. No puedo faltar un solo día. Sería terrible.

—No creo que vaya a morirse el fraile.

—Pero ¿no te das cuenta de que si no va nadie dejarán de decir *esa* misa? ¿No te das cuenta?

Clara se acercó al llar y empezó a apagar los tizones ardientes.

—Avisa a Juan. Terminaré en seguida.

—Gracias. Gracias de veras.

Inés salió.

—Tráeme el abrigo de paso que vienes.

Todavía no clareaba cuando salieron, pero, pasado el pueblo, alboreaba por encima de los montes. Venía el viento del Oeste y el cielo estaba hosco.

—Va a llover para mañana —comentó Clara.

—¿Y qué?

—Es martes de Carnaval. Y por la tarde empieza la misión. Tendrán que hacerla dentro de la iglesia.

—¿Es que vas a ir?

—¿Qué se me pierde a mí? Además, si voy contigo cada mañana...

Inés se había cogido del brazo de Clara. No respondió. Se fue ensimismando. Clara la miró un par de veces y dejó de preocuparse de ella. Al llegar al monasterio era de día. La iglesia estaba abierta.

—Si quieres puedes esperarme ahí dentro. Hay bancos para sentarse. Abajo...

—Sí... Esperaré, no te preocupes.

—Puedes oír misa en la iglesia. Es un misa corriente. La que se dice abajo...

—Ya sé. Es especial para santas...

—Claro que si quieres venir...

Clara empujó a su hermana hacia la puerta de la cripta.

—Yo no soy santa, Inés. Ya veré lo que hago.

Inés bajó las escaleras apresuradamente. Al entrar en la capilla salía el padre Ossorio, revestido, y saludaba ante el altar. Inés se arrodilló, y sólo entonces se dio cuenta de que la cripta estaba solitaria, de que faltaban sus compañeras, de que nadie bisbiseaba detrás, de que sólo ella cantaría. Juntó las manos e inclinó la cabeza.

—Te doy gracias, Señor, por haberme escogido entre todas y por haberme preservado de la cobardía. Señor, tu sierva Inés está presente en el sacrificio. Señor...

Los latines del oficiante la interrumpieron. Respondió en voz baja, pero distinta. El diálogo resonaba, creaba pequeños ecos... El oficiante se interrumpió, hizo una seña al acólito y le preguntó algo. Volvió la cabeza y miró a Inés un instante. Inés se sintió colmada de alegría, no pudo evitar que le temblase la voz.

Cuando el padre Ossorio dio la vuelta al altar y quedó frente a ella, Inés alzó el rostro y lo miró. Estaba en la penumbra, casi no podía leer en el misal, pero sabía que, entre las sombras, el oficiante oiría *su* voz, no una voz entre otras o un conjunto de voces. Y cuando hablase, le hablaría a ella.

Cantó quedamente el ofertorio, el gradual... Se levantó para el evangelio; se sentó para la plática. Pero el padre Ossorio no interrumpió la misa, no se apoyó en el cuerno del altar, como todos los días, para decir: «El evangelio de hoy...» Inés sintió romperse el encanto creado por la soledad. Se preguntó por qué no le hablaba a ella sola, se metió en un barullo de preguntas, de conjeturas. Cantó mecánicamente las respuestas... Continuaba sentada o de rodillas, pero su alma no participaba en la misa. Su alma quería averiguar por qué el padre Ossorio no había comprendido la razón por la que ella estaba sola en la misa y por la que seguiría viniendo sola.

No podía ser el rumor de las mujeres que iban al mercado. Era todavía de noche, y por la rendija de una cortina entreabrierta entraba luz tenue del alumbrado público, no resplandores de aurora. El rumor venía de lejos y se acercaba. Doña Lucía se tapó la cabeza e intentó seguir durmiendo. Quiso hacer del rumor canción que la ayudase dormir, y acomodó a él el ritmo de su espíritu, porque [illegible]umor era rítmico. Hasta que, súbitamente, comprendió: ¡El rosario de la aurora! Quedó, de pronto, espabilada. Se sentó en el borde de la cama y escuchó. Era rumor de rezos, alternados con cánticos.

Se envolvió en una bata y salió al mirador. Por la ventana del costado pudo ver, bajo la lluvia fina, dos largas filas de velas encendidas, dos largas filas de fieles cobijados bajo paraguas abiertos. Estaban ya cerca. Por el medio de la calle, la sobrepelliz de un sacerdote iba y venía, dirigiendo el rezo, ordenando las filas. Llevaba en la mano un cirio apagado que le servía de batuta y bastón de mando: lo movía con furia, con energía, con autoridad. Decía a voz en grito el «Ave María», y los fieles respondían sordamente.

Las primeras de las filas alcanzaron la altura de su casa. Intentó reconocerlas: gentes de poco pelo, viejas envueltas en mantones, algún varón perdido entre mujeres. Unas protegían del aire la llama de la vela con cucuruchos de papel; otras, con la mano ahuecada. Algunas las llevaban apagadas. Y todas parecían cansadas, forzadas.

El cura empezó a cantar, con voz desgañitada:

¡Avé, avé, avé María!
¡Avé, avé, avé María!

Le respondieron las más cercanas, pero las de atrás no cantaban, o lo hacían en voz tan baja que no se les oía. El cura retrocedió a grandes pasos y alzó los brazos.

—¡Vamos, canten todas! ¡No rompan las filas! ¡Más de prisa, señoras! «Avé, avé, avé María.»

Se aproximó a una acera y arregló una disputa entre dos mujeres. Corrió hacia adelante. «¡No tan de prisa, señoras, no tan de prisa!» Las que iban al principio se detuvieron para que la fila, rota en alguna parte, se reintegrase. El cura movía las manos, frenaba, animaba, cantaba. Se veía ahora, al final, otro cura, bajito, que llevaba la vela encendida y no parecía moverse.

Doña Lucía sonrió en la sombra y siguió mirando

las que pasaban cerca. Fulana, Zutana, Perengana. Rula Doval, con su madre: se le sobresaltó el corazón. Y un poco más atrás, Pepa Ferreiro, Sara Couto y todas, todas sus ovejitas, soñolientas, aburridas, con sus velas y con sus madres. Cruzó las manos sobre el pecho y sintió que dos lagrimones resbalaban por su cara.

—¡Dios, mi fracaso, mi castigo!

Alzó hacia el cielo oscuro los ojos húmedos; por encima de las nubes resplandecía el alba, pero su luz no llegaba a la calle. Las velas, temblando en el aire azul, no desvanecían la oscuridad. Los faroles del alumbrado se habían apagado. Era una procesión de sombras; rezaban, cantaban como sombras, sin entusiasmo, sin piedad. ¿Podía aquello compararse con lo que ella había hecho, con lo que había creado? Se sumió en los recuerdos más hermosos y vio la cripta del monasterio y oyó el cantar sereno, tranquilo, de sus ovejitas y la voz grave, pastosa, del padre Ossorio, entonando el prefacio. ¡Aquello sí que era hermoso, y no el desmayo de estas voces arrastradas y los gritos metálicos del cura en medio de la calle!

¡Avé, avé, avé María!
¡Avé, avé, avé María!

—¡Vamos, señoras, vamos! ¡Dense prisa y canten más alto!

¡Avé, avé, avé María!
¡Avé, avé!

Sintió de pronto necesidad de gritar, de decir que no estaba conforme; pero frenó el impulso, pensando en su reputación. Después de todo, ¿para qué? Estaba a punto de marcharse; quizá ya no volviera más. Y su obra estaba destruida. De todos modos, tenía que hacer algo, enterar a la gente de que ella no iba en la procesión, de que ella no arrastraba avemarías y piernas por las calles mojadas de Pueblanueva, al compás marcado por el cirio de un sacerdote gritón. Abrió la ventana de golpe y se asomó. El cura se volvió al ruido y miró hacia arriba. Dejó, de pronto, de cantar. La apuntó con el cirio, y gritó:

—¡Un padrenuestro por el alma de esa pecadora! «Padrenuestro, que estás en los cielos...»

Veinte, treinta, cien caras se levantaron y la miraron. Le temblaron las piernas, le subió la sangre al rostro. Cerró la ventana y retrocedió. Tuvo que apoyarse en la pared, respirar hondo. En la calle se terminaba el padrenuestro y el cura invitaba a continuar, como si nada. «¡Vamos, a cantar todas! ¡Avé, avé...!» Doña Lucía avanzó en las sombras, pero las piernas se le doblaron. Dio una gran voz.

—¡Baldomero!

Y cayó en la alfombra.

El boticario llegó en seguida, en camiseta y calzoncillos. Encendió la luz.

—¿Qué sucede?

Vio a su esposa en el suelo, vio revueltas las ropas del lecho. Se arrodilló.

—¡Lucía, Lucía! ¡Oyeme, Lucía!

Ella no respondió. Don Baldomero corrió al armario, buscó algo entre las medicinas, no lo halló, y salió corriendo a la escalera. Volvió sobre sus pasos, cogió una llave y descendió de nuevo. En el anaquel de la rebotica alcanzó un frasco y subió, sin cuidarse de la puerta abierta ni de la luz encendida.

—¡Lucía, Lucía! ¡Vamos, Lucía!

La incorporó y le hizo tragar un poco de aguardiente. Ella tosió y abrió los ojos.

—Déjame, voy a morir.

Dio un suspiro profundo y quedó mirando a su marido con ojos espantados.

—Pero ¿qué ha sucedido? ¿Por qué estás en el suelo?

Doña Lucía indicó la calle con un gesto vago.

—¿No los oyes? ¡Me acaban de insultar!

—¿Cómo?

—Me han llamado... ¡pecadora!

Don Baldomero corrió al mirador y vio las filas de orantes perderse por la calle abajo. La luz de la mañana hacía ya palidecer las velas, y allá abajo, la brisa marina las apagaba.

—Llévame a la cama.

La cogió en brazos y la acostó. Ella permaneció un momento con los ojos cerrados. Los abrió de repente, como asustada.

—¡Baldomero! ¡El Señor me ha abandonado! ¡No me abandones tú! ¡Baldomero!

El se sentó a su lado.

—Vaya, vaya. No te pongas así.

—Voy a morir.

Hizo un esfuerzo para incorporarse. El la ayudó.

—Voy a morir, pero antes quiero hacerte una confesión. El perdón de Dios no me basta. Necesito también el tuyo. ¡Baldomero!

Le agarró las manos y le miró fijamente.

—Soy una mujer infame.

Se desplomó en las almohadas y empezó a sollozar.

—¡Infame, infame! —decía entre jipidos—. ¡Te he deshonrado, esposo mío, te he engañado con otro!

Don Baldomero la escuchaba nervioso. Por la abertura de la camiseta asomaba la pelambrera hirsuta y cana, agitada por la respiración trémula. Movía las manos torpemente; las tendía hacia el cuello de su mujer, las retiraba.

—¿Con quién? ¡Dilo en seguida! ¿Con quién? —estalló su voz.

Ella hundió el rostro en la almohada.

—Con tu peor enemigo, con Cayetano. ¡Perdóname, esposo mío! ¡Perdóname, aunque me mates!

Empezó a toser furiosamente; una tos honda, recia. Manchó de rosa la almohada y el embozo de la sábana. Sentada en la cama, siguió tosiendo, tensas las cuerdas de la garganta, los músculos de la cara. Y las manos, agarradas a las rodillas, crispadas sobre la colcha. Don Baldomero mantenía los puños cerrados, en el aire. Se le había petrificado el rostro, se le había fijado en un gesto de dolor. Los calzoncillos, medio caídos, dejaban ver una franja del vientre, una franja estrecha de carne velluda.

—¡Lucía! —dijo con voz desgarrada, y tendió nuevamente hacia el cuello traslúcido las manos engarabitadas. De pronto se aflojó y empezó a llorar. Le dio un hipo agudo, que le convulsionaba el tórax, que le estremecía las piernas desnudas, y del hipo salía algo así como un silbido ronco, rematado en estertor.

—¡Lu... cí... a...!

Salió corriendo. Quedó abierta la puerta del corredor. Un ruido de toses llenó la casa.

A poco llegó la criada, acabando de vestirse.

—¡Vaya, señora, vaya! ¡A ver, que le doy algo!

....

Don Baldomero subió la cuesta del Penedo con el pecho doblado, las manos cruzadas a la espalda. Miraba, sin verla, a la tierra. Recibía la lluvia sin sentirla. El cerebro le daba vueltas alrededor de una sola idea, de una sola frase, cada vez más grande, cada vez más recia. La leía en las piedras del camino, la escuchaba en el ruido del aire.

Empujó la verja, recorrió la vereda, llegó ante el portón abierto. Antes de entrar levantó al cielo los ojos enrojecidos.

—No lo merezco, Señor —dijo en voz alta; e inmediatamente se corrigió—. Sí, lo merezco. Soy un pecador furioso, impenitente. Soy malo.

Carlos estaba afeitándose. Mandó a Paquito que llevase al boticario al cuarto de la torre, y que cargase la cafetera con agua para dos. Se dio prisa en terminar. Halló a don Baldomero derribado en el sofá, con la cabeza entre las manos.

—¿Qué le sucede?

Don Baldomero, puesto de pie, alzó una mano.

—Si no lo sabe, es que el cielo aún no me ha castigado bastante. Pero si sospecha lo que me pueda pasar, dígamelo, don Carlos.

Carlos negó con la cabeza.

—Entonces —respondió don Baldomero, con voz abrumada—, me falta todavía la parte más dolorosa de mi tragedia, la vergüenza pública.

Se dejó caer en el sofá.

—Mi mujer me ha engañado.

—¿Cómo?

—Ella misma me lo confesó no hace todavía un par

de horas. Espontáneamente, creyendo que iba a morir.

Hizo una pausa y tendió hacia Carlos las manos implorantes.

—¡Con Cayetano! ¡Con mi peor enemigo!

—No.

—¿Cómo que no? ¿Es que puede dudarse de las palabras de un moribundo?

Carlos se sentó, sonriente.

—No puedo creerlo, don Baldomero. Aunque lo haya jurado por todos los santos celestiales. Su mujer no le ha engañado.

El boticario le puso una mano en el hombro.

—Don Carlos, si esas palabras las dicta una intención de amigo, se las agradezco. Pero es inútil que siga por ese camino. Mi mujer no mintió. Esperaba que la matase, y hasta no sé si me pidió que lo hiciera. No lo recuerdo bien. Pero decía la verdad.

Volvió a interrumpirse. Juntó las manos y las alzó crispadas.

—¿Se da usted cuenta, don Carlos, de mi situación? Como usted habrá adivinado, no fui capaz de matarla.

Volvió a ponerse de pie, dio unos pasos sobre la alfombra, echó aliento a las puntas de los dedos y se frotó las manos.

—No fui capaz, don Carlos. Ella tosía. Soy un cobarde, un puñetero sentimental. Me dio pena, ¿comprende? Pudo la pena más que mi honor mancillado. Además, lloré.

En silencio miró a Carlos.

—¿No le da risa?

—¿El qué?

—El que haya llorado.

—Es lo natural. Usted, en el fondo, quiere a su esposa. No ha dejado de quererla.

—Y, aunque eso sea así, llorar es una cobardía, y yo, un ridículo cabrón. ¡No me mire de ese modo, don Carlos! ¡Soy un cabrón! ¡Yo, un carlista de Vázquez de Mella! ¡Soy tan cabrón como cualquiera, como don Lino, como Martínez Couto, como cualquiera de los «joíos» padres y maridos de las mujeres seducidas por Cayetano!

¡Ya tengo por derecho propio un puesto de honor en la popular cofradía del Cuerno!

Su mano abierta trazó en el aire una raya tajante.

—Se acabó la cabeza erguida, se acabó el mirar cara a cara a Cayetano, se acabó el orgullo. ¡Si al menos la hubiera matado! Pero no la maté, no. El Cielo se cebó en mí. Dios no me ha permitido cumplir con mi obligación. Detuvo mi mano, como la mano de Abraham, y me hizo llorar como un nene. ¿Y sabe usted por qué? Porque entre Dios y yo están pendientes muchas cuestiones, porque llevo varios años haciéndole jugadas gordas y porque hasta ahora logré permanecer impune. Pero el Señor esperaba. El Señor conocía el corazón de mi mujer y podía esperar. Quería castigarme con lo que más me había de doler.

Carlos le interrumpió.

—¿Por qué complica a Dios en estas cosas?

—Dios está en todo. No se mueve una hoja sin su Santa Voluntad. Por otra parte, el cornudo es siempre un personaje con derecho a hacerse oír del Cielo, y en todo adulterio anda metido directamente Dios. El matrimonio es un sacramento. Violarlo es herir a Dios en su corazón.

—Supongo que ese principio se lo puede aplicar, ante todo, a usted mismo.

—¿Quién lo duda? Mis adulterios personales son una de las cuestiones a que acabo de referirme, son la causa de que Dios esperase su ocasión. Pero el caso es más complicado de lo que parece a primera vista. Anda por el medio la reputación personal, y, entre nosotros, un hombre vale, como usted sabe, en razón directa del número de mujeres con las que se ha acostado, y deja de valer en razón directa de los cuernos que le han puesto. Esto es así y no hay quien lo mueva. De modo que, o renuncia usted a su buen nombre, o fornica a calzón quitado y tiñe los cuernos de sangre, si se los ponen. Unos cuernos sangrientos pueden llegar a ser timbre de gloria.

Carlos, escuchándole, sonreía. Sonriendo, le animó a que siguiera.

—Sangre, ante todo, de la adúltera. Hay en esto, al parecer injusto, cierta justicia oculta. Un hombre está siempre dispuesto a acostarse con la mujer de otro y, a ser posible, que se sepa. Es, en cierto modo, un acto heroico, puesto que se juega la vida por la reputación; y aunque el marido burlado insulte al burlador, reconoce en el fondo que él, en su caso, hubiera hecho lo mismo. Por eso no es esencial matar al seductor, sino a la adúltera. Claro está que el que mata a los dos queda enteramente reivindicado; pero la muerte de ella se considera suficiente para vengar el deshonor. En todo adulterio, la pecadora fundamental es ella. Y ahí está lo terrible de mi caso. Yo no me siento capaz de hacérsela pagar a mi mujer. Si estuviera sana y fuerte, la habría estrangulado; pero ¿cómo va a poner la mano encima a una mujer que tose y escupe sangre?

Se le llenaron los ojos de lágrimas y contuvo un sollozo.

—Siéntese —le dijo Carlos—. Tome un café conmigo. Coñac también, si quiere.

—No —fue hacia la ventana y se mantuvo de espaldas a Carlos durante un rato—. Café, sí lo quiero. Se le agradece.

Se enjugó las lágrimas con los dedos y cogió la taza que Carlos, sin mirarle, le tendía.

—Don Carlos, hay que hacer algo. No he venido junto a usted sólo a desahogarme, sino a pedir consejo.

—Vuelva a su casa, tranquilícese y piense que doña Lucía, por lo que sea, le mintió.

—Eso no puedo pensarlo. Y tampoco volver a casa y vivir bajo el mismo techo. ¿No lo comprende? Ya está decidido. No puedo permitir que nadie se ría de mí.

—Nadie se reirá de usted, porque de este asunto nadie sabe una sola palabra.

—Esto habrá que averiguarlo.

—¿En Pueblanueva?

—En cualquier caso, hay alguien que lo sabe, y para ese alguien tengo que hacer algo. Mi vida, desde ahora, está pendiente de ese alguien. Para él, soy cabrón.

Dejó sobre una mesa la tacilla vacía y se sentó.

—Por lo pronto, de aquí marcharé a cualquier parte. A Santiago, a Vigo. Estaré algún tiempo fuera. Y usted me hará el favor de visitar a Lucía y pedirle que se vaya. Hace días que está todo arreglado, y sólo esperábamos una ligera mejoría para mandarla a la montaña. Que alquile un coche y que se lleve a la criada. El dinero, lo tiene, y yo le mandaré más tarde lo que haga falta. En cuanto a Cayetano...

Lanzó al aire los puños amenazantes.

—¡Cayetano! ¡Esa es otra! ¡La Providencia se ha burlado de mí hasta el punto de arrebatarme la única justificación moral de mi venganza! Porque, si no la mato a ella, ¿cómo voy a matarlo a él, aunque los niños me apedreen por la calle y me llamen boticario cabrón?

Le sudaba la frente. Pasó por ella la mano diestra. Quizá sin darse cuenta, se tentó las sienes.

—El Señor es implacable. No me deja una sola salida. Estoy hundido, deshonrado para siempre.

III

Hacía frío en la iglesia. Las piedras rezumaban humedad, y la cal de las bóvedas verdeaba en las aristas y en los ángulos. El viento que entraba por la rotura de un rosetón helaba el aire del coro. Bajo las capas, los frailes tiritaban. Alguno se había embozado, y sólo destapaba la boca para el canto, cuando le correspondía.

No lo hacían muy bien. Entre los jóvenes, había dos o tres rebeldes a la disciplina gregoriana. Tenían buena voz y no renunciaban a lucirla. En cualquier momento sacaban de la garganta un chorro de gorgoritos y estropeaban la limpieza melódica. Fray Ossorio se lo había hecho ver, varias veces, al prior. «¡Déjelos, padre, que canten a su modo! Pasan hambre, pasan frío. Si les quita usted el gusto de cantar, ¿qué les queda?» Así no se podía organizar un coro. Así...

El viento apagó una vela del altar. El sacristán se cuidó de encenderla: cansino, parando a cada paso para soplarse los dedos. El organista se los soplaba también, una mano después de otra, para no interrumpirse. Faltaba poco para terminar las vísperas. El himno «Magnae

Deus potentiae» había salido desastroso, a causa de los gorgoritos.

Sonó, seco, sobre la madera, el martillo del prior, y los frailes fueron saliendo de dos en dos, inclinados y silenciosos. El prior, de pie, esperaba. Al paso del padre Ossorio le hizo señal de que se detuviese.

—Aguárdeme, padre, en mi celda.

—¿Ahora mismo?

—Ahora.

Al romperse las filas, fray Ossorio cruzó los claustros. El viento racheado azotaba las columnas, silbaba en las esquinas de las pilastras, arremolinaba el hábito y la capa hasta embarazarle el paso. Llegó a la celda del prior y llamó, quedamente. No le respondieron. Abrió y asomó la cabeza. Estaba, todavía, a oscuras. Volvió a cerrar y esperó, paseando apurado, desde la puerta del prior hasta la esquina más próxima. Golpeaba los pies contra las losas mojadas, daba grandes zancadas, pero las piernas y los brazos seguían ateridos. En el fondo de su corazón, sin atreverse a confesárselo, añoraba unas medias de lana.

Se oyeron, pronto, los pasos del prior: menudos, quedos, rápidos. Solía poner a las sandalias suelas de goma. Gustaba de acercarse sin ser oído, pero todos los frailes sabían descubrir, en el silencio o entre los rumores de la noche, el suave, cauteloso caminar, el roce alternado de la goma al despegar del suelo o los crujidos rítmicos de la madera.

—Hace frío, ¿eh? ¡Vaya mes de marzo que se nos echa encima!

Abrió la puerta.

—Pasaré yo delante para encender. Cierre en seguida. Aquí dentro también hace frío, pero no está helado, como el claustro.

Frotó una cerilla y encendió un quinqué de carburo.

—¡Ah, la luz eléctrica, la luz eléctrica! ¿Cuándo la lograremos, padre Ossorio? Tengo, hace más de un año, el presupuesto del tendido y de la instalación como quien tiene una esperanza. A ver si ahora, con eso del colegio, nos libramos del carburo y del petróleo —encaró al padre Ossorio—. Le supongo enterado de que vamos a poner un colegio. Ya sé que necesito autorización del capítulo, pero cuento con ella por anticipado. No creo que haya discrepantes. Todo lo más, uno.

Le miró a las pupilas.

—¿Usted qué piensa?

—Obedezco, padre.

—¡Ah! Eso está bien. Y me gusta oírselo, mire. No esperaba de usted tan rápida, tan absoluta sumisión. Es una pena que haya sido aquí, en privado.

El padre Ossorio desvió la mirada.

—Porque usted es un fraile díscolo —continuó el prior—. Un verdadero revoltoso. Si no fuera por usted, hace tiempo que el monasterio sería otra cosa.

El padre Ossorio levantó la cabeza lentamente. Hizo ademán de replicar, pero el prior le detuvo con un gesto.

—Después. Usted hablará después. Ahora me toca a mí. Y de lo que vamos a hablar no es del colegio, sino de la famosa misa de la cripta, de esa que llaman en el pueblo la misa republicana. ¿Se ha dado cuenta de que, desde hace algunos días, sólo viene a oírla una persona?

—Sí.

—¿La conoce?

—No.

—Es la señorita Inés Aldán. Viene acompañada de su hermana, pero su hermana no desciende a la cripta. Queda en la iglesia o pasea junto al pretil, según que llueva o no.

—No conozco a ninguna de las dos.

—La señorita Inés Aldán goza de excelente reputación. Dicen que piensa meterse monja.

—También lo ignoro.

—Entonces, ignorará usted la causa por la que, desde el domingo de Carnaval, se ha quedado usted sin clientela.

—Totalmente, padre prior. He advertido la disminución de las fieles, he visto a una sola, me ha sorprendido, pero nada le pregunté, porque usted me tiene prohibido todo trato directo con ellas, y en todo momento he obedecido la prohibición.

El prior acercó las manos a la lámpara y las frotó luego.

—Seguramente, padre Ossorio, que ignora también la verdadera razón por la que doce o catorce señoritas de la buena sociedad local, y una señora, se pegaban todos los días el madrugón y venían al monasterio, con viento o con lluvia, sin faltar un solo día. Usted pensará que eran adeptas a ese catolicismo aristocrático que importó usted de Alemania. Por mi parte, bien creí que lo hacían por prurito de distinción o por llevar la contraria a alguien. Pues bien: estábamos los dos equivocados. Esas señoritas venían a *su misa,* padre Ossorio, porque la señora que las acompañaba las había convencido de que, asistiendo a ella, estaban mágicamente a cubierto de las asechanzas de cierto conquistador local. ¿Sabía usted algo de esto?

El padre Ossorio tenía los ojos abiertos, asombrados.

—No.

—Pues se ha descubierto, y ninguna de sus catecúmenas volverá, salvo esa señorita Aldán, que, si insiste, será por sus razones. Quizá siga teniendo miedo a la acechanza del tenorio, y quizá crea que una misa dicha del revés, como en las catacumbas, es el *meigallo* adecuado para no caer en la tentación.

Se puso en pie, metió las manos debajo del escapulario y miró al padre Ossorio duramente.

—En fin: que ha perdido usted el tiempo, que ha predicado a los vientos su catolicismo aristocrático, que nos ha puesto en ridículo. En dos años, lo más que ha conseguido usted fue congregar a doce o catorce locas, a un grupo de beatas, tan beatas como las de cualquier otra Congregación. ¡Ni un solo hombre, padre Ossorio, le hizo caso! Ni siquiera su amigo el doctor Deza, que es otro tal. Y usted sabe, como yo, que la Iglesia puede resignarse a tener una clientela de mujeres, pero que sólo cuando los hombres acuden a escuchar la palabra de Dios habrá esperanzas de un Renacimiento. Y usted sabe también que, por esto, ha fracasado. No necesito añadirle que mañana no se abrirá la cripta.

—Si usted lo ordena, padre...

El prior dio unos pasos hacia el fondo sombrío de la celda y dijo desde allí:

—Naturalmente. Lo he ordenado ya.

El padre Ossorio hizo ademán de marchar.

—Está bien. Ya me señalará la misa que debo decir y en qué altar.

—¡Espere! ¡No se vaya todavía! Aún no hemos empezado.

Se acercó lentamente a la mesa y levantó un poco el quinqué. El padre Ossorio quedó enteramente iluminado.

—He estado haciendo la distribución del trabajo en el colegio que vamos a abrir este año, en septiembre. Usted será el director de estudios y, además, enseñará francés, literatura, filosofía y latín.

—¿Y mis versiones?

—A partir de octubre no serán necesarias.

El padre Ossorio dijo titubeante:

—También... hago algunos artículos. De teología, claro —miró al prior de soslayo y agregó con tono especialmente convincente—: Puedo publicarlos, si los termino y si vuestra paternidad lo autoriza, en revistas alemanas. Los pagan bien.

El prior le escuchaba con sonrisa esbozada y mirar burlón. El padre Ossorio hizo un esfuerzo por seguir hablando.

—No son gran cosa. Me faltan libros y me falta, sobre todo...

Se detuvo y alzó las manos implorantes.

—¿Qué más le falta, padre?

—Las cartas del padre Hugo. Si pudiera tenerlas tres meses, dos meses nada más... Mientras no abrimos el colegio. Tengo tiempo de sobra. Y no abandonaré las versiones, créame.

El padre prior meneó la cabeza.

—No, padre Ossorio. Lo siento.

—¿Por qué?

—No tengo que darle explicaciones. Puede retirarse. Vaya con Dios.

El padre Ossorio inclinó la cabeza y se encaminó a

la puerta. Dio unos pasos, puso la mano sobre el picaporte, lo levantó: con la puerta entreabierta, se volvió bruscamente.

—¿Se da cuenta, padre prior, de que así se frustra mi carrera?

El padre prior dio unas zancadas, casi saltos, hasta acorralarlo en el hueco de la puerta donde había permanecido.

—¿Su carrera? ¿Es que tiene usted otra carrera que la de fraile?

Se cruzó de brazos ante él. Le clavó —otra vez— la mirada en las pupilas. El padre Ossorio parpadeó.

—Responda.

—Me he expresado mal —la voz del padre Ossorio era apenas un hilo tembloroso—. Quería decir mis aptitudes. La Regla dice claramente que cada fraile, dentro de la vida común, debe ser utilizado según sus aptitudes.

—Y las de usted, ¿cuáles son? ¿Teólogo?

—Eso creo. Eso han creído también... mis maestros.

—Está usted equivocado, y ellos también lo estaban. Usted no sirve para nada más que para perturbar el buen orden del monasterio. Usted es un fraile díscolo, ya se lo dije antes. Un soñador, ya se lo dije más veces. Un verdadero estorbo, le añado ahora. Pero eso se acabó. Hará usted lo que le mande sólo porque yo lo mando, sin levantar la cabeza, sin rechistar, sin comentarlo con otros frailes. *Obedientia perinde ac cadaver.* ¿Entendido?

—Yo no soy jesuita.

—¿Y qué? ¡Es usted fraile y ha hecho voto de obediencia!

—Efectivamente: a mis superiores en cuanto interpretan la Regla. Hay una ley a la que deben acomodarse todas las voluntades, incluso la de usted. Yo obedezco a la ley a través de las órdenes de mis superiores, no a la voluntad individual, acaso caprichosa, de nadie.

Iba a responder el prior, pero el padre Ossorio le pisó las palabras.

—Por esta causa, cuando su paternidad reúna el capítulo para tratar lo del colegio, me opondré. Va contra la Regla.

El prior fue hacia su mesa con pasos tranquilos, se sentó, extendió los brazos y las manos sobre el tapete.

—Acérquese, padre Ossorio. Más. Lléguese hasta aquí.

El padre Ossorio quedó, de pie, al otro extremo de la mesa. Erguía la cabeza, pero no miraba a los ojos del prior.

—¿Sabe usted que puedo expulsarle del monasterio por lo que acaba de decir?

—Sí.

—¿Y sabe usted por qué no lo hago?

—No.

—No le expulso del monasterio, padre Ossorio, porque, fuera de él, se moriría usted de hambre. Pero le castigaré. Públicamente. Relataré esta escena en el capítulo.

El padre Ossorio se inclinó, apoyó en el borde de la mesa las manos crispadas.

—No, padre prior. No es por piedad por lo que no me expulsa, sino por gozarse en el castigo. Usted es un fanático de su autoridad. Usted cree que es bueno todo lo que se le ocurre, y malo lo que se les ocurre a los demás y no se le ocurre a usted. Usted es un hombre listo y llegará a obispo, pero es muy poco inteligente, y no concibe que la fe, y la vida en un monasterio, incluso la vida cristiana en general, puedan ser distintas de como usted las imagina. Usted envidia el recuerdo del padre Hugo, y detesta su memoria, y guarda sus cartas encerradas porque usted jamás las hubiera pensado ni las hubiera escrito: le faltan el saber, la humanidad y la caridad. Usted, por último, no imagina que pueda marcharme del monasterio, aunque usted no me expulse.

—Y usted es un soberbio, padre Ossorio. Le perderá su soberbia.

Se aflojaron los músculos del padre Ossorio. Retiró las manos de la mesa y las cruzó sobre el pecho. Vaciló unos instantes y se arrodilló. Antes de que pudiera hablar, el prior le gritó, descompuesto:

—¡Levántese! ¡Yo no le he mandado arrodillarse!

El padre Ossorio obedeció. Ya de pie, con los brazos cruzados, miró al prior.

—Hable ahora.

—Es posible que sea un soberbio, pero soy capaz de humillarme: usted acaba de verlo. Le pediré perdón por haberle insultado. Me acusaré delante de la Comunidad. Cumpliré el castigo que usted me imponga a condición de...

—¿De qué?

—De que me devuelva las cartas del padre Hugo.

El prior se rió. Se irguió de un salto, fue a una alacena y la abrió. Revolvió entre unos legajos y sacó un paquete.

—¡Las famosas cartas del padre Hugo!

El padre Ossorio corrió hacia él con las manos tendidas.

—¿Me las dará? ¿Me las prestará siquiera?

—Apártese.

Se sentó nuevamente.

—Aquí están las cartas. Le prohíbo tocarlas. Las destruiré, pero antes quiero decirle lo que pienso de ellas. Escúcheme bien. Las cartas del padre Hugo serán su perdición. Le han envanecido a usted. No se da cuenta de que usted, más que su destinatario, ha sido el pretexto para escribirlas. Desde que las recibió se cree usted un cristiano de excepción y está equivocado. Es usted un mal cristiano, un pecador público, un extravagante, un imbécil. Le he tolerado sus ocurrencias, sus desobediencias, durante más de dos años, con la esperanza de que se desengañase o de que, a fuerza de paciencia, pudiese hacer algo bueno de usted. Pero usted ha sido como una muralla opuesta a mi voluntad. Usted ha sido el escollo en que he tropezado constantemente. Usted ha arrastrado a su bando a ese ingenuo padre Eugenio y se ha valido de su antigüedad para perturbar la disciplina del convento. Lo he aguantado mientras he podido, pero ya se acabó.

Hizo una pausa breve y cubrió con las manos el paquete de cartas.

—En cuanto a esto..., Roma lo prohibirá, porque es dañino. Yo no soy un teólogo, como usted, pero tengo sentido común y comprendo el mal que harían estas cartas. Son teología subversiva. Son puro protestantismo. Propugnan una Iglesia mística en la que la jerarquía se convierte en algo puramente fantasmal y en la que la autoridad desaparece. ¿Qué es un obispo para el padre Hugo? El que puede ordenar sacerdotes. ¿Qué es el Obispo de Roma? Poco más que un obispo distinguido. En la Iglesia soñada por el padre Hugo no hay curia, ni cánones, ni congregaciones. No hay más que amor y liturgia.

—En el Evangelio, padre prior, no hay otra cosa.

El prior golpeó la mesa furiosamente.

—Pero ¡la Iglesia se defendió a fuerza de cánones! ¡La Iglesia existe porque supo crear un derecho inflexible y una moral invariable! ¡La Iglesia existe porque es, ante todo, Autoridad efectiva, Autoridad operante!

—La Iglesia existe porque el Señor le prometió que el infierno no prevalecería contra ella.

—Y, en vista de eso, ¿qué quiere usted? ¿Que nos echemos a la bartola? ¿Que sea la Iglesia como este monasterio, un barco a la deriva?

El padre Ossorio se encogió de hombros.

—Yo no voy a arreglar...

—¡Cállese! La Iglesia está en pie y marcha porque, ante todo, ha sabido desentenderse de los tipos como usted, que todos son iguales y todos dicen lo mismo. En grande o en pequeño, esta escena se repite cada año o cada decenio. Sólo se diferencia en la decisión final. Unos se someten; otros no quieren someterse. Entonces, la Iglesia los arroja de su seno.

Se puso solemnemente de pie.

—Dígame, padre Ossorio: usted, ¿a cuál de los grupos pertenece? Le anticiparé cuál va a ser su castigo: cinco años en una cartuja, el silencio y el trabajo hasta que hayan domado su soberbia.

Al padre Ossorio le tembló la voz.

—Padre prior...

—Ni un día menos, padre Ossorio.

—Entonces... —el padre Ossorio se detuvo, miró a todas partes, se limpió una lágrima—, me marcharé.

Se miraron unos instantes. El padre Ossorio parpadeaba. Cerró los puños y los movió en el aire.

—¡Bueno! ¡No me mire más! ¡Usted no es Jesucristo! ¡Y no olvide que juntos seremos juzgados!

El prior, tranquilo, cogió un libro pequeño, antiguo, encuadernado en pellejo de carnero, y lo hojeó.

—Escuche. La Regla dice: cuando un fraile quiera salirse del monasterio, el prior le entregará, como viático, una cantidad prudencial, suficiente para que no carezca de alimentos al menos durante una semana.

Cerró el libro de golpe.

—Puedo darle treinta duros.

—No los quiero.

El padre Ossorio corrió hacia la puerta, salió y cerró de golpe. El portazo resonó en los claustros vacíos; el viento apagó el ruido de sus pisadas. Entró en su celda, recogió algunas cosas, las metió en un pañuelo, hizo un atadijo. Se movía de prisa, con furia, con miedo. Levantaba la vista a cada paso y miraba la puerta. Otra vez en el claustro, corrió hacia la salida, abrió el postigo y se halló en el atrio solitario, barrido del viento. Una racha le sacudió violentamente contra la pared. Caminó contra el vendaval, inclinado, hasta torcer la esquina; le empujó, entonces, por la espalda, hacia la carretera desnuda y solitaria. Sentía teclear en la capa las gruesas gotas de la lluvia, se sentía impelido, arrojado por el viento. El mar bramaba a su izquierda, rebasaba la playa: los salseros mojaban sus sandalias. Frente a él se alzaba el monte oscuro. Corrió hasta alejarse del mar, coronó un repecho. El viento bruaba en las copas de los pinos. Buscó, jadeante, el tronco hueco de un castaño, donde, jugando de muchacho, se había escondido muchas veces, y se refugió en él.

—¿Sabe usted que fray Ossorio se ha marchado?

El prior no le miraba. Espetó la pregunta a fray Eugenio como sin darle importancia, mientras ordenaba unos papeles. Había encendido la lámpara de carburo pendiente del techo: la llama se movía, crecía, menguaba y hacía un ruidito sibilante, un ruidito tenue como un soplido. La calva del prior, justo debajo de la lámpara, brillaba más o menos; llegaba, en algunos momentos, a ser resplandeciente como un halo.

—Sí, lo sabía. Es decir...

—Es decir, ¿qué?

—Lo he supuesto.

—¿Le ha visto antes de marchar? ¿Han hablado?

El viento batía las ventanas, silbaba en los aleros. La mole enorme del convento parecía temblar y conmoverse al empuje estruendoso del huracán. Por alguna rendija se colaba un cuchillo de aire que agitaba los papeles.

—Le busqué en su celda. No estaba. Por algo que vi...

—¿Qué vio?

—Desorden. Y también eché en falta algunas cosas.

El prior se desinteresó repentinamente de los papeles y encaró a fray Eugenio. El resplandor del carburo se reflejó entonces en su frente, en la punta de la nariz.

—Se ha marchado. Ha abandonado el convento.

—¿Por qué?

—¡Vaya usted a saber por qué hacen las cosas estos tipos! De todos modos, si alguien puede saberlo, es usted.

—Yo no sé nada.

—Pero no le extraña. Bien. Tampoco me extraña a mí.

Se levantó, se acercó a fray Eugenio y le puso una mano en el hombro. Su cara quedó en la sombra.

—Si quiere que sea sincero, añadiré que me alegro. Me alegra que se haya marchado y me alegra que lo haya hecho así, sin escándalo. Tiene a su favor, al menos, el no haber dado mal ejemplo.

Dejó caer el brazo, buscó la mirada esquiva, avergonzada, de fray Eugenio.

—¿Qué le parece?

—No sé lo que ha pasado. No puedo opinar.

—Yo le diré lo que pasó. Se rebeló, aquí mismo, contra mí. Le castigué. Marchó por no cumplir el castigo. Un acto de soberbia.

Señaló con la mano los billetes, aún encima del tapete.

—Le ofrecí un viático, y lo rechazó. Ha marchado sin un céntimo.

Rodeó la mesa y volvió a sentarse. En aquel momento osciló la llama, pareció que iba a apagarse. El prior se incorporó, dio un golpe enérgico a la lámpara, y la llama volvió a brillar.

—Tiene usted que buscarle y llevarle ese dinero. Quizá le dé unos duros más. Sí, unas pesetas más. Doscientas en total. Con doscientas pesetas tiene para gobernarse unos días y procurarse acomodo.

—¿Buscarlo? ¿Sabe dónde está?

El prior rió con una muequecilla forzada.

—Los locos se buscan entre sí. ¿Adónde iría usted si se le ocurriese escaparse? Pues al mismo sitio habrá ido él. Coja ese dinero y vaya ahora mismo. Espere. Ahí van cincuenta pesetas más.

Abrió el cajón y sacó otro billete.

—¡Cuarenta duros! ¡Está el convento para perder cuarenta duros por el capricho de un mequetrefe!

Fray Eugenio recogió el dinero sin guardarlo y no se movió.

—¿Espera usted algo? Ya sabe adónde ir: a casa de don Carlos.

—Quería preguntarle si...

Vaciló.

—... si puedo invitarle a regresar al convento... En el caso de que vuestra paternidad esté dispuesto a admitirlo.

—¡Ah! Eso como usted quiera. No es cosa mía. Yo no le expulsé, ¿comprende?

—Pero ¿y el castigo?

—¿El castigo?

—Sí. En aquel momento quizá fuese indispensable como amenaza. Pero ha pasado algún tiempo. Vuestra paternidad está más tranquila, y él se habrá arrepentido. Puedo decirle que vuestra paternidad le perdona. O que le perdonará con ciertas condiciones.

El prior sonrió.

—La culpa está perdonada. Queda sólo el reto.

Volvió a levantarse, se acercó a fray Eugenio, calmosamente.

—Y queda el hecho en sí, con independencia de los autores. El hecho es grave: desobediencia a la autoridad, desobediencia consciente, desacato, insulto... ¡Qué sé yo! Eso puedo perdonarlo, pero no dejarlo impune.

Calló unos instantes, esperó respuesta. Fray Eugenio se limitó a mirarle con mirada triste, implorante.

—No, fray Eugenio. Un convento es como un barco. Si le quitase el castigo, faltaría a mi deber, y yo mismo habría de ser castigado.

—¿No será peor lo que suceda..., si no vuelve?

—Y a mí, ¿qué? De lo que fray Ossorio haga fuera del monasterio no soy responsable. Mi responsabilidad es tan limitada como mi autoridad. Pero mi autoridad no puede ser discutida, aunque lo sea mi persona.

—La caridad está por encima de todas esas consideraciones.

—Por caridad impuse a fray Ossorio el retiro a una cartuja durante cinco años.

Fray Eugenio se estremeció.

—¡Cinco años!

—¿También a usted le asusta? ¡Cinco años de penitencia y silencio, cinco años de ejercitarse en la humildad! No me parece mucho. No estoy seguro de que fray Ossorio se corrigiese en ese tiempo.

—Pero, después de cinco años..., ¿qué puede hacer ya? ¿Qué quedará de él?

—¿Va usted a decirme *también* que se frustrará su carrera? ¿Es eso lo que quiere usted decirme? ¿Piensa que palabras como ésas tienen sentido entre hombres que han renunciado al mundo y a sí mismos?

Fray Eugenio había retrocedido hasta la zona sombría de la celda. En medio, de pie, vuelto hacia él, le apuntaba el prior con dedo enérgico.

—Contésteme, padre. ¿Es eso lo que quiere decirme?

—Yo había hablado... de caridad —dijo fray Eugenio con voz tenue.

—¿Caridad? ¿Llama usted caridad a dejar que la planta crezca viciosa? ¿A permitir indefinidamente que el cisma y la rebeldía y la conspiración revuelvan el convento?

—Hay otros procedimientos.

—¡Usted es un blando, fray Eugenio! ¡Usted permitiría la corrupción del mundo entero, no ya del monasterio, sólo por no violentar al corruptor, sólo por no hacerle daño! Pero yo entiendo la caridad de otra manera.

Dio unos pasos hacia donde fray Eugenio estaba. Fray Eugenio reculó hasta la pared. El dedo magro del prior le acorralaba.

—A usted le dan miedo cinco años de cartuja. Usted piensa que cinco años de silencio y penitencia aniquilan a un hombre. ¡Pues bien! Yo paso de los sesenta, y desde que tengo uso de razón no he hecho otra cosa que dominar mi voluntad y castigar mis apetitos. ¿Y qué? ¿Me he destruido, acaso? Pues óigame, con todo eso, no estoy seguro de mi salvación, no creo haberme castigado bastante.

Rió.

—¡Cinco años de penitencia y silencio! Los cambiaría de buena gana por este suplicio y esta responsabilidad de pelear con ustedes. No creo que en la cartuja haga más frío que aquí; ¿y habrá tranquilidad mayor que no escuchar a necios? ¡Ojalá fuese yo el castigado!

—Usted es libre de marchar a una cartuja, si le parece mejor que esto.

—Pero yo no deserto, ¿se entera? Yo no soy un cobarde. Aguantaré hasta el final, aunque Dios me mande cada día...

Caminó hacia atrás, sin volverse. Quedó apoyado a la mesa, alumbrada otra vez su cabeza por la lámpara.

—... me mande cada día la tentación de olvidarlo todo y emprenderla a bofetadas con ustedes...

Juntó las manos y bajó la cabeza. La tonsura, grande, redonda, iluminada, parecía flotar sobre la frente en sombra.

—... a bofetadas...

Así estuvo un minuto largo, inmóvil, silencioso.

—Váyase ya, padre. Hemos hablado bastante —sin embargo, le hizo señal de que esperase—. Lleve al padre Ossorio ese dinero y el traje de paisano que usaba en Alemania. No están los tiempos para andar por ahí de fraile, y, además, sus hábitos nos harán falta para cualquiera. Recomiéndele que se quite la tonsura.

Vuelto de espaldas, fue hacia su dormitorio, pasó la puerta y la cerró de golpe.

En la esquina oscura del claustro, el viento se arremolinaba. Se había apagado la mariposa de la Virgen, y la lluvia gruesa golpeaba la tierra del patatal. Por encima de todos los estruendos llegaba el de las olas, rotas contra las rocas del acantilado. Fray Eugenio pensó en los navegantes y se santiguó. Tardó poco en recoger las ropas civiles del padre Ossorio; hizo de ellas un paquete, lo ató con una cuerda y se lo colgó al hombro. Bajó a las cuadras; aparejó la mula sin ayuda de lego; cabalgó. Iba inclinado sobre el cuello de la bestia, agarrado a él. Sintió miedo al recorrer la carretera de la playa, volvió a sentirlo al hundirse en el soto.

Ante la puerta del pazo batió palmas. No salió nadie. Probó a empujarla y la halló abierta. Paquito el *Relojero* le miraba desde la entrada de su chiscón; reía silenciosamente.

—¿Está don Carlos?

El *Relojero* volvió a reír.

—¿Es que tenemos concilio? —preguntó.

Siguió riendo; fray Eugenio subió al piso, recorrió el pasillo. Le guiaban las rendijas iluminadas de la puerta de la torre.

—Don Carlos —llamó, y repitió en seguida, en voz más alta—: don Carlos.

Fray Ossorio estaba tendido en el sofá, envuelto en una manta. El hábito y sus ropas interiores colgaban frente a la llama de la chimenea. Carlos aguantó la puerta mientras entraba fray Eugenio.

—No habrá usted huido también.

Fray Eugenio no respondió. Corrió al sofá, se puso de rodillas.

—¿Qué ha hecho, padre Ossorio? ¿Sabe usted lo que ha hecho?

Carlos cerró la puerta y se acercó.

—Padre Eugenio, la escena no se representa necesariamente de rodillas. Siéntese y séquese, que buena falta le hace.

Mientras fray Eugenio se levantaba, Carlos le quitó la capa y la puso a secar junto a las ropas del padre Ossorio.

—¿Está usted enfermo, padre? —fray Eugenio volvió a Carlos la mirada—. ¿Está enfermo?

—No lo creo. Mojado nada más. ¿Quiere usted un trago?

Vertió aguardiente en una copa y se la ofreció.

—Bébase eso y, si lo necesita, coma algo también. Ya pasaré al prior la cuenta de los gastos —añadió riendo.

—¿A qué viene usted, padre? —preguntó fray Ossorio—. No pienso volver.

—Ya lo sé.

—¿No ve usted que también el padre Eugenio se ha escapado? —dijo, riendo, Carlos—. Trae, incluso, el equipaje.

—¡No, no! Yo, no. Esto es... —tendió el paquete al padre Ossorio— su ropa de paisano. El prior me encargó...

—Gracias. El prior está en todo. El prior no incurre en un olvido ni en un desliz. Es desesperadamente irreprochable. También le habrá dado dinero.

—Cuarenta duros.

—¡Vaya! Hace tres horas no fue tan generoso. No los quiero.

Fray Eugenio buscó los billetes y los dejó encima de la mesa.

—No haga bobadas, padre. Es un dinero al que tiene usted derecho; no es un regalo ni una limosna.

Acercó una silla al sofá y se sentó. Carlos lo hizo también. Habían quedado al descubierto los pies desnudos del padre Ossorio. Carlos se los tapó.

—No se mueva. También aquí hace frío.

Ofreció cigarrillos, los encendieron; quedaron en silencio. Fray Ossorio miraba a algún lugar del techo; fray Eugenio, al suelo. Carlos, a fray Eugenio.

—Si quieren, puedo tocar el piano —dijo Carlos de pronto—. Claro que está en el salón y que en el salón hace mucho más frío que aquí. Pero puedo tocarlo...

Sacudió la ceniza del cigarrillo.

—... si, para hablar, necesitan que me vaya.

—¡No, no! ¡No lo haga!

Fray Ossorio incorporó el torso desnudo, oscurecido de un vello espeso.

—No se destape, padre.

—Don Carlos, ayúdenos a hablar. ¿No comprende...?

—Padre Ossorio —dijo dulcemente fray Eugenio—, no he venido a interrogarle, sino sólo a despedirle. Tampoco voy a juzgarle. ¡Dios me libre! Pero quiero decirle, para su tranquilidad, que usted ha hecho lo que yo nunca me he atrevido a hacer, ni me atreveré jamás, aunque lo haya pensado o deseado muchas veces.

—Gracias.

—Yo no debo aprobar lo que usted hace y, sin embargo, lo apruebo.

—Gracias.

—... aun sabiendo que me espera, sin usted, la soledad. Ahora, sin esperanza. Porque antes, cuando usted estaba en Alemania, me entretenía haciendo proyectos para cuando usted volviese.

Fray Ossorio sonrió.

—Ya ve usted...

—Sí.

—Todo se vino abajo. El prior pondrá su colegio, y se comerá mejor.

—Sí.

—Se me recordará como enemigo del bienestar de la comunidad.

—Sí.

Fray Eugenio ahogó un sollozo leve.

—¿Por qué no vuelve? —dijo de pronto—. ¿Por qué no lo intentamos otra vez?

—¿Cómo? ¿Desde mi prisión? ¿Le parece a usted el

lugar adecuado para llevar a cabo el proyecto del padre Hugo? El prior debe pensarlo así. La prisión es el lugar por donde todos los reformadores tienen forzosamente que pasar para templar el alma en el sufrimiento. Santa Teresa, San Juan de la Cruz... Mandándome cinco años a una cartuja, el prior mantiene intacto el principio de autoridad y, además, colabora indirectamente, pero a sabiendas, en nuestra gran obra de reforma. No estoy maduro para la acción, y él me recluye para que, cuando regrese al monasterio, mi alma, ya madura, no titubee. Pero no soy un santo. Yo estoy enteramente en manos del demonio.

Fray Eugenio le miró asustado. Sus dedos trazaron en el aire una cruz imperceptible. Carlos rió.

—Le doy la enhorabuena, padre Ossorio. Mis relaciones con el diablo se parecen a las suyas. Téngame como su compañero.

—¿Por qué bromea, don Carlos? ¿No comprende que, para nosotros, no es cosa de broma?

—No bromeo, pero no puedo considerar la situación del mismo modo que ustedes. Me preocupa el porvenir del padre Ossorio, pero desde un punto de vista completamente mundano. Se lo decía cuando usted llegó, padre Eugenio. ¿Qué va a hacer? ¿De qué va a vivir?

—Supongo que se presentará cuanto antes al ordinario y arreglará su situación. Casos como el del padre Ossorio están previstos. Hay un modo legal de remediarlos.

—Pero yo no acudiré al ordinario.

—¿Por qué?

La pregunta había sido hecha mecánicamente. No había temblado la voz del padre Eugenio ni su rostro se había alterado. Pero, después de hecha, la repitió con súbita angustia.

—¿Por qué? ¿Ha perdido la fe?

—Si la hubiera perdido, no estaría luchando ahora contra ella. ¿No lo comprende? Sin fe, la cosa sería más fácil —fray Ossorio miró a Carlos—. Se reduciría a los términos más vulgares: un hombre de treinta años sin oficio para ganarse la vida. Pero soy un sacerdote.

Carlos detuvo la respuesta del padre Eugenio.

—¿Dejará por eso de ser un hombre? ¿Cree usted que lo sucedido con el prior se mantiene dentro de los límites específicos de lo religioso o es, por el contrario, un conflicto humano, ampliamente humano y, si me apura usted, exclusivamente humano? Si ustedes se empeñan en entenderlo religiosamente, ¿no lo deformarán, quizá, hasta falsearlo?

—Y usted, don Carlos, ¿no hará lo mismo al entenderlo como conflicto exclusivamente humano?

—Evidentemente, el prior y el padre Ossorio son hombres. Por supuesto, el prior es un caso típico de poder, un hombre que desea aniquilar la voluntad de los demás y sustituirla por la suya. Que lo haga con un pretexto religioso es lo de menos.

Se acercó a la ventana; se arrimó al antepecho, de espaldas a la luz.

—Para mí —continuó— no hay más que eso. Todo lo demás es... ¿Cómo lo llamaríamos? —sonrió—. Lo demás es sobreestructura. Para usted, padre Eugenio, conservará su validez porque usted ya no puede considerar las cosas más que desde un punto de vista religioso. Pero el padre Ossorio se apartará de él necesariamente, aunque sea contra su voluntad. Llegará un día en que, para sí mismo, no será más que un hombre.

El padre Eugenio se levantó y fue lentamente hacia Carlos.

—Dígame, don Carlos: ¿cree usted en lo que dice?

Le puso la mano en el hombro y le miró a los ojos.

—¿Por qué? ¿Por qué me lo pregunta?

—Me importa mucho saberlo.

—Creo... relativamente. En este momento lo creo todo con toda sinceridad; pero bien pudiera ser que mis palabras extremasen una posición sólo para compensar la de ustedes, tan extremada como la mía.

—Pero así, de una manera absoluta, ¿cree usted o no cree en lo que dice?

—Ya no creo en nada de una manera absoluta.

—¿Por qué? ¿Por qué unas veces cree y otras no?

—Porque nunca creo ni dejo de creer. Porque la fe

no me sale del alma, y mi cabeza halla razones válidas para el pro y el contra. Porque de nada vale que quiera creer en algo razonablemente, si no tengo ganas de creerlo.

—¿También en lo referente a Dios?

—Sobre todo en lo referente a Dios. Comprenderá usted que si se cree en Dios, ya no hay razones para dudar de nada.

Fray Eugenio volvió a su asiento, aparentemente desatendido de Carlos.

—Padre Ossorio, quiero que me escuche. Muchas veces llegué a temer que usted pudiera perder la fe, y entonces aparenté que la mía era sólida, inconmovible. No lo es, pero tampoco es lo de don Carlos. Tampoco es...

Se interrumpió. Ocultó la cara entre las manos. Carlos fue hacia la chimenea y dio la vuelta a las ropas que se estaban secando.

—Entiéndame. No es una duda racional, no es ninguna clase de duda. Es como si cada día amaneciese vacío de Dios y hubiera de reconquistarlo después hora tras hora, hasta sentirme de nuevo lleno de El. A veces no he deseado reconquistarlo. A veces no lo he logrado; a veces he permanecido días enteros en la mayor desolación, pero gozándome de mi vacío como de un triunfo. Entonces, no me atrevía a consagrar.

Carlos volvió rápidamente el torso inclinado.

—¿Por qué? Al no creer, la consagración era una fórmula vacía. Daba lo mismo.

Fray Eugenio se levantó, enderezó la espalda, alzó las manos hasta la altura del pecho.

—Las palabras sagradas nunca dan lo mismo. Si no son de Dios, son infernales. Son la Verdad o la más repugnante mentira. Y yo...

De pronto se quebró su palabra, sonó a hueca, perdió la solemnidad. Se encogió de nuevo y dejó caer las manos. Miró al padre Ossorio y a Carlos.

—Perdónenme. Estoy haciendo el ridículo.

Se dejó caer en el asiento, repentina, inexplicablemente abrumado. Vio los ojos del padre Ossorio clavados en él y escondió la mirada. Su mano tentó la mesa hasta hallar la copa, bebió el último sorbo y la tendió a Carlos para que le sirviese más.

—¿Qué le ha pasado, padre?

—Nada. Creo que me he portado indiscretamente. Yo he venido aquí con un encargo. Una vez cumplido, ¿por qué he de quedarme? Y, sobre todo, ¿por que no he de limitarme a obedecer? —se volvió al padre Ossorio—. Tengo que llevar sus hábitos. El prior piensa que debe usted ir de paisano y que los hábitos pueden servir para otro. Haré un paquete. ¡Don Carlos, no importa que esas prendas estén mojadas! En el monasterio secarán.

Las recogió, las envolvió, las ató. Carlos le ayudó a poner su propia capa.

—Padre Ossorio, le deseo suerte. Soy un viejo indiscreto, pero le tengo un gran afecto, le quiero como si fuera usted hijo de mi carne. Perdóneme si le hice algún daño.

Le tendió la mano. Se le habían tensado los músculos de la cara, sus ojos miraban a la pared.

—Voy con usted, padre Eugenio —dijo Carlos.

Salieron de la torre, recorrieron en silencio el pasillo. En el zaguán, Paquito abría el postigo del portón.

—Buenas noches, padre. No está la noche como para ir de viaje.

Miraba a Carlos con un brillo burlón en las pupilas.

—Está bien. Retírate.

—La noche está como para morirse, ¿eh? Confesor no había de faltar.

—Retírate.

El padre Eugenio había requerido la mula. Carlos acudió a tenerle el estribo.

—Dígame, padre: ¿también hace un momento se sintió usted vacío de Dios? Ya sabe cuándo le digo.

Fray Eugenio no respondió. Palmoteó el cuello de la caballería y se hundió en las sombras del jardín. El viento, furioso, arremolinó los vuelos de la capa en el aire oscuro.

Carlos echó los cerrojos al postigo.

—Si viene Rosario, explícale —dijo al *Relojero.*

—Bueno.

—Y si ves que pasa tiempo y no viene, acuéstate.

Cuando llegó al cuarto de la torre, fray Ossorio se había casi vestido las ropas de paisano. Intentaba anudarse una corbata negra, arrugada.

—Eso se hace ante un espejo, padre. Cuando no se tiene práctica, claro.

—Antes sabía.

Fracasado, dejó la corbata en el brazo del sillón.

—Total, ahora no me hace falta.

Carlos le señaló la tonsura.

—Habrá que quitarse eso.

—Sí, claro... Con afeitarse la cabeza...

—¿Tiene usted boina? ¿O sombrero?

El padre Ossorio movió la cabeza.

—No. No se me había ocurrido.

—Yo le daré una que tengo por ahí. No me hace falta. Siéntese. Es temprano para acostarse.

—¿Le dijo algo... fray Eugenio?

—Nada.

Miró al aire y sonrió.

—Tiene gracia. De pronto, se dio cuenta de que estaba diciendo cosas en las que no creía. Y no pudo continuar. Es un buen hombre. Puede engañarse, pero no mentir.

—A mí me pareció terrible lo que estaba diciendo. Yo he tenido dudas, vacilaciones; me he sentido en pecado. Pero eso, ese vacío... Me hubiera gustado oírle hasta el final.

—¿Para qué? ¿Para vaciarse también?

—No. Yo...

—Ese vacío está dentro de todos, y lo hallará a poco que escarbe en su alma. Lo va a hallar, aunque no quiera, y, en la situación en que se encuentra, quizá sea mejor. Al menos no sufrirá.

—Pero ¿no comprende que si algo me sostiene ahora mismo es la fe? No sé qué voy a hacer ni qué va a ser de mí. Pero confío en que Dios no me abandone.

Carlos se levantó, fue al anaquel, cogió un libro y volvió a dejarlo en su sitio.

—¿Está arrepentido de lo que hizo?

—No. Eso, no. Lo volvería a hacer. No podía aguantar más.

—Entonces, renuncie a la esperanza. Por lo menos, a esa clase de esperanza. No le digo que deje de creer, porque eso depende de algo que está por encima de la voluntad; pero, si puede, olvide también la fe, déjela dormir y apagarse. No le conviene nada meterse ahora en un conflicto espiritual, cuando tiene que buscarse el pan de cada día. Los dramas de conciencia requieren, para que resulten bonitos, tener la pitanza asegurada. Y a usted, esos cuarenta duros, después de pagar el viaje, le van a durar exactamente ocho días. Si tiene suerte, habrá de trabajar muchas horas diarias, y los dramas de conciencia son incompatibles con el trabajo. Son absorbentes, monopolizan el ser entero del hombre. Y, a la postre, no sirven de nada.

Fray Ossorio había inclinado la cabeza y dejaba que sus manos reposasen sobre las rodillas, pero movía los dedos nerviosamente y frotaba uno contra otro los pies desnudos.

—¿Por qué habla usted así, don Carlos? Me da la impresión de que no siente lo que dice. Es como si diera un consejo en el que no cree.

—Pero es razonable, ¿sí o no?

—No lo sé aún.

—Lo sabrá, y pronto. Y comprenderá en seguida que no hay nada más aniquilador que un drama excesivamente duradero. Entonces, tendrá que elegir entre volver a la Iglesia, al sacerdocio, con todas sus consecuencias, o darle la espalda y entregarse al mundo...

Hizo una pausa. Fray Ossorio seguía sin mirarle.

—... al demonio y a la carne. Incluso debe usted casarse.

Fray Ossorio pegó un salto en el asiento.

—¿Qué dice? ¿Casarme yo? ¡Siento la repugnancia más absoluta por las mujeres y considero su compañía incompatible con una vocación intelectual! No sé a qué extremos podré llegar, pero jamás tendré relaciones con mujeres, estoy seguro.

Miraba con una especie de temor y vergüenza mezclados, y como si Carlos, al suponerle capaz de casarse, le hubiera ofendido.

—Quiero vivir en paz —agregó.

Carlos rió.

—No se asuste. La paz, lo que se dice la paz, sólo se halla en Dios o en el demonio. El que fluctúa pierde el tiempo, se pierde a sí mismo y, a la postre, supongo que lo mandarán al limbo, que no es a donde van los inocentes, sino los imbéciles.

Sacó del bolsillo la pipa y empezó a cargarla.

—Créame a mí, que soy uno de ellos.

En el hogar crepitó un leño, y un haz de chispas salió disparado por la chimenea. Carlos estuvo a punto de decir: «¡Ahí va el diablo, chimenea arriba!» Pero no se atrevió. Fray Ossorio parecía absorto y, con el ceño fruncido, miraba sus pies, ahora quietos. Carlos esperó.

—¿Sabe qué estoy pensando, don Carlos? Que también tendrá usted que darme unos calcetines. El padre Eugenio olvidó ese detalle. O, a lo mejor, es que no los hay en el convento.

—Es orden del prior. La cripta no volverá a abrirse.

—Pero ¿y la misa?

El lego movió la cabeza.

—Orden del prior.

—Quiero hablar al padre Ossorio —dijo Inés con firmeza.

—El padre Ossorio se ha marchado.

—¿Se ha marchado? ¿Cómo? ¿Adónde?

El lego se encogió de hombros.

—No sé. No puedo decirle nada.

Clara había permanecido aparte, guarecida en la puerta de la iglesia. Se acercó.

—¿Quiere usted llamar al padre Eugenio?

—Estará en el confesonario.

—No voy a ir yo a buscarlo...

El lego entró en la iglesia. Inés dijo:

—¿Le conoces?

—Alguna vez le hablé. Seguramente nos dirá lo que pasa.

—No entiendo…

El rostro de Inés se había contraído. Parecía mirar hacia dentro. Apretaba los dientes, y los dedos, morados del frío, se crispaban sobre el misal.

—No será nada, mujer. Habrá ido a predicar a alguna aldea.

—Al padre Ossorio no lo entienden en las aldeas.

—Ya sabes que ellos tienen que obedecer…

Cogió a Inés del brazo y la metió en el portal de la iglesia.

—Vamos a ponernos como sopas. ¡Qué tiempo!

Sacudió el paraguas. Inés, arrimada al postigo, no parecía verla ni oírla.

—No es posible.

Apareció el padre Eugenio. Se detuvo al verlas, sonrió, se acercó en seguida. Inés le miró anhelante. Clara le tendió la mano.

—Buenos días, padre. ¿Me recuerda?

—Sí, claro. Buenos días.

—Esta es mi hermana Inés. Ya sabe. De las que venían a la cripta.

—Sí, sí. La he visto algunas veces. Con las otras, claro; con…

Inés le interrumpió.

—¿Qué sucede? ¿Por qué han cerrado la cripta? ¿Por qué no está el padre Ossorio?

Fray Eugenio la miró en silencio. Le puso luego la mano encima del brazo y movió la cabeza.

—Eso se acabó. El padre Ossorio se ha ido.

—Pero ¿adónde? ¿Cuándo volverá?

—No sé adónde ha ido ni creo que vuelva nunca.

—¡No! —la propia Inés se sorprendió de su grito. Cohibida, se tapó el rostro con la mano, como si pretendiera arreglar el velo—. Quiero decir que no es posible. El padre Ossorio no puede abandonarnos.

—Piense usted que antes él fue abandonado. Desde el domingo, sólo ustedes vienen a la misa de la cripta. Es decir, sólo usted, porque su hermana no suele bajar.

—¿Y qué? Yo no he faltado un solo día. Yo no podía

faltar, ¿comprende? Yo... —miró a fray Eugenio desesperada—. ¡Usted no puede comprenderme!

Clara intervino.

—Mi hermana quiere ser monja, y el padre Ossorio era algo así como su director espiritual. Tiene que sentirse abandonada.

—Al padre Ossorio le estaba prohibida toda dirección espiritual. Y no creo que haya desobedecido, ni aun en el caso de su hermana.

—No lo entiende usted. No lo entenderá nadie, pero necesito que el padre Ossorio lo entienda y lo sepa. ¡Ahora no puede abandonarme!

Clara y el padre Eugenio se miraron.

—Inés, ¿quiere usted que la escuche en confesión?

—¿Por qué? ¿Para qué? ¡Estoy en gracia de Dios; ayer, todavía ayer, he comulgado! Y no recuerdo haber pecado desde entonces.

Volvió el rostro hacia Clara, furtiva, rápidamente.

—No. No he pecado. Usted no entiende...

—En el confesonario, con sosiego, intentaría entenderla.

—No es un secreto, no es nada que tenga que ocultar. Yo he escuchado al padre Ossorio durante dos años. El ha conducido mi alma hacia Dios, pero mi camino no ha terminado. Todavía necesito su ayuda. Dios está lejos.

Bajó la cabeza y añadió con voz tenue:

—Lo estará para siempre si él no vuelve.

—Si ha escuchado atentamente al padre Ossorio, habrá usted aprendido que no se llega a Dios por las palabras de un hombre, sino por los sacramentos de la Iglesia. Seguramente era eso lo que usted necesitaba saber, y el Señor puso al padre Ossorio en su camino sólo por ser él, y no otro sacerdote, quien podía enseñárselo. Pero ahora que ya lo sabe, ahora que usted sola puede recorrer lo que le queda del camino, el Señor lo ha apartado de usted, acaso porque, en alguna otra parte, es necesario a alguna otra persona.

Inés le había escuchado moviendo suavemente la cabeza.

—No —dijo en seguida—; si fuera así, el Señor no

mandaría a sus santos, porque sus santos serían innecesarios. Pero Dios manda a sus santos para que en sus palabras se escuche la voz del Señor.

La mirada del padre Eugenio se retiró de las pupilas, se escondió en la hondura de los ojos.

—El padre Ossorio no es un santo —dijo con voz grave.

—¿Qué sabe usted?

—Señorita, no dudo que usted habrá escuchado la voz de Dios en las palabras del padre Ossorio; pero debe saber que ha marchado del convento después de un acto de rebeldía. Más exactamente, después de un acto de soberbia.

—¿Contra usted?

—¡Oh, no, de ninguna manera! No lo piense. El padre Ossorio fue siempre mi amigo y mi compañero; nunca fui su superior.

—Da igual contra quien sea. El padre Ossorio sólo puede haberse rebelado contra el demonio. Esto me tranquiliza.

Desapareció la tensión de su cara, le brillaron los ojos, sonrió.

—Me tranquiliza y empiezo a entenderlo. No es que me haya abandonado; es que... Usted se reirá, claro. Pero los actos de los santos, a veces, no se comprenden fácilmente. Tiene usted que haber leído muchas cosas semejantes.

—Sí, naturalmente. Santa Teresa...

—Perdóneme, pero lo único que me interesa ya es saber si escribirá a alguien, si le escribirá a usted. Necesito averiguar cuanto antes dónde está. El no me conoce, no sabe de mí. Ignora hasta qué punto me ha dirigido a mí, exclusivamente a mí, por medio de las palabras que dirigía a las otras...

Se interrumpió; frunció levemente el ceño.

—A todas esas desertoras. Tengo que escribirle y hacérselo saber.

—Acaso don Carlos Deza...

—¿Deza? ¿Nuestro primo Deza? —interrumpió Clara—. ¿También anda metido en esto?

—El padre Ossorio pasó la noche en su casa. Don Carlos fue tan amable que le dio cobijo.

—Pues si el padre Ossorio tenía alguna pena o alguna dificultad, ya habrá encontrado ayuda en Carlos Deza. Una gran ayuda... Usted también es amigo de él, ¿verdad?

—Sí.

—Un gran tipo. Inteligente, valiente y, sobre todo, caritativo—se volvió a Inés. En su tono se mezclaban la burla y la indignación contenidas—. Podemos pasar por su casa. Si hay alguien que sepa adónde fue el padre Ossorio, tiene que ser Carlos. No hay otro como él para sacar a la gente lo que piensa... y dejarla luego en la estacada.

Tendió la mano al padre Eugenio.

—Muchas gracias, padre. Se acabaron las visitas al convento.

—¿No volverá usted?

—Por mí, no hubiera venido nunca. Si estoy aquí es porque ésta no venga sola, tan de mañana y con este tiempo.

Inés, serena, sonreía.

—Adiós, padre. Esté seguro de que el padre Ossorio se rebeló contra el diablo y que, donde esté, crecerá en santidad.

Fray Eugenio alzó la mano y la bendijo.

—Que Dios la oiga, hija mía.

Permaneció a la puerta de la iglesia hasta que Inés y Clara se hubieron alejado. Regresó luego al confesonario e hizo seña a una aldeana que esperaba.

—Este fraile es simpático y parece buena persona —dijo Clara a su hermana; pero Inés no le respondió.

—Tiene que ser algo pariente nuestro. Hasta se parece un poco a Juan —insistió Clara.

—¿Cómo? ¿Decías algo?

—No. Nada. Sólo que el mal tiempo va a durar.

Caminaban cogidas del brazo. Clara llevaba el paraguas, pero Inés iba más de prisa, como tirando de su hermana. Le había caído el velo, y el viento le alborotaba los cabellos. «¡Qué bonita es!» —pensó Clara—.

Le dio un escalofrío de miedo por Inés. Le apretó el brazo. Inés volvió la cara suavemente.

—¿Quieres algo?

—Pensaba que es una pena que una mujer como tú vaya a enterrarse en un convento.

—¡Tú que sabes!

—Si yo fuera como tú, tan religiosa, creería que todo esto del padre Ossorio es cosa mandada por Dios y vería algo así como una señal para cambiar de propósito. En tu lugar, me casaría. Cualquier hombre podría ser feliz contigo.

—No he venido al mundo para eso.

—Pues, a mi ver, es de tanto mérito como pasarse el día rezando y, a veces, de mucho más sacrificio.

—Calla, te lo ruego.

—Es que a veces temo que estés equivocada.

—Calla.

A la vista de Pueblanueva cesó de llover, pero creció el viento.

—Será mejor que subas tú sola a ver a Carlos. Ya sabes: le preguntas si el padre Ossorio quedó en escribirle y le dices que, en cuanto sepa su dirección, nos avise.

—Que te avise a ti.

—Bueno; es igual.

—Pero ¿por qué no vamos juntas?

—Juan se habrá despertado...

—Otros días ha esperado más y está conforme en esperar si yo te acompaño.

—Pero hoy no es necesario que espere. Llévate el paraguas. Yo ahora no lo necesito.

Se soltó del brazo de Clara sin esperar su conformidad y se alejó. Había caminado unos pasos y volvió.

—No cuentes nada a Carlos.

Por la larga escalera del pazo bajaba un torrente de agua. Clara subió con cuidado. El agua arrastraba arena, ramas menudas arrancadas de cuajo por el viento. Al llegar al jardín empezó otra vez la lluvia. Corrió al zaguán. Paquito manipulaba en un reloj con su instrumental diminuto.

—¡Clara!

Se le cayó algo de las manos. Al levantarse derribó la banqueta. Corrió hacia ella y se quedó parado, con una mueca alegre en el hocico y un brillo de luces en los ojillos bizcos.

—¿Qué te sucede, hombre? ¿Te da miedo verme?

—Me da alegría. ¿Quieres sentarte a mi lado?

—¿Para que me tires un pellizco? Lo más cerca, a diez varas y con pared por medio.

Retrocedió el *Relojero,* la miró al través, puso cara inocente y levantó las manos, pacíficas y explicativas.

—Uno no tiene la culpa de su reputación.

—Por si acaso... —sacudió el paraguas—. ¿Puedo dejar esto en un rincón?

—Trae. No lo abras, que es de mal agüero. Lo pondré a escurrir —llevó el paraguas a una esquina—. No vendrás a ver a don Carlos. Está durmiendo.

—Esperaré a que se despierte.

—Entonces, siéntate.

La agarró de una muñeca. Clara protestó, pero se dejó llevar hasta un banco.

—Eres un poco tonta y te ganaron la partida.

—No sé de qué me hablas.

—La otra fue más espabilada: vino y se metió en la cama del señor. Lo tiene cogido. Vuelve casi todas las noches, ¡con el tiempo que hace!, y si alguna vez se retrasa, él anda como loco, espiando por las ventanas.

—Bueno.

—Pero eso no durará. Ella está en relaciones con un labrador. Habla con él todas las tardes antes de cenar, y piensan casarse.

—¿Te lo contó ella?

—Estoy acostumbrado a escuchar. A veces me tiene costado algunos palos, pero no hay otra manera de saber la verdad, porque la gente no la dice nunca.

Se quitó la pajilla y la echó al aire. La recogió en la contera del bastón y la hizo girar. Así un rato, sin mirar a Clara.

—A don Carlos se le engaña como a un niño.

—No me gusta engañar a nadie.

—No se trata de engañar —la pajilla se le escurrió y fue a dar contra la pared—. Yo, en tu caso, le quitaría el hombre a la otra haciendo lo mismo que ella.

—Eres un sinvergüenza.

—Te doy un buen consejo. Conozco a don Carlos. Un clavo quita otro clavo. Contigo se casaría, porque le tiene respeto a Juan.

—Pues que se case con Juan.

El *Relojero* alzó los hombros y los mantuvo en alto, hundida entre ellos la cabeza.

—Si le toma cariño a ésa, sabe Dios lo que hará cuando ella lo deje plantado. A lo mejor es cuestión de darse luego a la bebida, o de desaparecer, como su padre.

—Allá él —Clara se puso en pie—. Tengo que decirle unas palabras. Avísale de que estoy aquí.

—Si sabe que te dejé sola en el zaguán me tirará un zapato. Vamos arriba.

La empujó hacia la escalera. Estaba oscuro el pasillo y la casa en silencio. Paquito dijo en voz muy baja:

—Tuvo visita y se acostó muy tarde.

—¿La *Galana?*

—¡No! —Paquito rió—. Primero, un fraile; después, otro. La *Galana* vino y se fue sin verlo. Y el primer fraile durmió aquí y se largó esta mañana, de paisano. Daba risa. Le tuve que rapar la cabeza antes de marcharse. Va hecho un Cristo.

Entraron en la habitación de la torre. Estaban cerradas las maderas. En medio de la penumbra resplandecían las llamas de la chimenea.

—¿Dejáis el fuego encendido toda la noche?

Paquito abrió las maderas de la ventana.

—Lo enciendo yo cada mañana, antes de ponerme a trabajar. También le traigo esa bandeja, para que se haga el café, y le voy por medio cuartillo de leche, que está ahí, en ese puchero, y que él pone luego a hervir en la lumbre.

—Estás de criada para todo.

—Porque me da la gana.

—No lo dije por ofenderte.

Clara se sentó junto al fuego, y acercó a la llama los pies mojados.

—Hago esto —dijo el *Relojero*— para que no eche de menos una mujer y se traiga a la *Galana* para casa.

—¿Es lo que busca ella?

—Yo qué sé. A las mujeres no hay dios que las entienda. Por eso busqué una loca.

Cogió el puchero de la leche y se acercó a la chimenea.

—Deja —dijo Clara—. Hoy lo haré por ti.

—Entonces, puedes hacer también el café y tomarlo con él. Estarás en ayunas.

—A estas horas...

Paquito salió. Clara puso la leche a hervir y encendió el alcohol de la cafetera. Después volvió a sentarse junto al fuego.

—Dice que vendrá en seguida, que le esperes —Paquito habló desde al puerta, sin entrar, y desapareció; pero regresó pronto con un taza y una cuchara.

—Para ti.

—Gracias.

—Ahora me voy a trabajar, y no subiré a escuchar, te lo juro. A ti te tengo respeto.

—¿Por qué?

—¿Qué sabe uno? Te daría algún consejo si no fueras tan cabezona. ¿Te has fijado si hay violetas en los balados?

—No. ¿Por qué?

—Con este mal tiempo se retrasan. Otros años, por estas fechas ya me había marchado.

Se sentó en el brazo de una butaca y miró al aire, vagamente.

—Empiezo a echar de menos a mi novia, pero aún no he sentido esa cosa aquí... Ya sabes, esa cosa... Ella no me espera todavía, y lo que me digo: ¿qué voy a hacer yo solo en Coristanco? Para solo, ya lo estoy aquí.

Echó a andar hacia la puerta.

Salió. Se le oyó hablar en el pasillo. Luego, sus pasos se perdieron en el fondo de la casa.

Estaba caliente el aire en la habitación de la torre.

Clara se quitó el abrigo y lo dejó encima de una silla. En la bandeja había rebanadas de pan, mermelada, mantequilla y miel. Lo destapó todo, olisqueó. Untó de miel un pedazo de pan y lo comió golosamente. Luego, otro.

—No se da mala vida éste. Así cualquiera es pobre.

Apartó la leche del fuego y la vertió en una jarra vacía. La cafetera despedía un chorro ruidoso, violento, de vapor. No sabía qué hacer con ella. Se acercó a la puerta del pasillo.

—¡Carlos, Carlos! ¡Que no entiendo la cafetera!

Carlos dijo «¡Hola!» y «¡Ya voy!» desde algún lugar lejano. Clara sopló, con miedo, la llama del alcohol. Temió que aquello estallase, y se apartó. Carlos entró riendo. Traía un pañuelo atado al cuello, y una gota de agua le resbalaba por la mejilla. No se había afeitado.

Clara señaló la cafetera.

—Me da miedo eso.

—Con apagar...

—Ya lo hice.

—Pues no hay cuidado.

Quedaron frente a frente, mirándose. Clara bajó los ojos.

—Perdona la hora.

—Te lo agradezco. Hubiera dormido hasta las tantas.

—Aproveché que venía del monasterio.

—¿También tú? —afectó sorpresa.

—Por acompañar a Inés. Las otras ya no van.

Carlos la empujó suavemente hacia un sillón.

—Siéntate. Vamos a tomar café.

—Deja que te lo sirva.

Le temblaban un poco las manos. Sirvió a Carlos y se sirvió.

—El pan... Bueno, tú sabrás cómo lo quieres. Yo ya he tomado.

—¿A qué has venido?

Clara se entristeció repentinamente; Carlos agregó:

—El padre Ossorio se marchó hace una hora.

—Pero ¿sabes adónde fue?

—Sí. A Madrid. Pensaba ir a Santiago, pero le convencí de que en Madrid se desenvolverá mejor. Tiene un aire de cura que no lo puede remediar, pero en Madrid pasará inadvertido y le será más fácil encontrar trabajo.

—¿Trabajo? ¿Es que...?

—Sí. Ha colgado los hábitos definitivamente.

Clara echó azúcar al café y revolvió con parsimonia.

—¿Te disgusta? —preguntó Carlos.

—Personalmente me trae sin cuidado, pero...

Levantó hacia Carlos el rostro apenado.

—Inés. Va a ser horrible. ¡Si la hubieras visto esta mañana!

—No hay remedio. El fraile es de los que no hacen las cosas a medias —untó de mantequilla un trozo de pan y se lo ofreció a Clara—. Tu hermana no puede hacer nada: el fraile la ignora por completo.

—¿Te lo ha dicho?

—Se lo saqué discretamente. No dejé de pensar en Inés desde que el fraile apareció por esa puerta.

Carlos mordió sin ganas el pan y lo dejó a un lado.

—Carlos, también Inés tiene el demonio dentro. Fue sólo un momento, esta mañana, cuando el padre Eugenio nos dijo que el otro se había largado y que no volvería. Inés pegó un grito y le salió fuego por los ojos, y aunque se dominó en el momento, quedó como salida de un ataque.

—¿Por qué has dicho también?

—Porque, a pesar de todo, llegué a creer que Inés era la única de nosotros, te incluyo a ti, que estaba libre de tentaciones. Estos últimos tiempos fue cariñosa conmigo. Pensé que me había equivocado. Parecía un ángel.

—Un día me dijiste que estaba enamorada del padre Ossorio.

—Fue un desahogo.

—Y ahora, ¿lo vuelves a creer?

—¡Qué sé yo! A lo mejor no es enamoramiento, sino otra cosa.

Se echó hacia atrás en el asiento, cerró los ojos; después se pasó las manos por la frente.

—Me dejaría cortar la mano derecha a que jamás sintió un mal deseo ni tuvo un mal pensamiento. Si el amor es eso, ella no está enamorada. Pero si el amor es necesidad de otra persona para seguir viviendo...

—¿Es eso el amor para ti?

—Yo no cuento, Carlos. Soy de madera peor. Pero, por lo visto, la polilla entra en todas las maderas.

—¿Sabes algo de lo que piensa hacer Inés?

—Me ha mandado aquí para que te pregunte si conoces la dirección del fraile. Pensará escribirle. Iba a venir ella, pero se volvió atrás.

—¿Por qué?

—Habrá tenido miedo.

—¿A mí?

—¿Quién sabe? ¡Como tú miras de ese modo!

Carlos sorbió el resto de su café. Se levantó, metió las manos en los bolsillos y dio unos pasos hacia la ventana, primero; hacia la chimenea, después. Hurgó con el atizador.

—Está bonito el fuego, ¿verdad?

Clara quedaba de espaldas. No respondió ni se movió. Carlos permaneció unos instantes sacando chispas a los leños.

—Si tiene miedo es porque ha llegado a saber algo de sí misma que teme que los demás descubran.

—Nunca será lo que tú piensas.

—¿Por qué no? Esa noticia súbita, ese grito, pueden significar que, de pronto, comprendió lo que hasta entonces había estado oculto, o simplemente enmascarado.

Clara se levantó también y se acercó a Carlos. Llevaba en la mano su tacilla de café, vacía.

—Tú sabrás mucho, Carlos; pero a mi hermana la conozco mejor que tú. Es inocente. No estoy segura de que sepa con claridad lo que pasa entre hombres y mujeres. El demonio de mi hermana no se parece al mío. Ella es orgullosa. Si escribe al padre Ossorio, y él le contesta, y se pasan así la vida, Inés llegará a vieja sin problemas.

—¿Y si él no le escribe?

—Bien. Entonces no sé qué hará.

Dejó la tacilla en la repisa de la chimenea.

—De todas maneras, si tienes noticias del fraile, y sabes su dirección, me la das.

—Puedo dártela ahora mismo. El fraile estaba desorientado y yo le di una carta para mi antigua patrona.

Escribió unas líneas en un trozo de papel y se lo tendió a Clara.

—Ahí tienes.

—También me da miedo Juan —dijo Clara.

—¿Sabe algo de esto? ¿Lo sospecha siquiera?

—Por eso. Le cogerá de sorpresa. Y aunque no pase nada, sólo con ver a Inés triste o preocupada no habrá quién lo aguante. No sabes cómo la quiere.

Cogió el abrigo.

—Anda. Ayúdame a poner esto.

—¿Te vas ya?

—Me espera la cocina, he de hacer la compra, y hoy no puedo contar con Inés para nada.

Puesto el abrigo fue hacia la puerta.

—Espera, que te acompaño.

Al abrir la puerta oyeron voces lejanas, apagadas. Las interrumpía una risa estridente —la risa del *Relojero*—, pero en tono mayor, como forzada.

Clara se detuvo y Carlos dijo:

—Es un aviso. El *Relojero* es mi ángel guardián. Iré a ver.

—¿No será tu amiga? —dijo Clara, con naturalidad.

—¿Mi amiga?

—La *Galana*. Hay quien la ha visto salir de noche de su casa y venir aquí.

—Habladurías. Entra en la sala y espera.

Carlos se asomó a la escalera. En el zaguán, Paquito y Juan discutían. Juan tenía puesto un impermeable de hule, raído, y traía mojado el cabello rojizo. El *Relojero* le cerraba el paso. Al asomar Carlos a lo alto de la escalera los dos volvieron la cabeza y Paquito se apartó.

—¿Qué sucede? ¿Por qué no subes?

—Estábamos discutiendo de política —respondió el *Relojero*—. Creí que usted aún no se había levantado.

Se quitó la pajilla y la mantuvo en alto mientras Juan subía los primeros escalones.

Juan dejó el impermeable en el perchero.

—Tengo que hablar contigo —dijo a Carlos.

—Bueno. En la torre estaremos más calientes.

La puerta de la sala quedaba entreabierta. Clara, desde la oscuridad, les vio pasar. Se perdieron en el fondo del pasillo.

—Si quieres tomar café te lo preparo.

—Te lo agradezco. Hace mucho frío y hoy salí de casa antes de que llegasen mis hermanas. Al pasar, tomé un poco de aguardiente en una tasca. Pero tengo hambre.

—Ve comiendo algo mientras. Ahora traeré una taza limpia. ¿Quieres pasarme ésa que está detrás de ti?

Juan cogió de la repisa la taza que había dejado Clara.

—¿Has tenido invitados?

—El *Relojero* desayuna conmigo todas las mañanas. Somos grandes amigos.

—¡Ah, claro!

Carlos cargó y encendió la cafetera. Salió y volvió con otra taza. Juan mordía un trozo de pan seco.

—¿No te gusta nada de eso?

—Gracias. No estoy acostumbrado.

Fue a la mesa de Carlos y hurgó entre los papeles.

—¿Haces algo?

—Sí. Quiero escribir un libro sobre Pueblanueva. Estoy preparando las notas. Se me ha ocurrido hace pocos días. Algo hay que hacer. ¿No te parece interesante? Puede salir un gran libro, y, aunque no lo publique, nos reiremos tú y yo.

—Claro.

—Y tú, ¿qué haces ahora?

Juan se sobresaltó.

—¿Yo? Nada. Como siempre.

—Llevamos muchos días sin vernos.

Juan vaciló antes de decir:

—Traigo un asunto entre manos. De él vengo a hablarte.

—¿A mí?

—Sí. Puedes ayudarnos. Se trata…

—Espera. Toma el café antes.

Le indicó un asiento. Mientras Carlos le servía el café, Juan pareció entretenerse con las llamas. Cogió la taza sin volverse del todo.

—¿Azúcar?

—Sí, un poco.

—Yo tomaré otra taza. Me apetece.

Se sentó frente a Juan. Bebieron el café en silencio. Antes de terminar, Juan sacó tabaco y ofreció a Carlos.

—Se trata, naturalmente, de los pescadores. Su situación es penosa. Pasan hambre y carecen de lo indispensable. Sus casas son tugurios infectos, hay muchos niños tuberculosos. Dentro de pocos días estarán peor, porque llevan quince sin salir a la mar y no parece que el tiempo vaya a arreglarse. Cierto que la Vieja les adelanta dinero, pero luego tienen que reintegrarlo, que viene a ser quedarse otra vez sin él. Hay que buscar un arreglo...

Hizo una pausa, mientras encendía el cigarrillo en una brasa.

—... y yo tengo el mismo interés que si fuera cosa propia. En cierto modo lo es. Bueno: no sé si la ocurrencia fue exactamente mía, pero el proyecto y todo lo demás, lo he madurado yo. De acuerdo con ellos, naturalmente. Llevamos muchas tardes discutiendo y escuchando todas las opiniones. Una cosa así no puede intentarse sin el consentimiento de la mayoría.

—¿Qué cosa?

—La explotación de la pesca por el Sindicato.

Acercó el sillón al sofá, y él mismo quedó casi rozando con las suyas las rodillas de Carlos. El cigarrillo, olvidado, se quemaba en el borde de la mesa.

—Parece un disparate, pero puede ser la salvación de los pescadores. Su pobreza es intolerable y, como están las cosas en América, no les queda ni la esperanza de emigrar.

Sacó del bolsillo unos papeles llenos de números.

—Mira. Cifras cantan. La pesca, racionalmente explotada, puede sostener con dignidad a los pescadores. Compara, por ejemplo, el volumen de ventas de Pueblanueva con las de Vigo, las de Bueu, las de Villagarcía... No me refiero a cifras absolutas, sino relativas. Están sacadas las proporciones: son ésas. Como verás, vamos por debajo de todos. Nuestra flotilla pesca menos, vende menos y pierde más. La cabeza de la Vieja no está para negocios. Además, ella no entiende. Hay que introducir innovaciones, contratar algún personal técnico, un buen patrón de pesca, al menos. Ahora, nadie pesca al tun-tun; hay técnicos especializados que saben dónde y cuándo hay que echar las redes. Y hay que vender en otras plazas. El consumo local es insuficiente, y los pescaderos, aquí, imponen precio o dejan que se pudra la mercancía. En fin, lo entiendes, ¿no?

—No lo entiendo, pero es igual. Si la pesca es negocio en otras partes y aquí no, a algo obedece.

—La Vieja está anticuada, y nuestros pescadores también. Con esos barcos, que son bastante buenos, deberían ir a los grandes bancos, pescar el bacalao, si hace falta. Los barcos tienen que ir provistos de radio, porque las ventas se contratan antes de que el barco arribe, y hay que conocer el volumen de las calas.

—Y esas radios, ¿quieres que las instale yo?

Juan sonrió con timidez súbita y se retiró un poco.

—Estoy hablando en serio, Carlos.

—Lo supongo, pero no se me alcanza lo que tenga que ver con todo eso.

—Directamente, nada.

Se hundió en el fondo del sillón y acudió al cigarrillo, que se había apagado. Carlos le acercó el suyo.

—En todo esto...

Se interrumpió, dio un par de chupadas y volvió a dejar el cigarrillo en el borde de la mesa.

—... en todo esto hay una dificultad inicial: el Sindicato no es propietario de los barcos. Y no hay que pensar que pueda serlo en mucho tiempo. De esta República burguesa de la puñeta que nos ha caído en suerte, no es de esperar que socialice los medios de producción; y, en el caso de que se hiciera algo en ese sentido, predominaría el criterio marxista, no el sindicalista. Pero lo que nosotros queremos es la explotación por el Sindicato propietario de los barcos, y digo propietario, no en el sentido capitalista, sino...

—Entiendo.

—¿Entiendes? ¿Te das cuenta de lo que pretendo y de lo que quiero de ti?

Carlos le miró, sonriendo.

—¿Piensas que yo puedo convencer a la Vieja de que regale los barcos al Sindicato?

—No aspiramos a eso, de momento, ni pretendo que tú la convenzas. Quiero solamente que le hables y la prevengas de que un día de éstos irá a verla una comisión.

—Los va a echar con cajas destempladas...

—Para evitarlo es para lo que te necesito. No iremos a pedirle que nos regale los barcos, sino que nos los alquile mediante una renta razonable. Aunque no se la pagásemos ganaría dinero. El año pasado perdió más de treinta mil pesetas.

Carlos se levantó y cogió una botella.

—¿Quieres coñac?

—Bueno.

Llenó dos copas y acercó una de ellas a Juan.

—Hace mucho frío en este maldito caserón. No sé cómo podía vivir la gente aquí.

Le sonaba la voz a falso. Juan le miró con inquietud. Sorbió, sin ganas, un poco de coñac.

—¿Vas a hacerme ese favor? ¡No sabes lo que significa para mí!

—Le hablaré a la Vieja.

—Necesito que lo hagas con el mismo entusiasmo que si se te hubiera ocurrido el proyecto y te fuese en él la vida. Tienes que convencer a la Vieja de que saldrá ganando. Nosotros, naturalmente, pagaremos los impuestos por nuestra cuenta.

—¿Y si perdéis?

—¡No podemos perder, Carlos! ¡Las cifras cantan! ¡Te aseguro que, en un año, la vida de esa pobre gente habrá cambiado!

Carlos, con la copa en la mano, se le acercó. Sonreía.

—Dime, Juan, ¿lo haces por caridad, por convicción ideológica o por alguna otra causa?

—Por todas ellas, aunque yo llame solidaridad a lo que tú llamas caridad.

—Si a la Vieja le dijese que con esto ibas a levantar una bandera contra Cayetano y vencerlo, es posible que accediese de buena gana.

Juan le miró con gravedad. Le temblaba en las pupilas una luz anhelante.

—No me mueven razones personales. No voy a beneficiarme en nada de todo esto. Me comprometo a un trabajo que no me sacará de pobre; de eso puedes estar seguro. Actúo desinteresadamente.

—Eso es lo malo para la Vieja. Ella no lo comprenderá jamás. Si se lo explicases se reiría de ti. Pero si le dijeses: soy capaz de convertir la pesca en un negocio con el que pueda hacer frente a Salgado, creo que, encima, os daría dinero para empezar.

De espaldas a Juan, dejó la copa en la mesa, y añadió:

—Puedo enfocar el asunto de esa manera.

—No. Sería mentir. Cayetano no pinta nada en todo esto.

—Entonces no te garantizo el éxito.

Se volvió rápidamente y cogió a Juan por los hombros.

—¿Pretendes ocultarme a mí que detrás de todos tus proyectos no está el odio a Cayetano? ¡Nadie se mueve en Pueblanueva sino por eso, y tú no eres una excepción! Y, si es así, ¿por qué no enseñas las cartas, al menos a la Vieja? Ella juega limpio y, además, es el único juego que entiende.

Juan retiró de sus hombros, pausadamente, las manos de Carlos.

—Me importa un bledo Cayetano. Aunque no existiese yo haría lo que hago.

—Como quieras. Hablaré a la Vieja, pero no te aseguro nada.

—Que sepa, al menos, que irán a verla.

—¿Irán? ¿Sin ti? ¿Quién va a hablarle? ¿O es que quieres convencerla con la tosca ingenuidad de los pescadores?

—Le presentarán un escrito... hecho por mí. Ya está

casi redactado. Confío en que tú... harás que lo lea, y hasta que se lo expliques si no lo entiende.

—No sé si desearte suerte. Vas a meterte en el lío más gordo de tu vida. Te juegas tu reputación. Si fracasas, nadie te hará caso, y hasta se reirán de ti.

—¿Y si resulta?

Carlos le miraba sonriente. En el rostro de Juan resplandecía la esperanza; pero la sonrisa de Carlos apagó el resplandor.

—Se debe ser muy desgraciado cuando no se tiene fe en nada —dijo Juan.

Carlos metió las manos en los bolsillos, le miró un instante y bajó la cabeza.

—Ni siquiera desgraciado.

Doña Mariana no se encontraba muy bien. Había estornudado y sentía escalofríos. Estaba en la cama, envuelta en una toquilla, y con la bandeja del desayuno en el regazo. Carlos le contó la escapatoria de fray Ossorio, la visita del padre Eugenio, la de Clara, la de Juan.

—Mi casa parecía un jubileo. El *Relojero* empezó a reír anoche cuando llegó el primer fraile; siguió riendo con el segundo, y esta mañana, al marcharme, me dijo: «¿Y las visitas? ¿Las mando esperar o que vuelvan?» Y me soltó una carcajada. No me tiene pizca de respeto.

De momento, pareció importarle más a doña Mariana la falta de respeto del *Relojero* que el lío del monasterio. Pero prestó atención cuando Carlos se refirió a Inés.

—La situación puede ser interesante si Inés tiene, como sus hermanos, sentido artístico. Porque es evidente que los Aldán poseen una especie de genialidad mal orientada o desorientada. En todo caso, enmascarada. La religiosidad de Inés se corresponde con la preocupación moral de Clara, incluso con su manía de limpieza; en cuanto a Juan, está claro que cuando escribe su poema cosmogónico pone en juego las mismas facultades artísticas que cuando describe a los pescadores el paraíso anarquista. Pero, en estos días, Clara ha pasado a segundo término. La situación actual de

Inés es mucho más interesante, y, con un poco de suerte, será mucho más fértil. Pretende escribir al fraile. Lo hará. Y el fraile recibirá la carta en un momento oportuno, en un momento de desaliento, porque sus primeros pasos en Madrid serán desalentadores. Lo más probable es que, a los pocos días, se le venga el mundo encima, se sienta hundido, fracasado y sin salida posible. ¿Imagina con qué alegría comprobará entonces que hay alguien en el mundo preocupado de él, alguien a quien es necesario? Quizá, si más tarde encuentra un empleo satisfactorio, la cosa se frustre; pero si no lo encuentra, que es lo probable, si se siente desesperado y necesitado de consuelo, atenderá a Inés, seguirá escribiéndole, y como lo que ella exige es correspondencia espiritual, se convertirá, sin darse cuenta, en una especie de Francisco de Sales para la ilustre señora de Chantal. ¡Lo que daría yo por estar al tanto de esas cartas! Las de Inés podrán ser maravillosas a poco que él excite su imaginación.

Doña Mariana dio un tironcito al cordón de la campanilla.

—Estás haciendo una novela.

—Estoy profetizando lo que va a suceder, lo cual no tiene ningún mérito porque parto de datos reales y desarrollo lógicamente unos supuestos. El padre Ossorio e Inés son dos personas interesantes, pero no misteriosas. No son de los que dan sorpresas. ¿Qué quiere usted? Me atrevería a asegurar que, pasado algún tiempo, el fraile se pondrá a bien con la Iglesia sólo porque la imagen que Inés tiene de él carece de lugar en el mundo. Para ella no es un hombre, sino un fraile, o, al menos, un sacerdote; como a sacerdote se dirigirá a él, y apetecerá palabras de sacerdote, no de hombre. Esto es evidente. Bueno. Quizá me engañe acerca de la calidad de su correspondencia; quizá no pase de una serie de vulgaridades más o menos apasionadas.

Entró la criada a recoger la bandeja del desayuno. Doña Mariana le advirtió que Carlos comería con ella.

—Después está Juan. La obra de arte de Juan tropieza con un grave inconveniente: el respeto a usted.

Lo natural sería que Juan acabase por lanzar a los pescadores contra su patrono, por organizar una huelga heroica; pero, en este caso, el patrono es usted, de quien los pescadores no tienen queja, y a quien Juan, en el fondo, admira. La situación de Juan no es fácil: lleva un cierto tiempo hablando a los pescadores, les ha creado una ilusión, pero no pasa de ahí. Llegará un día en que los pescadores se cansen y dejen de escucharle. Quizá haya empezado a suceder, porque últimamente hubo algunas deserciones, y quienes buscaron empleo en el astillero. Juan lo sabe. Necesita mantenerse donde está, necesita conservar la fe de sus amigos. ¿Qué hace entonces? Intenta hallar una salida airosa. Como no parece probable que la República llegue a reformar profundamente la economía, él desvía la esperanza de los pescadores de la revolución inmediata y la conduce al resultado incierto de una experiencia (lo de incierto lo añado yo). Vamos a explotar sindicalmente la pesca. Con lo cual pueden pasar dos cosas: que la experiencia fracase, y entonces ya se verá a quién echar la culpa; pero, en cualquier caso, todo el mundo habrá visto cómo Juan se partía desinteresadamente el pecho para sacar el asunto adelante; o bien, que la experiencia tenga éxito, y entonces Juan será algo más que el héroe de Pueblanueva: será el descubridor de un modo de explotación de la pesca que hace innecesarios a la vez la rerevolución y el patrono.

—Pero ¿y los barcos? ¿De dónde sacarán los barcos para eso?

—Los barcos están anclados ahí enfrente. Son los suyos.

A doña Mariana le dio un ataque de risa rematado en tos.

—No irás a decirme que Aldán piensa quitarme los barcos.

—Jamás lo ha pensado. Lo que él pretende es alquilarlos. Verá usted.

Repitió más o menos lo que Juan le había dicho. A cada momento intercalaba un elogio a la inteligencia, a la clarividencia de Juan.

—¿Quién duda que es un proyecto legal, respetuoso, irreprochable? Usted mantiene la propiedad de los barcos, deja de perder en el negocio y sólo más adelante, si la cosa marcha, puede pensarse en una venta. Con lo cual, además, Juan, sin sospecharlo, le da a usted resuelto un problema. Porque usted me tiene dicho que mantiene el negocio de la pesca sólo por llevar la contraria a Cayetano. ¿Qué sucederá el día en que usted muera? Usted teme que su sobrina no sea capaz de continuar una lucha en la que no le va ni le viene, porque ni Cayetano la odia a ella, ni ella odia a Cayetano...

—Le hubiera enseñado lo que tenía que hacer si viviera conmigo —interrumpió doña Mariana y había dureza en el tono de sus palabras.

—Pero ella no ha venido, y yo, ya ve usted, no sirvo para tomar en serio esas rivalidades, al menos con las armas de usted. Pero ahí está Juan dispuesto a sucederla en la rivalidad, en el odio, hasta la muerte.

—Yo no odio a Cayetano, ¿eh? Quizá lo desprecie, sencillamente.

—Pues Juan no lo desprecia, sino que le tiene odio, que es una pasión mucho más violenta, y, sobre todo, mucho más tenaz. Si no existiera Cayetano, Juan no sería líder anarquista de Pueblanueva, sino poeta en lengua vernácula. Por causa de Cayetano nos quedamos sin un hermoso poema pesimista acerca del origen de las cosas, y ganamos un líder; pero, eso sí, un líder con gran sentido artístico. Porque esa ocurrencia de la explotación sindical es perfectamente artística. Es la síntesis que absorbe en sí misma y concilia sin aniquilarlos los contrarios. Es una verdadera genialidad.

Doña Mariana acomodó las almohadas y se recostó.

—Sois un puñado de locos, ellos y tú. Pero tú bastante más que ellos, porque te entusiasmas con algo que no te va ni te viene, y te engañas a ti mismo pensando que va a salir bien ese disparate.

Las manos de Carlos se levantaron en señal de protesta.

—Yo no digo que vaya a salir bien, ¿eh? Admito el pro y el contra. Lo que digo es que, de una manera o de la otra, Juan habrá mantenido su reputación, y usted no perderá nada.

—¿Y quieres que porque Juan conserve la admiración de los pescadores ponga en peligro una parte de mi patrimonio? ¿Qué me importa a mí la reputación de Juan?

Carlos se levantó, arrimó la espalda a la pared y estuvo un instante pensativo.

—¿Qué pensaría usted si en vez de ser Juan el autor del proyecto y el que pretende realizarlo fuese yo?

—Pensaría lo mismo: que estabas loco.

—Pero ¿me alquilaría los barcos, sí o no?

—Quizá te los alquilase, pero por otras razones.

—Sin embargo, usted sabe que soy incapaz de hacer nada práctico, aunque sea lo más sencillo del mundo; cuanto más algo tan complicado como la explotación colectiva de un negocio.

—Pues, a pesar de eso, por ti lo haría. Aunque supiese que iba a quedarme sin los barcos. No estoy segura de que, metido en el jaleo, no intentases luego sacarlo a flote.

Carlos se sentó en el borde de la cama y cogió la mano de doña Mariana.

—Juan lo hará con toda la pasión, con toda la inteligencia, con toda la tenacidad de que es capaz un fanático. Le va en ello algo más importante que la vida.

Doña Mariana no contestó. La mano de Carlos permanecía entre la suya. La acarició. Se miraron, y Carlos sonrió.

—Que vengan a verme, pero conste que no prometo nada. Llevaré el asunto a mi abogado para que lo estudie y, después, ya veré lo que hago.

Carlos se levantó de un salto.

—Voy corriendo a la taberna. Juan espera allí.

—¡No prometas nada, que yo tampoco prometo!

—¿No le parece bastante decirles que usted les escuchará?

Se puso la gabardina y salió corriendo. El viento le batía en el rostro y los goterones de lluvia le lastimaban. Tuvo que volver atrás y meterse en el carricoche. Lo dejó luego en una calleja resguardada y entró en la tasca del *Cubano*.

Estaba oscuro el interior y habían encendido velas. Juan y algunos más, hasta doce, se habían sentado alrededor de unas mesas. Carmiña atendía a la parroquia.

Al entrar Carlos todos callaron, todos se volvieron hacia él, todos le miraron. Había en sus rostros ansiedad y un poco de temor.

El *Cubano* se levantó.

—Venga para aquí. Siéntese aquí, don Carlos.

—Buenos días a todos.

Se levantaron también los demás, y algunos se quitaron las boinas. Carlos se sentó junto a Aldán. Le trajeron en seguida una taza de tinto, y Carmiña pidió a voces «unos calamares para el señor Deza, que estén bien calientes».

—Espere. Traeré una vela. Con este tiempo parece de noche.

Vertió esperma en la tabla de la mesa y afianzó en ella una vela nueva. Nadie había hablado. Un soplo de aire, venido de alguna puerta abierta, apagó la llama, y Juan dijo algo sobre el mal tiempo. Un pescador respondió, con voz honda, que así llevaban dos semanas y que no había qué comer.

—A mí se me están acabando las existencias, y como nadie puede pagarme, no tengo dinero para reponer lo gastado —comentó el *Cubano*.

—Porque usted no sabe lo que hace en una casa de pobres tener el pescado gratis. Con un puerco que se críe, y perdone, y el jornal, da para vivir. Pero a estas alturas, el cerdo ya va comido y hay que comprarle todo, y con un mal caldo de patatas y berzas el cuerpo no queda contento.

—Y que siempre hace falta ropa y con el frío los rapaces no pueden andar descalzos.

Una mujer que esperaba junto al mostrador se acercó al grupo.

—Y vosotros, condenados, que no podéis pasar sin el vino, que Dios confunda.

—Con algo hay que calentarse.

—Pues quedaros en cama, como se quedan otros que son tan buenos como vosotros y también gustan de echar un párrafo con los amigos.

Carmiña trajo un plato de calamares fritos y lo puso delante de Carlos.

—Ya ve —dijo el *Cubano*—. Con dos reales, un plato de calamares fritos debía estar bien pagado. Pues como los traen de fuera, y a mí ya me cuestan seis. Luego ponga el aceite, y el trabajo, y algo que uno tiene que ganar. Salen en dos pesetas, la tercera parte del jornal de un marinero.

Estaban doradas, calientes, fragantes, las ruedas de calamar.

—Pues con eso, y un pedazo de pan, come un hombre al mediodía —dijo la mujer que había hablado antes, y se volvió al mostrador. Desde allí añadió—: Donde hay cinco son diez pesetas.

—Esto será para todos, ¿verdad? —preguntó Carlos un poco avergonzado.

—La casa quiere convidarle. No lo despreciará —dijo Carmiña desde el mostrador.

—Pero la casa no me prohibirá que yo convide, a mi vez, a estos amigos. Es decir, no yo, sino doña Mariana. Vengo de parte de ella.

—¿Qué te dijo? —Juan intentaba dominar la ansiedad, pero sus manos, escuálidas, temblaban al coger la tacilla del vino.

—Doña Mariana quiere a los pescadores. Eso lo saben ustedes. Los barcos son un mal negocio, y otra persona se hubiera deshecho de ellos. Porque no es lo mismo perder un año y ganar otro, que perder cinco años seguidos. Es evidente que doña Mariana lo sostiene por no dejar en la calle a sesenta o setenta familias.

—Bueno. Pero de lo otro, de lo nuestro…

—Admite entrar en conversaciones. Es decir, que hablará con ustedes, que estudiará el proyecto. Necesita garantías.

—No se trata de que pierda la propiedad de los barcos. Creo que eso te lo he explicado bien.

—Me refiero a garantías de otra naturaleza. Por precaria que sea su situación, los pescadores cuentan con unos ingresos mínimos seguros; necesita saber que, en cualquier caso, no saldrán perjudicados. La propiedad de los barcos no le preocupa.

—Entonces cosa hecha. ¿Cómo van a perjudicarse a sí mismos los pescadores? —al *Cubano* le temblaba la voz de júbilo—. Se trata precisamente de que se encarguen ellos de sus propios intereses. Ya le habrá explicado el señor Aldán que se formará un comité con los patrones de cada barco y un diputado por la tripulación. Se pagarán jornales y se hará un reparto equitativo de las ganancias, después de deducir los gastos y de constituir un fondo de reserva. Yo entiendo algo de eso; en Cuba trabajé en régimen de cooperativa, que es algo parecido a lo que nosotros queremos.

—Pero ¿y si no hay ganancias? ¿Si se sigue perdiendo como hasta ahora? ¿Cómo cubrirán el déficit?

Juan adelantó hacia el plato de los calamares, que empezaba a vaciarse, una mano tajante, afirmativa.

—Se está enfocando mal la cuestión. Los pescadores agradecen a doña Mariana su interés, pero ahora no se trata de paternalismos, sino de reconocer a un grupo de trabajadores capacidad para administrarse. Para mí es algo que, si se pone en duda, atenta contra la dignidad del proletariado. En todo caso, reconocida la buena voluntad de doña Mariana, también se la puede acusar de mala administración o, más bien, de torpeza en el enfoque del negocio y, por tanto, de perjudicar a sus asalariados. Claro está —añadió en seguida cerrando la mano y retirándola— que ella no puede comprender que los intereses de los trabajadores jueguen en este asunto con el mismo derecho que los suyos propios. Sería pedir peras al olmo que una mente capitalista se superase a sí misma y alcanzase el sentido de la solidaridad humana necesario para llegar a semejante comprensión. Nosotros no hemos planteado jamás el problema en esos términos. Nosotros...

—Ustedes, de momento, tienen suficiente con saber

que doña Mariana se aviene a hablar sobre el asunto —Carlos se dirigió al *Cubano*—. ¿No es así?

El *Cubano* miraba a Juan y parecía esperar que continuase. Pero Juan no respondió.

—Así será —dijo, pasado un instante de espera, el *Cubano*.

—Vivimos en un estado capitalista y, quiéranlo o no, tendrán que moverse y trabajar dentro del sistema capitalista. Por dentro, pueden ustedes organizarse como quieran. Para los demás, el sindicato será el arrendatario de unos barcos...

—De momento —dijo Juan.

—De momento, claro. Mañana, ¿qué sabemos?

Carlos apuró el vino y se levantó.

—He terminado mi embajada y tengo que irme. Si quieres —se dirigió a Juan— te llevo a casa. Tengo ahí el carricoche.

—Bueno.

—Para celebrarlo, doña Mariana convida.

El *Cubano* rechazó el dinero, pero Carlos le rogó que lo aceptase. Salió con Juan, se metieron en el carricoche. Pasaron, en silencio, dos o tres manzanas.

Juan iba metido en sí, puestos los ojos en las orejas de «Bonito» o, más bien, en el cascabel que las coronaba. A Carlos le había salido una sonrisa artificial, prolongada demasiado tiempo. Hasta que dijo:

—¿No estás contento?

Juan le miró sin contestarle.

—Todo salió a pedir de boca —continuó Carlos—. No quiero decirte con esto que a la Vieja la haya hecho feliz el asunto, pero lo ha tomado con mucho mejor ánimo de lo que yo esperaba. Yo lo daría por hecho.

—Como generosidad de la Vieja, ¿no? Como un regalo o una limosna.

—Llámalo como quieras. ¿Qué más da? Si la explotación colectiva de la pesca va a resolver el hambre de los pescadores, se acabó el hambre.

—¿Y la justicia? ¿Es que no te importa nada la justicia?

—Es algo de lo que esta mañana no hemos tratado en absoluto.

—Es algo que quizá no hayamos mentado, pero que iba implícito en mis palabras. Porque aquí hay dos cuestiones, y me extraña que tú, tan analista, no lo hayas advertido. El hambre de los pescadores, aparente consecuencia de un negocio mal llevado, lo es, en realidad, de una injusticia. No se restituye la justicia dando de comer a los hambrientos, sino que el hambre tiene que desaparecer por haberse restituido la justicia. ¿Entiendes? Si el asunto se resuelve por el camino que lleva, permanecerá la injusticia.

—¿Es eso lo que piensas decir a doña Mariana cuando reciba al famoso comité? «Señora, según las leyes vigentes usted es propietaria de los barcos. Aparentemente, con el pago de unos salarios, usted cumple. Ahora bien: las leyes vigentes fueron hechas por propietarios para defensa de la propiedad; las leyes amparan al robo. Si usted quiere ser justa reconozca que, al detentar la propiedad de los barcos, la usurpa a los verdaderos propietarios, a los propietarios en justicia, que son los trabajadores. Mientras no lo reconozca así, por mucha que sea su buena voluntad, por grande que sea su generosidad, tendremos que considerarla como una explotadora, como una sanguijuela de sangre humana, como una...»

Juan se revolvió contra él.

—¿Bien? ¿Y qué? ¿Qué sucedería si lo dijese?

—Sucedería que doña Mariana os mandaría a paseo y las cosas seguirían como están o peor.

—Pero en alguna parte se habría oído la voz de la verdad y de la justicia.

—¿Quién lo duda? Y los hambrientos te llamarían imbécil por haberlo hecho. A los pescadores les importa un bledo la justicia. Lo que quieren es comer mejor, y como tú los has convencido de que la explotación colectiva de la pesca mejorará su suerte, están ilusionados con eso. Tú no eres un fanático, Juan, sino un hombre inteligente, y sabes que detrás de las grandes palabras que les diriges, y de las que sólo perciben el ruido, sólo entienden una cosa: vivir con desahogo. El régimen no les importa. La monarquía, la república burguesa o la libertaria son buenas o malas según les vaya a ellos. Y eso me parece lógico. Pero de todo eso se deduce una verdad que te empeñas en no reconocer: ninguno de ellos es verdaderamente revolucionario, ninguno apetece un cambio radical de la sociedad. Sólo tú lo eres.

—¿Y no basta?

—Quizá a ti te baste. Pero si tu conducta se apoya en una falsedad, tu situación será bastante precaria.

—He insistido esta mañana en que yo no cuento para nada en este asunto. Soy un mero instrumento, sólo por el hecho de que sé escribir y de que entiendo un poco más que ellos de ciertos asuntos. Quiero que no lo olvides.

—Descuida. No lo olvidaré. Pero, por ti mismo, me gustaría te considerases como algo más que instrumento. Quizá en un mundo distinto, en un mundo que todavía no existe, un hombre pueda satisfacerse no siendo más que eso, instrumento; pero en el nuestro, al que perteneces lo mismo que yo, todo hombre es un fin.

Juan buscaba algo en los bolsillos.

—No te entiendo. Tenemos distinta mentalidad.

Salían del pueblo y se acercaban a la casa de Juan. Había escampado, pero el viento sacudía la lona del coche y lo empujaba hacia el centro de la carretera.

—Es una suerte —dijo Juan— que no haya ningún barco en la mar. Esto puede acabar en galerna.

El coche se detuvo. Juan levantó el cuello del impermeable y saltó.

—Bueno. De todas maneras, gracias por todo. Ya te avisaré cuando hayamos de visitar a la Vieja.

Atravesó, de cuatro zancadas, el fangal de la era y se coló por una puertecilla. Carlos le gritó que diese recuerdos a sus hermanas.

Juan se había metido en su cuarto nada más llegar; Inés no había salido del suyo en toda la mañana. Puesta la mesa, Clara fue a llamarlo. Juan, de rodillas junto a la cama, envueltas las piernas en una manta raída, escribía: una tabla vieja le servía de mesa. Había en ella papeles y un par de libros.

—Id comiendo, que ahora mismo voy.

Llamó a la puerta de Inés y abrió. También Inés escribía algo que escondió rápidamente.

—Sí. En seguida. Id comiendo.

Clara regresó a la cocina, volvió la sopa a la olla y se sentó a esperar en una silla baja. Quedaban sus piernas cerca de la lumbre, pero las acercó un poco más. Tenía sueño; le hubiera gustado dormitar un poco allí, cerca del fuego, pero una vez que lo había hecho se le quemaron las medias nuevas.

De la olla salía un vaho apetitoso a sopas de ajo. Había dejado a deber el aceite y el pan. Tampoco había pagado en la carnicería. Hacía tres días que no tenía dinero. Inés le había dicho: «Mañana te daré», pero no parecía decidirse a cobrar el importe de un traje. Seguramente que lo había olvidado. Y Clara no se había atrevido a recordárselo.

Con el tío del pan y del aceite había sido fácil. Estaba la tienda sola; el tendero la piropeó. Ella se dejó querer. El tendero insinuó la posibilidad de encontrarse alguna vez en un lugar oscuro: ella le respondió que quizá. El tendero la barbilleó y ella se limitó a decir: «Que a lo mejor te está viendo tu mujer.» Y salió con el pan bajo el brazo y la botella del aceite —cuarto litro— en la mano.

El carnicero, en cambio, había salido, y su mujer le dijo que si ya volvíamos a las andadas, y que si aquello no podía ser, y que si patatín, y que si patatán. Y que a ver cuándo buscaba un hombre que la mantuviese.

Juan llegó el primero. Preguntó por Inés.

—Dijo que fuésemos comiendo, que ella vendría en seguida.

Sirvió la sopa de ajo.

—Estamos sin un céntimo, Juan. He mirado en el hórreo; no hay un mal ferrado de maíz para vender.

Juan levantó la cabeza, la miró, no contestó.

—Inés tampoco tiene.

Sirvió su plato. Iba a empezar cuando entró Inés, silenciosa, abstraída. Empezó a comer sin decir palabra, sin mirar a nadie.

—¿Estás disgustado, Juan? —preguntó Clara.

—¡Ese Carlos...!

—¿Te ha hecho algo?

—Hablar, hablar. Envolverle a uno con palabras que no son nada, que no dicen nada.

—Es un imbécil.

Juan dejó de comer y la miró.

—Antes no pensabas así.

—Tampoco tú.

—Pero lo que yo trato con él es de importancia.

—¿Te echó a perder lo de los barcos?

—No. Lo bueno es que lo arregló. Es el modo lo que me fastidia. Me gustaría saber qué pretende con hablar tanto.

—Nada, eso es lo malo: que no pretende nada.

Juan volvió a mirarla, largamente.

—¿Te ha hecho algo a ti?

—¿No te digo que no pretende nada?

Juan calló de nuevo. Terminó de comer y marchó a su cuarto, sin decir palabra. Pero Inés no se movió. Se estuvo allí, con la cabeza gacha, mientras Clara retiró los platos y el mantel, mientras fregó el ajuar. Hacía frío. Clara le dijo:

—Te vas a helar ahí quieta. En la cocina estarás mejor.

Avivó el rescoldo y preparó la silla.

—Anda. Siéntate ahí.

Inés se dejó llevar. Arrimada a la pared oscura, su mirada seguía el humillo ascendente. Un resplandor tenue, vacilante, le iluminaba el rostro.

Clara terminó y se sentó en el borde del llar.

—Yo también he sufrido, y entonces me hubiera gustado tener a mano alguien a quien hablar. Es malo tragárselo todo. Es como una comida fuerte. Hace daño.

Inés bajó un poco la cabeza, sin mirarla.

—¿Tú qué sabes?

—Más bien nada; pero escuchar todavía sé.

Inés movió la cabeza.

—Mis cosas son mías.

—No te digo que me las cuentes; pero a Juan...

Inés se estremeció.

—¿A Juan? ¡No tiene que saber nada de esto, pase lo que pase! ¿Lo entiendes?

—Como quieras. Pero yo pienso que ya que te quiere tanto...

—Por eso.

Se levantó y saltó del llar.

—Voy a mi cuarto.

—Espera. ¿Sabes que no tenemos dinero?

Inés se detuvo y la miró como extrañada.

—¿Dinero?

—Sí. Las cochinas pesetas. Hoy me han tenido que fiar, y ayer también. Y tú dijiste...

—Sí. Hay que cobrar una hechura. ¿Por qué no vas tú?

—¿Yo? Ya sabes que no merezco confianza.

—Mira. Llevas unos retales que sobraron y la cuenta. Es en casa del Pirigallo, veinte pesetas. Espera un momento.

Volvió en seguida, con un atadijo de retales y un papel escrito.

—Toma. Llévalo tú. Di que no estoy bien.

—Si me pagan, ¿puedo pagar también?

—Sí, claro. Haz lo que quieras.

Mientras Clara se ponía el abrigo, Inés regresó a su cuarto. Había oscurecido un poco más. Encendió una vela, se sentó y cogió unos papeles a medio escribir. Leyó uno, otro, otro. Los apretó con furia. No era aquello lo que deseaba decir, lo que tenía que decir.

Danzaban por su cabeza palabras hermosas, palabras justas, palabras convincentes, pero se le escapaban cuando quería escribirlas. Ni siquiera había acertado en el encabezamiento. «Querido padre Ossorio...» «Respetado padre...» «Hermano mío en Jesucristo...» Sonaba a falso, a convencional. Necesitaba un comienzo que fuese como la puerta abierta a una habitación luminosa, una palabra que obligase a leer las otras, algo que revelase desde el comienzo que aquella carta la escribía un semejante...

Se irritó contra sí misma. «Semejante» tampoco era la palabra. No quería decir nada, salvo si se explicaba largamente, y ella no podía ponerse a explicar. Eso había hecho en una de las cartas: «Es posible que ignore que, durante dos años, sus palabras han ido edificando mi alma...»; y *edificar* tampoco la había satisfecho, porque significaba una cosa distinta, y lo que ella quería expresar no tenía nada que ver con *edificante,* sino con *edificación.* Como si el padre Ossorio hubiera hecho su alma como se hace una casa.

Se había enredado en las palabras, le disgustaban las palabras, eran palabras lo que sobraba y lo que necesitaba. Había hurgado en los evangelios; pero las palabras evangélicas le parecían también gastadas: «No puede usted abandonar su oveja», así hubiera escrito doña Lucía. «Soy una ramita insignificante de la gran vid de la Iglesia...» Daba risa.

Y, además, no sabía qué decir. «Me ha dejado usted sola», «Tiene usted que volver». Si, eso era, pero no bastaba, y no atinaba con el razonamiento intermedio, con las razones que podrían enterarle de que la había dejado sola y las que podían convencerle de que tenía que volver.

Se sentía cada vez más confusa. Abrió al azar las Sagradas Escrituras y salió la historia de Jezabel; la leyó, buscó en la lectura un consejo, una guía; pero la historia no le decía nada, ni aun se sentía capaz de imaginarla.

Hacía mucho frío. Tenía las piernas heladas hasta más arriba de las rodillas. Se echó en la cama y se tapó con una manta. Sus ojos, muy abiertos, miraban las sombras del techo, las sombras conocidas, repetidas.

La casa estaba en silencio, era como un agujero de silencio en medio del vendaval ruidoso. Fuera de la casa silbaba el viento en los pinos, en las esquinas, en los agujeros. Pero el silencio interior se notaba, y ella estaba en el centro del silencio. Podía oír su corazón.

Vivir era una partida jugada entre la propia voluntad y la voluntad de Dios. Dios ponía un límite al esfuerzo. Decía: «Hasta aquí. Más allá es mi terreno.» Pero nunca se sabía dónde estaba el terreno de Dios, donde la voluntad de los hombres nada puede, donde se pide al hombre que se someta ciegamente, sin preguntar... Y ella había llegado, con su esfuerzo, al límite de su voluntad. Y preguntaba.

Era evidente que Dios no quería que escribiese aquella carta. Pero ¿qué es lo que Dios quería? ¿Cómo podía averiguarlo?

Su corazón latía tranquilamente, su sangre iba y venía con sosiego. Todo estaba en paz en su cuerpo y en su alma, todo estaba en silencio fuera de ella, como si Dios lo enviase para que pudiera decidir con claridad.

—Irme al convento.

Sintió inmediatamente inquietud y disgusto. El convento había sido su destino, aceptado desde la adolescencia. ¿Por qué ahora, algo que ella ignoraba, pero que gobernaba su voluntad, lo repelía? Le vino a la memoria el recuerdo del colegio, se vio a sí misma vestida de blanco para la comunión. Ya no era muy niña —once años—; sus padres se habían descuidado. Una monja le dio un beso y la metió en la fila de comulgantes. Otra prendió luz a la vela que llevaba en la mano derecha. Las niñas empezaron a cantar:

> ¡Oh, qué dicha y qué alegría,
> venir Dios a visitarme!
> ¡Querer en persona honrarme!
> ¡Qué dignación, qué bondad!

Pero ella no cantaba. Se había resistido a aprender la canción porque le era antipática. Después de la misa, una monja le preguntó por qué no había cantado con sus compañeras, y ella respondió: «Porque no entiendo lo que dice.» «¡Eso no importa, niña! ¡Ya entenderás cuando seas mayor!» Entonces el capellán se había acercado y había dicho: «¡Deje, madre, que no cante! Si no entiende la canción, hace bien.» «¿Por qué no se la explica?» «Sería inútil. No es cuestión de entendimiento, sino de buen gusto.» El capellán la acarició y ella quedó agradecida. Las monjas llegaron a quererla porque era buena y dócil, y le metieron en la cabeza lo de consagrarse al Señor, porque les parecía un pecado que una niña tan bonita como ella se perdiese en el mundo; pero siempre había habido algo que no entendía, algo que, más tarde, llegó a entender, pero no compartió. Hasta escuchar al padre Ossorio.

Nunca había dudado que un día marcharía al convento. No importaba demorar la fecha, esperar a que las cosas se arreglasen, a que Juan no la necesitase. El padre Ossorio se había referido alguna vez a un monasterio benedictino, donde las monjas vivían una perfecta vida cristiana, una vida litúrgica profunda, guiadas por un monje famoso. El convento estaba en Alemania, y, en él, unas cuantas mujeres habían aprendido a renunciar a su vida personal para vivir la vida de Cristo viviendo la vida de la Iglesia. Ella había esperado, había deseado ir allá algún día y perderse en aquella perfección. Guardaba dinero en una caja de lata escondida en un agujero de la pared —ahorros difíciles, día a día, duro a duro— con el pretexto de la dote, pero, en realidad, para pagarse el viaje. Pero no sabía dónde estaba el convento ni cómo ir. Y no era tiempo todavía, no se juzgaba suficientemente preparada. Los otros conventos, los que estaban a mano, no le apetecían. Uno de clarisas, sin salir de Galicia, de vida muy sacrificada: hambre, frío. Doña Lucía había hablado mucho de él, se lo había aconsejado. «Es el sitio mejor para que escondas tu belleza y la ofrezcas a Dios.» Bueno, también ella pasaba hambre y frío sin salir de su casa y lo ofrecía al Señor, como las monjas clarisas.

La vela se iba consumiendo, las sombras del techo se hacían grandes y temblorosas. El pabilo, flotante en la esperma derretida, se inclinó, dio un gran resplandor y se apagó. Inés cerró los ojos y se dejó dormir. Cuando Clara llamó a la puerta el viento se había calmado. Clara dijo:

—Inés, la cena.

Inés abrió los ojos y no respondió. Clara entreabrió la puerta y repitió la advertencia. Inés no se movió.

Oyó los pasos de Clara, su voz en la cocina, la voz de Juan. También ella estaba en calma, como el viento, pero la cintura y las ligas le oprimían la carne. Se aflojó la falda, se quitó las medias, y poco a poco volvió a dormirse, sin inquietud, sin respuesta, pero con una gran confianza en el corazón tranquilo, porque renunciaba a querer, a entender y a preguntar, y se ponía en manos de Dios. Entró en su sueño el silencio, que pronto se llenó de luz, y en medio de la luz vio la figura del padre Ossorio, al que una sombra empujaba contra un abismo de sombras. Reconoció su cuerpo robusto, y sus manos, tendidas hacia algo, hacia alguien, como pidiendo ayuda. Ella le hubiera gritado, se hubiera acercado, pero no se atrevió, y las sombras envolvieron, arrastraron al fraile fuera de la luz, hacia el centro de las sombras. Ya no se veían más que sus manos, como las manos de un náufrago, tendidas hacia ella.

Corrió, gritó. Era un mar de sombras, un mar revuelto, horrible, y las manos del fraile, crispadas, empezaban a desaparecer, desaparecieron. Volvió a gritar.

—¿Para qué gritas? —dijo Clara, que estaba junto a ella—. Se ha ahogado.

—Eso no es la mar —respondió Inés, y miró a Clara, y se sorprendió de su ignorancia. Porque era evidente que aquel mar de sombras no era la mar, y que el padre Ossorio no se había ahogado.

—¿Qué importa? Lo has dejado perderse. Eres una cobarde.

¡Con qué desprecio la había mirado Clara! Sintió una punzada en el corazón y despertó. Silbaba otra vez el viento, más furioso que nunca, y la casa temblaba.

—¡Dios mío!

No sentía el cuerpo, ni las ropas, ni la cama en que yacía. Se creyó, un instante, flotando también en el mar de las sombras, también perdida. Braceó, y sus manos se enredaron en la manta. Palpó, entonces, su cuerpo y las ropas del lecho. Se hizo, al mismo tiempo, una luz viva en su alma, donde todavía resonaba el insulto de Clara. Comprendió en seguida. De un salto se arrodilló y dio gracias al Señor desde su corazón. Estuvo arrodillada, alumbrada el alma por la íntima luz, hasta que sintió frío. Un reloj dio entonces las cinco. Bajó de la cama, buscó los zapatos en la oscuridad, y las cerillas encima de la mesa. Encendió una: no quedaba de la vela más que goterones de esperma fría. Fue en puntillas a la cocina, encendió el candil y regresó a su habitación. Buscó sus ropas, todas sus ropas, las dobló e hizo con ellas, con sus libros y un gran pañuelo negro un atadijo. Fue después al escondite del dinero, sacó la caja de lata y contó los billetes. Cien, doscientas..., mil, dos mil... ¡Dos mil setecientas treinta y cuatro pesetas! Aquello debía de ser una fortuna. Y recordó inmediatamente que Clara había tenido que comprar al fiado.

Echó agua en una palangana, se lavó un poco la cara, se peinó. El reloj dio la media. Una hora, todavía. Abrió su armario, vio lo que quedaba, cogió el paquete y salió. Llegó a la habitación de su madre, entró calladamente, alzó el candil por encima de la cabeza; su madre dormía entre un revoltijo de ropas sucias, despedía un hedor repugnante. Se sintió repelida, sintió frío en su corazón y asco en su garganta. Con un gran esfuerzo se aproximó y le dio un beso en la frente

Se detuvo ante la habitación de Juan un minuto, dos minutos largos. Le vinieron lágrimas a los ojos, pero se apartó de la puerta y llegó hasta la de Clara. La golpeó sin miedo, porque estaba lejos, y nadie oiría. Volvió a golpear. Clara preguntó desde dentro, con voz oscura, quién era.

—Soy yo.

—Empuja. Está abierto.

Clara, sentada en la cama, la miró con extrañeza.

—¿Qué quieres? ¿Qué hora es?

Y antes de que Inés respondiese, añadió:

—¿Adónde vas?

Inés dejó el candil encima de la mesa y se sentó en el borde de la cama.

Clara buscaba algo con que envolverse.

—Me voy.

—Dame de ahí ese abrigo.

Se lo echó por encima de los hombros y se arrebujó.

—¿Estás loca?

—Me voy. Tengo la obligación de irme.

—Allá tú.

Inés buscaba en el rostro de Clara aquella mirada acusadora del sueño, aquella mirada que la había lastimado el alma, y en su voz, el tono de desprecio. Pero Clara, apenas espabilada, parecía triste, y su voz era dulce, un poco dolorida.

—Haz lo que quieras, pero en la casa nada ha cambiado para que te sientas obligada a irte.

—Es una obligación que me llama desde fuera. Tú no lo entenderías.

—¡Ah!

—Me voy ahora mismo, en el autobús.

—¿Adónde?

Inés no respondió.

—Nos harás saber, al menos, dónde estás. Juan...

Inés le cogió las manos.

—Espera a que sea tarde para contárselo. Lo harás, ¿verdad? No me siento con fuerzas para decirle adiós. Sé que no me perdonará.

—¿Por qué no? Esto era de esperar, un día u otro.

—Pero no así.

—¿Qué más da el modo?

Inés hurgaba en un bolso negro.

—Voy a dejaros algún dinero. Tengo más del que yo pensaba.

—Todo te hará falta. Ya nos arreglaremos.

—No, no. Toma. Para ti. Y para Juan. Repártelo entre los dos.

Contó cinco billetes y se los ofreció a Clara.

—Cien duros.

—¿Tanto?

—Tengo mucho, más de dos mil pesetas.

Clara metió los billetes debajo de la almohada.

—Tengo que llevar el paraguas —dijo Inés—, pero te lo dejaré en la estación de autobuses.

—No. Iré contigo.

Se echó fuera de la cama, se vistió el abrigo por encima del camisón y se puso unas zapatillas.

—Voy a calentarte el café. No vas a ir por ahí muerta de hambre.

—No, no. Deja.

—No es más que un segundo. Con una piña se calienta.

Cogió una caja de cerillas y salió. Inés quedó sentada en la cama. Las sábanas olían a limpias, pero estaban remendadas. Y aquella cama verde, tan bonita, no la había visto nunca.

Clara regresó en seguida.

—Ya está. Voy a vestirme mientras se calienta.

Se despojó del abrigo y del camisón y quedó, un momento, desnuda. A medio vestir, se chapuzó la cara en una palangana y se pasó un peine. Inés pensó que jamás se hubiera desnudado delante de su hermana, pero no sintió repugnancia. También el cuerpo de Clara olía a limpio.

—Ya estoy. Coge lo tuyo.

Había dos tazas y un azucarero encima de la mesa de la cocina. Clara fue al fogón, cogió el puchero y sirvió el café.

—Si quieres pan, quedó un poco de ayer.

Se sentó y bebió unos sorbos.

—Me da mucha pena que te vayas.

—No hables de eso.

—A lo mejor no vuelvo a verte. Me gustaría que no llevases mala idea de mí. Claro que no es posible, pero me gustaría.

Inés la miraba en silencio, como si no tuviera nada que responder.

—Ahora que te vas quiero decirte una cosa: ¿te acuerdas de cuando me echaste de tu cama? Tenías razón. Aquello me sirvió para sentir vergüenza de mí misma. Y no es que sea ya como es debido, porque las cosas no son fáciles; pero lo seré. Estoy segura. Quiero que te vayas convencida de eso...

Apuró el café, se limpió los labios con el dorso de la mano.

—... y de que me gustaría ser como tú. Pero eso ya sé que no es posible.

Se levantó.

—Vamos cuando quieras.

Inés llevaba el paquete; Clara, el paraguas. Atravesaron la era cogidas del brazo y en silencio. El viento las empujaba por la espalda, los zuecos chapoteaban en los charcos del camino. Cerca del pueblo, Clara dijo:

—¿Sabes? Me olvidé de que te ibas, y por un momento pensé que era una mañana como esas otras.

Sintió estremecerse el brazo de Inés.

Había gente bajo los soportales. Unos mozos cubrían de una lona la baca del autobús. Mientras Inés sacaba el billete, Clara esperó con el atadijo y el paraguas.

—Bueno. Adiós.

—Dame un beso.

La abrazó. Inés volvió la cabeza.

—Anda, no llores. Estarás mejor que en casa.

Inés se descalzó las zuecas.

—Llévate también eso. No me hará falta.

Sacó del atadijo unos zapatos y se los puso. Subió en seguida al autobús y se sentó en un asiento lejano.

—Vete ya —dijo.

—Adiós.

Clara se metió bajo los soportales, buscó una sombra y esperó. Dos hombres hablaban cerca de ella.

—Pues a mí me gusta más la beata.

—¡Ca! No hay en toda Pueblanueva hembra como la otra.

—No, no... La beata...

Añadió una grosería. Clara se apartó, se fue al extremo de la plaza. El chófer del autobús hacía sonar la bocina. Llegaron unas aldeanas retardadas.

—¡Vamos, coño! ¿O es que se os pegaron las sábanas al culo?

Se encendieron los faros e iluminaron la lluvia gruesa, pertinaz. Todo un lado de la plaza quedó brillante. Pasaban y repasaban sombras apresuradas. El coche arrancó y empezó a moverse. Los faros recorrieron las fachadas, alumbraron las piedras renegridas de la iglesia. El coche pasó por delante de Clara y dio la vuelta. Inés iba en medio de dos aldeanas, con la cabeza baja.

La estación quedaba en una gris penumbra sucia de humo y ruidosa; silbaba una locomotora y pasaban veloces los carros de los equipajes; voceaban los viajeros, los mozos, los que esperaban; y todos, al apresurarse, la empujaban. Venía un viento helado y húmedo, un viento penetrante y sutil que la hacía temblar. Inés buscó la salida y quedó deslumbrada por la claridad.

—¿Un hotel, señorita?

—Un hotel.

—¿Taxi? ¿Quiere taxi?

—¡Omnibus! ¡Viajeros y equipajes!

—Pensión de familia. Cinco pesetas.

—¡Apártese! ¡Parece boba!

Se apartó del barullo, de los empujones. Sentía frío y halló cobijo en un rincón soleado. Esperó. La miraba la gente, sobre todo los hombres. Alguno sonreía y volvía a mirarla.

—Oiga, por favor. ¿Dónde puedo tomar un poco de café?

El guardia la repasó con la mirada, una vez, otra: una mirada curiosa, benévola.

—Siga por ahí. Al final. Donde pone «restaurante».

—Gracias.

Se alejó. El guardia la llamó.

—Oiga, señorita.

—¿Qué? ¿Voy mal?

—Ande con cuidado.

Se acercó a ella y le habló en voz baja.

—Ponga otra cara, como las demás mujeres. Si se dan cuenta de que es una monja de paisano, se meterán con usted.

—No soy monja.

El guardia sonrió y llevó la mano a la gorra. Inés se apresuró a llegar al restaurante. Eligió una mesa apartada, pidió un café.

—Oiga.

—¿Diga? —también el camarero la había mirado con curiosidad sonriente, un sí es no es burlona.

—¿Dónde podía lavarme?

El camarero le señaló una puerta.

—Allí. Pida la llave a la cajera.

Pagó el café, lo tomó. Se sintió confortada, pero insegura. Había un espejo cerca. Se miró discretamente y no vio nada extraño en su rostro: el pelo tirante, recogido en un moño; cansancio, sueño.

La cajera le dio la llave, pero ella no se movió.

—¿Quiere algo más?

—Sí. Quería...

Se aproximó, tímida, hasta hablarle casi al oído.

—¿Tiene usted unas tijeras? Unas tijeras grandes, que sirvan...

Miró a un lado y a otro; se acercó más.

—Voy a cortarme el pelo.

La cajera rió, pero no con maldad: parecía hacerle gracia. Inés dudó un momento sin confiarse a ella.

—Mire. Acaban de decirme que parezco una monja de paisano y que podían meterse conmigo. No soy monja. Por eso quiero quitarme el moño.

—Espere.

La cajera se levantó e hizo seña a uno del mostrador.

—¡Eh, tú! Atiende la caja. Voy a tardar un poco.

—Pues ¡sí que tiene gracia! —respondió el otro—. Cada uno está a lo suyo.

La cajera no hacía caso. Revolvía en un bolso, sacó unas tijeras y las metió en el bolsillo del delantal.

—Venga. Le ayudaré.

Abrió la puerta del lavabo, entraron, cerró por dentro.

—Así no nos molestarán. Lávese un poco la cara y siéntese ahí. ¿Cómo lo quiere? ¿Muy corto?

—No sé...

—Da pena, con ese pelo...

Le había deshecho el moño; el cabello la caía por los hombros y la espalda.

—¿No lleva otra toalla? Una que esté seca. Bueno, es igual: le pondré mi mandil. ¡Qué pelo, Dios! Y usted es muy bonita. No vendrá a Madrid a nada malo.

Inés se estremeció y bajó los ojos.

—No sé qué quiere decir.

—Perdone. ¿De dónde es? ¿Gallega?

Inés sintió el ruido de las tijeras. Ras, ras. Unas guedejas cortas le cayeron sobre el pecho, y un deseo repentino de llorar le acometió al verlas. Había guardado su cabello para ofrecerlo, en sacrificio alegre, ante un obispo y una madre abadesa, entre cánticos e incienso y con un anillo en el dedo. Había esperado llorar otras lágrimas, no aquellas tristes que se limpiaba disimuladamente, que temía verter, como si también fuesen objeto de burla.

—No. Soy de aquí, pero estuve fuera mucho tiempo.

—Ya se nota.

Ras, ras, ras. Sacudió la cabeza, más ligera.

—Tome. Guárdelo, que, en un caso de apuro, lo puede vender para una Virgen. ¡Vaya trenza que sale de ahí!

Contemplaba la mata de pelo sacrificada.

—¿Ya está?

—No como una artista, pero puede pasar.

—Gracias.

—Yo que usted, me cortaría también el flequillo. Traiga, no se mueva.

Inés cerró los ojos; la cajera volvió a cortar, esta vez con cuidado, igualando las puntas.

—Ahora, con un poco de carmín en los labios, a nadie se le ocurrirá pensar que es usted una monja.

—¡No, no! ¡Carmín, no! No tengo.

—Con mi barra. Un toquecito nada más. ¡Está preciosa! Ahora mírese.

La acercó al espejo. Inés se miró, temblando, y halló a Clara al otro lado del cristal; una Clara asustada, sorprendida.

—¿Qué? ¿No le gusta?

—Sí, sí...

Seguía mirándose. Nunca había sospechado que se pareciese tanto a su hermana, que sus miradas fueran tan iguales. Le daba miedo.

—No tiemble, mujer. Póngase más derecha. Y, en cuanto pueda, cómprese otra ropa y unas medias más finas. ¡Con lo repreciosa que es usted y el buen cuerpo que tiene! Ya me gustaría para mí, ya.

La cajera era rubia y un poco gorda. Llevaba las cejas depiladas y colorete en las mejillas. También las uñas eran de color fuerte. Y los tacones, muy altos.

—¿Tiene familia aquí?

—No.

—Pues ándese con cuidado, porque usted es de las que gustan a los hombres. No se fíe de nadie.

—¿Le... tengo que pagar algo?

La cajera le dio una palmada en la espalda.

—¡Ande, mujer! Hoy por usted y mañana por mí. Estamos en el mundo para ayudarnos.

—Gracias.

—Y si se ve en algún apuro, venga a buscarme. En casa somos muchos, pero... ¿Sabe hacer algo?

—Modista. Pero no hará falta. No... creo.

—No vuelva al café. Salga por esa puerta.

Inés buscó en un bolsillo. Tendió un papel a la cajera.

—¿Quiere decirme dónde está esto?

La cajera leyó: «Pensión Herminia, Corredera Baja, 27.»

—Lo mejor será que coja el «Metro» hasta Santo Domingo y que pregunte allí. Queda cerca. ¿Sabe ir en «Metro»?

—Sí, creo que sí.

—Pregunte a un guardia, ¿eh?

Quedó en la puerta, viendo cómo Inés se alejaba.

—Podía ser la reina de Madrid...

Inés se metió en el «Metro». Iba casi vacío. Cambió en Opera; se confundió y cogió el tren descendente en vez del ascendente. Tuvo que volver atrás. Los hombres la miraban, pero sin sonreír. La miraban con curiosidad y codicia.

En Santo Domingo se dirigió al guardia, escuchó la información.

—¿Se equivocará?

—No, no. Ya estoy segura.

—En todo caso, vuelva a preguntar en la Gran Vía.

Llegó a la Corredera Baja, 27. La Pensión Herminia,

dijo la portera, estaba en el segundo izquierda y tenía un anejo en el 29, cuarto. A lo mejor, la persona por quien preguntaba vivía en el anejo.

—¿No lo ha visto usted entrar o salir? Un hombre alto, joven...

—¿Cómo viste?

—No sé...

—¡Entra y sale tanta gente...! Suba y pregunte.

Los peldaños de la escalera eran bajos, de baldosa roja, muy desvaída, y terminaban en rebordes de madera gastada. Olía a guiso.

—¿La Pensión Herminia?

—Eso es en el segundo.

—Pero...

—Este es el principal, señorita. Dos pisos más arriba.

Le cerraron la puerta de golpe. Siguió subiendo. En el segundo izquierda había un rótulo de porcelana, roto, en que se leía:

NSIÓN HERM

Llamó. Abrió una criada vieja, desgreñada.

—Quería una habitación.

La criada la miró y remiró.

—Espere.

Desapareció en el fondo de un pasillo oscuro. Inés buscó dónde sentarse; no había sillas. Se arrimó a una esquina, junto a un perchero con espejo. La criada no regresaba. Se miró, ensayó ante el espejo una sonrisa. Olía a coles cocidas y, en el fondo de la casa, unos niños armaban jarana.

Se oyeron pasos. Inés se irguió, sonrió. Los pasos se alejaron. Volvió a esperar, a encogerse. En la pared del pasillo había un cuadro, y más allá, otro. El pasillo estaba cubierto por una estera de cáñamo, roída por los bordes, y en el vestíbulo había otra estera, cuadrada, algo más nueva. Sus pies estaban mitad dentro, mitad fuera. El tacón del pie derecho caía encima de una baldosa rota, que se movía según se movía ella.

—¿Qué deseaba?

La señora había aparecido por la izquierda, silenciosamente, quizá levantando una cortina que, hasta entonces, no había visto: una cortina de tela amarilla y roja, como la de los colchones, pero con algo brillante bordado en las franjas coloradas.

—Una habitación. Me envía…

—¿Quién la envía?

—Don Carlos Deza. Es mi primo.

—¿También a usted? ¿Trae una carta?

—No. No traigo ninguna carta. Pero me dio la dirección. Véala. Escrita por él.

La señora cogió el papel y, para leerlo, encendió una bombilla eléctrica. Se encogió de hombros.

—No tengo habitación. Además, no quiero líos.

—¿Líos? ¿Qué quiere decir?

—Usted me entiende. Ayer, un cura; hoy, una monja. Porque usted es monja, no hay más que verla, aunque se pinte los labios. Estamos en la República. Si ustedes no están conformes, allá ustedes; pero en mi casa no quiero líos. Váyase. Nunca he tenido cuentas con la Policía.

—Señora, yo… —le temblaba la voz.

—No me diga nada. Hay muchas pensiones en Madrid. Apunte, si gusta, el teléfono, y si quiere hablar al cura, llámelo. Pero, en mi casa, conciliábulos, no. Perdóneme.

Abrió la puerta y empujó a Inés hacia la salida.

—Perdóneme, hermana —repitió—; pero todos tenemos que vivir.

Cerró la puerta. Inés sintió el ruido de la mirilla al correrse y adivinó unos ojos que la contemplaban. Bajó las escaleras y volvió a la portería.

—¿Qué? ¿No es ahí?

—No sé. ¿Quiere usted…?

La portera la miraba con desconfianza.

—¿En qué puedo servirla?

—Este paquete. ¿Quiere usted guardármelo? Tiene ropa, mírelo: nada más que ropa, y un par de libros, y cosas de ésas. Mírelo, hágame el favor.

Deshizo el nudo del pañuelo y lo abrió. Cayeron al

suelo las Sagradas Escrituras. La portera recogió el libro y leyó el lomo.

—¡Ah! ¿Es usted protestante? ¿De las que venden esto?

—Sí, sí, señora. Pero ahora no vendo nada. No hago daño a nadie. Quiero que usted me lo guarde hasta que encuentre posada.

La portera le ayudó a atar el pañuelo.

—Bueno. Lo pondré ahí.

Inés sacó del bolsillo dos pesetas de plata.

—Tome.

—Gracias.

La portera sonrió y señaló al bolsillo.

—Si lleva ahí el dinero, la dejarán sin un céntimo. Ande con ojo.

Salió a la calle y se metió en el primer café que encontró. Pidió un vaso de leche. Desde la ventana se veía, un poco de refilón, el portal del 27. Preguntó la hora al camarero.

—Las once y media.

El camarero la miraba con descaro: fue al mostrador y comentó algo con otro camarero. Inés volvió la cabeza, fingió interesarse en algo de la calle, pero se sabía mirada.

—¡Cerillas! ¿Quiere cerillas?

La mujer gorda, basta, le ofrecía algo de una cajita. Después vino un limpiabotas, y luego, un chino que vendía collares y chucherías. Dijo que no, pero lo llamó.

—Sí. Déme un collar de ésos. Y unos pendientes. ¿Lleva también pendientes?

Eligió unos, pequeños, discretos, con una perla falsa, y un collarcito. Se los puso, pagó la consumición y salió a la calle. Se orientó en Callao. Un poco más abajo —recordaba— había una tienda de ropas hechas. La encontró fácilmente. Un dependiente le preguntó qué deseaba, y ella respondió con firmeza:

—Prefiero entenderme con una señorita.

—Perdone. En el primer piso. Suba por allí.

Las señoritas del primer piso cuchichearon al verla. Se dirigió a una de ellas.

—Quiero alguna ropa. Una falda y una chaqueta de punto. Quizá algo más.

Rechazó lo primero que le trajeron. Explicó claramente lo que deseaba y la calidad. La dependienta volvió con un montón de cajas: sacó faldas y chaquetas. Inés escogió una falda negra y una chaqueta encarnada, de botones.

—Y una blusa camisera, blanca, de batista.

—Muy bien.

La blusa que escogió Inés era cerrada. La dependienta dijo:

—También las hay escotadas.

—No. La quiero así. ¿Podría ponerme esto?

—Sí. Acompáñeme.

La metió en un probador, con espejos en todas las paredes.

—La ayudaré, ¿verdad?

—Sí. Gracias.

Dejó el abrigo en una percha. Al quitarse el traje, la dependienta se echó a reír.

—¿Cómo puede usted llevar eso? —tocó la ropa interior de Inés—. Lastima la piel. Parece ropa de monja. ¡Mírese!

Reía con ganas, con maldad. Su dedo índice señalaba, en el espejo, las bragas de Inés, largas hasta la rodilla.

—No puede usted andar con eso. Es ridículo. ¿Quiere que le traiga ropa interior?

Salió sin esperar respuesta. Inés se puso el abrigo y se sentó temblando. No se atrevía a mirarse y no entendía por qué la dependienta se había reído.

—Ahí tiene de todo. Es de buena calidad. Mírelo. También le traje medias. ¡Vamos, quítese eso!

Le daba reparo pedirle que saliese, que no se atrevía a desnudarse en su presencia.

—También necesitaré guantes. Los quiero negros, de cabritilla.

—Sí.

Inés echó el cerrojo a la puerta. Oyó, fuera, las carcajadas de las dependientas. Empezó a desnudarse velozmente, sin mirar a los espejos donde su cuerpo, fuertemente iluminado, se multiplicaba. Cuando la dependienta regresó, la halló vestida.

—Muy bien. Es usted otra.

Había quedado una prenda extraña, color de rosa, encima de la silla.

—¿Y esto? ¿No lo quiere?

—No. No me hace falta.

—Ya se la hará, descuide. Los pechos no están duros eternamente.

—Si me hiciera usted un paquete con esas cosas...

Mientras Inés se ponía el abrigo, la dependienta recogió la ropa desechada y abrió la puerta.

—Son ciento setenta y siete pesetas. Allí, en la caja.

Al darle el paquete le dijo:

—No hace falta que lo queme. Cuando pase por un solar, échelo por encima de la valla.

«No soy yo, es Clara», pensaba; y no se atrevía a mirarse en ningún escaparate por miedo a encontrar la imagen de su hermana. Se sentía como metida en un disfraz. Y hasta su cuerpo, envuelto en aquellas suavidades, le parecía nuevo, se removía sin su voluntad y aún contra ella, buscaba la caricia suave de la seda.

Entró en la Telefónica, buscó en la guía el número de la Pensión Herminia, preguntó por don Ossorio.

—¿Cómo?

—Don Ossorio.

—Aquí no hay nadie que se llame así.

—¡Un señor que parece un cura!

—¡Ah! Sí. Espere.

Al cabo de un rato:

—No está. Llame usted más tarde, a la hora de comer.

Iba a ser la una. Volvió a la Corredera, a la misma ventana del mismo café. Se sentó de frente a la vidriera, de modo que veía a cualquiera que pasara, a cualquiera que entrase en el portal del 27. El camarero le preguntó, chungón, si quería otro vaso de leche, y ella respondió que sí.

—También tenemos vino, cerveza, gambas al ajillo, riñones, boquerones fritos y en vinagre...

—¿Es usted imbécil?

Se sorprendió de la salida, estuvo a punto de pedir perdón al camarero, que se había puesto serio y que pedía, ahora, en voz alta, un vaso de leche caliente. Y pensó en seguida que así se hubiera portado Clara. Al recordarla se cerró el abrigo, lo apretó bien contra el cuello para ocultarse la blusa de batista y el collar de perlas falsas. Enrojeció al sentirse otra vez mirada, inspeccionada, por el camarero. Escondió, como pudo, las piernas bajo la falda. Las piernas, con aquellas medias color carne, que tampoco le parecían suyas. El camarero, sin chistar, dejó la leche encima de la mesa, recogió el dinero y le dio la vuelta. Ella se la guardó entera, y el camarero entonces dijo:

—Está prohibida la propina.

Supuso que la seguirían mirando, que algunas de aquellas risas sofocadas o descaradas eran por ella y que alguna mujer a quien no veía se reía también. Bueno. Llegó a desentenderse, a olvidarse. Su mirada buscaba entre los transeúntes una figura, no sabía cuál. Y recordaba a Clara, insistentemente, temerosamente, como si, al parecerse a ella, temiese ser poseída por ella, obligada a portarse como ella.

Pasó mucho tiempo. Empezaba a fatigarse, se le cerraban los ojos de sueño. Un desfallecimiento interior la nacía en el corazón, un deseo cobarde de renunciar, de abandonarse, de regresar a su casa, de esconderse. Clara le diría:

—¿Te has cortado el pelo? ¿Es que piensas casarte?

Sin embargo, en su lugar, Clara no renunciaría. Clara no temía las miradas de los hombres; sabría hacerles frente con desvergüenza. Tenía siempre en los labios palabras atrevidas. No se recogía, cobarde, en sí misma. Atacaba. Y ella, ahora, se parecía a Clara. Vestía como ella, tenía el mismo rostro, y los pechos le abultaban, bajo la blusa, como los pechos de Clara.

Volvió a sentir vergüenza, a acobardarse.

—¡Dios mío!

Renunciar, volver atrás, era pecado. Dios no le allanaba el camino, le ofrecía dificultades para que las superase, para que su voluntad se templase en la victoria. Tenía que hacer un esfuerzo, recobrar su decisión, su energía. Jamás había sido débil. ¿Por qué temblaba ahora? La cobardía no venía de Dios, sino del diablo. Era el diablo quien nutría su alma de escrúpulos, de timideces.

Llevó la mano al pecho, se hizo una cruz encima del corazón y salió del café, anduvo un rato por la calle y se metió en un portal frente al 27. No apareció portera que interrogase. Al poco rato vio venir a un hombre alto, de boina y gabardina, con la cabeza baja, que se movía con torpeza. No le veía bien la cara, pero atravesó la calle y se paró junto al portal del 27. El hombre se acercó, sin mirarla. Iba metido en sí, parecía triste.

—Padre Ossorio.

Lo dijo susurrando, como un suspiro. El padre Ossorio levantó la cabeza y la miró extrañado, confuso.

—Padre Ossorio, siga usted, no entre en su casa. Yo iré detrás. Tengo que hablarle.

—Pero ¿quién es usted?

—Siga, se lo ruego. Métase en el primer bar. Yo entraré detrás de usted. O, si no, yo iré delante.

Echó a andar, sin volver la cabeza, segura de que el fraile la seguía; más tranquila, porque sabía que la mirada del fraile era de otra naturaleza.

Entró en un bar, fue derecha a una mesa arrinconada y se sentó. Vio al fraile en la puerta, indeciso. Dudó si hacerle una seña. El fraile entró y la buscó con la mirada. Se acercó a la mesa, se inclinó.

—¿Qué me quiere? ¿Quién es usted? No puedo sentarme. No tengo dinero.

—No importa. Lo tengo yo. Y no desconfíe: no soy lo que parezco.

El fraile vacilaba.

—Siéntese. Es necesario.

Todos sus temores habían desaparecido. Al saberse mirada por el padre Ossorio, se sentía rescatada del parecido con Clara y reintegrada a sí misma. Inclinaba la cabeza y miraba con humildad.

Se quitó los guantes. Pidió al camarero dos cervezas.

—Por Dios, esté usted natural. En la pensión saben que es usted sacerdote, y a mí me han tomado por una monja. Por eso me he disfrazado.

Alzó la cabeza. El fraile se había quitado la boina, había descubierto la cabeza rapada, desaliñada. Inés hizo un esfuerzo para imaginar la tonsura, olvidar el traje negro, la corbata torpemente anudada, el aire vencido del padre Ossorio.

—¿No imagina quién soy?

—Sí. Ahora empiezo a darme cuenta. ¿Por qué ha venido?

—Tengo que rescatarle.

El padre Ossorio movió la cabeza.

—Váyase.

Les colocaron delante las cervezas. Inés bebió un sorbo. Le repugnó. El fraile apuró la suya.

—Estoy decidido a no volver. ¿No lo comprende? He salido del monasterio para siempre. Es inútil cuanto diga.

—No puede usted abandonarme.

—¿A usted? ¿Por qué a usted? No la conozco, no hemos hablado nunca. No tiene usted derecho...

Inés sonrió.

—Perdóneme si le traté con brusquedad. Tenemos que hablar largamente. Y aquí...

Miró alrededor; luego levantó los ojos hasta él, interrogantes.

—No puedo llevarla a mi pensión. Usted misma ha dicho que saben que soy cura.

—Pues vístase de cura y escúcheme en un confesonario.

—Jamás.

—Tiene usted que atenderme. ¿No comprende que también yo he huido de mi casa para esto?

—Eso es cosa suya.

—Usted es responsable de mí delante del Señor.

—¿Yo? ¿Por qué? No tengo nada que ver en esto. Váyase. He dejado de ser sacerdote.

Inés puso las manos sobre la mesa, las enlazó sosegadamente.

—... *in aeternum,* usted lo sabe como yo, mejor que

yo. Y usted sabe también que está peleando contra el diablo. Yo vengo en su ayuda, le venceremos.

Al padre Ossorio se le endureció el rostro y la miró con ira.

—Pero ¿no comprende que no quiero?

—No puedo discutirle aquí, en este lugar. Usted llama la atención así vestido. Tiene que hacer lo que yo hice: disfrazarse más todavía, parecer un hombre de ésos. Está ridículo con ese traje raquítico y con ese pelo cortado a tijeretazos.

—Ya le dije que no tengo dinero.

—Yo lo tengo, mucho.

Sacó del bolso trescientas pesetas.

—Ahí tiene. No lo rechace. Es necesario. Y, ahora, váyase. Volveremos a vernos esta tarde...

—No. No pierda el tiempo. Quédese con su dinero.

Inés cerró los puños y apretó los dientes.

—Pero ¿no ve que el diablo le domina? ¡Ayúdeme usted contra el diablo!

Empujó hacia él los billetes.

—Hay una iglesia aquí cerca, en la calle del Carmen. Le espero a las siete en la puerta. Rezaré para que Dios nos ayude.

Se levantó y se inclinó un poco, sonriente.

—Perdone mi dureza. No va contra usted. Usted es mi hermano en Jesucristo, y le amo en caridad.

El comedor de la Pensión Herminia tenía, de lado, quince losetas rojas y otras quince blancas. Cada loseta medía veinte centímetros. Las rojas blanqueaban ya, y las blancas negreaban. En el centro de la habitación colgaba una lámpara de varillaje dorado, sucio de las moscas, con una pantalla central flecada de abalorios, y cuatro tulipas verdes orientadas a las cuatro esquinas, a las cuatro mesas del comedor y a los cuatro puntos cardinales. Uno de los testeros se adornaba de un cromo de tamaño medio, con marco: el cromo representaba una mujer bonita de mirada turbadora, moño derribado sobre el cogote y una copa de jerez en la mano. Poniéndose debajo de la lámpara y mirando al cromo, la puerta de la derecha conducía al pasillo, y la de la izquierda, a la cocina. Frente al cromo, en la pared opuesta, una ventana con visillos y cortinas de cretona abría a un patio interior sus hojas desvencijadas.

El padre Ossorio se sentó a comer en la mesa de la derecha del cromo. La patrona le había señalado aquel sitio por ser el único teóricamente vacante. Todos los demás los ocupaban alumnos de diversas Facultades, si no es el opuesto al del padre Ossorio, que era el de honor y se lo reservaba la patrona para sí, cuando comía con sus pupilos, o para algún huésped transitorio venido de su pueblo. Como solía estar vacío, los estudiantes decían a la criada:

—Matilde, pon vino al comendador —aunque en la Pensión Herminia no se bebiese vino.

El estudiante de la corbata de lazo era siempre el último en llegar, y mientras no llegaba la cosa se mantenía en relativa paz. El estudiante de la corbata de lazo era un tipo larguirucho, ligeramente picado de viruelas, con unos ojillos saltones. Cursaba el doctorado de medidicina y se llamaba Páez.

El padre Ossorio vino tarde, aunque no tanto que hubiera llegado ya el de la corbata de lazo. Pidió perdón a la criada, y la criada le preguntó que por qué le pedía perdón. Le sirvieron un plato de judías pintas con chorizo. Estaba terminándolas cuando entró el de la corbata de lazo. Dijo en voz alta: « ¡Salud y República! », o algo así, y miró con sorna al fraile. El fraile inclinó la cabeza y se aplicó a rebañar su plato. El estudiante de la corbata de lazo ocupó su puesto y dijo a la criada que estaba guapa aquella mañana.

—La relativa libertad de prensa de que gozamos en esta República de carcas —dijo— tiene sus puertas falsas. Acabo de encontrar un precioso folleto, probablemente clandestino, que ofrezco a la curiosidad de ustedes.

Lo arrojó al aire, dirigido a la mesa del padre Ossorio. Quedó entre el jarro del agua y un trozo de pan. El estudiante que comía a la derecha, y que preparaba notarías, lo cogió y leyó en voz alta el título:

—«El presbítero. Su vida, costumbres y modo de cazarlo.»

Todos rieron.

—Es un folleto muy útil, cuya adquisición les recomiendo —continuó el de la corbata de lazo—. Gil Robles será derrotado en las próximas elecciones, y entonces tendremos ocasión de entregarnos a nuestro deporte nacional favorito sin que lo estorbe la Policía. Porque, señores —volvía la cabeza para mirar al padre Ossorio—, nuestro deporte nacional es, desde hace un siglo, la caza del presbítero. Quien lo dude que consulte la historia, y se enterará de que el pueblo caza curas desde que los curas traicionaron al pueblo y se pasaron a las clases posidentes.

Alguien le preguntó si constituía una especialidad de los españoles o si algún otro país la practicaba.

—En esto pasa como con los toros. Los toros son nuestra fiesta nacional, pero en algunos puntos de Europa y de América nos han salido imitadores. La caza del presbítero no es de invención española, sino que, como muchas otras cosas castizas, fue descubierta en Francia y practicada en gran escala durante la Revolución francesa, si bien aquellos caballeros lo hicieron por razones ideológicas, no por instinto de justicia; pero hoy día puede decirse que constituye un monopolio español y de algunos países hispanoamericanos.

—¿Y Rusia? ¿No se practica en Rusia?

—En Rusia el presbítero es una especie a extinguir. Las grandes hambres que siguieron a la Revolución obligaron al consumo de carne humana, y se prefirió la del presbítero y similares por su delicadeza y sabor dulce. Claro está que en los museos quedan algunos disecados. Y hay sospechas de que en ciertos lugares del Cáucaso se esconden los últimos ejemplares vivos, como la cabra hispánica en la Sierra de Gredos.

La criada empezó a servir un guiso de bacalao y dijo al estudiante de la corbata de lazo que por qué no se callaba.

—¿Y la libertad de expresión, Matilde? ¿Qué hacemos de ella? Hay que ejercer los derechos fundamentales.

si no queremos que caigan en desuso y nos los arrebaten por anticuados.

—Pues no se meta con nadie.

El estudiante se puso en pie.

—¿Me meto yo con alguien? ¿Alguno de los presentes se siente aludido por mis palabras? ¿Te has sentido aludido tú, Salazar, que has estudiado para cura?

—No —respondió Salazar.

—El señor Salazar no se siente aludido, aunque estuvo en un seminario; es decir, en un vivero de presbíteros. Y usted, señor, ¿se siente aludido?

Miraba al padre Ossorio. Todos volvieron la cara hacia él. El padre Ossorio hizo un esfuerzo y aguantó las miradas.

—No.

—¿Lo ve, Matilde? Aquí no hay presbíteros. Ni siquiera ese señor es presbítero. Luego, no me he metido con nadie de los presentes. Ahora bien: si la conversación no le divierte, podemos cambiar de tema. ¿Habéis visto las putas nuevas llegadas al palacio de madame Petit? Ya sabéis dónde digo, en la calle de San Marcos... Una de ellas, Marcelle, que confiesa veintiséis años a efectos policíacos, pero que, para mí, no ha cumplido los veinte, es de lo más perfecto que ha producido Francia en ese ramo de la industria. Anoche he fundido en su consoladora compañía el dinero del mes, y os aseguro que no he gastado en mi vida dinero mejor gozado.

Empezó a describir las excelencias y artimañas de Marcelle. El padre Ossorio enrojeció, quisiera cerrar los oídos. Le daba miedo levantarse antes de terminar: lo había hecho la noche anterior y le habían despedido con chacotas. Pero las palabras del estudiante le entraban en el alma, la removían, suscitaban en ella imágenes inciertas, desconocidas, turbadoras, que le avergonzaban y le asqueaban.

El estudiante de la izquierda vio el temblor de sus manos, que no atinaban con el trozo de bacalao; se levantó, habló al oído al de la corbata de lazo. Siguieron risas, cuchicheos; pero las hazañas de Marcelle pasaron a ser relatadas en voz apenas perceptible.

El padre Ossorio osó mirar a su vecino y darle las gracias con la mirada.

No quiso la mandarina que le traían de postre. Se levantó, dijo «¡Buenas tardes!» y «¡Buen provecho!» y se metió en su cuarto. Desde él pudo oír la discusión alborotada de los estudiantes.

—¡Te digo que no hay derecho!

—Pues si le da vergüenza, ¡que se vaya!

—Estamos en un país libre. ¿No lo dices todos los días?

—¡Libre, pero sin curas!

—¡Aunque sólo sea por buena educación! Y te lo digo yo, que no soy sospechoso.

El padre Ossorio se sentó en el borde de la cama. Poco a poco bajaron de tono los estudiantes. Se les oyó salir del comedor y meterse en sus cuartos.

Aquella rabia de su corazón, aquel deseo furioso de abofetearlos, de patearles las costillas, aquel dolor de no poder hacerlo, de no atreverse, le habían encendido la sangre; el sentimiento de su impotencia le hacía llorar. Se veía a sí mismo abofeteado y pateado, se sentía insultado y escarnecido, y se avergonzaba de su paciencia, de su resignación aparente. Hubiera estrujado entre sus brazos al de la corbata de lazo; lo hubiera hecho fácilmente, porque era más hombre que él; hubiera hecho frente a todo... ¿Por qué no se había atrevido? ¿Por qué no se atrevería jamás a hacerlo? Su condición le ataba, le oprimía. Bastaba una sonrisa, bastaba la sospecha de que le hubiesen reconocido para acobardarse, para achicarse. «¡Eres cura, cura, cura!»

Cuando estuvo la casa en silencio, marchó a la calle. Hacía frío. Se subió el cuello de la gabardina y fue hacia la Gran Vía. Era temprano, las tiendas no habían abierto. Pasó frente a una iglesia y sintió disgusto de mirarla. En la Puerta del Sol compró un periódico y se metió en un café. Durante más de media hora se disimuló tras el periódico.

Guardaba en el bolsillo las trescientas pesetas de Inés. Había decidido devolvérselas. Pero, al entrar en el café, se miró en un espejo con ojos nuevos y le dio lástima de sí mismo. No sólo era ridículo en aspecto, sino penoso: el de un hombre frustrado, vencido.

La tienda de ropas hechas quedaba cerca, y un peluquero lo encontraría en cualquier parte.

Tenía que ir aquella tarde a una editorial. A otra editorial más. Había recorrido cuatro o cinco. Ninguna necesitaba traductores de alemán.

—También sé ruso. Conozco el ruso moderno y el antiguo.

Entonces le habían dicho que en tal parte quizá pudiera interesar. Y al decírselo se habían reído.

—Se ríen porque me toman por un traidor que se avergüenza de lo que es. Si vistiera mis hábitos, acaso me despreciasen, pero no se reirían.

Un hombre que estaba a su lado le preguntó:

—¿Decía algo?

—No, nada.

—Perdone. Creí que decía algo. ¿Quiere un pitillo?

No se atrevió a rechazarlo.

El hombre le dio también fuego y empezó a contarle que estaba en Madrid porque tenía un pleito con un vecino por las lindes de unas tierras, y que el otro lo había perdido en la Territorial y ahora lo traía al Supremo.

—Y usted, ¿qué hace aquí?

—Busco trabajo.

—¡Ah, trabajo! Eso está muy mal ahora.

En el campo, claro; en la ciudad no sabía, aunque, a juzgar por lo que se movía la gente, todo el mundo debía trabajar.

El padre Ossorio se encontraba más tranquilo junto a aquel paleto que no le había mirado con desconfianza o burla, que no se había sonreído, que no aludía para nada al clero.

—Deje, no se preocupe. Yo pagaré el café. Y si quiere venir mañana, estaré aquí. Mi pensión está muy cerca.

—¿Es muy cara?

—Cinco pesetas. Vino aparte.

—¿Usted cree que encontraré habitación? No estoy contento en la mía.

—No sé. Puede ir a preguntar. Carretas, siete. Diga que va de mi parte, de parte de Vicente Serrano. Vicente Serrano es un servidor.

—Iré. Seguramente iré. Gracias por todo.

Buscó una peluquería y se afeitó. El peluquero le aconsejó rapar la cabeza, porque de otra manera no se podía remediar aquel desastre. Pelado y rasurado, se vio al espejo que le ofrecían, y halló en su rostro, en su cabeza, algo de oriental, de mongólico. Resaltaban los pómulos anchos, la forma triangular del rostro. En Alemania, en la Universidad, había conocido a un ucraniano con la cara así, un sujeto siempre rapado, que no usaba camisa, sino un jersey de cuello alto, y que vestía todo de negro, sin tener por ello aspecto clerical, sino más bien militar, con algo de diabólico. Era un hombre silencioso, al que todos respetaban no sabían por qué. Claro está que el ucraniano solía llevar un vidrio en el ojo derecho y andaba muy erguido, sacando el pecho.

Halló fácilmente la tienda de ropas hechas. El dependiente le escuchó con amabilidad, le llevó al probador, le aconsejó este traje, y no otro; este jersey, esta *trinchera.* Mientras le ayudaba, le preguntó si era extranjero, y el padre Ossorio le dijo que no, pero que había pasado en Alemania mucho tiempo.

—¿Piensa usted seguir llevando sandalias? Hace bastante frío.

—No se preocupe. Estoy acostumbrado.

—Bueno. Mírese usted.

¡Lo que podía un traje nuevo, planchado! No era el mismo, aunque todavía le faltase mucho para conseguir el aire del ucraniano, pero eso era seguramente cosa de la mirada.

—Bien. Está bien.

—Escúcheme. Aquí la boina se pone un poco de lado.

Era asombroso cómo, con sólo inclinar la boina sobre la oreja, perdía el rostro la expresión bobalicona, aldeana, y adquiría, al menos, una cierta listeza.

—Gracias por todo.

Llevaba las ropas viejas en un paquete bien hecho. Podía dejarlo en cualquier parte. Entró en el café de la

Puerta del Sol y pidió que se lo guardasen. Vicente Serrano continuaba en el mismo sitio y había pegado la hebra con una mujer opulenta. Pasó delante de él y no fue reconocido. O acaso se hallase demasiado entretenido con la morena.

—¿Calle de Víctor Hugo? Sí. Vaya usted...

Había ascensor. La editorial estaba en el último piso. Le recibió una señorita, le hizo pasar a un salón algo destartalado, con chimenea, varias mesas, muchos papeles, muchos periódicos, muchos libros, todo revuelto. No había nadie.

—¿A quién quiere hablar?

—Me han dicho que aquí necesitan traductores de ruso.

—Espere.

Le indicó un asiento y salió. El padre Ossorio hojeó algunos periódicos. Los había austríacos, franceses y alguno en alemán, publicado fuera de Alemania. Se aplicó a leerlo, porque, en la primera página, se acusaba al nazismo, en grandes titulares, de asesinar judíos. Recordó que en Alemania había oído hablar de los nazis; no recordaba bien lo que eran.

Se abrió una puerta, y entró un señor vestido de gris, de mediana edad, de mirada fría y profunda. Le indicó con un gesto que no se levantase y le tendió la mano.

—¿Conque sabe usted ruso?

—Sí. Ruso antiguo y moderno.

—¿Filólogo?

—No. Filosofía...

—¡Ah! Filosofía. ¿Estudió aquí?

—En Alemania.

—¿Y viene ahora de allí?

—Estoy en España hace dos años.

—¿Aquí, en Madrid?

—En Galicia. Un sitio que se llama Pueblanueva.

—¿Es usted comunista?

—No.

—¿Socialista, al menos?

—No.

—¿Conoce la naturaleza de esta editorial?

—No.

El hombre se levantó, se acercó a un armario, lo abrió y revolvió entre unos papeles. Sacó un folleto y se lo tendió al padre Ossorio.

—¿Es usted capaz de traducir eso? Quiero decir ahora mismo, de viva voz.

—No sé.

—Pruebe. Abralo al azar.

Lo hizo. Empezó a traducir. Primero, con lentitud; luego, con normalidad, conforme leía.

—Aquí hay una palabra que desconozco.

—No importa. Siga.

Le escuchó un par de minutos más. Mientras le escuchaba, examinó con interés calmoso su cabeza, sus manos.

—Basta. Veo que conoce el ruso moderno perfectamente. ¿Se ha dado cuenta del contenido de ese folleto?

—Propaganda atea. ¿Tengo que traducirlo?

—¡No! Al menos de momento. El Gobierno español no ve con buenos ojos esa clase de publicaciones, y los señores que nos suministran el papel, tampoco. Los señores que nos suministran el papel, no digo gratis, pero sí con grandes facilidades de pago, son partidarios del Gobierno y buenos cristianos, pero necesitan dar salida al papel, y las editoriales pías o neutras no dan abasto. Su condición de negociantes les permite proteger a una editorial que publica novelas, digamos de la Rusia actual, pero nos retirarían toda protección si nos atreviésemos a publicar un solo libro de teoría comunista, y no digamos de propaganda atea. Quizá más adelante, si las circunstancias políticas cambian, cambien también las exigencias morales de su conciencia y se hagan más tolerantes con el ateísmo; pero, de momento, hay que atenerse a la realidad. *Nosotros* somos realistas.

Hizo una pausa, dejó el folleto encima de una mesa.

—¿Cómo se llama usted?

—Rafael Salgueiro.

—¿Ha hecho estudios de filosofía? ¿En dónde?

—En Bonn y en Berlín.

—Entonces hablará bien el alemán.

—Y el francés. Conozco también el latín y el griego.

El hombre volvió a mirarle fijamente. Sonrió.

—Lo que se dice una formación eclesiástica.

El padre Ossorio aguantó la mirada.

—Exactamente.

—¿Cura o fraile?

—Fraile.

—¿Y ha abandonado la Iglesia?

—Sí.

—¿Una mujer?

—No.

—Mejor. La pasión amorosa es algo condenado a apaciguarse, a morir, y suele dejar un vacío que ocupan en seguida los remordimientos. Las razones ideológicas son mucho más firmes. Una discrepancia teológica o disciplinaria suele ser de gran utilidad. Entre nosotros pasa lo mismo.

Le tendió la mano.

—Me llamo García. Venga a verme la semana próxima. Seguramente encontraré algo para usted.

El padre Ossorio dijo con voz anhelante:

—Necesito trabajar.

—¡Trabajará, hombre, no pase cuidado! Hay pocos españoles que sepan bien el ruso, y usted lo sabe estupendamente. Vuelva a verme. Mientras tanto —añadió— voy a darle un consejo: si le detiene la Policía, diga usted la verdad: quién es, de dónde viene, cuándo ha llegado. De lo contrario, podría verse en un lío.

—¿La Policía? ¿Por qué?

—¡Tiene usted todo el aire de un anarquista profesional! —rió francamente—. ¿Ha leído a Bakunin?

—No.

—Pues si quiere vivir a cuenta de la F. A. I., váyase al Ateneo, lea a los clásicos del anarquismo e invéntese una historia de perseguido internacional. Lo pasará en grande.

Volvió a reír y dio al padre Ossorio unas palmadas en el hombro.

—Pero ya debe saberlo: el anarquismo es cosa muerta. ¡El porvenir es nuestro!

Entrar en un bar de la Gran Vía, sentarse en una mesa céntrica, pedir café y tomarlo sin prisa, y demorarse después un largo rato, mirándolo todo y no asombrándose de nada, constituyó la última prueba a que, voluntariamente, se había sometido Inés. De la anterior, entrar en un restaurante y almorzar en él sin llamar la atención de nadie, había salido relativamente airosa, porque no había podido evitar que unos estudiantes la piropeasen, y, en vez de portarse con naturalidad, había enrojecido, había apresurado el paso, había tropezado y provocado la risa de los piropeantes. Pero sacó, al menos, la enseñanza de que en cualquier momento podrían repetirse los piropos, de que debía estar apercibida y aprender a escucharlos con indiferencia.

Nadie le dijo nada en el café. Algunos hombres la miraron, insistentes, como miraban a otras mujeres. Se atrevió a quitarse el abrigo, y entonces advirtió que sus pechos, desceñidos, se movían. Lamentó haber rechazado, aquella mañana, los sostenes y se prometió a sí misma comprar unos en la primera ocasión, si su estancia en Madrid se dilataba y se veía obligada a callejear. Cuando pagó el café, preguntó al camarero si era costumbre dar propina y cuánto. El camarero le dijo que diez o quince céntimos. Se los dio.

Eran las cuatro. Todavía hubo de esperar unos minutos a la puerta de la sacristía del Carmen a que el sacristán abriese, y un rato más a que llegase un cura. Hacía frío en aquella vasta penumbra, donde el sacristán renqueaba y hablaba solo, y ni siquiera la invitaba a sentarse. Descubrió, en un rincón, un brasero, y allí se estuvo hasta que vino el cura y la mandó acercarse. Le preguntó si venía a confesarse o si quería otra cosa. Ella dijo que había llegado aquella mañana de Galicia, que carecía de alojamiento y que deseaba que la encaminasen a una pensión decente que no fuese muy cara. El cura, entonces, la miró con desconfianza y empezó a hacerle preguntas: que a qué venía a Madrid, que quién era, que si traía dinero. Ella respondió que venía a buscar a un hermano suyo que se hallaba en un mal trance; que su padre era el conde de X, ya fallecido, y que traía dinero suficiente. El cura pareció más tranquilo; la invitó a sentarse y le dijo que vería de ayudarla, y que esperase mientras él hacía algunas diligencias urgentes. Se sentó ante una mesa, hizo que escribía y, mientras lo hacía, siguió hablando con Inés y haciéndole preguntas indirectas. Inés se dio cuenta de que la confianza del cura era sólo aparente o de que, al menos, no era completa. Volvió a sentirse cohibida, le dio miedo perder en un momento la desenvoltura y la decisión tan trabajosamente adquiridas y se determinó a hacer frente al cura. Se levantó, fue hasta la mesa y se detuvo ante ella. El cura, sorprendido, quedó con la pluma en alto.

—Mire, padre...

—¿Qué desea? ¿Le sucede algo?

—No. Me doy cuenta de que usted no cree lo que le estoy diciendo o lo cree a medias. Quizá sea porque me ve vestida de esta manera y porque llevo los labios un poco pintados. Escúcheme: no visto habitualmente así. Soy una mujer religiosa y estoy a punto de ingresar en un convento. Pero esta mañana he llegado a Madrid, de donde falto hace tres años, y la gente se ha reído de mí y me ha tomado por una monja vestida de paisano. He tenido que disfrazarme. Le aseguro que estoy aquí a causa de un hermano mío descarriado. Si no me cree, dígamelo, y buscaré a alguien con más caridad que me ayude.

El cura dejó la pluma, cruzó las manos, sonrió.

—¿Por qué me supone sin caridad? ¿Se da cuenta de que eso es ofenderme?

—Ni más ni menos que usted a mí con su desconfianza.

—Yo soy un sacerdote, un miembro de la Iglesia.

—No más que yo.

El sacerdote la miró largamente antes de preguntarle:

—¿Por qué dice eso?

—Porque no ignoro que ambos pertenecemos a la Iglesia en la misma medida, es decir, en cuerpo y alma, y que su condición de sacerdote no le hace ser más de la Iglesia que yo. Si lo que usted quiso decirme es que pertenece a la jerarquía, lo acepto.

—Es usted una sabihonda, señorita; ahora lo comprendo —se levantó y alargó hacia ella una mano acusadora, severa—; es usted una de esas cristianas a la moda, con opinión propia, que quieren saber más que la Iglesia. Compadezco al capellán del convento al que usted vaya, hermana.

—Y yo le compadezco a usted por su falta de caridad.

Dio media vuelta y fue hacia la salida con paso fuerte. El sacristán la contempló con estupor.

—¡Espere! —le gritó el cura.

Inés se detuvo, sin volverse, y el cura llegó hasta ella.

—Acuérdese de que, cuando se confiese, tendrá que acusarse de soberbia.

—Y usted de haberla provocado.

Irguió la cabeza y salió, altiva, sin mirar al cura. Al llegar a la puerta de la calle le acometió una flaqueza de corazón y empezó a sollozar. Pasaba gente por la calle; alguien la miró, y, al sentirse mirada, le dio vergüenza de su congoja. Se limpió las lágrimas, se esforzó por dominarse y, más tranquila, se echó a la calle. Caminó unos minutos abstraída; no supo luego dónde se encontraba y tardó en reconocer el sitio. Al pasar por la Gran Vía compró en un almacén una maleta pequeña. Metió en ella el paquete de su ropa, que no había abandonado, y volvió al 27 de la Corredera Baja. La portera le entregó el atadijo.

—Ya parece usted otra, ¿eh?

—Ya ve...

Guardó sus cosas en la maleta.

—Si usted pudiera aconsejarme una pensión... Estoy desorientada.

—Una pensión. ¿Cómo? ¿Barata?

—Decente. No importa el precio. Voy a estar poco tiempo en Madrid.

La portera se disculpó y entró en la portería. Pasó un rato y volvió acompañada de una niña.

—Mi hija irá con usted. Está algo lejos. Sería mejor que cogiera un taxi, por la maleta.

El taxi la condujo a la calle del Arenal, frente a San Ginés. Allí la niña subió a un piso y regresó luego diciendo que sí, que había habitación. La acompañó, no se despegó hasta que Inés comprendió que esperaba propina, y le dio unas pesetas. La llevaron a una habitación espaciosa, fragante, con un balcón a la calle y macetas en el balcón.

—Le costará diez pesetas diarias, pensión completa. Si la quiere interior, es una peseta menos.

No. Le gustaba aquella. La criada trajo toallas y le dijo que se cenaba a partir de las nueve. Al quedar sola se lavó un poco e intentó peinar sus guedejas cortadas, pero no sabía qué hacer con ellas; se limitó a alisarlas y a dejar que cayesen a su modo.

Salió a la calle dadas las cinco. Compró un bolso negro y, en una perfumería, una barra de carmín, cuyo color le aconsejó la dependienta. Se dio unos toques ligeros. Luego marchó a la iglesia.

Estaba vacía y a oscuras. La encontró tétrica y triste. Necesitaba, sin embargo, recogerse y meditar. Buscó un reclinatorio y lo llevó al rincón más lejano, al más tenebroso; rezó un poco y luego se sentó. Llegaba hasta ella el rumor de la calle vecina, llegaban los menudos ruidos interiores, el crujido de una madera o el eco de un mueble caído en la sacristía. Esperó a que los ruidos no entrasen en su alma, a que la rodeasen y pasasen de largo; poco a poco se le fue llenando de imágenes, de recuerdos inmediatos. Pasó revista a lo que había hecho durante el día y lo halló bueno.

El cura la había acusado de soberbia. ¿Lo había sido, verdaderamente? Recordó la escena de la sacristía, las palabras dichas. Había pedido ayuda con modestia, con humildad, con naturalidad; pero el cura la había juzgado mal, la había tomado por una mentirosa o por cualquier cosa mala. Y ella lo había aguantado, lo hubiera aguantado hasta el final de no temer la pérdida de su fortaleza, de su resolución. Sólo por eso había respondido al cura. Y no lo había hecho con injusticia, sino con la verdad... Clara hubiera hecho lo mismo, hubiera respondido las mismas palabras. ¡Cómo se parecía a la de Clara su conducta! Se parecía, sólo se parecía. El cura se había equivocado al juzgar una apariencia. Lo que cuenta no son los actos, sino los motivos; no las palabras, sino los sentimientos.

Sin embargo, no estaba tranquila. Necesitaba convencerse de que no había actuado con altanería, necesitaba absolverse, perdonarse. Sólo así podría recobrar la seguridad interior, tan difícilmente alcanzada. Pero ¿no sería esta pretensión, en sí misma, otro acto de soberbia?

Decidió confesarse, recibir el perdón de otra persona, de Dios mismo. Era temprano. Tardarían en acudir los confesores, tenía por delante algún tiempo para examinar su conciencia. Repasó, entonces, su vida durante los últimos días —los actos, las palabras, los pensamientos, los deseos—. ¿Había pecado alguna vez? ¿Qué debería contar, de qué debería acusarse y arrepentirse? ¿Tendría que decir al cura por qué había venido a Madrid y para qué?

Se sintió repentinamente angustiada y perpleja. El cura, cualquier cura, no aprobaría seguramente el motivo de su viaje y le mandaría desistir de su propósito, renunciar al rescate del padre Ossorio. Y cuanto más explicase sus razones, más insistiría el cura. Le parecía oír ya las palabras conminatorias: «Le doy la absolución condicionada a que no vuelva usted a ver a ese desdichado sacerdote, a que regresa usted a su casa mañana mismo.» Ni siquiera los curas podían entender a las almas verdaderamente cristianas. La caridad heroica les daba miedo. Sin embargo, estaba escrito: «Sólo quien pierda su alma podrá salvarla.»

No estaba obligada a contarlo. Tampoco a consultarlo. Tenía que arrodillarse y hacer mención de *sus pecados,* de los actos que creía pecaminosos y de aquellos sobre cuya materia tuviese dudas. Por ejemplo, lo sucedido en la sacristía con el cura. Y nada más.

—Y dígame, hija mía, ¿no tuvo usted malos pensamientos, malos deseos?

—No, padre.

—¿Conversaciones ligeras o livianas? ¿Murmuraciones?

—No, padre.

—¿Es usted casta, hija mía?

—Sí, padre.

—Y en su vida pasada, ¿lo ha sido siempre?

—Sí, padre.

—¿Es posible que nunca se haya abandonado a un pensamiento sensual, que nunca se haya entregado, aunque sólo fuera un instante, a las incitaciones de la carne?

—Jamás, padre.

—Me da usted miedo, hija mía.

—¿Por qué, padre?

—Porque son las almas como usted las que el demonio asedia con artificios más perfectos, aquellas en cuya perdición emplea mayor sabiduría.

—Espero, padre, que la gracia del Señor me ayude a combatirlo.

—Así sea.

Inclinó la cabeza y recibió la absolución.

La iglesia se había llenado de gentes que rezaban el rosario. Volvió por un pasillo lateral a su rincón, rezó la penitencia. Pero estaba distraída. Por primera vez un confesor le había hablado de la posibilidad de su condenación. ¿Por qué?

Otra vez se sintió angustiada y perpleja. El Señor le enviaba dificultades superiores a sus fuerzas. Sin embargo, la misericordia de Dios cooperaba siempre con gracia suficiente. Aunque, en aquel caso, lo que ella necesitase fuese entender, entender... Llevaba días así, haciendo frente a situaciones que no entendía.

De nada valía insistir, emplear las propias fuerzas, intentar la explicación de lo incomprensible. Tenía que abandonarse otra vez, dejar que su alma se vaciase, entregarse blandamente a la voluntad del Señor. Sabía que al final se llenaría su alma de luz.

Hacía frío en la iglesia.

Junto a la puerta de la iglesia del Carmen un ciego leía en voz alta párrafos de un *Quijote* impreso en caracteres Braille. De los bares vecinos llegaban vaharadas de olor acre. Se cerraban las tiendas, la gente caminaba de prisa. El padre Ossorio subió los escalones y esperó. Le hubiera gustado fumar un cigarrillo: era la primera vez que le sucedía desde su marcha de Pueblanueva. Bajó a la acera y preguntó al ciego dónde había un estanco.

—Aquí al lado. En la segunda casa después de la iglesia.

Pidió una cajetilla y cerillas. Preguntó si los pitillos estaban hechos. Le dijeron que no.

—¿No tiene de los otros? No sé liarlos.

Le dieron un paquete de canarios. Encendió uno al salir y tosió, pero siguió fumando. Inés le esperaba ya. Llegó hasta ella, se miraron largamente. Inés dijo:

—Ya estamos los dos disfrazados, es decir, protegidos. Ahora...

El padre Ossorio le interrumpió.

—Venía a decirle que es inútil. No pienso volver al monasterio. He gastado de su dinero porque no tuve más remedio, pero pienso devolvérselo pronto.

Inés seguía mirándole, con una mirada que parecía venir de muy lejos, como la mirada de García, el de la editorial, al recibirle.

—¿Se niega a hablar conmigo?

—No... Pero no tenemos nada que decirnos.

—No importa. Lléveme usted a un café. Tengo hambre.

El padre Ossorio puso cara de extrañeza.

—¿A un café?

—No se sorprenda. Es corriente y hasta decente. Tiene usted que irse acostumbrando, si piensa permanecer en el mundo.

La llevó al café de la Puerta del Sol. Había poca gente. Un trío de violín, violencello y piano tocaba una pieza lenta y solemne, a la que nadie parecía hacer caso. Los clientes eran parejas de poco pelo. Los camareros, sin respeto a la música, hacían sus pedidos en voz alta.

—¡Dos con leche, una cerveza, dos medias tostadas!

El padre Ossorio quiso sentarse cerca de la puerta, donde había más gente, pero ella prefirió un rincón.

Permaneció en silencio hasta que el camarero sirvió dos cafés y dos bollos.

El padre Ossorio se había sentado enfrente, con la silla apartada de la mesa. Metidas las manos en los bolsillos, miraba el techo.

—Acérquese. ¿Por qué se ha disfrazado de hombre malo?

El arrastró la silla, se acodó en la mesa, pero no la miró.

—Quiero —dijo— que en este caso el hábito deshaga al monje.

—No lo entiendo.

—Si empiezo por parecer malo acabaré siéndolo.

—¿Lo desea?

—Lo necesito. Me he dado cuenta de que el mundo es malo, y tengo que defenderme.

Se dicidió, por fin, a mirarla.

—¿Sabe usted? Estoy harto de servir de burla a los imbéciles. Ayer noche y esta mañana, en el comedor de la pensión, un puñado de mocosos me ha zaherido, me ha humillado, sólo por mi aspecto. No encuentro razones suficientes para aguantarlo. En cambio, esta tarde, un hombre indudablemente malo, un comunista, me ha tratado con amabilidad sabiendo que soy sacerdote y me ha prometido trabajo.

—El diablo es amable y favorece a los que quiere perder.

—Bien. Yo necesito amabilidad y favores.

—¿Y está usted dispuesto a pecar para conseguirlos?

—También necesito pecar. Es mi única garantía. ¿No lo comprende? Ahora es usted quien me persigue. ¿Qué sé yo con quién me tropezaré mañana, que busque lo mismo que usted? Usted y todos los que vienen o vengan con el mismo propósito me ofrecerán la vuelta a la gracia; sólo el compromiso con el pecado asegura mi libertad.

—¿Y cree usted que el pecado podrá más que Jesucristo?

—Algunas veces puede más.

Inés se echó atrás en el asiento, bajó la cabeza, cerró los ojos. La blasfemia la había hecho temblar. Después preguntó:

—¿Quiere usted escucharme?

El padre Ossorio se encogió de hombros.

— ¡Con tal de que no insista...!

—No. No insistiré, pero yo también necesito, como usted...

Se interrumpió, levantó la cabeza.

—Me basta hablar, contarle algo que no sabe. Voy a cumplir treinta años, y ya no recuerdo desde cuándo estoy decidida a profesar en un convento. Por varias razones sucesivas: primero, porque me lo aconsejaban las monjas; después, porque descubrí una irregularidad en mi nacimiento y me sentí excluida de la sociedad normal; más tarde, porque un hermano mío, la única persona a quien quiero en el mundo, se apartó de Dios, y me creí en el deber de sacrificarme por su salvación. Pero siempre había algo que estorbaba mi última decisión, algo que hacía valer las otras razones que podían impedirme profesar como me hubiera gustado. Cuando comprendí lo que era me desilusioné, estuve a punto de naufragar: no me gustaba la religión tal y como la veía en los otros; encontraba vacías las ceremonias e hipócritas a los fieles. Llegó a parecerme todo falso, llegué a pensar que mi fe no era más que un refugio contra mi infelicidad personal. Fue entonces cuando usted vino a Pueblanueva, cuando un grupo de muchachas empezamos a asistir a la misa de la cripta. La primera vez que usted nos habló...

El padre Ossorio se inquietaba visiblemente.

—¿Por qué me recuerda ahora eso?

—Porque es necesario. Y usted no puede negarse a oírlo. No es justo que ignore lo que han significado para mí sus palabras, y hasta qué punto me han rescatado de la indiferencia y de la vacilación, y me han devuelto a la comunidad de los santos.

Se interrumpió y extendió las manos abiertas.

—No me han devuelto a ella, sino que me la descubrieron. Yo he aprendido de usted lo que es vivir en Cristo; sus palabras, día tras día, me han conducido, me han iluminado. Usted me ha revelado la realidad de la vida sacramental y me ha hecho penetrar en ella. No ha sembrado sus palabras en un pedregal, como pudiera pensar al ver que nuestro grupo se desmoronó en pocos días, porque, al menos, en mí, han dado fruto.

—¿Y no le basta con eso? ¿Por qué no continúa ahora sola y se desentiende de mí?

—Porque no puedo. Hace tres días, al saber que usted se había marchado, me sentí abandonada; más tarde, a fuerza de pensar y de esperar de Dios una respuesta, comprendí que su marcha me imponía la obligación caritativa de rescatarle. Esta tarde, en la iglesia, me he convencido de que el rescate de usted es la condición de mi salvación.

—¡No diga usted disparates!

—No podrá usted convencerme de que el Señor me engaña.

—Pero ¿no comprende que mi salvación depende exclusivamente de mi libertad?

—¿Y por qué no de mi tenacidad, de mi oración, de mi sacrificio?

—Pero sin que su propia salvación se comprometa.

—Es que si yo llegase a dudar de su salvación...

—¿Qué?

—Me creería engañada *por usted.*

Se levantó bruscamente y añadió:

—Eso es lo que quiero que sepa: que mi fe en Jesucristo depende de mi fe en usted. Sólo creeré en la verdad de lo que usted me enseñó si veo que es eficaz ante todo para usted mismo. Y ahora que lo sabe, vea si me importa rescatarle del diablo: es como rescatarme a mí misma.

Recogió del asiento el abrigo y el bolso.

—¿Qué hace? ¿Por qué se va *ahora?*

—Porque no tengo prisa de que me responda. No puedo exigir, además, que Dios haga un milagro. Mañana volveremos a vernos. Aquí mismo, a esta hora. Piense entre tanto y, si puede, rece.

Se echó el abrigo por los hombros, se puso los guantes y añadió:

—¿Tiene dinero todavía o necesita más?

—¿Por qué insiste en ofrecerme dinero? ¿Piensa que así puede comprarme?

—Mejor es que recibirlo del diablo.

En la calle de Carretas, número 7, le ofrecieron una habitación interior, pequeña, oscura, limpia. Pagó una samana adelantada —treinta y cinco pesetas y el diez por ciento—, y tuvo que cubrir una hoja para la Policía. En el lavabo de la habitación había una pastilla de jabón muy gastada, y, en la pared, junto a la puerta, un espejito oscuro, suficiente: cabía en él la cara del padre Ossorio, el cuello y el arranque del jersey. La única bombilla se encendía desde la entrada y se apagaba desde la cama, y viceversa. Había también una alfombra, un perchero y una mesa de noche de castaño y mármol rojizo. Paredes pintadas de verde, que, al arrimarse, manchaban. Una ventana de vidrios con papeles de periódico pegados metía en la habitación el aire del pasillo. La puerta tenía llave; la cama, una colcha rosa.

Se echó en la cama a esperar la hora de la cena.

—Esa mujer es una loca.

Le obsesionaba el recuerdo de Inés, de su mirada profunda, de la firmeza de sus palabras. Le parecía hallarse envuelto en una red con cuya salida no atinaba: como si se hubiera descuidado, como si se hubiera dejado coger en una trampa.

A la sorpresa del encuentro había sucedido la satisfacción de no saberse solo. Aunque en ningún momento había pensado hacerle caso, le halagaba que alguien se cuidase de él hasta el extremo de seguirle. Inés no era una mujer vulgar. Hablaba, sí, con las palabras que él había usado durante dos años enteros de predicación; era como si sus propias palabras rebotasen y le fuesen devueltas. No eran, sin embargo, las tranquilas, serenas palabras de un predicador, sino palabras apasionadas, urgentes. Quería cazarle en la red de sus propias palabras, y se las devolvía cargadas de pasión.

Repitió que era una loca, e inmediatamente se dijo que intentaba engañarse a sí mismo. Inés no era una loca: era *su* obra. No lo había sospechado nunca; había creído al prior cuando insistía: «Pierde usted el tiempo, padre Ossorio. Esas mujeres son una colección de bobas.» Y al final, los hechos parecían haber dado la razón al prior. Pero no se había preguntado después por qué, de todas ellas, una al menos había persistido. El prior le había dado una explicación estúpida, y a él le había bastado. Sin embargo, ya entonces existía Inés, y era su obra.

No había fracasado. En una, al menos, de aquellas personas, habían prendido sus palabras hasta el riesgo, hasta el frenesí. ¿Y si volviese al monasterio, si volviese con ella y dijese al padre prior: «He aquí mi obra», qué pasaría? Se estremeció, porque oyó la risa del prior, una risa prudente, que casi no parecía risa, pero que lo deshacía todo; una risa fría que aniquilaba. El prior diría a Inés: «¿De modo, señorita, que se ha dejado usted embaucar por este imbécil? Ande, búsquese un confesor discreto y cuéntele sus ideas acerca de la Religión, ya verá lo que le dice.» Y, sin embargo, lo que Inés pretendía era devolverle al prior.

—¡Si hubiera venido el prior en persona! Eso sería poner las cosas en su punto. Entonces, volvería al monasterio, pero antes tendría que oírme.

Se había portado como un niño, se había dejado llevar por el miedo y el halago. Y se había dejado conducir al terreno que ella quería, allí donde, más que los conceptos y las razones, pesaban los movimientos de las manos, los matices de la voz, el calor o la frialdad de las miradas. Nunca había tratado de cerca a una mujer. Las mujeres eran patéticas, aunque tratasen de religión, aunque hablasen de religión con palabras por él enseñadas. Las sucesivas victorias de Inés eran victorias poéticas, artísticas. Pensó que a Carlos Deza le hubiera divertido analizarlas. «Padre Ossorio, aunque le hable en nombre de Dios, es la misma serpiente que engañó a Adán. Defiéndase con la inteligencia, con la razón. Usted es un intelectual. Y desde esta mañana hasta ahora han cambiado mucho las cosas. Ya no se ríen de usted, y hasta le admiran. ¿No recuerda aquellas muchachas que pasaron por su lado en la calle de Preciados? Usted oyó perfectamente que una decía a la otra: '¡Fíjate qué hombre más guapo!' Qué hombre, no qué cura. Las cosas han cambiado, y los estudiantes ya no se reirían de usted. Ese disfraz ha devuelto la libertad a su espíritu.»

Pero Carlos Deza sólo tenía la mitad de la razón. La libertad de su espíritu no era libertad entera, sino sólo libertad del espíritu. Un hombre es algo más. La razón le entra por los oídos, con las palabras, pero los ojos ven, las manos tocan, las narices huelen al ser que está delante. Y puede ser que el espíritu sepa vencer razones con razones, mientras por los ojos, por las narices, entre la victoria del otro. Podía llevar a Inés a su terreno, vencerla con razones; pero Inés era también pasión, voluntad, decisión. Las manos, la mirada, el tono de la voz *también* obraban, al margen de la razón y contra ella. De Inés emanaba un olor suave y saludable. De todo eso tenía que defenderse, y desconocía las armas.

—La cena, señor, cuando quiera.

Una voz metálica, de mujer, le habló desde el pasillo. Golpearon suavemente la puerta.

—La cena.

—Ya voy. Gracias.

Encendió la luz y se incorporó. ¡Qué diferente voz la de Inés! Ahora recordaba haberla escuchado con placer cuando, entre aquellas mujeres, una de ellas cantaba el gradual, el aleluya y el tracto. Su estilo era perfecto. Después se perdía entre las otras voces, se anulaba. ¡Si los jóvenes del monasterio hubiesen sido capaces de aquella disciplina!

Entró en el comedor. Vicente Serrano acababa de sentarse. Le llamó desde un rincón.

—¡Oiga! Siéntese conmigo. No hay sitios fijos.

Celebró que hubiese hallado habitación.

—No se come mal, no se meten en lo que uno hace, y si quiere usted traer una mujer, le dejan, con tal que no arme escándalo.

Añadió que, en los pueblos, había mucha menos li bertad.

—Y no lo digo por mí, que ya pasé de esos apuros.

A Vicente Serrano le parecía que la República había traído algunas cosas buenas, y que los curas habían abusado mucho —el padre Ossorio se estremeció y le tembló la cuchara de la sopa—. Aunque en la mayor parte de los pueblos seguían mandando.

—Y su pleito, ¿qué tal va?

A Vicente Serrano el pleito no le preocupaba. Estaba seguro de ganarlo. Pero le había servido de pretexto para pasar una temporada en Madrid y gastarse algunos duros.

—Con mucho cuidado, ¿eh? No tiro el dinero, porque me cuesta mucho trabajo. Ya ve. Podía estar en una pensión de diez pesetas, y estoy en una de cinco. Paso un rato en el café, doy unas vueltas, veo lo que hay, y, a la noche, al teatro o a un café cantante. Lo paso bien. ¿Y usted? ¿Qué hace por las noches?

—Yo tengo menos dinero que usted, y no puedo tirarlo.

—Pero un día es un día. Lo que gusta de Madrid es que no hay que acostarse pronto o meterse en el casino a sacar una garrafina. ¿Por qué no viene conmigo?

Le dijo que no, pero sin demasiada energía. Vicente Serrano, después de aclarar que él convidaría, siguió exponiendo razones. El padre Ossorio le escuchaba como un rumor remoto. Aquella invitación casual, anodina en apariencia, le ponía en trance de elegir, de decidirse. *Iba a pecar.* Y unas horas antes había afirmado que necesitaba comprometerse con el pecado como defensa de su libertad. Pero no había pensado en aquel pecado vulgar, que no podía imaginar, pero cuya naturaleza, teóricamente al menos, conocía.

—Bueno. Supongo que la cosa no pasará de espectáculo.

—¡Naturalmente! Siempre hay un par de furcias que se llegan a alternar y sacan unas copas, pero no es obligatorio ir con ellas. Ya le dije que pasé hace tiempo de esos calores; pero ver siempre gusta.

Le hubiera apetecido algo de más envergadura, no el regodeo vulgar de la imaginación y la mirada; algo en que jugase su inteligencia, algo en que su voluntad manifestase más clara y violenta rebeldía.

—Vamos, entonces.

El cafetín estaba en la calle de la Aduana. Un grupo de hombres y mujeres hablaban en voz baja, ante la puerta. Vicente Serrano entró delante, con aire de superioridad, como cliente asiduo. Repartió saludos y sonrisas, y fue derecho a una mesa delantera, casi debajo del escenario.

—Desde aquí no se pierde ripio. No se quite la trinchera, que, mientras no se llena esto, hace frío.

La camarera vestía de negro, con faldita corta hasta medio muslo y un escote enorme. Barbilleó a Serrano y le llamó *tío salao;* Serrano le azotó las nalgas y le dijo que él y su amigo tomarían coñac. La camarera se volvió al padre Ossorio y le dijo:

—¿Cómo te llamas, guapo?

Morena, opulenta, descocada. Acarició la mejilla del padre Ossorio.

—Contéstame, hijo. ¿O es que eres virgo?

Al padre Ossorio le cerraba el asco la garganta, le empujaba a levantarse e irse. Pero se dominó. Tragó saliva.

—Rafael.

Inés cerró el breviario, se santiguó, y pensó que, en aquel momento el padre Ossorio habría también rezado los mismos salmos, las mismas antífonas, y que en la universalidad de la Iglesia, millones de elegidos habrían dirigido al Señor idénticas palabras. Pero aquella noche, en aquella hora, su oración y la del padre Ossorio no serían la oración de la Iglesia, sino la plegaria particular de dos almas acongojadas, necesitadas de gracias excepcionales. En el Cuerpo del Señor, ella y él se habían singularizado, se habían —en cierto moro— apartado. Al padre Ossorio, la voluntad pecaminonosa —la victoria momentánea del diablo— le llevaba hasta el mismo límite del Cuerpo, y ella había asumido el deseo inexpresado de la Iglesia, de devolverlo al interior del Cuerpo, al riego fecundo de la Gracia; se sentía delegada, distinguida, como un soldado que se aparta del ejército para llevar a cabo una misión heroica. Y, como el soldado, necesitaba de armas especiales. Pero el soldado que marcha en busca del desertor pertenece al ejército, aunque por el modo de esconderse, por su soledad precavida, pueda también parecer fugitivo.

Había dejado la maleta cerrada con llave, de miedo que la criada curioseara en sus ropas. La abrió, buscó el camisón, apagó la luz y se desvistió. La tela del camisón, áspera, rozó su cuerpo, habituado ya a la seda suave. Se acostó. Acarició las prendas interiores que había dejado al alcance de su mano. Sonrió en la oscuridad. No era pecado usarlas. Había exagerado al llevar durante años telas ordinarias, bastas. Aquellos fáciles sacrificios formaban parte de un sistema de ascesis superflua... Teresa de Lisieux, en su lecho de muerte, había suplicado que añadiesen una manta más al ajuar de las monjas carmelitas. El Señor no había puesto el pasar frío —ni el sentir sobre la carne la aspereza del lienzo— como condiciones de la salvación. En algunos monasterios alemanes de vida muy perfecta, las monjas disponían de duchas, alfombras y calefacción central. Y no era malo sentirse caliente, poder sacar el brazo fuera del embozo, sin aterirse. En aquella alcoba de una pensión decente madrileña había alfombra y calefacción.

Necesitaba paciencia. Aquella tarde había estado indiscreta, se había precipitado —en el fondo tenía prisa por marchar de Madrid, le dada miedo la ciudad—. No era posible que el padre Ossorio, con sólo dos razones, se volviese atrás, se arrepintiese; mucho menos que regresase al monasterio. Tenía que admitir, incluso, la idea de que, convencido, arrepentido, no regresase jamás, y se entendiese con un obispo, incorporado al clero secular. No importaba. Bastaba que volviera a la Iglesia y que le permitiese continuar aquella relación espiritual, tan dolorosamente interrumpida. Tampoco ella tenía por qué regresar a Pueblanueva. Podía quedarse en Madrid, perderle el miedo. No estaba escrito que, en Madrid, fuese imposible la santidad. Buscaría un convento de monjas en que quisieran alojarla. Trabajaría. Si el padre Ossorio se reconciliaba con la Iglesia, el confesonario era el lugar apropiado para sus coloquios. ¡Y de qué modo podía hablarla, con qué seguridad y sabiduría podría encaminarla, después de aquel trance! Había santos desconocedores del pecado. Otros habían regresado del infierno cargados de experiencia y, gracias a ella, habían llegado a campeones de la santidad.

Había estado indiscreta, había provocado una respuesta violenta, por pura torpeza. No debía haber personalizado, sino acudido a razones generales. Decir: «¡Me ha abandonado usted!» era, indudablemente, prematuro. Tenía que haber dicho: «¡Ha abandonado usted a la Iglesia, a Jesucristo! ¡Y yo vengo a decirle que la Iglesia y Jesucristo le esperan!» Lo personal tenía que reservarlo como última razón. No volvería a hablarle de eso. Tendría que empezar de nuevo, por el principio.

De repente recordó al sacerdote con el que se había confesado aquella tarde, y le dio un vuelco el corazón. Jamás había pensado en la posibilidad de condenarse, nunca había creído que el diablo sintiese por ella más afición que por cualquier otra persona. Le reconocía en las menudas tentaciones de cada día, y se apartaba de él sonriente, tranquila. No hacía más que unos minutos le había sugerido la idea de que se era mucho más perfecta sometiendo el cuerpo a la molestia de unas ropas ásperas que vistiéndolo de ropas indiferentes o suaves, y había rechazado la idea. El anzuelo del diablo estaba cebado de pequeñeces.

El sacerdote la había interrogado sobre su castidad, y sólo después le había dicho que le daba miedo. ¿Por qué? No le había parecido hombre ligero, sino prudente. Sin embargo, temía precisamente a causa de su castidad.

Resultaba difícil entenderlo. Quizá perteneciera al orden de las muchas cosas cuyo entendimiento le estaba vedado, pero no podía abandonarse a la ignorancia. Había sido casta sin lucha, sin violencia. Había sido casta por gracia. Dios le había regalado la castidad, y estaba dicho que la virginidad grata a Dios era un don. Y ella sabía bien que la virginidad del alma era todavía más importante que la del cuerpo. Dios le había preservado el alma preservándole el cuerpo.

Aquella vez había descubierto que Clara no era casta. Se había encontrado ante un hecho incomprensible, había tardado tiempo en comprenderlo: sólo entonces rogó a Clara que durmiera en otra parte. Caritativamente, sin avergonzarla, sin reconvenirla. Y aquello no la había turbado, como no la turbaban las miradas voraces de los hombres, los elogios picantes a su belleza. Dios la había ayudado siempre.

El riesgo no podría estar por ese lado. Y precisamente en la castidad encontraba su fortaleza. Sabía que los pecados de la carne no son los más graves, pero sí puerta abierta a los otros.

Contra los otros pecados —¿cuáles, Dios mío?— levantaba la puerta sellada de su cuerpo y de su alma vírgenes...

Un dobladillo, demasiado grueso, del camisón, se le clavaba en la espalda. Hurtó el cuerpo a la costura.

Hacía calor en la habitación. De la calle ascendía un rumor confuso: voces, bocinas, motores en marcha. Una campana próxima sonaba por encima de su cabeza.

Llegó premeditadamente al café media hora antes de lo tratado. Había poca gente y pudo escoger una mesa de esquina, de las que cogen el ángulo del diván rojo oscuro. Se sentó en la cabecera y pidió «un café con leche y un bollo de ésos...» Traía un periódico de la tarde, pero no llegó a abrirlo, porque los recuerdos de la noche anterior le entretenían.

Había pasado casi tres horas en el café cantante. Había visto bailarinas desnudas y bailarinas vestidas. Había soportado la compañía de una furcia joven, repentinamente encaprichada de él. Había contemplado el rostro de Vicente Serrano y el de otros clientes. Y había sacado la conclusión de que existía en la mujer un elemento repugnante, contagioso, más o menos disimulado, encubierto o vencido, pero siempre latente. Los Padres de la Iglesia lo habían detectado con precisión. Cómo lo habían dominado las santas y las grandes mujeres, lo ignoraba. Quizá hubieran logrado transformar sus efectos. Era igual.

Había salido de casa dispuesto a correr un riesgo y había regresado con buena provisión de sensaciones que reforzaban su indiferencia sexual. Sensaciones, no ideas. Imágenes y olores, sobre todo. Sonreía recordando las crisis de su adolescencia, las angustias pasadas por la carencia de aquello que, ahora, le repugnaba. (Aunque bien mirado, como podía mirarlo ahora, aquellas crisis no pudiesen considerarse como provocadas por la falta de una mujer.) El padre Hugo había extremado la benevolencia al juzgar la sensualidad. «Los ascetas se han equivocado al despreciarla. Tiene un gran valor; por eso es meritorio renunciar a ella. Si fuera despreciable, el Señor no hubiera prometido a la virginidad la corona excepcional.» Ahora se sentía en desacuerdo con el padre Hugo y conforme con los ascetas. El padre Hugo no había visto de cerca, no había olido a las mujeres. No había comprobado el extremo de su degradación, ni sus efectos en los hombres. Le obsesionaba el recuerdo de Vicente Serrano —ya pasado de calores—: su blanda mirada, su belfo caído, sus manos temblorosas. Si con la cima de su alma el hombre tocaba al ángel, la base de su cuerpo le aproximaba al perro. Y él sentía necesidad de huir del can.

Tres horas escasas en el café cantante le habían beneficiado. Se sentía seguro, capaz de fortaleza ante el pecado fácil. Le parecía que su mirada se había lavado y que podía resbalar sin turbación, sin flaqueza, por el cuerpo de una mujer.

Había madrugado para experimentar con Inés sus nuevas armas, para verla llegar y examinarla a gusto, para tenerla vencida con la mirada antes de que ella pudiese mirarle. La vio titubear ante la puerta giratoria, que siempre parecía darle miedo; la vio entrar, levantar la cabeza y buscar, hasta hallarle. Fue entonces derecha al rincón, derecha y calmosa, hasta que estuvo cerca. Entonces vaciló un instante, pareció no saber dónde sentarse, si en el diván o en una silla.

—Buenas tardes, padre.

Se decidió por el diván; junto a él, en ángulo con él, de modo que las miradas se cruzaran sin encontrarse. Pero antes se despojó del abrigo y lo dejó, con el bolso, en la rejilla.

—Le agradezco que haya venido. Temí...

—¿Qué temió?

Le salió bien el tono, seguro e indiferente.

—Que fuera usted cobarde.

—Ya no. Han pasado cosas...

Inés volvió la cabeza con brusquedad.

—¿Se ha decidido?

—Eso no importa ahora.

—¡Es lo único que importa! —hablaba todavía con autoridad, como una madre al niño.

Se acercó el camarero. Inés pidió café con leche. El padre Ossorio, cuando ya el camarero se alejaba, lo llamó y le encargó un coñac. Advirtió la mirada rápida, sorprendida, de Inés, y el nerviosismo súbito de sus manos.

—Escúcheme, señorita: mi salida de la Iglesia o mi vuelta a ella es un problema personal. Le ruego que no hablemos ahora de eso.

—¿Entonces?

—He venido, la he esperado y estoy con usted para hablar de usted, de lo que le concierne, no de mí.

—Pero, padre, ¡yo no importo! ¡Yo no existo! Olvídese de mí, no vea en mí más que el instrumento casual de que se vale la Iglesia para hacerle llegar su voz.

—No un instrumento, sino una persona en peligro.

—Como usted.

—No. Yo ya lo he pasado.

Inés aproximó las manos anhelantes.

—¿Por fin? ¿Vuelve usted al monasterio?

No le respondió; se la quedó mirando con frialdad, y el entusiasmo repentino de Inés se enfrió con la mirada.

—¿Por qué me mira así, padre?

—Insisto en que no volvamos a hablar de mí.

Inés bajó la cabeza, dejó caer los brazos, escondió las manos.

—Como usted quiera.

Le cayó la melena sobre el rostro hasta ocultarlo. El padre Ossorio temió que se echase a llorar, que fuese vista llorando.

—Le suplico, además, que no pierda la serenidad. Es usted una mujer valerosa, y lo que tengo que decirle es razonable y bueno. En cierto modo —el recuerdo le estremeció la voz—, es una continuación de ese magisterio que, sin saberlo, ejercí cerca de usted durante dos años. Escúcheme como entonces. No le será difícil, ¿verdad?

Inés sacudió la cabeza, dejó la cara al descubierto y le sonrió.

—Sí. Lo haré.

—Tenga paciencia. Cuando no entienda lo que le digo adviértamelo.

El camarero trajo el café de Inés y el coñac. El padre Ossorio bebió un trago grande, casi la mitad de la copa.

—¿Por qué bebe, padre?

Vaciló al responderle.

—Por... Tengo frío. Estoy algo destemplado.

—¡Dios sabe cómo está usted viviendo! ¿Ha comido usted? ¿Tiene usted frío en la pensión? ¡Aquella mujer no me parece...!

—No pase cuidado. He cambiado de alojamiento. En el de ahora se come mejor y nadie sabe quién soy ni lo que soy.

Hizo una pausa. Inés revolvía, con mano trémula, el azúcar del café.

—Ayer me dijo usted algo que me dejó preocupado.

Inés dejó bruscamente la cucharilla y se volvió hacia él.

—Olvide lo que dije ayer. Fue una indiscreción. No sabía lo que pensaba.

—Pero ¿quién duda que revela una situación de la

que me siento responsable? En cierto modo constituye la prueba de mi fracaso, porque yo no me he constituido jamás en fundamento de la fe de nadie, ni podía habérseme ocurrido: va contra la esencia misma de la fe y de la Iglesia.

—¿Y no se le ocurre pensar que yo pueda haber razonado en mi corazón: es cierto lo que dice porque él lo cree?

—El, ¿quién?

—Usted.

—¡Eso es monstruoso, señorita!

—Pues yo he creído siempre así, porque creía mi madre, porque creían mis monjas, porque creían unos sacerdotes o unas personas en las que tenía confianza. Y si alguna vez vacilé fue porque ellos vacilaron o porque su vida no estaba conforme con la fe.

Apoyó la frente en la mano y dijo en voz muy baja:

—Así cree casi todo el mundo, porque nos lo dice alguien en quien creemos. Yo no soy una excepción.

El padre Ossorio murmuró entre dientes:

—Es ridículo...

Pero ella no se movió. Miraba al café intacto, y su mano izquierda se había cerrado y golpeaba el mármol de la mesa.

—Escúcheme. Tiene usted que comprender que lo que dice no es razonable. Vale tanto como hacer de mí su prisionero.

Inés se irguió rápidamente.

—¿Y qué? ¿No me ha hecho usted antes su prisionera? Alguna vez nos ha explicado usted que la caridad...

—¡No disparate! Eso no es caridad.

—¿Qué es entonces?

Miró fijamente al fraile, y su mano avanzó como si fuese a agarrarle del brazo. El padre Ossorio se apartó.

—¿Qué es entonces? —repitió Inés.

El se encogió de hombros.

—No lo sé. Desconozco sus sentimientos. No puedo responderle.

—Podrá al menos...

Le temblaba la voz. Hizo un esfuerzo, bebió un sorbo de café.

—Dígame, padre: ¿cree usted verdaderamente en Dios? ¿Cree usted en la Iglesia y en Jesucristo?

—¿Por qué me lo pregunta?

—Porque si usted cree, tendrá que volver a la Iglesia, porque no podrá permanecer fuera de ella sin vivir en pecado; porque la angustia del pecado le atormentará hasta hacerle la vida imposible; pero si no vuelve...

La interrumpió:

—Mi determinación no tiene que ver con mi fe.

—Si usted cree, comprenderá que el demonio le ha tentado y le ha vencido. Y si lo comprende intentará restituirse a la gracia de Dios. Pero si persiste es porque usted no cree. Y, en ese caso, *tampoco creeré yo;* me desprenderé del recuerdo de Dios fácilmente, porque es en usted en quien creo.

El padre Ossorio apartó las manos, desalentadas.

—Bien. ¿Qué culpa tengo? Me siento ya absolutamente libre de ella. He intentado explicarle que su fe tiene que ser independiente de mi persona. Incluso de mi fe, y no digamos de mi conducta. Si su cabeza funciona disparatadamente, no tengo qué hacerle. Allá usted.

Hizo ademán de levantarse; pero ella, con un movimiento rápido, le detuvo.

—¿Qué va a hacer?

—Marcharme, señorita.

Inés no le había soltado. Ahora sintió el padre Ossorio la presión fuerte de la mano en su brazo.

—No puede usted abandonarme.

El se soltó bruscamente. Pero la mano de ella se trabó en la suya.

—No se vaya. He pensado siempre que nos salvaríamos juntos, pero ahora empiezo a sentir...

Se interrumpió y apretó más fuerte.

—... a desear que nos perdamos juntos.

Levantó la mirada. El padre Ossorio sintió un estremecimiento, sintió el despertar, en el fondo de su alma, de todos los temores. El rostro de Inés se tendía hacia él, anhelante. No era un rostro lúbrico, como el de la furcia del café cantante; no era un rostro sensual. Era un rostro hermoso y puro, aunque apasionado. Pero ¿qué se escondería tras aquellos ojos cuyo mensaje no sabía leer? Entre una furcia y una señorita bien aducada tenía que haber diferencias; pero, en el fondo, eran lo mismo, deseaban lo mismo. De una, como de otra, saldrían en seguida los largos tentáculos de la sensualidad que le abrazarían, que le atenazarían, hasta devolverle a la inquietud —tan lejana, tan repugnante en el recuerdo— de la adolescencia.

—¡Usted está loca, señorita! ¿Qué es lo que pretende? ¡Vamos, suélteme!

—¡No me...!

El padre Ossorio corría hacia la salida. Ella quedó clavada en el asiento, con la vista perdida. Estuvo así unos minutos, inmóvil. El trío tocaba una pieza alegre. El camarero, apoyado a una columna, miraba a Inés. Esperó un poco. Se acercó.

—Son tres setenta y cinco, señorita.

Ella le miró sin verle.

—Tres con setenta y cinco —repitió el camarero.

—Sí.

—Los hombres, ya se sabe...

Sonrió e inclinó la cabeza hacia la puerta.

—A lo mejor es casado.

Inés buscaba el bolso. El camarero se lo alcanzó de la rejilla.

—Gracias.

—Tres con setenta y cinco.

Inés dejó un duro encima de la mesa. El camarero había cogido también el abrigo, y esperaba con él dispuesto a ayudarle. Inés se lo puso, murmuró algo y salió. El camarero echó mano al duro, lo miró, y dijo en voz no muy alta:

—Sobra una veinticinco...

Inés se había alejado. Se detuvo, como siempre, ante la puerta giratoria, dejó pasar a un cliente que salía y salió también. El aire de la calle estaba fresco. Voceaban periódicos, pasaban tranvías y automóviles, la gente se empujaba en las aceras. Echó a andar con el alma oscura.

—¡Mire por dónde anda, señorita! ¡A poco me tira el niño!

IV

«Mi querido y respetado amigo: Le escribo estas líneas no para darle cuenta de mi vida, que bien quisiera que fuesen buenas noticias, sino para un asunto con el que no contaba al abandonar Pueblanueva y que en este momento pesa en mi conciencia, aunque no como culpable. De mí le diré que estoy a la espera de un trabajo de traducción, bien pagado, y que cuento con obtenerlo dentro de pocos días. No es, a mi juicio, una esperanza vana, sino que está en manos de persona seria y que parece interesada por mí. Una vez conseguido, y acomodado en Madrid de modo estable, procuraré orientarme en el sentido que usted conoce.

»De lo otro, le diré que se trata de una señorita de ésa, de la familia Aldán, algo pariente de usted y creo que también del padre Eugenio Quiroga. La razón de estos parentescos es lo que me obliga a escribirle, pues usted y el padre Eugenio son dos personas a las que estoy agradecido y por las que siento respeto y amistad. Dicha señorita se me presentó, el otro día, con la pretensión de que regresase al monasterio. Pensé desde el primer momento que se trataba de una perturbada, pero por consideración a su sexo y principalmente a ustedes la atendí, y aun hablé con ella, siempre de lo mismo, tres o cuatro veces más. Esta misma tarde me entrevisté con ella, dispuesto a convencerla de que se volviese sola a su casa y me dejase con mis problemas y la responsabilidad de mi decisión. Pues bien: cuando se hubo percatado de mi firmeza, cambió repentinamente de propósito, y con un descaro (perdone la palabra) que yo no hubiera esperado jamás de una señorita bien educada y cristiana; un descaro que hubiera estado bien en mujer de otra calaña, me propuso que nos fuéramos a vivir juntos. Le aseguro, querido don Carlos, que no se trata de una falsa interpretación, pues no puede darse otra a las palabras que salieron de sus labios. 'Si no quiere usted que nos salvemos juntos, perdámonos juntos', o algo muy parecido, en que no cabe otra interpretación que la que le doy. No necesito decirle que entonces comprendí que no me había equivocado en mi opinión inicial y que se trata, en efecto, de una perturbada. De modo que inmediatamente decidí escribir estas líneas para que usted advierta a la familia de la interesada y que venga alguien a buscarla, aunque yo no pueda darles sus señas, pues no sé dónde vive ni con quién. Pero algo podrá averiguarse, pienso yo, ya que en todas las pensiones de Madrid hay que dar nombre y señas para la Policía, y ella habrá tenido también que darlas. No necesito añadirle que me encuentro a disposición de quien sea si en algo vale mi ayuda...»

—Lo demás —dijo Carlos— es el acostumbrado «queda de usted suyo affmo...»

Clara había escuchado desde el hueco de la ventana, en sombra su cuerpo contra la luz. Había escuchado quieta y silenciosa; no se movió ni dijo nada al concluir Carlos la lectura.

—Es la carta de un aldeano —añadió él—. Ni la teología ni el andar por el mundo parecen haber cambiado gran cosa en el interior del padre Ossorio. Sus ideas acerca de la moral femenina deben de ser, en el fondo, las que heredó de su madre. Y su madre, claro, llevaría siete refajos...

—Tenemos la negra —dijo entonces Clara, y suspiró hondamente.

—No te niego que, en este caso, la mala suerte influya bastante más que la voluntad humana. Influye hasta el punto de proporcionar un desenlace ilógico al caso peregrino de Inés Aldán. Lo natural sería que el fraile viese el cielo abierto, o el infierno —que para el caso es igual—, al escuchar esas palabras, tan teatrales, de tu hermana. Es bonito ese «Perdámonos juntos»; es bonito, sobre todo, por lo que revela. Pero a ese tarugo sólo se le ocurre, ante el estallido de la pasión, pensar que Inés es una loca descarada.

—Es un mierda —murmuró Clara—. Un hombre, aunque sea fraile, hace frente a la situación de otra manera.

—Nunca he creído que la castidad del padre Ossorio fuese inconmovible. Temí, más bien, que al tropezarse con la primera mujer perdiese los estribos. Pero ya ves: ni una persona tan bella como tu hermana, tan interesante, tan atractiva, le saca otra cosa que un comentario de paleto. A no ser que...

—¿Qué?

—Que lo haya hecho por miedo al hambre. Cargar con otro, en su situación, exige un amor que él no puede haber sentido tan de repente.

—Da lo mismo por lo que haya sido —dijo Clara con desaliento—. El caso es que la pobre Inés andará perdida y desesperada.

—No olvides que tiene fe.

Clara abandonó el hueco de la ventana y se dejó caer en un sillón. Quedaba ahora iluminado su rostro, patéticamente serio.

—¡La fe! ¿Crees que le habrá quedado mucha para hacer lo que hizo?

—En cualquier caso ella tiene buen sentido.

Clara le miró con una chispa de desdén en los ojos.

—¡Qué poco sabes de mujeres, Carlos!

—¿Quieres decirme que Inés hará un disparate?

—Quiero decirte que no sé lo que hará; pero que ninguna mujer, y menos Inés, después de ese fracaso, hace un lío con sus cosas y vuelve arrepentida al hogar de sus honrados padres. Inés es orgullosa, te lo dije el otro día. Más que loca de amor debe sentirse en estos momentos despreciada, humillada.

Se puso en pie y apoyó la espalda en la chimenea.

—No pienses que temo que Inés se eche a la mala vida ni nada semejante. En primer lugar, lleva dinero para aguantar una temporada sin necesidades; en segundo lugar, ella no es de ésas...

Se interrumpió y bajó los ojos.

—... no es como yo. Pero, precisamente por eso, sufrirá más que yo. Daría cualquier cosa por verme en su pellejo; yo sabría arreglármelas, y lo primero, le bajaría las ínfulas a ese tipo, que por muy fraile que sea se ha largado del convento, lo cual no debe de ser muy virtuoso. Luego, ya vería.

Hablaba con rabia. Le brillaban los ojos, le habían enrojecido las mejillas morenas.

—Tendrás que ir a buscarla.

—¿Yo?

—Parece lo natural. Eres su hermana. Si alguien puede hacer algo...

—Me asombras, Carlos —interrumpió Clara—. Yo soy la última persona a quien desea ver Inés. ¿No lo comprendes? Mi presencia la humillaría más.

Carlos se encogió de hombros y empezó a liar un pitillo.

—Naturalmente, no estoy en todos los matices de vuestra intimidad, pero pienso que Juan no es el indicado. Además, no está ahora en condiciones de hacer un viaje. Lo del alquiler de los barcos por el sindicato está maduro, y Juan no abandonará el asunto fácilmente, no debe abandonarlo. Puede ser su éxito, su gran éxito, eso que busca y espera hace más de dos años. Por mucho que quiera a Inés, no irá a buscarla, al menos de momento.

—De todas maneras, y aunque me resulte difícil, tengo que decirle lo que pasa.

Sonrió.

—Me va a dar de bofetadas. Voy a pagarlas yo, como si fuera la culpable. Ya casi me pega cuando le dije que Inés se había ido, y eso que creyó que marchaba al convento.

Se llevó las manos al rostro.

—No sé si me da más pena él que ella.

Carlos dobló la carta y se la tendió. Clara la apretó con rabia.

—Había de echarle yo la vista encima al fraile ése...

—¿Qué querías? ¿Que se liara con Inés? ¿No era ese, precisamente, tu temor cuando ella marchó?

—Una nunca sabe qué es mejor ni peor...

Guardó la carta en el bolsillo del abrigo.

—... una nunca sabe de qué se trata en este pijotero mundo. Te hablan de honradez y de decencia, y si eres decente puedes tener por seguro que eres desgraciada. Te hablan de Dios, y, cuando lo necesitas, no lo encuentras en ninguna parte. Pero si dejas de ser honrada tampoco eres feliz, y si le vuelves la espalda a Dios, Dios te está llamando a todas horas.

—¿Tú le oyes?

—¡Sí, hijo sí; en mi propia vergüenza! Y supongo que si Inés no quiere oírlo, tendrá que taparse bien las orejas. Y aun así...

Hizo con la mano un movimiento vago, resumidor, y bajó la cabeza.

—A veces crees ver una salida, y corres como una loca, para darte, al final, de narices contra el muro. No hay tal salida. No hay más que aguantar y seguir adelante, aunque sea volviendo atrás. Y todo porque nadie puede arreglárselas solo.

Dirigió a Carlos una mirada rápida.

—Ni tú. Y cuidado que eres egoísta. Cuidado que sabes defenderte de la vida a fuerza de palabras. Pero, aun así, a pesar de tu castillo, y de tu torre, y de esa ventana desde la que nos miras a todos, necesitas un bufón, una querida y la amistad de una vieja loca. Y no eres feliz.

La mano de Carlos protestó.

—¡Un momento! No me propongo serlo. Sé lo bastante de la vida para no hacerme ilusiones, ni pretender imposibles.

Clara movió la cabeza, sonriendo.

—De libros quizá sepas mucho, porque supongo que habrás leído todos éstos; pero de la vida no sabes gran cosa. A pesar de tus años me pareces a veces un niño de esos que presumen de saberlo todo porque son muy estudiosos, pero que se llevan todas las tortas que se pierden en el colegio.

Carlos estaba sentado, y el cigarrillo se consumía entre sus dedos. No dejaba de sonreír, pero su sonrisa parecía forzada, falsa. Y miraba a Clara desde la penumbra, como enmascarado o protegido en ella.

Clara se acercó.

—No has sufrido nunca. Es para lo que te reconozco talento, para escurrir el bulto. Pero no te confíes, porque, tarde o temprano, a todos nos coge el toro, y a ti va a cogerte desprevenido.

En el auditorio figuraban los patrones de todos los pesqueros y dos hombres por cada tripulación. Frente a la tasca del *Cubano,* al socaire de los secaderos, esperaban grupos de hombres silenciosos. Saltaba, a veces, la chispa de un encendedor; un hombre soplaba la mecha, encendía el pitillo y la pasaba a los otros del corro. Si alguien decía: «Tardan», le respondían «Tardan», y continuaba el silencio. O bien: «Si sigue el viento, nos vamos a morir de hambre.» «Pues el viento va a seguir.»

El viento venía del Sudoeste, en rachas violentas, y empujaba las nubes oscuras. Ellos miraban a las nubes, cuando no miraban a la puerta de la taberna o a la luz del interior. Las miraban atravesar el cielo y perderse en la tierra del Nordés, por encima de los montes renegridos.

—El diecisiete, por esta época, fue la galerna. Se murió mucha gente.

Uno arrojó el cigarrillo con violencia.

—Voy a ver qué pasa.

—Dijeron que no entrase nadie.

—Yo voy...

Atravesó la calle, abrió la puerta con precaución. Aldán, en el fondo de la tasca, leía unos papeles. Levantó la cabeza al sentir la puerta, esperó, siguió leyendo.

—¿Qué pasa?

—Nada.

Aquello no lo entendía nadie, pero sonaba bien. El *Cubano* interrumpió una vez, para precisar una palabra. Juan la tachó y escribió otra.

—Es para que quede claro —explicó el *Cubano,* y miró a todas partes, como buscando aprobación.

—De acuerdo.

Juan terminó la lectura. Dobló los papeles y puso la mano encima.

—Entonces, todos conformes. Hay que buscar ahora quien nos ponga esto a máquina.

—¿Para qué?

—Es la costumbre. Hay que hacer varias copias. Nosotros nos quedaremos con una.

Bebió un trago del vaso que tenía delante.

—Ahora, que salga alguien para que sepan todos que estáis conformes.

Se abrió la puerta, salieron cuatro o cinco; una racha de aire sacudió la llama de las velas.

—Como siga el viento va a dar lo mismo —dijo un marinero joven, y marchó.

Juan se levantó y entregó los papeles al *Cubano.*

—Dáselos al oficial del Ayuntamiento. Que haga tres copias.

—Hará cuatro —sonrió el *Cubano*—; una para Salgado.

—¿Y qué? No tramamos nada a espaldas de nadie. Cuanto antes lo sepa...

La tasca iba quedando vacía. Carmiña preguntó a Juan si quería comer algo.

—No. Estoy cansado y voy a acostarme pronto. Dame, en cambio, otro tinto.

El *Cubano* preguntó:

—Entonces, ¿cuándo es la visita a la Vieja?

—Si mañana tenemos las copias, pasado mañana.

Temblaron las ventanas, sacudidas por una ráfaga violenta.

—Menos mal que no hay barcos en la mar —dijo Carmiña al servir el tinto.

Y el *Cubano:*

—Te vas a poner como una sopa de aquí a tu casa. Podías quedarte.

—No, no...

Tomó el vino, se puso el impermeable y salió. Las calles estaban barridas, el viento las llenaba de estruendo. Juan subió la cuesta, atravesó el pueblo y salió a la carretera. Tuvo que refugiarse bajo un alpendre en un momento en que la lluvia arreciaba.

Clara esperaba en la cocina, junto al fuego. Juan dijo « ¡Hola! », y pasó de largo.

—Juan.

Se detuvo.

—Estoy cansado. Llévame la cena a la cama.

—Aguarda un poco. Tengo que hablarte.

—Estoy cansado.

Clara se levantó, cogió la palmatoria y atravesó la cocina. Al llegar frente a Juan, alzó la luz y le iluminó el rostro.

—Siento que estés cansado, Juan. Se te nota en la cara.

—¿Qué sucede? ¿Algo de mamá?

—No.

Sacó del bolsillo la carta del padre Ossorio y se la tendió. Juan miró la carta, sorprendido; la miró a ella, interrogante.

—Lee.

Clara se apartó un poco, pero alargó el brazo para que la luz alumbrase el papel.

—Es para Carlos. ¿Qué tiene que ver conmigo?

—¡Lee, Juan, y no me preguntes!

Se arrimó al quicio de la puerta y espió el rostro de Juan. Le vio contraerse, arrugarse, aterrarse. Juan se pasó la mano por la cabeza y por la frente, terminó la lectura, apretó el papel y fue hasta una silla. Se dejó caer, con la cabeza hundida entre las manos, silencioso. Clara dejó la palmatoria encima de una silla y permaneció en la puerta del pasillo, donde empezaba la oscuridad: quieta, con la vista fija en su hermano, durante un espacio muy largo. El caldo hervía en el fogón, y, fuera, el viento continuaba su zarabanda ruidosa. Juan no se había quitado el impermeable: el agua de la lluvia, al escurrir, formaba charquitos alrededor de sus pies. Por algún agujero entró un pájaro asustado; tropezó, en su vuelo, con las vigas del techo, fue y vino de una pared a otra, y salió por la chimenea. El líquido del caldo hirviente se derramó sobre las ascuas. Clara se llegó hasta el fogón y retiró el puchero.

—Juan.

El se levantó, y, sin decir nada, huyó por el pasillo. Sonó, lejano, el ruido de su puerta al batirse. Clara, de puntillas, fue hasta ella, y escuchó. Creyó oír, entre el ruido del viento, unos sollozos. Puso la mano en el picaporte, pero la retiró y volvió a la cocina. Sirvió un plato de caldo, y con la palmatoria en la mano buscó a su madre.

—A ver, mamá. Aguántate un poco, que no tengo más que dos manos.

Resbalaba el caldo por las esquinas de la boca, delgada, gris, hasta la barba; continuaba luego, empapaba el cuello de la blusa.

—A ver, que te limpie. Espera.

Su madre la miraba con ojos turbios, sin vida; gruñía y apretaba los dientes.

—Anda, un poco más. Luego te daré un trago.

—... Sé buena. Una cucharada más. Si no comes vas a morirte de hambre.

—... Vamos. Ya no falta más que un fondito. Abre la boca.

Dejó en el suelo el plato y respiró, fatigada. Salió y volvió en seguida con el anís. Al olor, su madre se removió, gruño, empezó a lloriquear.

—Toma. Tranquilízate. Bueno, ya basta. ¡Dije que basta!

La acomodó en el sillón, le limpió la cara y el cuello y la tapó.

—Ahora, duérmela. ¡Te haría Dios mil favores si te llevase!

Al regresar a la cocina se encontró a Juan, sentado en la piedra del llar, mirando al fuego. Juan volvió la cabeza. Clara sintió que sus ojos se le clavaron en la cara, los ojos que no podía ver, pero que adivinaba rencorosos. Se esforzó por aparentar serenidad.

—Mamá es un cuerpo sin alma —dijo.

Dejó el plato vacío en el fregadero y se sentó delante de Juan.

—¿Qué vas a hacer?

El no respondió. Dejó de mirarla y se volvió hacia el fuego.

—Hay que hacer algo, Juan. La pena no remedia nada.

—¿Qué harías tú?

—Ir a buscarla. Hubiera ido sin decirte nada, pero pensé que no me lo perdonarías. Sin embargo, créeme, me hubiera gustado evitarte el disgusto.

—¿Disgusto?

Sujetó una rodilla con las manos e inclinó la cabeza sobre el pecho.

—Sí. Antes creí que se me venía el mundo encima, pero fue sólo el primer momento. Ahora pienso...

Se levantó.

—Había algo que nos apartaba a Inés y a mí. Eso, ahora, habrá desaparecido. Cuando me mire y me sonría, no querrá ya decirme que Dios nos separa, que Dios nos estorba.

—¿Qué sabes tú?

—Tiene que ser así, y si no lo es, la ayudaré a sacarse del corazón lo poco que le quede de Dios en él.

Clara movió la cabeza y sonrió tristemente.

—¡Qué poco entendéis a las mujeres!

—¿Quiénes?

—Vosotros. Carlos y tú.

—¡Ah, Carlos! ¿Qué dijo?

—Tonterías, teorías. Yo no creo que ahora sea cuesción de Dios, ¿entiendes? A Inés hay que ayudarle consolándola. Es una mujer abandonada...

—Abandonada, no. De esa carta se desprende...

—¡Sí, sí! ¡Ya lo sé! ¡No pasó nada! Pero hay muchas maneras de sentir el abandono... y el desprecio. Basta un minuto; a veces, basta una mirada para lastimar un corazón. Inés, seguramente, lo ha pasado.

Dejó caer la cabeza y añadió sordamente:

—Y yo también.

—¿Tú?

—Tampoco sucedió nada. Hay hombres que andan como perros detrás de una, pero esos hombres no nos gustan. Y cuando una encuentra un hombre con el que desearía pasar el resto de su vida, o es un fraile, o se llama Carlos Deza.

Se levantó, cogió la palmatoria y la dejó encima de la mesa. Sacó del cajón los cubiertos y los colocó.

—¡Tenemos mala suerte tus hermanas! Y a Inés aún le quedas tú, que es algo. Pero yo no tengo más que el cuerpo sin alma de mamá, y mamá no es una ayuda, ni siquiera una compañía. Mamá no es más que una pena.

Sirvió el caldo de los platos.

—Siéntate. Está caliente.

Juan se sentó y empezó a comer.

—Debes marcharte a Madrid. Me da el corazón que encontrarás a Inés. Podéis volver en seguida.

—¿Volver?

—Bien, esto no lo sabe nadie. Y no ha pasado nada. Y aunque hubiera pasado... No hay que dar a las cosas más importancia que la que tienen.

Juan dejó la cuchara en el plato y la miró con dureza.

—No volveremos nunca. Tú no entiendes...

—Está bien. No entiendo y, sobre todo, no soy nada para vosotros. No me quejo. Hubo un tiempo en que me parecía injusto, pero he aprendido a tomar las cosas como vienen. Ve a buscarla, quédate con ella, y que todo os salgo bien. En el fondo me alegro por vosotros. Fuera de aquí podrás trabajar y ella casarse. Esto de ahora, por mucho que le haya dolido, le pasará, y es lo que habrá ganado, no porque vaya a quererte más, sino porque, al importarle menos las cosas del otro mundo, aprenderá a andar con más cuidado por éste.

Recogió los platos y volvió al fogón.

—Hay unos huevos. ¿Quieres?

Juan tardó en responderle. Lo hizo con desgana.

—Bueno.

Clara puso la sartén sobre las trébedes, cascó los huevos en una taza y les echó sal.

—Y eso del sindicato, ¿cómo va? —dijo sin volverse y como sin darle importancia.

Juan se sobresaltó.

—¿Del sindicato?

—Sí, lo de los barcos; según Carlos es cosa hecha.

—Así parece.

Humeaba el aceite. Clara echó los huevos en la sartén. Juan empezó a liar un cigarrillo.

—Pues ya iba siendo hora de que algo resultase. No sabes cómo me alegro. Vas a quedar muy bien con tus amigos.

—¡Cállate! —se le rompió el papel del cigarrillo y arrojó el tabaco al suelo, con rabia—. No te metas en eso.

Clara se asustó. Los huevos resbalaron de la espumadera y cayeron, de nuevo, en la sartén.

—No es meterme, hijo; es alegrarme de que tengas un éxito.

—Pero ¿no comprendes que marcharé mañana, que lo abandonaré todo?

Clara dejó caer la espumadera. Los huevos chisporroteaban en la sartén; empezaban a quemarse. Olvidada de ellos se acercó a su hermano.

—¿Vas a dejar a tus amigos en la estacada? ¿Eres capaz?

Juan respondió con dureza:

—Dejaría hundirse el mundo.

Y añadió con voz oscurecida:

—Por eso no volveremos. Me iré mañana en el primer autobús, como un traidor, y tú no dirás a nadie a dónde fui ni por qué.

—¡Dios mío, Juan! ¡No os entiendo!

Juan alzó las manos hasta la mitad del pecho; inició un ademán expresivo, inmediatamente cortado.

—¡Bah! No te hace falta entender. Nada de esto va contigo.

Empezó a oler a quemado.

—¡Vaya por Dios! Se me han chamuscado los huevos.

Corrió al llar y retiró la sartén. Dijo que esperase, que freiría otros, y que ella se comería aquellos. Juan volvió a sentarse.

—¿Te queda algún dinero?

—Claro, hijo. No iba a gastar cincuenta duros en cuatro días.

—Puedes darme algo...

—Te lo daré todo. Yo ya me arreglaré. Tengo cierta práctica.

—No necesito todo. Ya me entiendes. Unos cuantos duros. No sabemos lo que nos puede pasar. Inés...

—Sí, hombre, sí. No hace falta que te justifiques.

—Es que...

Levantó la cabeza y la miró francamente.

—¡Desembucha! —dijo alto.

—Habría que vender la casa. Podrían dar por ella veinte mil duros. La huerta es grande y buena. Hay muchos pinos en el monte. Veinte mil duros es un buen precio. Los repartiríamos.

Clara frió el segundo par de huevos sin decir nada; los sirvió y puso también los suyos, requemados, en la mesa. Se sentó frente a Juan.

—De acuerdo. La mitad para vosotros, la otra mitad, para mamá y para mí. Mamá también entra a la parte. Si muere, repartiremos también lo suyo.

—Lo he estado pensando. Esta casa es demasiado grande. Podrías buscarte un piso en el pueblo.

—Yo sé lo que he de hacer —hizo una mueca de asco—. ¡Esto no hay quien lo coma!

Apartó el plato con disgusto.

—Si tú no estás, podré hablar a doña Mariana de aquello de la quincalla.

—Me da igual. Habla con ella o con quien quieras. Carlos podrá también ayudarte. Lo de vender la casa traerá enredos. Pero tienes que hacerlo pronto: ya te escribiré a dónde has de mandar el dinero.

Se levantó y encendió en la llama de la vela un nuevo cigarrillo.

—Hasta mañana.

Se fue de prisa por el pasillo oscuro. Clara cruzó los brazos sobre la mesa y contempló, largo rato, la llama bailarina. Después se levantó y se puso a fregar.

No había podido dormir. Llevaba horas revolviéndose en la cama sin encontrar la postura. Si empezaba a transirse, la espabilaba el temor de que Juan se marchase sin decir nada. O bien las imaginaciones le espantaban el sueño. Le dolía una cosa en la cabeza, hacia las sienes; tenía el cerebro fatigado de darle vueltas. Pero, contra su voluntad, las ideas iban y venían y dejaban en su corazón rastros de temor o de esperanza, como si fuesen realidades. A veces conseguía apoderarse de una, retenerla, estudiarla, tomar una determinación; por fin, se le escapaba, era sustituida por otra y, cuando volvía, tomaba la resolución contraria.

Le hubiera gustado limitarse a pensar en sí misma y en su nueva situación, pero, el no saber qué hacer le disparaba las ideas. Había dicho a su hermano, un poco a la ligera, que vería a doña Mariana, que le propondría hacerse cargo de la tienda. Ahora le disgustaba la idea de pedir de favor lo que antes le habían ofrecido. Y, sin embargo, no le quedaba otra salida.

Vendida la casa, tendría un dinero. Le daba miedo imaginarse dueña de una fortuna. Las ideas que la habían desvelado, que le habían cansado el cerebro, partían de aquellos diez mil duros que podía tener en seguida, que probablemente tendría pronto. Servían —habían servido— de trampolín a su imaginación para llevar a cabo todos los deseos frustrados por la pobreza. Algunos, al recordarlos, la apenaban. «¿Es posible que haya alguna vez querido esto?» Lo había querido, lo había acariciado, hubiera hecho cualquier cosa por realizarlo, y ahora le avergonzaba. «¡He cambiado mucho, no sé por qué!»

Los diez mil duros podían cambiarla del todo. Tenía que aconsejarse de alguien, ver de darles un empleo razonable y seguro. Diez mil duros no eran moco de pavo. Si alcanzaban para que Inés y Juan empezasen una vida, también alcanzarían para que ella y su madre subsistiesen.

¡Cómo había soplado el viento toda la noche! Seguramente habría arrancado tejas y descuajado algún árbol. Tendría que recorrer los pinos en cuanto se hiciese el día. Si alguno hallaba derribado lo vendería. Y si era de los nuevos haría leña. El viento tenía que haber dañado también las tierras y los montes. Viento como aquel no lo recordaba. Había llegado a tener miedo, arrebujada en la cama; miedo de que las paredes cayesen, de que el techo entero volase. El viento parecía una cabalgata de demonios ululantes. Hacia las cuatro se había calmado un poco. Ahora volvía a arreciar.

Le pareció oír ruido en la cocina. Saltó de la cama, se puso las zapatillas y el abrigo, y arrimó el oído a la puerta. Sintió el rumor suave de unos goznes, y el corazón le saltó en el pecho. Juan se iba: sin decir nada. Más que irse, huía.

Corrió a la ventana y entornó las maderas. El corral estaba oscuro. Se batía la puerta de la bodega y, en algún lugar remoto, algo que golpeaba un caldero le sacaba ruidos de campana. Negreaba el fango del corral, pero, a la entrada, clareaba la carretera. Fijó allí la mirada, donde empezaba el claro, y esperó. La sombra de Juan tardó unos minutos en pasar. Nada más que la sombra, delgada y rápida. Podía, quizá, llevar un bulto en la mano; pero acaso fuese sin equipaje.

La carretera se borraba en seguida. La sombra de Juan se perdió también en la oscuridad. Clara lloraba, hipaba fuerte, acongojada. Se arrojó en la cama, escondió el rostro en la almohada, hasta que el llanto le pasó. Entonces encendió la luz y salió de su habitación. Estaba helado el aire en los pasillos, y el viento penetraba por todas las rendijas. Fue a la habitación de Juan: la cama estaba sin deshacer, el armario abierto y vacío. Había en el suelo papeles rotos, colillas, unos zapatos viejos. Volvió a darle la congoja, pero se dominó. Cerró la puerta y abrió la del cuarto de su madre: oyó un ronquido, medio estertor. Alzó la vela, y vio a su madre dormida. La manta le había caído, las faldas se le habían remangado, un brazo le colgaba fuera del sillón.

Le salió una mueca como una sonrisa.

—Esto es lo que me queda, y, después de esto, nada.

Tapó a su madre y marchó. Volvió a acostarse, pero no apagó la luz. Se le había ido, definitivamente, el sueño.

«Y también podía vender los bártulos, meter a mamá en un asilo —en una habitación de pago, naturalmente— y largarme con ese dinero. Podía marcharme a la Argentina. Dicen que por allí las cosas no van bien, pero me da el corazón que encontraría trabajo, y quizá con quien casarme. No es imposible que llegue a gustarle a un buen hombre. No cometería el error de contarle nada. Fui una estúpida con Carlos...»

Pero el recuerdo de Carlos le hizo olvidar inmediatamente el proyecto de emigrar. Entonces pensó que no tenía por qué moverse de Pueblanueva, porque allí estaba todo lo que le apetecía en el mundo; y que lo mismo hallaría trabajo.

Imaginó una tiendecita pequeña, muy limpia, con los anaqueles muy ordenados y un felpudo en el umbral para que las aldeanas se limpiasen las zuecas y no le manchasen el piso. A lo mejor, su dinero y el de su madre, juntos, alcanzaban para comprarla.

—Tendré que consultarlo con Carlos.

Se oyó cantar a un gallo. El largo pabilo de la vela se dobló y chisporroteó en la esperma derretida.

—Ahora Juan estará en el autobús. ¡Y no me ha pedido el dinero!

Saltó de la cama, se vistió sin lavarse, se puso un pañuelo a la cabeza y salió corriendo de la casa. Llevaba, en una mano, unos billetes bien apretados. El viento le daba de cara, frenaba su carrera. Dio una hora en el reloj de Santa María, pero no contó las campanadas. Entró en el pueblo, siguió hasta la plaza. Esperaba, todavía, el autobús, y los viajeros eran escasos.

Buscó a Juan bajo los soportales; luego, en el interior del coche. La pareció adivinarlo en un rincón del fondo. Se acercó. Juan dormía, o se hacía el dormido, con la cara vuelta hacia la esquina oscura y apoyada en un brazo.

—Juan, Juan.

Se sentó a su lado, jadeante. Juan levantó un poco la cabeza.

—¿Qué quieres? ¿A qué has venido?

—Sigue durmiendo. Te meto ese dinero en el bolsillo.

Carlos dejó el carricoche arrimado a la pared del monasterio, cerca de la puerta de la iglesia, donde no soplaba el viento. Un fraile que le había visto llegar llevó el recado al padre Eugenio. Tardaron con la respuesta: Carlos empezaba a helarse en el zaguán, y lo recorría de un ángulo a otro, se soplaba los dedos, pisaba fuerte. Por la puerta abierta llegaba el rumor del viento, orquestado por los arcos y las bóvedas. Apareció el fraile y le dijo que pasara; le precedió, por los claustros y las escaleras, hasta el estudio del padre Eugenio.

—Pase, haga el favor.

Fray Eugenio se hallaba sentado en un taburete alto, ante un tablero grande, de dibujo. Se volvió al oír la puerta.

—Pase, haga el favor, don Carlos.

El fraile quedó esperando. El padre Eugenio añadió:

—Advierta a Su Reverencia que está aquí el doctor Deza.

Saltó entonces del taburete y fue hacia Carlos, con las manos tendidas.

—Venga, venga. Me alegro de su visita. Pensaba mandarle recado dentro de un par de días.

Señaló un cartón que había encima del tablero.

—El padre prior me ha autorizado a empezar en serio el trabajo de Santa María de la Plata. Llevo con él cuatro días. ¿Quiere usted mirarlo?

Carlos se acercó y contempló los bocetos.

—Es de evidente inspiración bizantina, sobre todo

en la concepción de las figuras y en la composición. No así en la ejecución, porque carezco de modelos próximos. Esto no lo he copiado de ninguna parte; he tenido que desenterrar mis recuerdos.

Le miró de soslayo:

—Le habré contado ya mi viaje a Sicilia, ¿verdad?

—No. No recuerdo.

—Creí habérselo contado —se le veló la voz un instante—. Algún día lo haré, porque es cuento largo. Y muy importante, créame. Se lo contaré algún día. Entonces descubrí el arte bizantino, y me impresionó. Pero los dibujos hechos durante el viaje Dios sabe dónde fueron a parar, y en nuestra biblioteca no tenemos nada que me sirva. Por eso...

Indicó unas partes del boceto.

—Vea. Esa es la pintura del ábside. Un Pantocrátor, la Virgen y los Cuatro Evangelistas. No es lugar donde estos últimos acostumbraran a pintarse, pero, al no tener cúpula la iglesia, no dispongo de sitio adecuado. He tenido, pues, que variar en algo la composición, pero el estilo se conserva, ¿verdad? O, más bien, la inspiración.

Trazó un círculo con la mano, un círculo que abarcaba las figuras señaladas.

—Ahora estoy estudiando el color. Aquí las variaciones serán mayores. Al ser románica la iglesia me gustaría usar los colores acostumbrados por los fresquistas de Occidente. Diferían bastante de los bizantinos. ¡Si pudiera hacer un viaje a Cataluña...! Allí...

Carlos se había debruzado sobre el tablero y estudiaba las figuras de cerca, con aparente interés. Fray Eugenio dejó de hablar y le espió el rostro. Parpadeaba con inquietud.

—¿Le parece bien?

Carlos se enderezó.

—Sí. Me parece bien. Me gustan.

—El boceto no da más que una idea aproximada. Ya sabe usted que la magnitud es, en el arte bizantino, un elemento estético de gran fuerza. Según mis cálculos, el Pantocrátor medirá tres metros largos. No es mucho para una iglesia oriental; para la nuestra es suficiente. Está proporcionado.

Rebuscó un papel y se lo enseñó a Carlos.

—Estas son las medidas exactas de la iglesia. El Pantocrátor guardará relación. ¿Sabe usted que se cumple en todas ellas la sección áurea? Lo he comprobado...

—Echará mucho de menos al padre Ossorio, ¿verdad? Le hubiera sido de gran ayuda.

Fray Eugenio guardó el papel de los cálculos y revolvió nerviosamente en un montón de lápices.

—Relativamente. Las ideas del padre Ossorio me han ayudado mucho en la concepción, pero ahora no me ayudarían en lo más mínimo. Me encuentro ya dentro de lo específicamente pictórico. Ahora todo consistirá en que recobre mi destreza y recuerde mi oficio. Tengo un gran entusiasmo. En cuanto termine los bocetos, en cuanto los aprueben el padre prior y doña Mariana, me ejercitaré unos días en la pintura al fresco. Tengo que buscar entre mis ayudantes un par de ellos que no sientan mareos de trabajar encaramados a un andamio, y les enseñaré la técnica. Bueno. Se la enseñaré y de paso recordaré lo olvidado.

Carlos se sentó en el taburete, de espaldas a la ventana y al tablero. Ofreció un pitillo al padre Eugenio.

—He recibido carta del padre Ossorio.

—¿Usted?

—Sí. Ayer. No puedo dársela porque no la tengo ya, pero puedo contarle lo que decía.

Fray Eugenio había dejado de estar alegre. Le miraba con desencanto, con tristeza.

—No, no. ¿Para qué? Serán cosas de ustedes dos.

—No. Son cosas del padre Ossorio. Sólo suyas. Si me ha escrito ha sido por ciertas razones...

Se interrumpió para encender los cigarrillos.

—... y creo que usted debe saberlo. Se trata de Inés Aldán.

—¿Inés Aldán? ¿Cuál de ellas es Inés? ¿La más joven? —le temblaba la voz, sobresaltada; le temblaba el cigarrillo entre los dedos; preguntaba con rostro ansioso, con mirar de angustia.

—No. La otra. La que vino al monasterio durante dos años. Marchó al día siguiente del padre Ossorio. No dijo a dónde, pero suponíamos que tras él. Como la carta no es muy explícita, sólo puedo repetirle lo que dice: que quiso convencer al padre Ossorio de que regresase al monasterio, y que, al comprender que no lo haría nunca, le propuso que se fuesen juntos. El padre Ossorio la mandó a paseo.

El padre Eugenio sacudió la ceniza y quedó mirando al suelo.

—¿No le alegra? —preguntó Carlos.

Fray Eugenio levantó la mirada unos instantes.

—No lo sé.

—Evidentemente, ha triunfado la virtud.

—¿Está usted seguro?

Carlos soltó una carcajada.

—¡Claro que no, padre, claro que no lo estoy! Y me alegro que tampoco usted lo esté.

—... aunque quizá por distintos motivos.

—Es lo de menos.

Carlos había cogido un lápiz y trazaba rayas en una hoja suelta de papel.

—Le confieso que me fastidió el resultado de la aventura por lo que tiene de fracaso personal. No sólo había pensado que el padre Ossorio caería muy pronto en manos de una mujer, sino que, al saber que Inés le había seguido,.supuse que sería ella.

Arrojó el lápiz con rabia.

—Pero el frailecico nos ha salido casto, ¿comprende? Y le dio con la puerta en las narices a Inés y me escribió diciéndome que estaba loca y que fueran a buscarla.

—Pero él no regresa al monasterio.

—Naturalmente que no. No lo hará nunca. Me dijo con toda franqueza que no lo haría. Al padre Ossorio le interesaba el monasterio en tanto en cuanto le sirviese de refugio para entregarse a una tarea intelectual. Al convencerse de que no sería así, marchó a buscar refugio en otra parte —sonrió desdeñosamente—. No me atrevo a apostar un real por su éxito: su carta es de una gran torpeza. El padre Ossorio no es un alma delicada.

—A mí me apena la situación por otras razones.

Levantó la cabeza rápidamente y clavó los ojos en los de Carlos.

—¿No lo comprende? El padre Ossorio ha desdeñado una ocasión de salvarse, ha dado un paso en su condenación.

—No lo entiendo, o no ha entendido usted lo que le dije. El padre Ossorio dice claramente que Inés le ofreció irse a vivir juntos..., como hombre y mujer; su frase fue «perdámonos juntos».

—Le había entendido perfectamente.

—¿Entonces?

Fray Eugenio sostuvo la mirada burlona de Carlos.

—Alguna vez me ha oído quejarme de no entender a la Providencia, pero no siempre Dios es ininteligible. Cuando un hombre como el padre Ossorio marcha derecho al pecado, la Providencia le da a elegir. Está claro que lo ha hecho en este caso; el padre Ossorio es un soberbio...

Se interrumpió, y añadió en seguida con voz medrosa:

—... todos los somos. Usted también, y yo. Pero al padre Ossorio la Providencia le ofreció la última oportunidad. Si se hubiera quedado con Inés, si hubieran vivido maritalmente, por mucho que intentase apagar la conciencia de pecado no lo conseguiría del todo, no lo conseguiría nunca. Un día se arrepentiría, acaso en el último minuto de su muerte. Pero así...

Volvió a interrumpirse.

—¿Le canso? —preguntó.

—No. Siga.

—El soberbio carece de conciencia de culpa, porque suele tener razón y no reconoce que haya algo más alto que su razón. El padre Ossorio la tiene, y piensa que ha hecho bien. Y carece de humildad, y nada de lo que haga le llevará a ella. Nunca será un pobre pecador. Lo hubiera sido, en cambio, de la otra manera. Se avergonzaría de sí mismo, llegaría a sentirse humillado por su propia debilidad y acabaría siendo humilde. ¿No está de acuerdo?

Carlos se encogió de hombros y arrojó la colilla a un rincón alejado.

—No sé. Además, el padre Ossorio no me importa. Le he perdido toda simpatía.

Las oficinas del Ayuntamiento las abrían a las nueve y media. Clara se asomó a la ventanilla y llamó al oficial.

—Quiero vender mi casa —le dijo.

Le informaron de lo que debía hacer para que se anunciase la pública subasta, y, en resolverlo, consumió buena parte de la mañana. Fue piropeada. Un escribiente de mano larga recibió un sopapo y la advertencia de que la interesada no admitía bromas. Preguntó entonces si habían cambiado las cosas, y Clara respondió que sí.

—No será que vas a casarte con el médico nuevo.

—Será por lo que sea, pero las manos en los bolsillos.

—¿Y es por eso por lo que vendes la casa?

—La vendo porque me apetece.

—Te hará falta poder de tus hermanos y de tu madre.

—La casa es mía. En el Registro está a mi nombre y no necesito poder de nadie.

De todas suertes la cosa no era fácil. Tenía que sacar determinados papeles, pagar ciertas pólizas y derechos. No le alcanzaba el dinero para todo. Le dijeron que no había prisa, pero que los pagos tenían que hacerse antes de formalizar la subasta.

—Para anunciarla, basta con el timbre móvil.

No tenía nada a mano que vender. Le habían dado un papel con la cuenta de los gastos. No era mucho, y la concedían un plazo. Pero no se le ocurría de dónde podría sacar los cuartos.

Abrió el paraguas y marchó, calle abajo, hacia la lonja; recordó entonces que los barcos no salían a la mar, que los pescadores pasaban hambre, y volvió sobre sus pasos. Husmeó en el mercado, a ver si encontraba algo barato con que guisar un compango para ella y para su madre. Halló unos hígados de cerdo.

Después buscó al *Relojero,* que tenía el tenderete a

medio cerrar y que desaparecía tras un montón de paquetes.

—¿Te vas de viaje?

El *Relojero* hizo un guiño.

—Fue cuestión de recibir *el aviso*. Me voy un día de estos.

—¿Con este tiempo?

—Cuando pase. Lo peor aún no llegó. Es como en el diecisiete. Entonces fue cuestión de terminar en galerna y de ahogarse mucha gente. Cogió a los barcos en la mar.

—¿Sabes dónde anda don Carlos?

—A estas horas de vuelta. Esta mañana le dio por ir al monasterio.

—¿Es que va a meterse fraile?

—Allí no querrán a la *Galana*.

—Tenía que hablar con él.

—Estará al llegar a casa de la Vieja.

—¿Por qué no vas a avisarlo de mi parte?

El *Relojero* echó mano a un paquete muy voluminoso.

—¿Quieres ver esto?

Era una larga tira de cretona floreada de rojo: diez metros de flores.

—¿Para tu novia?

—Cada año le llevo un traje.

—¿Sin hacer?

—En cuanto llego la desnudo, la envuelvo la tela al cuerpo, y con imperdibles y una cuerda para la cintura, listo.

—Estará guapa.

—A mí me gusta.

—Es bonito. Anda, ve junto a don Carlos. Dile que traiga el carricoche: no tengo ganas de mojarme más.

—¿Me cuidas el puesto?

—Bueno.

Tardó poco en regresar.

—Que lo esperes en los soportales, que llega en seguida.

Se metió en el cuchitril.

—La Vieja está acatarrada, ¿sabes?

—No pases pena, que a ésa no hay rayo que la parta.

Clara esperó, paseando bajo los soportales. Todavía compró unas cebollas a una vendedora que se retiraba y quería deshacerse de la mercancía sobrante.

De pronto se dio cuenta de que el carricoche estaba parado cerca de ella, y de que Carlos la contemplaba, riendo.

—Pues no es para ponerse así, hijo. No están las cosas para risas.

—¿Te pasó algo con Juan?

—Ayúdame a subir y te contaré. Puedes llevarme a casa.

Le contó por encima lo sucedido la noche anterior y aquella misma mañana. Carlos pareció preocupado.

—Hizo mal tu hermano en marchar tan pronto. Es abandonar a los pescadores.

—Eso le dije yo.

—Y con él fuera, la Vieja no creo que acceda a nada. ¿Cuándo vuelve?

—No volverá.

Carlos soltó las riendas y el carricoche se detuvo.

—No lo entiendo.

—Me dijo también que vendiera la casa. Quedé de mandarles la mitad de lo que den por ella.

—Pero ¿vas a quedarte en la calle?

—Ya me arreglaré. Claro que... necesito alguna ayuda.

Pasó a Carlos el papel con la cuenta de gastos.

—En el Ayuntamiento me dieron eso. Y yo no tengo un real. Di a Juan todo lo que había en casa. En cuanto venda, pagaré.

Carlos se guardó el papel.

—Aquí el único que puede comprar es Cayetano.

—La finca es buena, Carlos. Tiene setenta ferrados de monte y veinte de regadío. Bien trabajada da dinero. Puede convenirle a cualquiera.

—Sí, pero nadie dispone de cuenta corriente para imprevistos.

Recogió las riendas y arreó al caballo.

—A no ser que pienses vendérselo a la Vieja. Ella también puede comprarla. Le hablaré, si quieres.

—De ninguna manera. Podría pensar que vendo... para obligarla a ella a comprar.

—De todos modos, cuando se entere querrá hacerlo. Cayetano está empeñado en quedarse con todos los bienes de los Churruchaos, y ella en impedírselo.

—Pero no tiene por qué enterarse. Está enferma, y tú no la dirás nada.

—Como quieras.

—Puedes, en cambio, preguntarle si está dispuesta a alquilarme el bajo que tiene vacío en una casa de la plaza. Ya sabes, donde quería poner una tienda y encargarme a mí de ella.

—¿Para qué te interesa?

—Si vendo la casa puedo abrir yo la tienda. El sitio es muy bueno.

—No te imagino vendiendo metros de puntillas a las aldeanas.

—¿Por qué?

—¡Qué sé yo! Cada uno tiene su destino, y el tuyo no es ése.

Se volvió hacia ella, riendo, y le dio una palmada en el hombro.

—Tú eres una mujer dramática, Clara. Luchando contra tus hermanos, contra la pobreza, contra el pecado, estás en tu salsa, eres tú misma. Pero detrás de un mostrador pierdes la mitad del interés. Doña Mariana tuvo que darse cuenta cuando te ofreció el empleo.

—No, hijo, no. Lo que doña Mariana pensó es que, a lo mejor, te compadecías de mí y te casabas conmigo por lástima.

—Da igual. A su modo, ella sabía que eres una mujer interesante y, también a su modo, pretendía que dejases de serlo. Pero ahora eres tú la que te conviertes en tu propia enemiga.

—¡Vaya! ¿Llamas enemistad a intentar salir de apuros de una vez?

Carlos sacó un pitillo, lo lió rápidamente y lo encendió.

—Un gran poeta dijo: «Sé fiel a ti mismo.» Tu obligación es mantenerte en tu casa, luchar contra la miseria, contra ti misma, contra tu propio demonio, y aguantar la lucha hasta el final.

—¿Y cuál será el final?

—¿Quién puede saberlo? —Carlos se echó a reír—. A lo mejor ocupar la plaza que deja vacante tu hermano. Una mujer como tú sería un gran caudillo anarquista. ¡Piénsalo, Clara! Si mañana te presentas a la Vieja al frente de la comisión de los pescadores a exigirle lo que Juan tenía que pedir, la Vieja se asombrará y, a lo mejor, te regala los barcos.

—No dices más que tonterías, Carlos. Pero, además, las haces, porque todo eso que acabas de aconsejarme, supongo que en broma, es lo que vienes haciendo desde que llegaste al pueblo. Sólo que a ti te visita una mujer todas las noches y yo duermo sola.

Le agarró de un brazo y lo sacudió.

—Y estoy harta, ¿sabes?, y, además, tengo miedo. Como pueda poner la tienda la pondré, aunque a ti no te guste; y si no quieres ayudarme, allá tú. Y si está en mi mano haré todo lo contrario de lo que dices: dejaré de ser pobre, me respetarán los hombres y me casaré con el primer tío decente que me lo pida. Me importa un pito dejar de ser una mujer interesante; lo que quiero es ser un poco feliz.

—¿Y por qué me lo dices con esa ira?

Clara le soltó el brazo, lo miró largamente y no respondió. Estaban llegando al pazo de Aldán.

—Bueno —dijo Carlos—: veré de conseguirte ese dinero y le hablaré a la Vieja.

Las zuecas de Clara chapotearon en el fangal de la corraliza al atravesarlo. Subió al patinillo y, desde él, se volvió. Carlos le hizo una seña y dio la vuelta al coche. Con el viento y el agua de cara tuvo que taparse las piernas. Dio un rodeo al pueblo, subió al Penedo. Paquito, el *Relojero,* no había vuelto aún. Carlos subió al cuarto de la torre y miró cuánto dinero tenía: no llegaba a trescientas pesetas, menos de lo que Clara necesitaba. Se lo echó al bolsillo, escribió una nota para que el *Relojero* pasase por casa de la Vieja después de comer, se la dejó en el zaguán, en lugar bien visible, y regresó

Doña Mariana se había levantado, y le esperaba, envuelta en mantas y cerca de la chimenea, con la mesa puesta. Carlos explicó su retraso.

—Creí que Clara había logrado raptarte.

La *Rucha* sirvió la sopa. Mientras comían, Carlos contó las novedades.

—Juan se ha llevado todo el dinero que había en casa, yo tampoco tengo y Clara está necesitada. Habrá que hacerle un préstamo.

—Querrás decir un regalo.

—Un préstamo. ¿Sabe usted que se ha decidido a poner una tienda? Me encargó que le preguntase si está usted dispuesta a alquilarle no sé qué bajo.

—¿Poner una tienda ella? ¿Con qué dinero?

—Va a vender el pazo, pero me encargó que le guardase el secreto. No quiere que usted lo sepa.

A doña Mariana le hizo gracia la decisión de Clara.

—Esta chica es la única que tiene arrestos de todos vosotros. Me gustaría que fuese mi sobrina.

—Puede usted adoptarla.

—No creo en falsos lazos de sangre. Además, está Germaine. Y yo quiero que se case contigo.

Carlos dejó caer la cuchara y la miró con estupefacción fingida.

—¿Tan mal la quiere?

—Este verano haremos un viaje a París.

—¿Haremos?

—No pretenderás que vaya sola. Y quiero averiguar el misterio de mi sobrino Gonzalo y de su hija, y traérmelos. No es que me haga gracia Gonzalo; pero tengo ciertos deberes con Germaine.

—Y de los barcos, ¿qué?

—Si Juan no está, no hay nada de lo dicho. Es un favor que hacía a Juan.

—Juan diría...

—Juan diría tonterías, como tú. Ya puedes llegarte a la taberna del *Cubano,* esta tarde, y explicarles que las cosas seguirán como hasta aquí.

—Tendré que dar unas razones.

—Las inventas.

Cuando estaban tomando el café, llegó el *Relojero*. Carlos pidió a doña Mariana doscientas pesetas, las metió en un sobre con sus trescientas, y las envió a Clara.

—Llévate el coche —dijo a Paquito— y regresa en seguida. Tengo que salir.

A la caída de la tarde, el viento se hizo más fuerte. «Bonito» arrastraba el coche con dificultad; la capota parecía volar.

Carlos volvió el coche a la cochera y el caballo a la cuadra.

—¿Vas a ir así, con esta lluvia?

Pero a Carlos, de pronto, le había entrado comezón de hablar con el *Cubano* y con los pescadores. Se envolvió en una bufanda. Hizo cara al vendaval.

Algunos marineros, metidos en sus ropas de agua, contemplaban, desde el pretil del malecón, los barcos anclados. Al pasar, oyó Carlos algo acerca de las amarras.

Frente a la tasca, un grupo discutía si sería mejor encender fuegos y sacar los pesqueros al medio de la ría. Cuando vieron llegar a Carlos, quedaron silenciosos. Carlos les saludó y entró en la tasca.

Carmiña estaba en el mostrador. Dijo en seguida que su padre andaba por dentro, pero que le avisaría. Mientras, podía tomar algo.

—Tráeme un tinto.

Dos mujeres que compraban algo le miraron y cuchichearon. Entraron dos marineros de los que estaban fuera y volvieron a salir. Por los vidrios empañados de la ventana se adivinaron sombras curiosas.

El *Cubano* llegó corriendo.

—¿Sucede algo, don Carlos?

Se sentó a su lado. Carmiña regresó al mostrador y chilló a las compradoras.

—¡Vamos, idos ya! No os importa nada.

Salieron las mujeres. Carlos dijo que no era necesario.

—Pero ¿sucede algo?

—Sabrá usted que Aldán se marchó esta mañana.

—¿Que se marchó? ¿Adónde?

—A Madrid.

—Pero, marcharse, ¿cómo? ¿Por qué? —sacó tabaco, lo dejó en la mesa sin liarlo—. Tenía que haber venido, pero con este tiempo pensé que estaría en su casa. Habíamos quedado en que mañana...

—Por eso vengo.

—Es que Juan, ¿no regresará? —súbitamente asustado, cogió a Carlos por la muñeca—. ¿Es eso, don Carlos? ¿Que no regresará?

Carlos se encogió de hombros.

—Personalmente, no me ha dicho nada, pero no creo que regrese. Pasan cosas...

El *Cubano* había bajado la cabeza y jugueteaba con el cigarrillo.

—Me pareció mejor hablar con usted antes de que la gente se entere. Ya sé que será difícil convencerles de que no los ha abandonado; pero usted, al menos, puede comprender que existan unas razones. Usted es distinto a los demás; conoce a Juan y ha andado por el mundo.

El *Cubano* seguía con la cabeza baja. El cigarrillo se había roto entre sus dedos, y recogía en un montoncito el tabaco desparramado.

—¡Unas razones!

Dio, de pronto, un puñetazo fuerte en la mesa y miró a Carlos con ira.

—¡Unas razones! ¿Cree usted que hay razones bastantes para dejar plantados a los que confiaban en él? Dígalo, don Carlos: ¿hay razones bastantes? ¿Puede haberlas?

—Algo de las hermanas... Algo grave, quizá.

—¿Acaso sus hermanas valen más que esa gente? —volvió a golpear la mesa—. ¡No son cuatro gatos, don Carlos! ¡Son sesenta familias que estaban pendientes de él! ¡Son sesenta hombres que le escucharon y se fiaron de su palabra durante años! Y toda esa gente tiene hambre y empieza a hartarse de tenerla.

Dejó caer las manos desalentadas.

—En cuanto lo sepan, más de diez irán a pedir trabajo al astillero. Y el otro jugará con ellos hasta saber que no pueden más, hasta que les haya hecho perder la dignidad y les dé la limosna de un empleo.

Se levantó y dio un paseo hasta la esquina opuesta. Se detuvo, regresó en silencio. Había, en medio, un taburete. Lo golpeó con la pata de palo, furioso.

—¡Lo que sucede —dijo, tendiendo hacia Carlos los puños cerrados— es que no puede uno fiarse más que de los de su clase!

—Usted tiene familia y no la abandona.

—También la tenía en octubre del treinta y cuatro y fui a la cárcel.

Se acercó al mostrador.

—¡Dame una copa!

Carmiña, tranquila, se la sirvió. El *Cubano* la bebió de un trago, carraspeó y marchó hacia la puerta. Iba a abrirla y se volvió.

—Con usted no va nada, don Carlos. Pero usted comprenderá que eso tiene un nombre, y que el señor de Aldán lo ha perdido todo con nosotros.

Con la puerta entreabierta añadió:

—¡El señor de Aldán! ¡Al fin y al cabo, un señorito!

Cerró con fuerza. Carmiña abandonó el mostrador y se acercó a Carlos.

—¿Me dice a mí lo que pasó?

Le brillaban los ojos y le temblaba la voz.

—Inés está en Madrid, en mala situación, y él tuvo que ir allá.

—¿Y no va a volver? ¿De veras que no va a volver?

—¿Qué sé yo?

—Siempre estaba triste por las hermanas.

Vio la taza de Carlos vacía.

—¿Quiere más vino?

—No.

—¿Y usted cree que, sin él, eso de los barcos...?

—A ti puedo decirte que era un favor de la Vieja a Juan. Al no estar Juan, no hay favor.

Carmiña sonrió tristemente.

—Nunca creí otra cosa. La gente no se desprende de lo suyo así como así.

—Pero iba a desprenderse, y nadie hubiera sabido por qué lo hacía.

—Eso sí.

Recogió las manos bajo la cruz de la toquilla.

—Mi padre dirá lo que diga, pero Juan es un buen hombre. Si le escribe, mándele recuerdos de mi parte.

Dio la vuelta, se metió detrás del mostrador y empezó a lavar las tazas sucias.

Fuera, el viento no apagaba las voces, cada vez más fuertes, más violentas, de los pescadores. Se habían juntado veinte, treinta. El *Cubano,* en medio del corro, les hablaba. Vestían todos ropas de aguas y algunos llevaban faroles.

Como a las nueve de la mañana, Paquito el *Relojero* entró en el cuarto de Carlos. Traía, en una bandeja, el desayuno. Carlos le preguntó por qué lo despertaba tan temprano. El *Relojero,* sin contestarle, dejó la bandeja encima de la cómoda y abrió las maderas de la ventana.

—Mire. Escuche. Pasa de treinta años que no se ve un viento igual.

Los árboles del jardín se sacudían desesperadamente, y toda la casa parecía abrazada por el estruendo del huracán. Carlos se desperezó.

—El viento no se ve; se oye.

—Pero los árboles tronzados se ven, y las olas como montañas. No se levante, que está la galerna encima.

Se batió la puerta del zaguán.

—¿No volaremos?

—La casa aguanta; pero alguna ventana o alguna chimenea ya se la llevará el viento. Quédese en cama.

Carlos, incorporado, se cubría los hombros y la espalda con un abrigo. El *Relojero* le acercó la bandeja.

—Como tengo que salir, pensé que valdría más que me metiera yo en esta cuestión del desayuno. Si quiere, le traigo la comida de casa de la Vieja.

Carlos volvió a mirar los árboles, el cielo oscuro. Torció el gesto.

—Además —añadió Paquito—, hace frío.

—Bueno. Puedes llevarte el coche.

—¿Para qué? ¿Para salir volando? Voy mejor a pie. Será cuestión de caminar a sotavento.

Salió sin decir adiós. En el chiscón recogió un paquete, se puso la zamarra y ató la pajilla a la cabeza con un pañuelo de mujer.

—Rediós con la galerna.

El viento lo sacudió contra la pared de la casa. Ganó el cobijo de la tapia, salió a la carretera. El viento y la lluvia arrancaban la arena y dejaban el morrillo desnudo. Cayó dos o tres veces. Al dar la vuelta la carretera, le vino el viento de espaldas, y pudo correr. Pero en el pueblo era difícil atravesar las bocacalles.

Vio, sin embargo, un grupo de marineros que corría hacia el muelle. Les dejó pasar; luego, corrió tras ellos. Frente a la tasca del *Cubano* se había juntado un grupo de treinta o cuarenta marineros y algunas mujeres. Miraban a la mar. Paquito miró también: las olas rompían contra la escollera del malecón, y los barcos fondeados danzaban, tan pronto hundidos, tan pronto levantados por la cresta de las olas.

—¿Sucede algo?

—El «Mariana Tercera» perdió el ancla de popa.

La otra ancla no tardaría mucho en romperse, y, entonces, el barco iría contra la escollera.

Los marineros lo miraban en silencio. Alguno chupaba la cachimba apagada.

—Voy a tomar un vaso —dijo Paquito, y entró en la tasca.

Allí había otro grupo, alrededor del *Cubano*. Discutían en voz alta. Al ver a Paquito, uno le preguntó si traía algún recado.

—¿Un recado? ¿De quién?

—De don Carlos.

—Queda en la cama. Con este temporal...

—Pero ¿creéis que le importa lo nuestro? El hambre de los pobres no les llega.

Paquito se arrimó al mostrador y pidió el vino. Tuvo que pedirlo por segunda vez, porque también Carmiña parecía atareada.

—Pero ¿qué es lo que pasa aquí?

—Se va a perder un barco. Es el pan de muchas familias.

—Pues con media docena de hombres bragados no se perdía.

El *Cubano* golpeó el suelo con la pata de palo.

—Aquí no se mueve un dedo para salvar el «Mariana». No es de nuestra incumbencia.

Paquito apuró el tinto y se acercó al corro.

—Cuando vino la galerna el diecisiete, se perdieron dos parejas con sus tripulaciones. Aquello sí que fue catástrofe.

Señaló con el dedo a un marinero rubio, imberbe.

—Tu padre murió allí.

El marinero bajó la cabeza.

—Los tiempos cambian —sentenció el *Cubano*—. Los hombres ya no se juegan la vida por el caudal de los ricos.

—Aún si los barcos fuesen nuestros...

Entró un grupo de marineros. Chorreaban agua los trajes amarillos. Uno de ellos, maduro, entristecido, dijo:

—No doy media hora de vida al «Mariana».

Se quitó el sueste y lo arrojó a un rincón.

—¿No te da pena?

—Pena me da. Fui su patrón durante doce años.

Se sentó en un escabel y quedó en silencio, con la cabeza agachada y la boina entre las manos. Alguien le ofreció un pitillo.

—Pues ya puedes pedir a Cayetano que te dé el mando de una barcaza.

—Yo soy un patrón de altura —respondió con orgullo amargo.

Paquito se sentó enfrente. No se dirigía a nadie ni nadie le miraba. Todos habían callado. El *Cubano* parecía inquieto.

—Los hombres de antes eran mejores —dijo Paquito, como hablando consigo mismo—. No se dejaba perder un barco así como así.

—¿Te han comisionado para reventarnos? —le gritó el *Cubano*—. Los hombres de antes eran esclavos resignados. A nosotros ni nos va ni nos viene que el barco se pierda. Allá la Vieja. Como lo tiene asegurado, le importará un pito. Ella, a cobrar su dinero, y la tripulación, a quedar sin trabajo. Ya veréis cómo no compra otro.

—Los hombres de antes tenían más pelotas, y en estos casos no se metía la cuestión social.

La frase de Paquito quedó en el aire. Sacó del bolsillo unas raspas de tabaco y se puso a liarlo en un papel pedido al que estaba más cerca.

El *Cubano,* esforzándose, habló con voz tranquila.

—Es un problema de dignidad. ¿Quién se atreve a decir que la Vieja no nos ha ofendido? Porque, si tuviese a sus obreros el debido respeto, ¿le habría importado que Aldán se marchase o no? Vamos a ver, ¿le habría importado? Lo sucedido fue cosa entre ellos, y nosotros, de víctimas. El hambre de los pobres les trae sin cuidado. La dignidad del obrero les parece una novedad peligrosa. Son, en el fondo, señores feudales.

—Pamemas.

Paquito miraba a un lugar indeterminado del aire. El *Cubano* renunció a hablar tranquilo. Gritó y tendió las manos.

—Pero ¿por qué hablas tú ni quién te dio vela en este entierro? Tú eres un puñetero lacayo de los ricos. Antes, de Cayetano; ahora, de don Carlos.

El *Relojero* se volvió con rapidez.

—¿Por qué le llamas don Carlos? ¡Ahí, ahí! ¿Por qué le llamas don Carlos, y no le llamas al otro don Cayetano?

—Es un modo de hablar.

Los marineros se habían desentendido de la disputa. Agrupados ante la ventana y ante la puerta vidriera, miraban silenciosamente a la mar.

—No sé cómo aguanta.

—El ancla es buena, y la cadena, de primera.

—En una de ésas...

El *Relojero* se levantó y fue a sentarse junto al *Cubano.*

—Desengáñate. Es cuestión de pelotas. Todo lo demás son pamemas. Lo que pasa es que nadie se atreve a meterse en una gamela y sacar al barco del apuro.

El patrón de altura salió de su silencio. Alzó la cabeza y miró al *Cubano*.

—Si hubiera cuatro que viniesen conmigo...

—Cuatro tíos con pelotas, eso es.

—¿Te quieres callar de una joía vez? —el *Cubano* le dio un empellón. Paquito cayó rodando al suelo.

—Déjalo —dijo el patrón de altura.

—No le ha llamado nadie ni tiene por qué meterse en esto.

—A su modo, no le falta razón.

—¡Y a vosotros no hay quien os saque de esclavos! ¡Lo lleváis en la masa de la sangre!

—Ahora no se trata de eso...

Paquito el *Relojero* se rascaba la rabadilla.

—Así me trataba Cayetano.

Se acercó, renqueando, al grupo de marineros.

—Me voy. Quedamos en que en Pueblanueva ya no hay riñones. Os han hecho maricas a todos.

—¡Eh, que no has pagado el vino! —le gritó Carmiña desde el mostrador.

Paquito hurgó en el bolsillo, sacó unas monedas y las arrojó por el aire. En seguida abrió la puerta y salió. Le vieron atravesar la calle y dirigirse a los que, desde el pretil, contemplaban la mar enfurecida, negra, y al barco zarandeado por las olas.

El patrón de altura se sentó frente al *Cubano*.

—Yo no pido trabajo en el astillero.

—¿Prefieres jugarte la vida por un barco que no es tuyo?

—Ahora no se trata de eso.

—¡Se trata de que os han tomado el pelo con promesas, y a la hora de la verdad, nada!

—Eso es cierto, y te juro que, si tuviese a Aldán ahí sentado, lo iba a moler a palos.

—Entonces...

—Pero el barco es otra cosa.

El patrón de altura extendió la mano en un ademán convincente.

—En cierto modo, es como si el barco fuese mío. Porque, como yo digo...

—Eres un parvo, Miguel; estás engañándote a ti mismo.

—Pero, vamos a ver: si no hubiera pasado lo de Aldán, ¿no encontrarías razonable que intentásemos salvar el barco?

—¿Jugándose la vida?

—La vida nos la jugamos igual cada vez que salimos a la mar.

—Haz lo que quieras, Miguel.

—Lo que quiero es razonar contigo.

Uno de los marineros que estaba a la ventana se volvió y dijo:

—Le están dando de palos al *Relojero*.

—Que no se meta en camisa de once varas.

El patrón de altura golpeó afablemente el brazo del *Cubano*.

—Has dado un cambio...

—Es que faenas como ésta... Tiene uno un amigo, confía en él, y luego te hace traición. Te digo que me dolió de veras. Porque tú sabes que Aldán era mi amigo.

Tenía los ojos húmedos.

—De acuerdo.

—Y esto me llegó a lo vivo, ya lo creo. Lo siento más que si hubiera sido mi hijo —tosió y se limpió los labios—. De todos modos, haced lo que os parezca. Yo no me meto más.

El *Cubano* se levantó bruscamente y marchó. Se oyeron los golpes furiosos de su pata de palo contra el pavimento hasta perderse en el interior de la casa. El patrón de altura llamó a Carmiña.

—Trae aguardiente.

—¿Para usted solo?

—Para mi tripulación.

Carmiña puso en la mesa un caneco de barro. El patrón se sirvió un vaso y lo apuró de un trago. Hizo seña a los marineros.

—Si hubiese cuatro que quisieran venir conmigo...

Echó otra copa de aguardiente, pero no bebió.

—Tienen que ser cuatro sin mujer ni hijos. Uno de ellos, mecánico.

Los marineros se aproximaron. Silenciosos, serios.

—Se trata —continuó el patrón— de dar una lección a la Vieja y de demostrar a ese mierda del *Relojero* que tenemos pelotas... Claro está que nos jugamos la vida.

Un marinero de tez morena sonrió.

—Déme esa copa.

Xirome, el patrón de pesca, llegó corriendo a casa de doña Mariana, y pidió verla. Le dijeron que estaba en la cama, con fiebre. Respondió que era igual.

—Quítate, al menos, la ropa de aguas —le dijo la *Rucha,* y mientras Xirome se despojaba, pasó el recado.

Volvió en seguida con la respuesta.

—Que qué pasa.

—Que va a haber una desgracia.

Entró en el dormitorio. Doña Mariana se había incorporado y se envolvía el torso en una toquilla.

—Se les metió en la cabeza sacar de apuros al «Mariana Tercera», que tiene rota un ancla y garrea. Van cinco hombres allá.

—Pero ¿por qué lo hicieron?

—Cosas de ellos, señora.

—Están locos. ¿No comprenden que el barco no vale la vida de un hombre?

—Si se pierde, son muchos a quedar sin trabajo.

La *Rucha,* hija, esperaba junto a la puerta. Doña Mariana la mandó acercarse.

—Tráeme la bata. Y tú, Xirome, sal un momento y espera en el pasillo.

Salió Xirome. Doña Mariana saltó de la cama, se puso las zapatillas y la bata.

—Descórreme esas cortinas.

—Se verá mejor desde el salón, señora.

—Tráeme, entonces, los prismáticos.

Salió al pasillo. Xirome la siguió. La *Rucha,* hija, llegó con unos gemelos grandes.

—Vamos a ver.

Desde la ventana del costado se veía entero el malecón y parte de la pequeña dársena.

Xirome señaló:

—El barco es aquél, señora. No sé cómo no se estrelló hace mucho rato. La cadena no puede tardar en romperse.

—¿Y ellos?

—No se les ve.

Cuerpos inmóviles de mujeres y hombres iban llenando el pretil del malecón. Se tendían hacia fuera, como anhelantes. La lluvia borraba el perfil de sus siluetas.

—Pero ¿podrán llegar al barco?

—Señora, buenos marineros lo son, pero abordar en esas condiciones es peligroso. Se puede estrellar la buceta.

—Voy a ir allá.

—¡Señora!

—Tú sube al pazo del Penedo y di a don Carlos que venga.

—Señora, ¡no sabe el huracán que sopla!

—Haz lo que te digo.

—Pero, señora, ¿qué va a hacer en el muelle?

—Mirar, como las otras. Soy tan buena como ellas.

A la *Rucha,* madre, no le pareció razonable. Trajo la ropa, las botas fuertes, el abrigo grueso, sin dejar de rezongar.

—Total, ¿qué pito va a tocar allá? ¿O es que por estar usted mirando se va a salvar el barco?

—Cállate y tráeme coñac.

Lo bebió de un sorbo y salió a la calle. Caminó a grandes pasos, cara al viento y a la lluvia. La *Rucha,* hija, casi no podía seguirla. Llegaron al malecón y se unieron a los que miraban. De momento, nadie advirtió su presencia: les atraía la lucha de la buceta contra las olas. Estaba cerca del barco. Al subir la cresta, se veía el cuerpo de Miguel, aferrado a la caña, y los cuatro remeros, bregando con el agua embravecida. Luego se hundían en el seno negruzco.

—Pero ¿cómo van a subir al barco?

El que estaba a la derecha de doña Mariana volvió

la cabeza, la miró largamente, sorprendido, y dijo algo a su vecino. Varias caras se volvieron, igualmente silenciosas.

—Señora, no podrán subir.

—Entonces, ¿por qué no dan la vuelta?

—Tampoco podrán.

—¿Es que están locos?

La buceta distaba unas brazas del barco. Llegaron a confundirse las siluetas. Dos marineros abandonaron los remos. Uno de ellos agarró un cabo y se lo ató a la cintura. Hizo un lazo en el extremo y se colocó en la proa de la buceta; el otro lo aguantaba por la cintura.

Viró, bruscamente, el barco y ocultó la buceta. Pasaron unos minutos. Cuando volvió a descubrirse, sólo había a bordo cuatro hombres: uno de ellos también se ataba. Agarrado a la cuerda tensa, se empinó en la borda, dio un empellón al bote con los pies y quedó en el aire. El vaivén lo zambulló en el agua. Surgió chorreando. Desde la borda del «Mariana», el primer marinero cobraba el cabo. Un murmullo de alegría recorrió el malecón.

—Señora, ya hay dos a bordo.

La buceta se apartó. Desde el pesquero arrojaron un rollo grande de cuerda, que cayó al agua. Un segundo rollo golpeó la borda y fue agarrado antes de naufragar. Los remeros abandonaron los remos y empezaron a atarse. Miguel continuaba al timón. Desde el pesquero empezaron a cobrar. Se zambulló un hombre; logró subir. Se zambulló el segundo, y también subió. Miguel, atado por la cintura, se arrojó al mar, y pronto fue izado. La buceta, abandonada, saltó sobre las olas, dio unos tumbos y se hundió.

En el malecón empezaron a formarse grupos. Una mujer invitó a doña Mariana a refugiarse bajo el alpendre del almacén, donde pegaba menos el viento.

—Si es que la señora no quiere volverse a casa.

Las mujeres se habían juntado allí. Un marinero viejo contaba que su barco había encallado, con temporal, en los bajos de Corcubión, y que a la tripulación la habían salvado, hombre a hombre, con un andarivel, desde un cañonero. Cuando llegó doña Mariana, se interrumpió y pidió permiso para seguir contando; luego, empezó por el principio.

—La señora debía marchar a su casa. Está empapada.

—No. Esperaré a que esos hombres lleguen a tierra.

—La señora debía tomar una copa de caña...

Los que quedaban en el pretil del malecón empezaron, de pronto, a gritar. Una mujer fue a ver qué pasaba. Regresó corriendo.

—¡Se les rompió la cadena del ancla antes de encender el motor! ¡Que Dios nos valga a todos!

El alpendre del cobertizo quedó desierto. La *Rucha* aprovechó la ocasión.

—Ahora deberíamos irnos.

—¿Ahora?

Todo el mundo se había juntado en un extremo del muelle, frente al cual el «Mariana» intentaba poner proa al viento. Las mujeres lloraban a gritos.

Un marinero se acercó a doña Mariana.

—Si no viene el remolcador del astillero...

Otro marinero añadió:

—Tendría que ser de prisa.

No rogaban. Había en sus miradas algo así como una acusación o una orden.

—Pero no hay quien se atreva a pedirlo. El señor Salgado no es amigo de los marineros.

—Y si tuviera voluntad de ayudarnos, ya lo hubiera mandado.

—¿Y qué queréis? ¿Que se lo pida yo, que soy su amiga?

Ellos no respondieron, pero tampoco escurrieron la mirada. Doña Mariana veía la mar por encima de sus hombros. El barco distaba de las escolleras cincuenta o sesenta brazas. El viento traía pedazos de gritos que daban los cinco hombres de a bordo.

—Piden el remolcador.

—Si no viene el remolcador, se mueren.

—Está bien.

Salió del cobertizo y echó a andar, resuelta. Caminó

sola unos pasos. De pronto, una mujeruca corrió a unírsele, y otra siguió su ejemplo, y otra más.

—Póngase este mantón, señora. Va a empaparse.

Doña Mariana caminaba de prisa, con la cabeza levantada. Lu lluvia le golpeaba el rostro, le mojaba el cuello. Le echaron un mantón negro por encima de los hombros.

Diez, doce mujeres, se habían agregado. Iban detrás, cogidas del brazo, silenciosas. Sus zuecas golpeaban el suelo desnudo; el tamborileo se perdía en el estruendo del vendaval.

Quedaron a la puerta del astillero, cobijadas al amparo de la cerca. Doña Mariana entró sola. El guarda jurado le salió al paso.

—Vengo a ver a Cayetano.

El guarda se quitó la gorra y se apartó. Doña Mariana entró en las oficinas. Cesaron las conversaciones, cesó el repiqueteo de las máquinas de escribir. Martínez Couto, con una sonrisa, le preguntó a quién buscaba. Fue delante de ella, la condujo hasta el despacho de Cayetano y entró el primero, a anunciarla; pero doña Mariana no esperó. Empujó la puerta y se plantó dentro.

El viento la había despeinado. Las guedejas blancas, empapadas, caían por los hombros.

Quedó junto a la puerta. Cayetano, al verla, se levantó. Se miraron. Martínez Couto, después de una vacilación, salió y cerró tras sí.

—Cinco hombres están a punto de ahogarse. Sólo el remolcador puede salvarlos.

Cayetano apartó su silla, rodeó la mesa y se acercó a doña Mariana con parsimonia.

—¿Viene usted a pedírmelo?

—Vengo a recordarte que tu obligación es mandarlo sin que yo lo pida.

—¿Y si no lo mando?

—Entonces, yo misma me pondré al frente de los marineros que vengan a arrastrarte.

Cayetano inició una sonrisa.

—¿No exagera?

—Si exagero, es cosa mía. No he venido a discutir.

—Tendrá, al menos, que convencerme. El remolcador es mío, y, hasta ahora, la autoridad no me ha mandado acudir al salvamento. Puedo esperar —se arrimó al respaldo de un sillón—. O puede telefonear al comandante de Marina de Villagarcía. Si él me lo ordena...

—Allá tú. Yo he cumplido. De lo que suceda, serás el responsable. No pienso hablar a nadie ni telefonear a nadie.

Respiraba con fatiga, le golpeaba la sangre en las sienes, y el frío le ascendía por las piernas hasta las rodillas. El agua escurrida del abrigo caía en el *parquet* encerado, brillante. Cayetano miraba con sorna las botas embarradas, la figura penosa, ridícula.

—Pero si esos hombres se ahogan, te consideraré, además, como asesino.

Doña Mariana se volvió hacia la puerta, pero Cayetano la detuvo.

—Espere, hágame el favor.

Descolgó el telófono.

—Que esté listo el remolcador antes de cinco minutos. Que lleven mi ropa de aguas. Voy a dirigir personalmente un salvamento.

Colgó y la miró con sorna.

—A valiente no me gana, señora. Y a generoso, tampoco.

—Haces bien.

—Hasta me siento capaz de ofrecerle una copa. Va usted a coger una pulmonía.

No esperó respuesta. Sirvió la copa y se la ofreció.

—Tome. Bébala tranquila. No es una copa de paz.

Doña Mariana se había apoyado en la pared. Alargó el brazo, cogió la copa y la bebió. Estaba pálida y le temblaban las manos.

—Mejor será que se vaya a casa y se meta en la cama. Las cosas que sigan su curso. Puede llevarla mi coche...

—Gracias. Ahí fuera esperan unas mujeres, y no creo que quepan todas.

—Allá usted.

Cayetano hizo un gesto de incomprensión y salió.

Había pasado ya la puerta, cuando doña Mariana le llamó.

—Entiéndelo bien. Quiero que se salven los hombres. El barco me importa un pito.

Se oyó la carrera de Cayetano por el pasillo; luego, el batir de una puerta y voces fuera. Doña Mariana se acercó al ventanal, pero no había un resquicio claro en los vidrios opacos. Salió del despacho. Martínez Couto llegaba sonriente.

—Venga. La acompañaré al coche.

—He dicho que no lo quiero.

—Señora, está usted mojada, y le va a hacer daño. Llueve mucho.

—¿Y qué?

Martínez Couto sonrió humilde.

—Bueno.

Abrió la puerta y esperó con ella abierta a que saliese doña Mariana. La siguió, con un paraguas, hasta donde esperaban las mujeres. Se oyó la queja larga, bronca, de una sirena.

—Es el remolcador.

—Vuelva a su oficina. Gracias.

Las mujeres, mudas, esperaban a que Martínez Couto se retirase. Miraban con ojos de esperanza.

—Señora, Dios la bendiga.

—Dejad en paz a Dios, y vamos al muelle.

—La señora no tiene por qué ir. Puede coger una pulmonía...

—¿Pensáis que soy menos que vuestros hombres?

Las mujeres bajaron los ojos. Marcharon —como antes— detrás de doña Mariana: más de prisa. Poco a poco fueron alzando las cabezas. Una de ellas gritó:

—¡Mirad! ¡Ya está ahí el remolcador!

Aquel que iba a proa, de sueste más nuevo y limpio, era, seguramente, Cayetano. Llevaba en la mano un cabo grueso. Se inclinaba contra el aire, como un felino que fuese a saltar.

Al pasar frente a la tasca del *Cubano,* unos marineros se acercaron a doña Mariana.

—Señora, no se moje más. Señora, ya están salvados.

Le echaron encima una chaqueta de aguas y le obligaron a meterse la capucha. La escoltaron hasta su casa. Entraba en ella, cuando el remolcador dio unas pitadas.

—Eso quiere decir que ya consiguieron echar el cabo. Ahora es coser y cantar.

Doña Mariana les devolvió la chaqueta de aguas y el mantón.

—¿Mi criada? ¿Dónde está mi criada?

La *Rucha,* hija, se había perdido. O quizá estuviese ya en casa. No las acompañara al astillero.

—Métase en cama, señora. Que le pongan botellas de agua caliente.

—Que le den friegas de alcohol alcanforado.

—Que le preparen vino tinto con azúcar.

—Señora, que venga el médico a verla.

Carlos miró el termómetro a la luz de la ventana.

—Treinta y ocho y medio. Ha hecho usted una locura.

—Yo sé cuál es mi deber, Carlos.

—Todo se hubiera arreglado por teléfono.

Doña Mariana tosió un poco y sonrió.

—Hay que verse las caras, y el teléfono no sirve para eso.

—En el fondo, es usted un gallo de pelea, como Cayetano.

—En el fondo, no, hijo, sino bien a las claras.

—¿Y qué saca usted en limpio?

—La conciencia tranquila. Ya ves: si no salgo de ésta, podré morir en paz. He dado una lección a los pescadores y otra a Cayetano.

Carlos se sentó en el borde de la cama.

—El médico vendrá en seguida. ¿Le duele algo?

—El costado. No me deja respirar.

—Entonces, estése callada.

—¿Y si me queda poco tiempo de hablar contigo?

—Haga lo que quiera. Pero, de momento, escúcheme. Xirome me contó que no fueron a salvar el barco por hacerle un favor a usted, sino porque el *Relojero* les dijo que no tenían riñones para hacerlo.

—Y yo no fui al muelle para darles las gracias, sino para que viesen que tenía tantos riñones como ellos.

Carlos hizo un mohín de desaliento.

—¿Qué puede esperarse de un país donde las cosas se hacen por riñones?

—Del país, a lo mejor, nada; pero de mí, que, cuando la gente me recuerde, lo haga con respeto. En cuanto a los pescadores, ¿qué quieres?, me resultan simpáticos. Después de que se vaya el médico y nos diga de qué voy a morir, irás a casa del *Cubano* y encagarás, de mi parte, que vengan a verme los que fueron al barco.

—¿Va usted a gratificarlos?

—Voy a darles la mano, por lo menos.

Volvió a toser. Hizo una mueca dolorida y se apretó un costado.

—¿Duele?

—Un pinchazo.

—No se mueva y no hable. Puede ser serio.

—¿Y qué?

Tenía la cara fatigada, hundidos los ojos; pero en el fondo de las pupilas resplandecía una luz enérgica, un poco burlona.

—Si me ha llegado la hora, bien venida sea. Pensaba durar unos años más, pero no temo a la muerte.

—Cállese.

Carlos se acercó a la ventana y levantó los visillos. Seguía lloviendo; el viento levantaba olas enormes, pero en el muelle no había nadie. Se detuvo ante la puerta un automóvil pequeño, sucio. Descendió el médico. Carlos salió al pasillo a recibirle.

—¿Qué sucede?

—Creo que es importante. Quizá pulmonía.

El médico torció el morro.

—A esa edad...

Entraron. El médico manipuló sus gomas, echó teatro al examen. A cada golpecito en el tórax de doña Mariana miraba a Carlos y, con la mirada, confirmaba el diagnóstico.

—Tome. Escuche usted.

—He olvidado lo más elemental...

—Sin embargo, escuche, escuche... El lado izquierdo, sobre todo. Ruidos, ruidos.

Devolvió el auscultador. Doña Mariana preguntó:

—¿Pulmonía?

—Hizo usted una locura, señora. Tenía usted una gripe.

—Le he preguntado si es pulmonía.

El médico miró a Carlos. Este le respondió:

—Dígaselo.

—Sí, señora. Una fuerte pulmonía.

—Bien. Así nos entenderemos.

El médico recetó, aconsejó, aseguró que vendría cada hora y media, y que si antes era necesario, que le dejasen aviso en su casa. Carlos le acompañó hasta el portal.

—Es grave, ¿comprende? Y tratándose de una persona de edad...

—Doña Mariana es muy fuerte.

—La fortaleza, a veces, falla.

Entró en el automóvil y lo puso en marcha.

—Avíseme. Yo paso por mi casa a cada momento.

Antes de entrar en el dormitorio, Carlos envió a la criada por las medicinas.

—Entérate, también, de si ha regresado don Baldomero.

Doña Mariana se había amodorrado. Carlos esperó el regreso de la *Rucha.* La Vieja se despertó con el ruido de la puerta. Tomó el piramidón recetado. Había que ponerle, además, unas inyecciones y aplicarle unas ventosas. Carlos se ofreció a hacerlo. A cada movimiento, doña Mariana tosía. Gimió brevemente al ser pinchada. Se adormiló de nuevo, y sólo se espabiló un poco cuando le trajeron de comer. Pidió café y coñac. Parecía encontrarse mejor.

—Mañana, Carlos, te vas, temprano, a La Coruña. Tengo mucho dinero en cuenta corriente y quiero que lo pongas a tu nombre. De lo contrario, la Hacienda se llevará su parte, y yo no quiero que el Estado se enriquezca a mi costa. Además, hay que arreglar el asunto de mi sepultura. El arzobispo ha reconocido mi derecho a enterrarme en Santa María, y en el Gobierno Civil existe un expediente para conseguir el permiso del Estado. No estoy dispuesta a que me entierren en otra parte, de modo que lo resuelves como sea. Siempre hay un empleado que admite dinero o un gobernador que se deja convencer por un donativo a las escuelas nocturnas. Me da lo mismo. Lo que quiero es ser enterrada en mi iglesia.

Se interrumpió y pidió agua.

—La fiebre me da sed. Cuando yo era niña, a los que tenían fiebre no les dejaban beber agua.

Señaló un cajón de una cómoda.

—Ahí están mis llaves. Hazte cargo de ellas y de todo. En el escritorio encontrarás dinero. En fin, revuelve lo que te parezca y vete enterando.

Sonrió, se estiró en la cama, hizo una muequecilla de dolor.

—Pero no me dejes sola más que lo indispensable. Me gusta hablar contigo y tengo que aprovechar el tiempo que me quede.

El *Cubano* parecía más satisfecho que el día anterior, aunque pretendiese disimular la satisfacción con frialdad fingida y parquedad de palabras. Dijo que Miguel, el patrón, y los cuatro marineros que le acompañaran estarían en la cama, porque se habían mojado mucho mientras bregaban de lo lindo; que les pasaría recado y que, cuando pudiesen, irían a ver «a la propietaria del barco». Después, como sin darle importancia, preguntó a Carlos si se sabía algo de Aldán, y Carlos le respondió que aún era pronto y que no escribiría hasta tener resuelto lo que le llevaba a Madrid. Como el *Cubano* no respondiera con ningún denuesto contra Aldán, Carlos aprovechó el momento y la soledad de la taberna para contar al *Cubano* algo de lo que había sacado a Juan de sus casillas hasta apartarle de su deber. No mencionó para nada al padre Ossorio: dijo que Inés había escapado para entrar en un convento y que se había vuelto atrás, pero que no se atrevía a regresar a casa, y que por eso Juan, como de más autoridad, había ido a buscarla.

—La República tenía que haber terminado con todo eso de las monjas y de los frailes, pero no se atrevieron. Mientras haya gente de ésa, el país no tendrá arreglo —comentó el *Cubano*.

Siguió una corta perorata anticlerical, con referencias a los brazos inactivos, al poder opresor de la Iglesia y a las riquezas de los jesuitas. Carlos la escuchó con atención y le vinieron ganas de confundir un poco al *Cubano* y hacerle perder la seguridad con que hablaba. Esperó a que terminase.

—Luego, ¿no cree usted en Dios?

—¿En Dios? ¿Cómo voy a creer? Supongo que usted, que es un hombre de estudios, tampoco creerá.

—Ya me gustaría no creer, porque Dios siempre estorba, pero no tengo más remedio que rendirme a la evidencia. Dios está ahí fuera, en esa galerna, y también lo encuentro muchas veces, contra mi voluntad, en el fondo de mi conciencia.

—Será así. Usted tiene más letras y más motivos para estar enterado. Pero ¿sabe lo que le digo? Que si hay Dios, deben llamarlo de otra manera, porque el nombre que lleva ahora se lo han estropeado.

Estaba sentado en un taburete, con las piernas abiertas. La de palo hurgaba en el suelo de tierra. Tambien sus manos se movían pausadamente encima de la panza.

—Luego, ¿piensa usted que sólo es cuestión de nombre?

—También de quien lo usa. Porque, hasta ahora, parece cosa de ricos, propiedad suya, para amolarnos a los pobres en su nombre. Déme usted un nombre nuevo, que sirva, y, a lo mejor, lo usamos luego nosotros para amolar a los tiranos.

Implicada en la disputa la lucha de clases, el *Cubano* no perdía puntos, y el intranquilo era Carlos. Dió salida al toro, se despidió hasta pronto y marchó al Casino. Se había citado en él con don Baldomero, de vuelta ya en Pueblanueva.

Había poca gente: el juez municipal y Cubeiro. Al abrir Carlos la puerta se volvieron hacia él con la esperanza de que fuese un jugador de tresillo. Carlos no sabía jugar. Se sentó cerca de la estufa. Los otros reanudaron la conversación sobre el mal tiempo y los destrozos de la galerna. Poco después llegó don Baldomero. Antes de que saludase, Cubeiro buscó un disco y lo puso en la gramola. Gardel, o alguien así, empezó a cantar:

¡Victoria! ¡Araca, victoria!
¡Estoy en la gloria! ¡Se fue mi mujer!

El boticario, a medio salón, se detuvo. Después hizo a Cubeiro un corte de mangas y se sentó tranquilamente.

—Es mi modo de darle la enhorabuena, no se ponga así. Ahora, sin nadie en casa, campará por sus respetos. Ande, vamos a jugar una partida. ¿Por dónde anduvo estos días?

Don Baldomero dijo que venía a hablar con Carlos y que esperasen a otro para jugar; pero como Carlos disponía de poco tiempo, porque tenía que acompañar a doña Mariana, el boticario se decidió por el tresillo y empezó a contar que había estado en La Coruña y lo que había visto en materia de cafés cantantes y bailarinas.

—Eso. Usted, divirtiéndose, y su señora, a la montaña, la pobre. La vi entrar en el coche y no doy un patacón por su vida.

—Bien podía usted callarse.

—¿Qué quiere que le diga? ¿Que la encontré de buen color? Usted sabe que no es cierto. Pero, ya ve: si estuviera en mi mano salvar su vida o la de doña Mariana, que también está para espicharla, la salvaría a ella.

Cubeiro levantó la visera verde y miró a Carlos.

—Con perdón de usted, don Carlos, que ya sé que es su amigo. Pero en este pueblo no le tenemos mucha simpatía. No hace más que pinchar constantemente al amo, y el amo, por causa de ella, anda de mal humor. Y es lo que yo digo: si no hay otro remedio que aguantar a un amo, pues que sea uno solo y que viva contento para que estemos tranquilos los demás. He llegado a esta conclusión después de mucho pensarlo.

El juez repartía cartas. Don Baldomero abatió las suyas con rabia.

—¡Qué naipe, Dios!

—No se queje. Mala suerte en el juego, pronto se quedará viudo.

Hacía frío, a pesar de la estufa. Carlos apalabró una entrevista con don Baldomero para dos o tres días después y regresó a casa de doña Mariana. Seguía amodorrada. Había estado el médico y la había encontrado igual.

—Dice que volverá después de cenar.

Entró en el cuarto de estar, encendió un cigarrillo y se sentó junto al fuego. El viento sacudía las ventanas, y el estruendo de las olas, reiterado, tremendo, envolvía la casa, imponía su ritmo al pensamiento.

Corrió las cortinas y volvió a sentarse. Unas horas antes daba por seguro que doña Mariana se curaría. Ahora, sin haberlo vuelto a pensar, contaba con su muerte. La idea le saltó en la conciencia, y allí permaneció, solitaria, quieta. Pasó unos minutos sin pensar en otra cosa, dándole vueltas o, más bien, dando vueltas a su alrededor, hasta que sintió miedo de quedarse solo.

—Si muere, me marcharé. No se me pierde nada en Pueblanueva.

Recordó, entonces, a Rosario. De Rosario se desharía rápidamente. Rosario no le diría: «Lléveme con usted», ni le pediría nada: se limitaría a asentir, a aceptar, a resignarse.

De repente, se levantó y fue al cuarto de doña Mariana. Una sola luz, muy débil, en un rincón, lucía en la penumbra. Acercó una silla a la cama y se sentó. Doña Mariana respiraba con fatiga; el aire sacaba a los bronquios ruidos destemplados, sibilantes o roncos. A veces, doña Mariana se agitaba o gemía y, entonces, llevaba al costado izquierdo una mano y se tocaba.

Carlos se dio cuenta de que seguía fumando. Aplastó el cigarrillo contra el fondo de un cenicero y sopló en el aire para alejar el humo de la enferma. Entonces, sonrió y se dijo que quería a doña Mariana, no sabía cómo, no sabía bien por qué, y le entró deseo de analizar sus sentimientos y curiosidad de conocer el resultado. Pero su mente funcionaba perezosamente, y algo le prevenía contra el error, algo que, al mismo tiempo, le acusaba de haberse equivocado últimamente, de no haber acertado en uno solo de sus análisis y de sus pronósticos. Reconoció que carecían de objetividad, que su mente había perdido la independencia y funcionaba prisionera de su persona. Tendría, ante todo, que psicoanalizarse y despojarse de todas las oscuridades de su ánima, si quería ver claro a su alrededor y dentro de sí mismo.

—A lo mejor, este deseo mío de marcharme, si ella muere, no es más que miedo. Toda mi conducta, durante estos meses, ha estado regida por el miedo.

¿Miedo como el del niño que pierde la protección del padre, que se encuentra indefenso cuando el padre ha marchado y le deja solo frente a lo temeroso? ¿Es que doña Mariana representaba para él la protección del padre? ¿Tenía que admitir que había galleado frente a Cayetano sólo porque se sabía protegido por ella o porque se sentía metido en todo aquello que doña Mariana defendía contra Cayetano? Se rió de sí mismo, pero no pudo evitar considerarse como un niño que, asido a la mano de su padre, insulta al fuerte de la escuela. Y el fuerte le guiñaba un ojo, como diciendo: «Cuando no esté tu padre, nos veremos.» Cubeiro había acertado: muerta doña Mariana, Cayetano sería señor absoluto.

—Se lo va a llevar todo la trampa.

Y él, si se quedaba, acabaría vencido sin pelear, sumiso al yugo, envilecido día a día. No se sentía con fuerza para la brega. Jugaría al tresillo, como don Baldomero, y, como Cubeiro, se vengaría de la esclavitud burlándose del prójimo.

¡Victoria! ¡Araca, victoria!
¡Estoy en la gloria! ¡Se fue mi mujer!

No dejaba de tener gracia. A don Baldomero, el tango le había sentado como una patada en la boca del estómago.

Doña Mariana despertó y le llamó débilmente.

—Tienes que acostarse pronto. Necesito que mañana vayas a La Coruña, aunque yo esté muriendo. Aprovecharé tu ausencia para traer al notario. Se me han ocurrido algunas modificaciones en mi testamento.

Le dio una taza de café con leche y la acompañó hasta dormirse. Las *Ruchas* la velarían durante la noche.

Marchó a su habitación, la misma en que había dormido los días de su llegada a Pueblanueva. Los recordó, mientras se desvestía, y se preguntó para qué había venido y lo que había sacado en limpio con el viaje.

—Decididamente, marcharé. Marcharé para siempre.

Pensó que, desde La Coruña, podría escribir algunas cartas y buscarse un modo de vivir en cualquier parte. Mejor, fuera de España, en una gran ciudad donde pudiera perderse, pasar inadvertido. Quizá París. París le recordó a Germaine, y procuró alejar el recuerdo.

El Packard de Cayetano se detuvo en el borde mismo del corral, allí donde empezaba el fango. Hizo sonar la bocina y esperó. Después descendió del coche.

—¡Clara!

Sacó la pipa del bolsillo y empezó a cargarla. Clara asomó a la puerta de la cocina. Traía puesto un mandil y se envolvía la cabeza en un pañuelo rojo. Al ver a Cayetano se santiguó.

—¡El demonio!

—¿Puedo entrar?

Clara se encogió de hombros. Miraba a Cayetano sin sonreír. El encendió la pipa y atravesó el corral por los lugares donde el barro era menos profundo. A su paso se espantaron unas gallinas cobijadas bajo el alero.

—¿Qué sucede? —dijo Clara.

—Tengo que hablarte, y no te quejarás de mí, porque te hago el honor de venir a tu cueva.

Miró, desdeñoso, alrededor.

—¡Qué asco!

—El demonio viene aquí con frecuencia y lo encuentra limpio.

Clara, puesta en jarras, esperaba en la puerta. Cayetano subió las escaleras del patinillo hasta quedar frente a ella.

—Me mandarás pasar, ¿no? Está lloviendo.

—Te haré el honor de mandarte entrar a la cocina. No tengo sitio mejor.

—Tienes tu alcoba.

—Esa, por ahora, está reservada. Para ti, desde luego,

cerrada a cal y canto. Pero al resto de la casa puedes pasar.

Hizo una pausa y dejó la puerta franca.

—No me das miedo.

—Es una prueba de confianza. Ya sé que no hay hombres que te guarden. Es decir, hombres, lo que se dice hombres, no los hubo aquí nunca.

—Si vienes a insultarnos, mejor será que no entres.

Cayetano sacó la pipa de la boca y penetró en la cocina.

—Comprenderás que sólo para eso no hubiera venido.

—Bueno.

Clara le señaló una banqueta. Luego cerró la puerta. El se sentó en la esquina de la mesa y apoyó un pie en el asiento. Se miraron largamente. Clara se había arrimado al llar. El llevó —de nuevo— la pipa a los labios.

—Vengo a hablarte de esta casa.

—¿Quieres comprarla?

—Compro todo lo que fue de Churruchaos. Un capricho, ¿comprendes? Los Churruchaos, antes; los Salgados, ahora. Pero lo que fue de unos tiene que ser de los otros. Se me ha metido en la cabeza, y todo el mundo lo sabe. Es inútil sacar la casa a subasta. Nadie se atrevería a pujar contra mí.

—Haz una oferta.

—¿Cuánto pides?

Clara parpadeó un instante.

—Treinta mil duros.

—¡Estás loca! Te doy la mitad.

—No.

—Quince mil duros es el precio máximo y está bien pagado. La próxima vez te ofreceré doce solamente, como es corriente en estos casos. Si eres un poco lista, aprovéchate. Hoy estoy de buen humor.

—La finca vale más. Tiene monte, pinar y unos buenos ferrados de regadío. Y la casa, aunque está destartalada, es antigua y buena.

Cayetano echó una bocanada de humo y se guardó la pipa en un bolsillo de la cazadora.

—La finca no vale más que lo que yo quiera dar por ella.

—Entonces, no la venderé.

Clara le indicó, con un gesto, la puerta. El sonrió y permaneció sentado.

—No hemos terminado aún.

—Por mi parte, sí.

—¿Te he dicho ya que te has puesto muy guapa?

—Todavía me queda en la casa algún espejo. Cuando los haya vendido todos, me miraré en los escaparates.

—O en los ojos de Carlos Deza. Tiene muchas clientes esta temporada.

Clara hizo una mueca de fastidio. Tuvo en los labios el nombre de Rosario. Se contuvo.

—¿Por qué no te vas ya?

—Vine a comprarte la finca. Y a advertirte, por si lo has olvidado, que sólo yo la compraré.

—No la vendo.

—Te hago la oferta máxima, lo que cualquiera te daría por ella. Y si añadí un piropo, fue por pura cortesía. Personalmente, no me interesas. Los Churruchaos estáis muertos y enterrados. Ni el propio Carlos existe. En cuanto a tu hermano...

Se levantó y se acercó a ella.

—¿Dónde está?

Clara aguantó la mirada dura de Cayetano.

—No lo sé.

—Le venía muy ancho eso de la revolución. Le venía muy ancho... El día que vuelva a Pueblanueva, si vuelve, lo correrán a pedradas sus propios compinches.

—¿Por qué no te vas?

Cayetano volvió a sacar la pipa.

—Me hizo mucha gracia cuando me lo contaron. Y, ya ves, Juan fracasó sin que yo tuviera arte ni parte en el asunto. Te juro que no me metí en nada, aunque me divertían sus ideas. Cayó por su propio peso, como caen todos los imbéciles —rió—. ¡A quién se le ocurre, la explotación sindical de la pesca! Dile a tu hermano que haga versos y que no se meta en lo que no entiende.

Marchó hacia la salida tranquilamente.

—La Vieja está muriendo —dijo sin volverse—. Cuando la espiche, se acabó la pesca en Pueblanueva, y aquí no se hará más que lo que yo mande. Y toda esa gente lo va a pasar muy mal antes de que yo les dé trabajo.

—Pero con la Vieja no has podido: tienes que esperar a que se muera.

Cayetano se volvió rápidamente.

—Con ella pudo mi padre. Le hizo un hijo, lo sabes perfectamente. Ahora, cuando ella muera, me entenderé con mi hermanito. Debe de ser un buen muchacho y se avendrá a razones. Como no quiere a su madre, me querrá a mí. Puedo, incluso, obligar a mi padre a que lo reconozca. No estaría mal, ¿verdad?, y todo quedaría en casa. «Salgado Hermanos, S. A.» Bonito.

Abrió la puerta.

—Vosotros habéis terminado ya. Os ha comido el tiempo, sois una puñetera decadencia. Lo mejor que puedes hacer es venderme la casa y largarte con tus hermanos. A una mujer como tú le va mejor la ciudad. Bien vestida resultarás vistosa.

La miró de arriba abajo, sonriente.

—Podrías hacer una gran carrera fuera de este agujero. Aún te quedan unos años de bonita.

Salió, cerró la parte inferior de la puerta y se asomó a ella.

—Voy a veces a Madrid. Si alguna vez te encuentro...

—¿Qué?

—Me harás una rebaja por acostarme contigo.

Clara le dio un bofetón. Saltó la pipa de los labios y rodó por las escaleras del patinillo. Cayetano se llevó la mano a la cara, sonriente.

—Perdona. Me acostaré contigo sin darte dinero. No me daba cuenta de que, entre paisanos, las cosas cambian mucho.

Bajó las escaleras, se agachó para recoger la pipa y atravesó el fango sin cuidarse en dónde ponía los pies. Al llegar al coche se volvió e hizo un saludo. Clara había cerrado la puerta.

—¡Acuérdate! ¡La próxima vez serán doce mil duros!

Se metió en el coche y arrancó. Seguía lloviendo, pero

el viento amainaba. Hacia el Sudoeste, el cielo empezaba a clarear.

—La señora está ahora con el notario. No puede recibirte.

—Esperaré.

—Es que, después, vendrá el practicante a ponerle unas ventosas.

—Esperaré a que se vaya el practicante.

—Por mí, espera hasta mañana.

La *Rucha,* hija, intentó cerrar la puerta, pero Clara se interpuso.

—No pretenderás que me quede en el portal.

—Pues yo no meto a nadie en casa sin que lo mande la señora.

Clara le echó mano a la muñeca.

—Un día te arrancaré los pelos. No estoy dispuesta a aguardar en la calle, como una criada. Conque, adelante.

Dejó las zuecas en un rincón y empezó a subir las escaleras, agarrada al brazo de la *Rucha,* empujándola delante.

—Me llevas a la sala o a la cocina, me da igual. Y le dices a la señora que estoy aquí y que quiero verla.

La soltó. La *Rucha* se retiró unos pasos.

—Diré a la señora que entraste a la fuerza.

—Dile lo que quieras.

—A la sala no te paso. ¡Pues no faltaba más! Ahí te quedas.

Marchó corriendo. Clara se quitó el mantón y lo dejó colgado en el perchero. Después se acercó al espejo y se miró. Se le había endurecido el gesto y miraba rabiosamente.

—¡Ese hijo de gran zorra!

Sacó del bolsillo una polverita y se dio unos toques en los párpados enrojecidos. Sentía deseos de romper algo. Le dolían, en el fondo del alma, las palabras de Cayetano. Le quemaban el corazón desde que las había escuchado. Ante el espejo cerró los puños y repitió el insulto.

—En una cosa tiene razón: en mi casa no hay hombres. Ni fuera de ella, tampoco.

Recordó a Carlos: «¡Otro bueno! —pensó—. Es tan despreciable como cualquiera y más cobarde que todos.»

Entró la *Rucha,* madre.

—La señora lleva una hora encerrada con el notario.

—Ya dije que esperaré.

—Como quiera. Pero con mi hija no tiene por qué meterse. Siéntese.

«Bueno. Y ahora a cantar la palinodia a la Vieja y a pedirle que me compre la casa. Y, si no me la compra, mi gozo, en un pozo, y todas mis esperanzas, a paseo.»

La casa estaba silenciosa. El aire era tibio. Se sentía fatigada y con ganas de dormir. Apoyó la cabeza en la pared y cerró los ojos. Se oyó, lejano, un timbre. La *Rucha,* hija, pasó corriendo, de puntillas; abrió y cerró una puerta sin ruido. Salió en seguida. Tras ella, el notario y su escribano. Dijeron: « ¡Buenos días! », y bajaron las escaleras.

—Ahora diré a la señora que estás aquí.

Sonó, otra vez, el timbre. La *Rucha,* hija, salió corriendo. Después pasó la *Rucha,* madre. Cerraron la puerta, la abrieron. Entraron y salieron en el cuarto de baño. Las oyó protestar a media voz. La *Rucha,* madre, salió de la cocina con un sahumerio. Dejó el pasillo oliendo a espliego quemado.

Un rato después, la *Rucha,* hija, regresó.

—Que pases.

La acompañó hasta una puerta abierta. Clara entró y se detuvo. Estaban entornadas las maderas, y en un rincón humeaba el espliego. Al fondo, en la alcoba, había una luz muy tenue. Atravesó la habitación y se asomó a la alcoba. Doña Mariana respiraba fatigosamente. Parecía mucho más vieja, pero su rostro conservaba la fuerza. Clara se sintió enternecida. Alargó el brazo y le acarició una mano. Doña Mariana abrió los ojos.

—¿Qué me quieres?

Clara retrocedió. Un escalofrío le sacudió la espalda; una repentina cobardía frenó sus palabras.

—Supe que estaba usted enferma...

—Sí, hija. En las últimas.

—Ya me contaron lo del muelle. No debió hacerlo.

—Fue una hombrada, ¿sabes? Como en nuestra familia no hay hombres, las hombradas tenemos que hacerlas las mujeres.

—Que lo diga.

—¿Quieres arreglarme estas almohadas? Estoy cansada. Este notario es bastante burro. Me ha sacado una semana de vida. Gracias. Dame también un poco de coñac. Ahí, en esa mesa...

Bebió un par de tragos. Pidió que apartase la luz para que no le diera en los ojos. Después sonrió.

—Bueno. ¿Y qué?

—Puedo echarle una mano, si quiere. Ese par de bestias que tiene usted de criadas no me parecen muy listas para cuidarla y, además, lo hacen de mala gana. Yo estoy acostumbrada. No me da reparo nada. Ya sabe, mi madre... Es un cuerpo muerto.

—¿Era a eso a lo que venías?

—No. Se me ocurrió ahora. Venía sólo a verla.

Bajó los ojos. Doña Mariana respiraba con la boca abierta: la respiración era como un ronquido sibilante, entrecortado. Tosió un poco.

—Estoy muy mal.

—Si quiere, me voy.

—No. Espera. Siéntate ahí y espera.

Hizo una seña vaga con la mano y la dejó caer sobre el embozo. Clara se sentó y cruzó los brazos.

—¿Cómo van tus cosas?

—Como siempre.

—Es una pena que no podamos marchar de acuerdo, pero tus intereses y los míos no van por el mismo camino. Lo siento. Lo siento de veras, porque te tengo simpatía. Eres la única persona de la familia que vale para algo.

—Gracias.

—Te agradezco el ofrecimiento, pero no puedo aceptarlo. Carlos está conmigo. Hoy lo he mandado a La Coruña, pero me acompañará hasta que me muera. Lo quiero mucho, ¿sabes?

—Yo también.

—Por eso no me conviene que estés a su lado. Una mujer, incluso una mujer leal como tú, tiene muchos recursos. Y yo debo evitar que te cases con Carlos. Me hace falta para otras cosas.

Volvió hacia Clara la cabeza y la miró fijamente.

—Tú, naturalmente, no estarás de acuerdo conmigo. Te será difícil comprenderme. Para ti, todo está perdido; pero yo no me resigno a que se pierda todo.

—¿Y espera que Carlos le salve algo?

—Estoy segura de que lo conseguiré. Ya he tomado mis medidas. Y quizá consiga de muerta lo que no conseguí de viva.

Clara se levantó.

—Pues ya pasaré por aquí a ver cómo se encuentra, y si en algo puedo ayudarla...

—Y yo, ¿puedo hacer algo por ti?

—No, señora. Gracias.

—¿Es cierto que vendes tu casa? Algo de eso me dijo Carlos, en secreto, claro. No me descubras.

—Lo he pensado mejor. Mientras mi madre viva...

Acarició otra vez la mano de doña Mariana.

—Lo que sí le agradeceré es que diga a su criada que no me trate como a una mendiga. Hoy, a poco le rompo el alma. No lo hice por respeto a usted.

Salió rápidamente, sin volver la cabeza. Cogió al paso el mantón, bajó las escaleras, se puso las zuecas. Una pareja de golondrinas se había metido en el portal y se perseguían chillando. Fuera había escampado. Clara se embozó en el mantón y marchó de prisa. Entró en el estanco, compró un pliego de papel, un sobre y un sello. Pidió prestada una pluma y escribió: «Cayetano: te vendo la casa en el precio que quieras, pero, por favor, no lo trates conmigo. Mándame a quien sea. Clara Aldán.» Fue, luego, al correo y echó la carta. La plaza empezaba a despoblarse de vendedoras. Paquito el *Relojero* cerraba su puesto.

—¡Clara, mañana me marcho! —le gritó alegremente.

Clara atravesó la plaza y entró en Santa María. La iglesia estaba vacía; el ruido de los zuecos, al llenarla, se agrandaba.

Se santiguó, buscó un rincón. Hacía frío y, al fondo, la lámpara del altar brillaba en la penumbra. No sentía deseos de rezar, ni de pedir ayuda a Dios, sino sólo de desahogar la rabia, la pena y la vergüenza, de gritar acaso. Entró en la capilla de los Churruchaos, se sentó encima de un sepulcro y empezó o llorar.

El médico llegó a las diez. Doña Mariana se había amodorrado. Gemía a ratos, o tosía. Carlos le dio algo de comer, y unas pastillas para que se durmiera. El médico anunció que a las doce, cuando saliera del casino, vendría a echar un vistazo a la enferma. Pronosticó empeoramiento. Carlos le preguntó si sería oportuno traer de Santiago algún primer espada.

—Como usted quiera, pero va a ser igual.

Paquito el *Relojero* bromeaba en la cocina con las *Ruchas*. Carlos le hizo venir al cuarto de estar. Le preguntó si había cenado y si se encontraba bien.

—Quiero pedirte que vayas a casa de Rosario y le digas que a las once en punto la esperaré en el cruce. Llevaré el carricoche.

Paquito salió a dar el recado y regresó antes de media hora.

—Que bueno.

—Quédate a dormir aquí. Pero no te acuestes antes de que regrese. Si la Vieja empeora vas corriendo a avisarme. No me moveré del cruce.

Encomendó a la *Rucha* que vigilase a la enferma. Salió a las once menos diez. Rosario esperaba. Se desprendió de las sombras, subió al carricoche silenciosa, cogió a Carlos del brazo.

—¡Señor, ya me tardaba!

Se abrazó a él y le besó en la boca.

—¿Vamos a quedar aquí parados? ¿Por qué me hizo venir aquí y no a su casa?

Carlos explicó la enfermedad de doña Mariana y la obligación que tenía de acompañarla.

—Entonces, mientras ella está enferma, ¿no vamos a vernos?

—Como ahora.

—¡Ay, señor!

Volvió a abrazarle y sollozó unos instantes.

—Ya no puedo pasarme sin la compañía del señor. Ayer noche, cuando Paquito me dijo que no estaba, creía que me daba algo. Fui a verle con el viento y la lluvia.

—Ya lo sé.

Le cogía las manos, las apretaba con fuerza. Se las besó.

—Señor, no sé qué haría si usted me faltase.

Carlos hizo un esfuerzo para decir:

—Si doña Mariana muere tendré que marchar de Pueblanueva.

—¿Para siempre?

—Por una temporada. Unos meses. Ya sabes: ella tiene parientes en Francia...

—¿Y qué va a ser de mí?

—No son más que unos meses.

«Bonito» parecía inquieto. Pataleaba, quería arrancar. Carlos tuvo que sujetar las riendas con fuerza.

—El señor tendrá el tiempo contado para estar conmigo.

—Puedo esperar un poco.

—¡Qué pena me da todo! ¡Estoy tan desamparada...! Y en mi casa que me tratan cada vez peor.

Se abrazó fuertemente a Carlos.

—Si el señor tiene que marcharse, como dice, sería mejor que dejase arreglado lo del alquiler de la finca. Ponerlo a mi nombre. Mientras sean mis padres los que la llevan, no me dejarán vivir.

—Pero ¿cómo quieres que haga eso? Son caseros desde hace muchos años.

—El señor es el dueño y puede hacerlo si quiere.

Suspiró hondamente.

—Así me dejará protegida.

Había muchas maneras de plantear la cuestión: llegar, una mañana, a la granja, hablar con el *Galán* y exigir más renta. El *Galán* se quejaría: que no podía pagar, que la tierra no daba lo bastante. Mentiras todo. Entonces, ella intervendría para decir que pagaría la renta nueva con el producto de su trabajo, a condición de ser ella la casera, y entonces Carlos...

—Iré un día de éstos.

—El señor no tiene por qué apurarse. Cuando sepa el día del viaje...

Convinieron que, al día siguiente, se verían del mismo modo y a la misma hora, y que si Carlos tardaba Rosario se marcharía.

—Pero haga el señor por venir, aunque la señora se muera...

Le echó los brazos al cuello y le besó furiosamente.

—Señor, haga por estar conmigo, aunque no sea más que un ratito. Yo subiré al pazo a la hora que sea. No me importa que me vea la gente...

Saltó del coche y se abrazó a sus piernas.

—Voy a llorar mucho, señor.

Apretó el abrazo y se metió en las sombras. Carlos arreó el caballo.

—Hasta mañana.

Se sentía confuso. «Me quiere y cometo una felonía al abandonarla.» O bien: «No es más que una mujer lista que comprendió a tiempo que de mí sacaría más que de Cayetano.» «Le he descubierto el amor.» O «No soy más que un imbécil.»

Doña Mariana no se había despertado. Carlos dispuso que trajeran almohadas y una manta, y mandó a las *Ruchas* que se acostasen. «Si me hacéis falta os llamaré.» A las doce, pasadas, llegó el médico, escuchó la respiración de doña Mariana, le tomó el pulso, le palpó el hígado y los tobillos. «Esto se complica inesperadamente. Habrá que deshidratarla, y no sé si lo resistirá. Tiene muy pocas carnes y el corazón está muy fatigado.» Levantó un poco las ropas y enseñó a Carlos los tobillos hinchados. Carlos se encogió de hombros. «No olvide que no sé una palabra de medicina.» El médico se lo llevó a la salita y empezó a explicarle algo de la respiración, del corazón, del hígado y del agua acumulada. «Volveré mañana a primera hora. Déle el piramidón y que le pongan las ventosas. El cardiazol, cada tanto tiempo...»

Al quedarse solo sintió Carlos deseos de tocar el piano. Descubrió entonces que, durante todo el día, una melodía le había andado por el recuerdo. Fue al salón, cerró las puertas, corrió las cortinas y tocó suavemente. Se interrumpía a ratos, escuchaba y volvía a tocar; hasta que sintió frío y regresó a la salita. Doña Mariana dormía y el no tenía sueño, sino frío. Se acostó en el sofá y encogió las piernas. El ruido de las olas al golpear el pretil llegaba como un rumor suave y repetido. «Como quedaría bien sería regalándole a Rosario la granja. Si me voy, se casará con ese labrador, y la granja podría ser mi regalo de boda. Es un modo de pagarle...»

«... y si le pago de alguna manera, la envilezco, la prostituyo. Su entrega deja de ser amor. Me pongo a la altura de Cayetano...»

«... pero Cayetano da el tono moral al pueblo. Arrebata o compra. En el fondo todo el mundo cree que lo que él hace es lo que está bien, y Rosario también lo cree...»

«... no volveré más. Tendré que venderlo todo, antes, y nadie lo podrá comprar si Cayetano se empeña. El pondrá el precio. —¿Y la Granja de Freame? —Esa la he regalado a Rosario la *Galana*. Va a casarse, ¿sabes? Si Cayetano llegase a ser su dueño se vengaría de Rosario; yo mismo pondría en su mano el modo y la ocasión de vengarse...»

«... y después de todo, lo que puede valer no es mucho, ni me hará más rico, y quedaré bien...»

Recordó la llegada de Rosario la primera noche. Había despertado en su interior la serpiente dormida. Se había hecho el centro, el nudo de su vida en Pueblanueva, al menos en apariencia. Sin embargo, al pensar en marcharse, podía recordarla como algo concluido, pasado, lejano ya.

«En realidad, quien me retuvo aquí fue doña Mariana. No entiendo por qué. Me habló de mi padre. ¿Será posible que haya hecho de ella un símbolo paterno? —rió en la oscuridad—. Con un poco de ingenio podría concluir que en el fondo de mi alma existe un elemento homosexual enmascarado...»

Volvió a darle la risa. Doña Mariana tosió. Apartó las mantas y corrió a la alcoba. Doña Mariana no había despertado. Por la frente le corrían gotas de sudor.

Rosario hacía la vainica de una sábana. Junto a ella, una moza rubia preparaba dobladillos. Iba a casarse dentro de quince días y la ropa le corría prisa; por eso ayudaba.

—Pues en cuanto toque la sirena tengo que ir a un recado.

—¡Ay, mujer!

—No es muy lejos, pero faltaré cosa de media hora.

—Te llamamos para todo el día.

—Con descontarme dos reales...

—Es que la ropa tiene prisa.

—El tiempo que pierda ahora lo recobro después...

—Nunca es lo mismo.

—... además del descuento.

Rosario abandonó la labor al oírse la sirena. Volvió a disculparse y salió corriendo. El Outeiro estaba cerca. Se metió por una *corredoira* embarrada, se le engancharon las zuecas en el fango dos o tres veces. La madre de Ramón partía leña en la era.

—Venía a hablar con usted.

La vieja dejó el hacha y le indicó la puerta.

—Pasa.

—Tengo que marchar corriendo.

—Pasa y siéntate. Vienes echando el hígado.

—En la casa donde estoy cosiendo no les gusta.

—Entra y siéntate.

En el hogar humeaba una olla. La vieja sirvió vino en un vaso de vidrio grueso y lo ofreció o Rosario. Ella lo cogió.

—Dios se lo pague. Ya sabe que aquello no sirvió de nada.

—¿Aquello?

—Sí. De cuando estuve la otra vez. No quedé embarazada.

—Ya.

Rosario tomó un sorbo de vino. El resplandor de las llamas lamía la cara de la vieja por un lado y dejaba el otro en sombra. Rosario veía sólo medio rostro, de color trémulo, y, del otro medio, el brillar del ojo ensombrecido, como un tizón en la oscuridad.

La voz de la vieja era tranquila, cariñosa.

—Puedo darte también algo de comer si lo quieres.

—No. Pues Ramón va a verme todas las tardes, después del trabajo.

—Ya.

—Y quiere casarse conmigo.

—Ya.

—A mí me parece...

Dejó el vaso encima de la mesa y recogió las manos en el regazo. Miró a la vieja y, luego, bajó los ojos.

—Podíamos trabajar la Granja de Freame.

—¿Y tus padres?

—De eso no se cuide.

—Yo me iría con vosotros.

—¿Y esta casa?

—No falta quien me dé por ella buena renta.

—Tendría que hablar a mis padres. Sin mentar la Granja. Ellos no saben nada.

—¿Y después?

—Déjeme a mí... Ramón tampoco lo sabe.

—No tiene por qué saberlo.

—Pensé que las cosas las arreglaríamos entre usted y yo.

—Claro.

Rosario apuró el vino y se levantó.

—Me estarán esperando.

—Ven con Ramón el domingo...

Ramón regresaba del huerto, con la azada al hombro. Vio salir a Rosario y la llamó.

—¡Vine a hablar con tu madre, ya te contará ella! ¡Tengo prisa...!

Ramón se detuvo junto a la cerca, apoyó la azada en el suelo y las manos en la azada. Su madre esperaba en la puerta. Rosario volvió la cabeza y dijo adiós con la mano.

El médico miró el termómetro y torció el gesto. Se lo pasó a Carlos. Doña Mariana hizo un esfuerzo por sonreír.

—No hable, se lo ruego.

—¿Estoy peor?

—Está muy mal.

Se agarró a la mano de Carlos.

—Aunque me muera antes, ¿no hay ninguna medicina que me conserve la lucidez? —tosió—. No me importa morir, pero necesito decir algunas cosas todavía.

—No hable.

El médico preparó un potingue y se lo dio a beber.

—Esto la hará dormir un poco. Después se encontrará mejor.

—Pero ¿no comprende que quiero estar despierta?

Le salía ronca la voz; hablaba con dificultad.

—Señora, cumplo con mi deber de médico. Tengo que prolongarle la vida hasta donde sea posible.

—Su deber es obedecerme. ¡Carlos...!

Carlos se acercó y se arrodilló a su lado. Doña Mariana le acarició la mano y cerró los ojos.

—¡Imbéciles! —murmuró.

Carlos esperó, sin moverse, a que doña Mariana se durmiera. El médico se había retirado a la sala y miraba la mar desde la ventana.

—Habrá que traer al cura.

—¿Al cura?

—No confío en que la señora pase de mañana. Si quiere, yo mismo dejo recado en la parroquia.

—No, no. En la parroquia no. Me encargaré de hacerlo.

Cuando marchó el médico, Carlos fue a la cocina. Paquito hacía paquetes extraños, adornados con lazos y flores secas.

—Mañana me voy junto a mi loca. Ya está ahí la primavera.

Sacó la flauta del bolsillo y tocó una escala.

—¿Pase lo que pase?

El *Relojero* le miró con desconfianza.

—¿Qué puede pasar?

—La señora va a morir.

La *Rucha,* madre, se llevó el mandil a los ojos, y su hija empezó a lloriquear.

—Necesito que ahora mismo dejes eso y te llegues al monasterio. Que venga contigo el padre Eugenio. Le dices lo que pasa.

—Déme un pitillo.

—Coge el coche y ve de prisa. Te lo pido de favor.

—Ahora déme fuego. Es cuestión de ir fumando para no aburrirse por el camino.

Doña Mariana continuaba durmiendo. Le saltaba el corazón, y, a veces, un movimiento convulso le agitaba las manos. Carlos le limpió el sudor y se sentó al lado de la cama. Parecía como si se le hubiese vaciado el pensamiento para llenarse sólo de la imagen de la Vieja, escuálida, vencida. Había adelgazado tanto que apenas hacía bulto bajo las ropas. Le había recogido el cabello con un pañuelo blanco; sin su ornato, el rostro resultaba viril, endurecido en sus perfiles. El grueso vello del labio superior negreaba sobre la piel traslúcida.

Recordó —otra vez— a su padre. Muerto allá lejos, solitario, habría estado así; su rostro habría sido como el de doña Mariana ahora: quizá más débil, menos duros los contornos. Su padre había sido también blando de carácter. Había huido, como él pensaba huir. Había desertado de la obligación que doña Mariana le impusiera, había roto el compromiso con su mujer y su hijo.

Se enterneció. Comprendía a su padre. Imaginaba que las razones para marchar eran las mismas. Quizá no razones, sino temor, o, acaso, el hallarse en la vida sin saber para qué y sin ganas de inventarse el para qué. Su mismo caso.

Era una suerte que doña Mariana no pudiera hablarle. Temía sus últimas órdenes, temía no atreverse a desobedecerlas después de la muerte. El silencio de doña Mariana le liberaba, le dejaba entregado a la pura efusión sentimental, a la pura emoción de verla morir. Podía, incluso, llorarla. La lloraría alguna vez, muchas veces —pero lejos ya—. Amaba a doña Mariana y, sin embargo, aquellos meses pasados junto a ella empezaban a parecerle una pesadilla.

—Antes de marchar, mandaré que cierren como estaba la puerta de la torre, y arrojaré a la mar la llave. Así...

Fray Eugenio subió las escaleras apresuradamente. Ante la puerta de doña Mariana contuvo el ímpetu y llamó con los nudillos. Carlos abrió, le hizo señal de que no hablase, y salió al pasillo. La *Rucha,* hija, se retiraba. Carlos le chistó.

—Entra y espera mientras nosotros hablamos.

Se llevó al fraile al cuarto de estar.

—Está muy grave. Puede morir en cualquier momento.

—Traigo permiso del prior para permanecer aquí todo el tiempo que sea necesario. Al prior le preocupa mucho doña Mariana. Se llevó un verdadero disgusto, y me dijo: «¿Cómo es que no se ha enterado usted, padre Eugenio? Si hay una persona indicada para acompañarla en sus últimos instantes, esa persona es usted. Váyase en seguida.» Dios me perdone si pienso mal, pero me dio la impresión de que ponía a mi cargo la custodia de nuestros intereses.

Sonrió.

—Sería catastrófico que fracasase lo de las pinturas.

—Yo no puedo ocuparme ahora de eso, padre Eugenio.

—Tampoco yo. Pero ¿puedo pensar verdaderamente en lo que debo? Usted me ha llamado para que confiese a doña Mariana, ¿no es así? Y yo le respondo: antes de confesar a doña Mariana es menester convencerla de que debe confesarse.

Echó una mirada alrededor y añadió:

—¿Quién le pone el cascabel al gato? ¿Usted?

Carlos le indicó un sillón.

—Padre Eugenio, la cosa parece más de su oficio.

—A primera vista, sólo a primera vista. Declaro honestamente que no nos hemos cuidado del alma de doña Mariana, pero también declaro que soy el menos apto para ese menester. Otra clase de frailes hubieran previsto hace tiempo que la Vieja tenía que morir y hubieran destacado al más hábil, al más inteligente o al más humilde para que hiciese la tertulia a la Vieja todos los días, o, al menos, todos los domingos. Pero en nuestro monasterio, desde que murió el padre Hugo, existe un drama, y como usted decía una vez, el drama no permite dedicarse a otra cosa más que al drama mismo. En cuanto a mí...

Levantó la vista y miró a Carlos.

—... tengo miedo a doña Mariana. Soy cobarde. No me atrevería a proponerle una confesión.

—¿Quiere usted que llame al párroco? Quizá él...

—¡No, no lo haga usted! Si doña Mariana rechaza el sacramento, el párroco se verá en la obligación de negarle sepultura sagrada.

—Doña Mariana tiene derecho a enterrarse en la iglesia. Ayer estuve en La Coruña arreglando la cuestión.

—Si muere inconfesa, lo perderá.

Apoyó la frente en la mano y estuvo en silencio.

—Yo no puedo mentir, don Carlos. No puedo decir que se confesó sin haberlo hecho, ni aun quedando el secreto entre los dos. Pero puedo permanecer al lado de doña Mariana hasta su muerte. Puedo estudiar su cara, su mirada, sus movimientos, espiar las señales de su conciencia ante la muerte. Puedo darle a besar una cruz en su agonía, y, si se mueven sus labios, ponerle la Extremaunción.

—Todo, menos pedirle por derecho que se confiese.

—A eso no me atrevo. Me diría que no y...

Dejó caer los brazos largos, las manos huesudas.

—No soy un santo, ni un hombre virtuoso, ni siquiera un fraile convencional. Otro soportaría la negativa e insistiría; yo, no.

Recogió súbitamente las manos, y le brillaron los ojos.

—¿Por qué no lo hace usted? Usted es su amigo.

Carlos bajó la cabeza. Abrió los brazos y los alzó un poco.

—Tampoco me atrevo.

Se levantó y llamó al timbre. Entró la *Rucha* vieja.

—El padre Quiroga comerá conmigo y se quedará aquí mientras la señora esté grave. Prepárenle lo necesario.

—¿Va a dormir también?

—Si puedo —contestó el fraile.

Clara compró unas fanecas para freír y el aceite que pudo con las perras que le quedaban. Había dejado al fuego una tartera con patatas y la leña suficiente para que se cocieran sin quemarse. La lonja estaba casi desierta. No encontró a nadie con quien hablar y se volvió para casa. Al atravesar la plaza la llamaron. Desde los soportales el cartero le hacía señas.

—¡Vaya! ¡Los ausentes se acuerdan de ti! Toma. Carta de tu hermano.

—¿Y cómo sabes que es de mi hermano?

El cartero enrojeció.

—Por la letra.

Clara cogió la carta y la guardó en el pecho.

—Ya habrás sacado copia de ella para entregársela al amo. Haces bien. Así te luce. El que no tiene hijas, contenta al señor con otros servicios. ¿Cuánto te paga?

El cartero se alejaba sin hacerle caso. Clara se llegó a un lugar iluminado y leyó la carta. Era muy breve. Decía Juan que había encontrado a Inés, que vivían juntos en la misma pensión y que no había otras novedades. «Inés empieza a recobrarse y espero que llegue a estar mejor que nunca.» Daba la dirección y urgía la venta de la casa. «Ni un céntimo menos de veinte mil duros. Necesitamos nuestra parte cuanto antes. Abrazos y recuerdos.»

Maquinalmente se encaminó a casa de doña Mariana. Estaba la calle solitaria, y en la ría pitaba la sirena de un vaporcito. «... y si les digo que Cayetano se metió por medio y que me pagó lo que quiso, me llamarán imbécil y reclamarán sus diez mil duros enteritos, y yo me quedaré sin casa y sin dinero. También podría decir a Juan que viniese él a venderla, pero eso sería una faena sucia...»

La *Rucha,* hija, le abrió la puerta y le mandó pasar. Seria, pero cortés.

—Haga el favor de sentarse. Diré que está usted aquí.

—Vengo a ver a don Carlos.

—Sí, sí. En seguida.

Trajo luz al cuarto. Clara se sentó junto a la chimenea, acercó los pies húmedos a la llama, se frotó las manos. «Esta casa me da siempre ganas de dormir, de quedarme en ella a dormir para siempre.» Llegó Carlos sin hacer ruido.

—Hola, Clara.

Ella se sobresaltó. Le tendió la mano.

—¿Cómo está la Vieja?

—En las últimas.

—¡Qué suerte tiene! No hay como morirse a tiempo.

—¿Por qué lo dices?

—Por nada.

Sacó del bolsillo la carta de Juan.

—Acabo de recibir esto.

Se la tendió, riendo.

—Ultima entrega del folletín.

Carlos leyó. Plegó la carta, pero la conservó en la mano.

—Todos felices.

—Menos yo —atajó Clara—. Porque ha estado a verme Cayetano, me ofreció por la casa lo que le dio la gana, me dijo que no permitirá que nadie la compre, y que cuando quiera venderla me dará menos. Y como esos reclamarán sus diez mil duros...

Cogió la carta de manos de Carlos.

—Me dan ganas de mandarlos al cuerno. Es muy cómodo valerse de los demás para salir de aprietos.

Golpeó con el zapato los morrillos.

—La cosa ya no tiene remedio. Hoy escribí una carta a Cayetano diciéndole que venderé por lo que quiera.

—¿Has hecho eso?

—Estaba desesperada. Y ahora...

Carlos, con las manos en los bolsillos y la cabeza gacha, se sentó en el brazo del sofá.

—La Vieja está prácticamente sin sentido. Ni puedo decirle que te compre la casa ni creo en la legalidad de una venta así.

Clara se encogió de hombros.

—No venía a eso. Pero, a veces, necesita una contar sus penas a alguien.

Se levantó y se acercó a la ventana. La luz del faro le iluminaba el rostro: un destello blanco, uno rojo, uno blanco.

—Estoy fastidiada. Nunca me he visto en peor situación. Me voy a quedar sin casa y con dos mil duros por todo caudal para mi madre y para mí: ¡Y yo que pensaba poner una tiendecita...!

Tecleó con los dedos en el cristal. Carlos liaba un cigarrillo, sin mirarla. Ella regresó al asiento, miró de nuevo las llamas.

—A no ser que piense otra vez en Cayetano.

Carlos arrojó furiosa, súbitamente, el cigarro medio hecho.

—¡No seas bestia!

—Es el amo, Carlos. Hay que rendirse a la evidencia. Después de unos meses volvemos al punto de partida, aunque hayan variado mis condiciones. Puedo pedirle mi tiendecita...

Dio una patada a un leño. Se quebró la brasa, subieron las chispas por la chimenea.

—¡No me queda ni eso! Cayetano me desprecia y no daría por mí un real.

Se levantó.

—Bueno. Ya me he desahogado. Me vuelto a mi fogón y a mi madre. Y a todo lo que es mío.

Había dejado el mantón encima de una silla. Carlos

le ayudó a ponérselo. Quedaron juntos, muy cerca, frente a frente.

—Hay otra cosa que quisiera decirte, Carlos.

El sonrió.

—Es curioso, y acabo de recordarlo no sé por qué... Es decir, sí lo sé. Desde que empezaron todos estos líos, y ando con la cabeza llena de ideas y con disgustos y con preocupaciones...

Se detuvo y bajó la cabeza.

—Bueno. Quiero decirte que *aquello* ya no pasa.

Salió de la habitación. En el pasillo, Carlos intentó contarle que el padre Eugenio esperaba ocasión de confesar a doña Mariana, y que había perdido la esperanza. Clara no parecía hacerle caso. Al bajar la escalera, le ofreció volver, si hacía falta para algo.

Dieron las once en el reloj de Santa María: las trajo el viento, que rolaba al nordés. Clara había arreglado a su madre y terminaba de fregar. Secó los platos, barrió el suelo, mató con agua las brasas vivas del fogón. Se sentía cansada y entristecida. Colgaba de una cuerda su ropa blanca lavada: tentó si estaba seca, y no sintió deseos de ponerse a plancharla. Al día siguiente era domingo. ¿Y qué? No tenía para quién acicalarse. Recogió la ropa, hizo un montón y la dejó en el fondo de un canasto.

Encima de la mesa estaba la carta de Juan. La había releído, había intentado imaginar el encuentro con Inés, inútilmente, porque no alcanzaba a suponer las palabras que se habrían dicho. «A mí, Juan me habría largado un bofetón, y yo le hubiera respondido: 'Bueno, ¿y qué?'; pero Inés no soy yo. Inés se ha marchado de casa por motivos sublimes.» Buscó papel y un tintero, y se puso a escribir: «Querido Juan: me alegro de que estéis juntos y alegres. Mamá sigue lo mismo y yo ando a palos con la vida. Lo de la casa marcha mal. Cayetano vino a verme, dice que no permitirá que nadie la compre, y que me dará lo que quiera, de modo que los veinte mil duros se reducirán a la mitad, o poco más. Haced vuestras cuentas sobre eso y no sobre lo antes pensado. Si no estáis de acuerdo escribidme a vuelta de correo. Os quiere, Clara. P. D.—La Vieja está muriendo. Si Juan pensaba que ella nos compraría la casa en los veinte mil duros, que no se haga ilusiones. Recuerdos de Carlos Deza.» No encontró sobre.

Había pasado media hora. Sonó, otra vez, el reloj y le pareció que las campanadas la empujaban a su cuarto. Dejó las cartas en la mesa y un tazón encima para que no las llevase el viento. En el cajón había cabos de velas: escogió uno, mediano, y lo encajó en la palmatoria: tuvo que envolverlo en un papel para que no bailase.

—Mañana puedo vender en la feria el traje de seda que me dio Carlos. Bien vale cinco duros.

El traje de seda estaba colgado en la pared de su cuarto, cubierto con una sábana vieja. Lo destapó y lo acarició. Sus dedos ásperos casi arañaban la seda: un roce que daba dentera. Pero lo acarició un rato.

—Total, ya no me sirve de nada. También es mala suerte.

Con cinco duros, bien administrados, podían comer, ella y su madre, más de una semana, y, en este tiempo, vendería la casa o tomaría una determinación.

—Pedir más dinero a Carlos no debo hacerlo.

Se sentó en el borde de la cama y empezó a desvestirse. Primero, las medias, zurcidas por la punta. Las dobló y las dejó sobre una silla. En cuanto llegase el buen tiempo podía andar sin ellas y era un ahorro. Aunque, sin medias, las piernas no estaban tan bonitas.

Desnuda, se puso el camisón y se metió en la cama. El frío de las sábanas la hizo chillar, encogerse. Poco a poco fue ganando terreno al frío, hasta quedar estirada, quieta. Recordó, entonces, lo que había dicho a Carlos sobre *aquello*. Lo recordó tranquilamente, sin turbación, sin deseo: «Pues sí que son extrañas estas cosas. ¡Quién había de decírmelo, no hace más de quince días...!» No se había esforzado ni desesperado como otras veces. No había peleado contra sí misma, hasta quedar vencida, estremecida de placer y repugnancia.

Las cosas habían sucedido como si alguien le hubiese ayudado; como si de pronto alguien hubiese soplado en su imaginación y la hubiese dejado desierta; como si, además, se hubieran roto los puentes entre la imaginación y el cuerpo. ¡Qué tranquilidad en el cuerpo y en el alma!

Alargó el brazo, acercó la vela y la apagó. Dobló las rodillas y cruzó los brazos bajo el pecho. En una esquina del techo una polilla hacía un ruidito. Llegaban crujidos lejanos de la madera, alguna voz remota, la caricia del viento en los árboles. Se sintió sosegada. «Yo debía rezar algo.» Pensó que si alguien le había ayudado tenía que sentirse agradecida y decírselo. Murmuró: «Gracias.» Cerró los ojos, y repitió: «Gracias.» Los pies empezaban a calentarse, le subía el calor por las pantorillas. Aquello estaba bien y era agradable. Lo que pasaba por su alma empezó a ser confuso.

Una mala postura, quizá una pesadilla o un sueño ingrato, despertó a Carlos bruscamente. Pensó que había dormido mucho y que la *Rucha* se habría dormido también en su turno de vela. Saltó de la cama, se puso encima la bata y fue a la alcoba de doña Mariana. La *Rucha* cabeceaba. Le rogó que esperase unos minutos más, y que él la sustituiría. Buscó espabilarse bajo el agua de la ducha, se afeitó y se vistió de prisa. Cuando salió del cuarto de baño clareaba.

—Tráeme las cosas del desayuno en una bandeja. Yo me lo prepararé. Luego, acuéstate.

—Sí, señor.

—A tu madre, cuando se levante, que venga a hablar conmigo.

—Sí, señor.

—Y pon un servicio más. El padre desayunará también.

—El padre salió hace un rato, dijo que iba a decir misa a Santa María, y que vendrá en cuanto termine.

Doña Mariana dormía. Le tomó el pulso y la temperatura. Ella abrió un momento los ojos, sonrió y siguió durmiendo. Estaba agitada, respiraba con angustia, gemía o decía palabras oscuras, inconexas. Carlos bebió el café y abrió un poco la ventana. El aire venía fresco y húmedo; el cielo estaba gris plateado y lloviznaba. Había calmado el viento. Se oían los primeros rumores matinales: un grito lejano, un carretón que pasaba, voces en una casa vecina, el golpe de las olas.

Había soñado insistentemente con Clara. Se había despertado y había vuelto a soñar. Ahora le preocupaba lo soñado.

«Si doy por cierto que el sueño me revela una realidad que he querido ocultarme, desde que conozco a Clara no he hecho más que huirle. Rosario y doña Mariana han favorecido mi huida. Y ahora, al perder a doña Mariana, al comprender que Rosario sola no me basta, decido marcharme para siempre. Sin embargo, no estoy enamorado de Clara. Ni siquiera llegó a obsesionarme sexualmente, ni a atraerme más allá de lo natural.»

Unos niños descalzos se acercaron a una buceta, varada al cobijo del pretil, e intentaron botarla. Alguien que Carlos no veía les gritó. Los chiquillos salieron corriendo. Carlos cerró la ventana y volvió a la alcoba. Doña Mariana había sacado los brazos fuera del embozo y golpeaba la sábana con los puños cerrados. La tapó.

«Puedo llegar a la conclusión, poco halagadora para mí, de que la temo por ser más mujer que las otras, por exigir de mí una conducta viril, una decisión a la que no me siento dispuesto. Pero no estoy seguro de que sea ésta la causa, y no otra. No estoy seguro de nada. Hoy pienso en Clara; ayer, en Mariana; la otra noche, en Rosario. Sucesivamente he creído huir de las tres. ¿Sé, en verdad, de qué huyo? Decididamente tendré que psicoanalizarme si quiero andar por el mundo sin tropezar en todas las esquinas y tomar el rábano por las hojas.»

Llamaron a la puerta y entró el padre Eugenio.

—Ahí tiene su café —dijo Carlos—. Espero que no se le habrá enfriado.

—¿Cómo está ella?

—Temperatura, la normal a estas horas en quien ha llegado ayer a los cuarenta. El pulso, más débil.

—¿Cree usted que recobrará la lucidez?

—No lo sé.

Fray Eugenio se sirvió el café y preparó una rebanada de pan.

—Estuve hablando con el cura. Le dije la verdad: que yo me había instalado aquí, y que administraría los Sacramentos si había lugar.

Señaló una cajita que había dejado encima de la consola.

—He traído los Santos Oleos y una Forma consagrada. El cura insistió en que lo hiciera.

Levantó hacia Carlos los ojos muy abiertos.

—No le daré la comunión a no ser que... En fin, que ella la pida.

—Usted sabrá.

—Don Carlos, creo en la realidad de los Santos Sacramentos. No puedo, a sabiendas, permitir que se cometa un sacrilegio.

Carlos le sonrió y le golpeó la espalda.

—Ande, desayune tranquilo.

Pareció que doña Mariana hablaba. Carlos corrió a la alcoba. Doña Mariana tenía abiertos los ojos. Carlos se acercó.

—¿Cómo se encuentra?

—Fastidiada. ¿Con quién hablabas?

—Está ahí el padre Eugenio. Se enteró de que estaba usted enferma.

—¡Ah, sí! El padre Eugenio...

—No hable. Voy a darle un poco de café.

—No te vayas de mi lado.

Carlos encargó el café. Hizo seña al padre Eugenio de que esperase. Los dedos de doña Mariana tentaban en el aire, buscando algo. Carlos le cogió la mano y ella cerró los ojos.

—No te vayas.

Al traer el café preguntó si podrían echarle un poco de coñac.

—Carlos, quiero que me entierren en mi iglesia.

—Sí.

—Tendré que confesarme. Si no...

—Como usted quiera.

—El padre Eugenio...

—Sí, sí. No hable más de lo necesario.

—Dame algo que me espabile.

Tomó el café dificultosamente. Empezó a sudar.

—Arréglame las almohadas, Carlos. Dile a ése...

Carlos llamó al padre Eugenio.

—Las cosas marchan.

—¿Lo ha pedido ella? —los ojos del padre Eugenio brillaron de júbilo.

—Sí, pero no se haga ilusiones. No ha dicho que crea en Dios, sino que quiere confesarse.

Empujó al padre Eugenio hacia la alcoba. Doña Mariana había vuelto a cerrar los ojos y su mano insistía en buscar otra mano.

—Aquí está el padre Eugenio.

La mano de doña Mariana halló la de Carlos y la agarró fuertemente.

—No quiero que te vayas.

—El padre Eugenio viene a confesarla.

—Que se siente.

—Yo no puedo estar aquí mientras la confiesa.

Doña Mariana abrió los ojos, asustados.

—¿No? —miró a un lado y a otro—. ¿Dónde estás, Eugenio? —empezó a sonreír—. Ya. Estás ahí. Tan feo...

Soltó la mano de Carlos.

—No te alejes mucho. Ven en seguida

Fray Eugenio esperó a que Carlos saliese. Besó las cruces de una estola, se la puso, se santiguó.

—Eugenio, estoy muy cansada.

—¿Quiere usted que coja su mano y le vaya diciendo los mandamientos? Bastará que me apriete cada vez que...

—Eugenio, acúsame de mis pecados. Yo diré que sí.

—Señora, yo...

Doña Mariana volvió a abrir los ojos. Sacó de alguna parte donde morían un destello de burla y energía. Ordenó:

—Sé valiente.

Fray Eugenio se levantó, hizo un esfuerzo, alzó los brazos.

—Mariana Sarmiento, sierva del Señor, te acuso de soberbia.

Ella sonrió y dijo un «sí» como un suspiro.

—Vas a morir a esta vida. Pronto nacerás a la vida eterna. Allí, tú misma serás tu juez. Tu propio movimiento te llevará a los pies del Señor, que padeció por rescatarte del pecado y de la muerte, o te alejará de El para siempre. Si estás arrepentida, por amor o por temor...

Dejó caer el brazo izquierdo y alzó el derecho todavía más.

—*Ego te absolvo ab peccatis tuis...*

El brazo descendió y trazó en el aire la cruz.

—*... in Nomine Patris, et Filii, et Spiritus Sancti. Amén.*

—Gracias, Eugenio. Que venga Carlos.

El fraile recogió bruscamente la mano que acababa de dar la bendición y quedó quieto, asombrado, con un punto de espanto en el mirar. Doña Mariana había vuelto la cabeza hacia la pared y repetía:

—Que venga Carlos.

Salió el fraile. Carlos esperaba en el pasillo. Fumaba y paseaba.

—¿Ya?

—Don Carlos, ¿cree usted en el diablo?

El padre Eugenio, al hacerle la pregunta, le agarró por los hombros y le miró con ojos empavorecidos.

—Creo, al menos, en el mío. Alguna vez le hablé de él, ¿no lo recuerda?

—El corazón de doña Mariana tiene un demonio enroscado, un demonio que la ata a la tierra. Nosotros también lo tenemos. Usted, yo, todos, todos. ¿Por qué? ¿Sabe usted por qué?

—Antes creía saber algo del mío. Ahora, ni eso.

Se acercó a la puerta de doña Mariana.

—¿Qué hace?

—Le llama.

—Carlos abrió la puerta.

—Aunque el demonio la posea..., perdóneme. Tengo que atenderla. ¿Se va usted?

—No. Esperaré. No he perdido la esperanza.

Entró con Carlos y añadió en voz baja:

—La mía no es la oración de un santo, pero es también una oración.

Cogió el breviario y salió. Carlos entró en la alcoba. Doña Mariana permanecía vuelta hacia la pared.

—Carlos. Esa luz. Apágala. Así. Carlos...

Carlos se sentó en el borde de la cama y le cogió la mano.

—Sí.

—En mi escritorio... Busca. Hay unas instrucciones para mi entierro.

—Sí.

—No puedo más. Carlos. No puedo respirar. Me duele todo. Dame una de esas pastillas que me atontan.

—Ahora vendrá el médico.

—Que me deje morir en paz. No vale la pena seguir haciéndome daño.

El sobre venía dirigido a Cayetano y no traía sello, sino simplemente matasellos. Los sobres así no se detenían en secretaría, sino que pasaban directamente al despacho privado del jefe. Cayetano lo abrió y leyó la copia de la carta que Juan Aldán escribía a Clara y la de la carta que Clara escribía a Juan. Encima de la mesa estaba la carta escrita por Clara a Cayetano —los sobres con letra de mujer tampoco hacían estación en secretaría.

Descolgó el teléfono interior.

—Que se enteren cuanto antes del estado de doña Mariana Sarmiento.

Colgó y releyó las cartas. Después se sentó en un sillón y cerró los ojos. Sonó el teléfono. Alguien le dijo que doña Mariana Sarmiento estaba muriendo.

—Bien. Gracias. Que venga Martínez Couto.

El empleado llegó rápidamente; llamó quedo y entró sin esperar.

—Mire usted: se va ahora mismo al pazo de los Aldán, habla con Clara y le dice que le compro la finca en los quince mil duros. Que si está conforme, la avisaré cuando venga el notario. Que tenga los papeles preparados. Los derechos reales y demás gastos, de su cuenta. Explíquele lo que son los derechos reales. Para que no monte mucho haremos la escritura por la mitad. Explíqueselo todo claramente.

—Sí, señor.

Martínez Couto había permanecido de pie, con los zapatos en ángulo de cuarenta y cinco grados, el torso un poco inclinado, la cabeza baja y en la boca una sonrisa.

—Puede marcharse. Dése prisa.

—Sí, señor.

Salió.

Frente al cuadro de Reynolds, el revestimiento de madera traída de un castillo inglés disimulaba una puerta que no se abría desde muchos años atrás; una puerta que no había vuelto a abrirse desde que fuera instalada y probada. Cayetano buscó en un cajón una llavecita y la abrió. Al otro lado del hueco de la pared había otra puerta y estaba cerrada con un cerrojo. Cayetano lo corrió y abrió la segunda puerta. Don Jaime, sentado ante la mesa de su despacho, hacía pajaritas: treinta, cuarenta, cincuenta pajaritas blancas, todas iguales, formaban en pelotón sobre la mesa; a su frente figuraban pajaritas mayores, cabos, sargentos, capitanes de aquel ejército. En el cesto de los papeles había pajaritas rotas, pajaritas estrujadas, pajaritas inconclusas.

Don Jaime Salgado se sobresaltó al oír el ruido. La puerta estaba detrás de su mesa, detrás de su espalda. Quizá la hubiera olvidado. Dio un grito, se levantó y corrió a refugiarse tras la mesa. Buena parte del ejército quedó derribado.

Cayetano entró y cerró.

—Buenos días, papá.

Don Jaime retrocedía. Tropezó con una butaca y se tambaleó.

—¿Qué quieres?

—Verte. Siéntate. Quiero hablar contigo.

Atravesó el despacho hasta el sofá y señaló a su padre un sillón. Don Jaime se sentó. Le miraba con extrañeza, con miedo.

—Vengo a hablarte de negocios.

Don Jaime mantenía los ojos muy abiertos. Le temblaban las manos y los párpados. Respondió algo ininteligible.

—Tú eres el jefe, papá, el dueño de la firma. Yo no soy más que tu apoderado general —cambió de tono—. ¿Sabes que está muriendo doña Mariana?

—¿Cómo?

Algo así como el residuo de una emoción, o su eco, le conmovió un instante.

—¿Doña Mariana? ¿Muriendo?

—Sí. De una pulmonía que cogió por desafiarme. Está muriendo y debo recordarte que posee un buen paquete de acciones de nuestra Empresa. Vendidas por ti hace treinta años o más.

—Sí...

—Era un gran momento aquél, ¿verdad? Dinero fresco para ampliar el negocio. Entonces eras joven y veías claro. Un buen paquete de acciones, pero el negocio fue arriba. Hiciste bien.

—Sí...

Don Jaime no había entrado en la situación. Le erraba el mirar, desconfiado, incierto.

—Ahora esas acciones irán a parar a manos de sus herederos. ¿Tú sabes quiénes son?

—¿Yo? ¿Sus herederos? No sé...

—Durante muchos años fuiste el confidente y el guía de doña Mariana en sus negocios. Tienes que saber algo.

—No sé. No me acuerdo.

—Algo de su hijo. ¿No recuerdas? Doña Mariana es soltera, pero tiene un hijo. Doña Mariana es una zorra mala. Tiene un hijo de soltera. Está en la Argentina, y supongo que la heredará. El hijo de doña Mariana pasará a ser el propietario de ese paquete de acciones.

—Sí...

—Y he pensado que es una buena ocasión para que los astilleros sean enteramente de nuestra propiedad.

Voy a escribir al hijo de doña Mariana para que venga y comprarle esas acciones.

—Bueno.

—A no ser que exista alguna razón por la que hayamos de respetar la propiedad y el propietario.

—¿Razones? ¿Cuáles? No sé...

Cayetano cogió violentamente un pliego de papel y se lo entregó a su padre.

—Toma. Haz pajaritas y deja de temblar. Me refiero a razones de conciencia.

Don Jaime miró el papel y quedó con él en la mano.

—¿De conciencia? ¿Por qué?

Plegó el papel y lo cortó en dos. Empezó a cuadricular el primer trozo; torpemente, con prisa.

—¿Por qué? Yo ya no entiendo de eso. Haz tú...

Cayetano se corrió un poco en el sofá, hasta quedar al lado de su padre, rodilla contra rodilla.

—Todo el mundo sabe en Pueblanueva que fuiste amante de doña Mariana, y todo el mundo cree, incluso yo, que su hijo es mi hermano.

El viejo dio un salto en el sillón, se echó atrás, soltó el papel, alzó las manos.

—¿Tu hermano? ¡No! Yo no he sido su amante.

Cayetano le palmoteó las rodillas.

—Bueno, papá, lo pasado, pasado. Lo hecho ya no tiene remedio. No me importa que me confieses lo que sé hace mucho tiempo.

Se le ensombreció la voz; las palabras le temblaron en la garganta.

—Cuando lo supe, sí me importó. Me lo dijo mi madre, y te hubiera matado. Pero ahora...

Recobró el tono jovial, la sonrisa abierta. Añadió a la sonrisa y al tono un punto de picardía.

—Incluso soy comprensivo. Tengo mi historia de hombre y sé lo que le pasa a un hombre cuando pierde la cabeza. Y tú, indudablemente, la perdiste en aquella ocasión.

Don Jaime había inclinado la frente, y sus manos caían, desmayadas, ya sin temblor.

—¿Me has odiado por eso siempre?

—Por el daño que hiciste a mi madre.

Don Jaime hizo un gran esfuerzo y cogió la mano de su hijo. Buscó sus ojos con mirada sincera, dolorida, implorante. Le asomó una lágrima.

—No he sido nunca el amante de doña Mariana; no soy el padre de su hijo.

Cayetano le apartó de un empellón violento que dejó al viejo aplastado contra el sillón, anonadado.

—¿Qué dices?

Se levantó. Apretaba los puños y los dientes, miraba con furia, con desprecio, con enojo.

—¡Repítelo! ¡Dilo otra vez!

—¡Yo no fui nunca...!

La escribanía de don Jaime figuraba un transatlántico de plata: servían de tinteros las chimeneas, y las plumas nunca usadas se apoyaban en los mástiles. La escribanía de don Jaime pesaba su buen medio kilo. Cayetano la agarró y alzó por encima de su cabeza: la tinta roja y la tinta azul, mezcladas, le resbalaron por la mano y la muñeca, salpicaron la alfombra y los cabellos blancos de don Jaime, manchando la pared.

—¡Repítelo!

Don Jaime, acoquinado en el sillón, miraba la escribanía que amenazaba su cabeza. Sus manos se levantaron, se juntaron, se enlazaron.

—Perdón.

—¡Imbécil! ¿Es que no sabes mentir?

La escribanía salió disparada contra la vidriera, rompió los cristales y cayó en un montón de chatarra herrumbrosa. Un rayo de sol hizo relucir la plata. Al estrépito de cristales quebrados algunos trabajadores miraron y se preguntaron con la mirada qué había sucedido.

Cayetano dio dos portazos sucesivos, entró en su despacho y se dejó caer en un sillón, la frente apoyada en los puños crispados. Uno de sus pies golpeaba furiosamente la alfombra. Se le había alborotado el pelo, y la tinta de su mano le embadurnaba el rostro.

—¡Imbécil, imbécil, imbécil!

No sabía ya si insultaba a su padre o se insultaba a sí mismo. Sentía el alma aplastada, y que el suelo pisado, hasta entonces firme, se hundía bajo sus pies. Estaba colorado de vergüenza, de rabia, hasta la raíz del pelo. Le parecía que todo Pueblanueva se reiría de él, que una carcajada unánime se levantaba para ofenderlo, que en aquella carcajada todos los hombres y las mujeres de Pueblanueva expresaban su burla y su venganza. Oía los cuchicheos del Casino, las medias risas cobardes que cesaban al entrar él, las frases comunicadas al oído, regocijadas, cortantes. «Pues ahora resulta que don Jaime nunca...» «... y ya se sabe que el hijo no es hermano...» «Y tanto presumir de que su padre...» No le cabía en la cabeza el que, durante casi treinta años, don Jaime hubiera adorado en silencio a doña Mariana, la hubiera obedecido y servido, mientras doña Angustias suspiraba y lloraba en su confortable soledad. Ahora Carlos Deza se reiría también, se reiría con motivo; quizá no se lo dijera a nadie y lo guardase como un as de trampa escondido en el puño, esperando la jugada; pero seguramente lo diría, lo contaría en el Casino, si en los papeles de doña Mariana aparecía algún indicio de quién había sido su amante, de quién era el padre de su hijo. Aunque sólo se limitase a mirarle con mirada de estar en el secreto, de estar efectivamente por encima, le tendría en sus manos. Cayetano se sentiría privado de libertad.

Al pensarlo, se le revolvió la sangre, se le sublevó la conciencia y sintió necesidad inmediata de superar el trance, de apartar de sí la amenaza; de no admitir, ni aun imaginativamente, que él, el único hombre libre de Pueblanueva, pudiera dejar de serlo.

Se sirvió un coñac y lo bebió de un solo trago. «¡Bah! Estoy desbarrando. La estupidez del viejo me ha sacado de quicio, me hace pensar disparates. No basta saber: hay que tener pruebas, y, ¿quién me dice que Carlos las tenga o llegue a tenerlas? Haría falta mucho para convencer al pueblo de que no es cierto lo que se viene creyendo como el evangelio. Y la gente no creerá a Carlos, por mucho que asegure, si no presenta pruebas. En el fondo, todo el mundo está contento de que mi padre se haya acostado con la Vieja, porque mi padre fue uno de ellos, aunque con más suerte.»

Vio sus manos manchadas, se levantó y buscó donde mirarse la cara. Se rió y salió del despacho, pero a la mitad de la escalera su razonamiento había caído por tierra, derribado por el temor de que, a pesar de todo, la cosa llegara a saberse. «¡Y pensar que esta misma mañana fui generoso con esa puta de Clara!» Entró en el cuarto de baño y se lavó. Al mirarse en el espejo, sorprendió algo nuevo en su mirada, algo débil, inseguro, y volvió a sentir rabia. Todo el rencor acumulado contra su padre renacía y le culpaba. «¡Hizo sufrir a mi madre para eso...!» Y su padre estaba allí, en el espejo, en su propio rostro, tan escasamente parecido a doña Angustias, tan «Salgado»: el rostro de su padre, metido dentro del suyo y que cada día le ganaba una milésima de milímetro, que inexorablemente se apoderaría de él.

Bajó a la oficina. Antes de entrar se recompuso, se dominó. Martínez Couto estaba ya ante su mesa y trabajaba. Lo llamó.

—¿Qué le dijo ésa?

—Que bueno.

—Esperaba que no la hubiera encontrado.

Se le escapó, contra su voluntad, un «¡Lo deseaba!» mascullado.

—¿Por qué? ¿Se ha vuelto atrás?

—Quizá.

—Pues vuélvase. No hay nada escrito.

—Hay mi palabra, ¿no? Mi palabra vale por todos los notarios.

—Fue mi palabra, no la de usted.

Martínez Couto sonreía con sonrisa de ratón; ofrecía sus espaldas para dar una salida.

—Piénselo. Yo fui el que hablé y puedo desdecirme. Mi palabra no es como la suya...

Cayetano salió de la oficina y marchó al Casino. Cubeiro paseaba de un extremo a otro, a grandes zancadas, mientras en la gramola sonaba un vals: «Las tres de la madrugada».

—Me estoy calentando, ¿sabe? Me cogió el frío en la gasolinera. Ya hay que andarse con cuidado con los resfriados. Uno ya no está para gaitas.

—¿Qué sabe de la Vieja?

—¡Bah! ¿Quién piensa en ella? Si no la diñó, está para diñarla de un momento a otro. Prácticamente, muerta.

Cayetano se sentó, y Cubeiro se plantó frente a él.

—¿Irá usted al entierro?

—¿Yo? ¿Por qué?

—Hay lazos de sangre...

Cayetano agarró la muñeca de Cubeiro y lo sentó de un tirón violento.

—¿Usted cree, de veras, que mi padre y la Vieja...?

—Pero ¡hombre! ¡Con qué cosas me sale ahora! Lo saben hasta los niños de teta.

—Yo nunca estuve muy seguro.

—¡Así lo estuviera yo de que me iba a tocar la lotería! De modo que prepárese. Muerta la Vieja, el hijo vendrá a hacerse cargo de todo. Y a ver si sabemos de una vez quién manda en este pueblo y si tenemos paz.

Entró don Baldomero, con el cuello del abrigo subido.

—Ha vuelto a enfriar el tiempo. ¡Qué primavera tenemos! Buenos días.

Miró a Cayetano con desconfianza. Cubeiro se levantó, fue hacia la gramola y quitó el vals.

—¿Tiene noticias de su señora? —preguntó Cayetano—. ¿Se encuentra mejor en la montaña?

Don Baldomero alzó la mano y miró a Cayetano de manera misteriosa.

—La montaña es el lugar donde el Señor se manifiesta. El Señor dio su ley en la montaña, y en la montaña se cumple su justicia. ¡Ay de los que la burlaron!

—Pero ¿qué dice?

Cubeiro había cambiado de disco. Se oyó la voz tangosa de Gardel:

¡Victoria! ¡Araca, victoria!
¡Estoy en la gloria! ¡Se fue mi mujer!

Habían instalado un balón de oxígeno cerca de doña Mariana. Don Baldomero no disponía de repuestos suficientes; un camión saliera de madrugada a traer, de La Coruña, el armatoste completo, con oxígeno de sobra. Respirarlo aliviaba un poco la disnea de la enferma. Cuando se fatigaba de aguantar la boquilla, Carlos la sostenía. Estaba sentada en la cama, apoyada en almohadones: escasa ya de carne, sin más que el pellejo agarrado al hueso. Los ojos se le habían agrandado, y los cuatro pelos del bigote le negreaban cada vez más. Las cuerdas de la garganta, tensas sobre cavernas oscuras, se perdían en el pecho despellejado por cataplasmas y ventosas. Los brazos y las manos eran puro hueso casi inerte. Y toda la color blanca, exangüe.

—No puedo más.

—Vamos, anímese, respire.

Aspiraba fatigosamente el oxígeno de la boquilla, roncaba, se le dilataban las narices, ansiosas; las cuerdas del pescuezo se tendían, pero apenas se levantaba el pecho. Repetía:

—Carlos, no puedo más. Carlos, ayúdame a morir.

Y fray Eugenio asomaba la nariz por el quicio y esperaba, con la cruz en la mano, un « ¡Dios mío! » o algo semejante que le permitiera acercarse, hablarle, darle a besar la cruz.

Entró la *Rucha,* hija, de puntillas y se acercó a Carlos. Le habló al oído. Carlos puso cara de extrañeza.

—Yo iré. Aguanta esto. No se lo apartes de la boca.

Carlos salió al pasillo, y la *Rucha,* hija, se sentó donde Carlos estaba. En el vestíbulo esperaba don Jaime Salgado, vestido de oscuro, con bastón y el sombrero en la mano. Delgado, encorvado, trémulo. Titubeó ante Carlos, le ofreció la mano.

—¿Puedo verla? —preguntó.

—Como usted quiera. Pero no le hable. Venga.

Don Jaime fue, cansino, detrás; llegó a la habitación, miró alrededor sin atreverse a entrar.

—Siga, siga.

Carlos le tomó del brazo y le llevó hasta la puerta de la alcoba. Don Jaime se detuvo y quedó mirando a doña

Mariana. Estuvo un momento así, inmóvil los ojos, de mirar cobarde, clavados en ella. Después se volvió hacia Carlos, hacia fray Eugenio. No dijo nada.

—A esa distancia no le reconoce. Puede acercarse más.

—No, gracias, gracias.

Se retiró de la alcoba sin apartar la vista de la enferma, y buscó el arrimo de la pared. Carlos acudió a sostenerle.

—No dirá usted a nadie que estuve aquí, ¿verdad? No quiero que lo sepa mi hijo. Pero lo dirán las criadas. No debí venir. Es una locura...

—No se preocupe. Procuraré que sean discretas.

—Hágalo por mí. Gracias. Dígale a ella que estuve a verla.

—Se lo diré.

Carlos le acompañó hasta el vestíbulo.

—Quiero a mi hijo, ¿sabe? —dijo don Jaime—; pero mi hijo no me quiere. A ella la odió siempre. Y yo... Bueno, en fin, tampoco soy malo.

Se volvió con lentitud hacia la salida, adelantó un pie, tanteó en el aire. Carlos le cogió otra vez del brazo y le ayudó a bajar las escaleras. Don Jaime abría los labios para hablar, pero no hablaba. Marchó, calle adelante, con andar torpe y lento. Diez pasos andados, dio un tropezón, se inclinó, se enderezó, siguió andando.

Carlos regresó a la alcoba. Fray Eugenio, en el hueco de la ventana, leía en el breviario. La respiración de doña Mariana se había hecho convulsa; le sacudían temblores, el cuerpo caído.

—Don Carlos —dijo la *Rucha*—, éstas son las boqueadas.

—Todavía no, pero vete corriendo a buscar al médico.

Doña Mariana se perdía en los almohadones. La levantó un poco, la sostuvo por los hombros, le aplicó la boquilla del oxígeno.

—Respire, fuerte, fuerte.

—Carlos.

Abrió los ojos.

—¿Qué quería ése?

—¿Le vio usted?

—Sí.

—Nada más que verla.

—Ayúdame a morir. No puedo más. No me dejes.

—Respire. No hable. Ahora vendrá el médico.

La mano de doña Mariana acarició la de Carlos. Le miró e intentó sonreír. Cerró los ojos.

—Padre Eugenio —llamó Carlos, quedamente.

El padre Eugenio entró en la alcoba.

—¿Qué?

—Esto se acaba. Casi no tiene pulso.

—¡Dios mío!

Salió y volvió en seguida con los Santos Oleos.

—¿Se atreve usted? —preguntó Carlos.

—Condicionalmente. Es legítimo.

Destapó la cajita. Hurgaron sus dedos y sacaron unos algodones.

—Carlos, ¿se acuerda usted del Padrenuestro?

Carlos sonrió.

—Entonces rece usted por ella.

Puesta la estola, fray Eugenio comenzó latines y unciones: en la frente, en el pecho, en las manos, en los pies. Bisbiseaba los latines e indicaba a Carlos cuándo debía destapar. En esto, llegó el médico. No dijo nada. Mientras fray Eugenio terminaba, preparó el aceite alcanforado y lo inyectó.

—Es prolongar una agonía.

Del pecho de doña Mariana salía una queja larga, sibilante. El poco ánimo que le dio el aceite le permitió abrir los ojos una vez más y mirarlo todo. Fray Eugenio, apresurado, huidizo, concluyó el rito. Carlos tenía cogidas las manos de doña Mariana. El médico aplicaba el oxígeno.

—Carlos...

Quiso adelantar la cabeza. Carlos acercó su cara y doña Mariana movió un poco la suya, hacia arriba, hacia abajo, buscando una caricia: de repente, el rostro se le crispó; se vidriaron los ojos, se agarrotaron las manos, y de su garganta salió un ruido entrecortado. El médico retiró la boquilla de oxígeno y fray Eugenio le acercó el crucifijo a los labios. Se arrodilló y empezó a rezar. El cuerpo de doña Mariana quedó envarado. Carlos lo dejó reposando en los almohadones y salió de la alcoba. El médico cerró los ojos de la muerta, la compuso las manos y se encogió de hombros.

—Allá va la Vieja.

Por la puerta del pasillo asomaban, compungidas, las caras de las *Ruchas,* madre e hija. En el hueco de la ventana, Carlos arrimaba la frente al cristal. De rodillas, en voz alta, solemne, fray Eugenio recitaba el Salmo: *De profundis clamavi ad Te, Domine...*

La *Chasca,* plantada en medio del corral, daba voces. Acababa de oírse el toque de oración. El aire del crepúsculo era tibio y transparente.

—¡Eh, Clara, Clariña! ¡Clara, sal un momento!

Traía una gran cesta de ropa blanca, llevada a la cabeza: una mano en el borde del canasto y otra en la cintura.

—¡Eh, Clara, Clara! ¿Me oyes?

Clara asomó a la puerta del patinillo y preguntó qué se le había roto para gritar tanto.

—Acaba de morir la Vieja y pensé que no estarías enterada.

—Pues no lo estaba.

—¿Vas a ir allá?

—¿Y qué hago de mi madre?

—Si esperas a que lleve esta ropa a casa y dé la cena a mi marido puedo dormir aquí.

—Mi madre da mucho trabajo.

—La mía estuvo encamada y sin sentido años.

—Entonces, te lo agradecería. Si no te das mucha prisa puedo dejarla cenada y cenar yo de paso.

—Cosa de una hora.

Marchó la *Chasca,* erguida y ágil bajo el peso del canasto, y Clara se metió en la cocina. Encendió la lumbre, puso un puchero de agua al fuego y con unas rebanadas de pan seco preparó unas sopas de ajo. Buscó a su madre, le dio de comer y la acostó. Después cenó ella misma, fregó la loza y la dejó en el vasar. La *Chasca* la llamó desde fuera y apareció en la puerta.

—Ya estoy aquí. Mi marido, encantado. Se irá a jugar a la taberna. A los hombres conviene de vez en cuando dejarlos sueltos.

—La cama de Inés tiene un buen colchón. Ahora te daré ropas. Cuando quieras te acuestas.

Trajo las sábanas, acompañó a la *Chasca* con una vela y la dejó haciendo la cama. En su cuarto se vistió.

La *Chasca* había regresado a la cocina.

—Si tienes algo de coser puedo hacértelo. No tengo sueño.

—Ahí, en esa cestilla. Aguja e hilos, en el cajón de la mesa.

—¿No vendrás esta noche?

—Según cómo me reciban.

La noche estaba oscura y venía del Norte un vientecillo fresco. Clara se arrebujó en el mantón y salió al camino. Lo halló desierto. Lo estaban también las calles. Al pasar frente al Casino oyó voces y música en la gramola.

La recibió la *Rucha* y la pasó a la sala sin decirle palabra. Vino en seguida Carlos.

—Pensé que podía hacerte falta. Amortajar a la Vieja, y eso.

—Ya lo hicieron las *Ruchas*.

—Entonces...

Hizo ademán de irse, pero Carlos la detuvo.

—No. Quédate, si quieres. No hay mucha gente para velarla. Fray Eugenio y yo, hasta ahora; pero estamos cansados.

—Poca más gente ha de haber.

—Ven, si quieres. Deja ahí el mantón.

Carlos estaba pálido y con aire decaído. La cogió del brazo y la llevó al salón. Habían colocado allí el ataúd. Fray Eugenio, en un rincón, rezaba. Se levantó al llegar Clara, le dio la mano y volvió a sus rezos. Clara se arrodilló y rezó también un instante.

—Podemos turnarnos —dijo a Carlos—. Tú, acuéstate. Tienes mala cara.

—Todavía no. Ven.

Volvieron a la sala, y Carlos mandó que trajeran café y coñac. Se sentaron junto a la chimenea y estuvieron en silencio hasta que entró la *Rucha,* hija, con el servicio. Carlos había echado hacia atrás la cabeza, había cerrado los ojos. Clara, desde la penumbra, le miraba.

—Y ahora, ¿qué vas a hacer? —le preguntó cuando salió la *Rucha.*

—Me marcharé de Pueblanueva.

—¿Muy pronto?

—Cuando esto haya terminado.

Clara tomó el café y dejó la taza encima de la mesa.

—Haces bien. Yo haría lo mismo, si pudiera.

—Fue un error venir aquí. Fue, más bien, un capricho. Aquí no se me ha perdido nada.

—¿Ya sabes a dónde irás?

—No. Lo único que sé, y lo que deseo, es marchar. Quizá me vaya a París.

—Allí está la sobrina de la Vieja.

—Pero vendrá, supongo. Quizá tenga que esperar a que ella venga. Ya lo veré.

Carlos hablaba con desgana. Y Clara tenía ganas de hacerle hablar. Espió su silencio, vio que volvía a cerrar los ojos y a desentenderse de ella.

—¿Sabes que, por fin, voy a vender la casa? Hoy vino a verme un empleado de Cayetano. Me da los quince mil duros.

—Sí...

—Cayetano no es tan malo como pensamos. En el fondo, es como cualquiera, pero se cree en la obligación de parecer peor. Pudo haberme dado dos cuartos por la casa o no comprármela ni dejar a nadie que me la comprase, y ya ves, me paga lo que me ofreció.

—Sí...

—Aunque haya muerto doña Mariana, tú podrás arrendarme el bajo ése de la tienda.

—¿Yo?

—Con darme las llaves... El que venga luego no sabrá nunca si fue cosa tuya o de la Vieja. Yo pagaré una renta razonable. No quiero perder esta ocasión.

—Pero yo...

—Tú puedes hacerme este favor, Carlos. No sabes hasta qué punto lo necesito. Me permitirá rehabilitarme en el pueblo y respetarme a mí misma.

Le sonrió tristemente. Carlos dijo que bueno y volvió a cerrar los ojos. Entró la *Rucha* a decir que acababa de llegar el boticario y que quería ver al señor. Clara se levantó.

—Quédate con él. Voy a velar a la Vieja. El padre Eugenio podrá acostarse.

Don Baldomero traía unas copas, pero se mantenía firme. Cantó de plano al entrar:

—Le acepto el café y se lo agradezco; pero bebidas alcohólicas, ni hablar. Ya estoy medio borracho.

Ocupó el sillón donde había estado Clara.

—Mire, don Carlos: hasta ahora, he bebido por vicio, y usted lo sabe; pero las circunstancias por las que atravieso son tan graves que tengo que ayudarme con el aguardiente. Si no, no sé lo que haría.

A Carlos se le cerraban los ojos. Se sirvió más café y dispuso el ánimo para aguantar al boticario.

—Comprendo que mi estado no es para hacer visitas, pero, a la salida del Casino, pensé que mi deber me traía aquí, a su lado. Yo soy su amigo, don Carlos. No me apena la muerte de la Vieja, pero comparto el dolor de usted, que la quería; lo comparto de buena gana, porque sé que también usted comparte el mío.

Carlos liaba un pitillo y sonreía.

—¿Por qué no cree usted que sufro, don Carlos? Necesito que lo crea, se lo aseguro. Usted es la única persona del pueblo que merece mi confianza.

—Yo creo simplemente que exagera.

—Sufro mucho, don Carlos. Me atormento. Tengo que hacerme una gran violencia para salir a la calle como si nada. Tenía usted razón cuando me dijo que lo de mi mujer no lo sabía nadie. Si lo supieran, ya me habría enterado. Pero, aun así, me da vergüenza. Soy un juez implacable de mí mismo.

Se aflojó la cintura y, sin dar explicaciones, se sirvió él mismo coñac y lo bebió. Carraspeó luego fuertemente.

—Buen coñac, sí, señor. La Vieja no se privaba de nada. ¿Quiere usted creer que no deseo que Dios la haya perdonado? Pues tampoco deseo que perdone a mi mujer.

—No mienta.

—¡No miento, se lo juro por mis muertos! Lucía tiene que ser castigada, si hay justicia. Y como yo no puedo hacerlo...

Se detuvo de pronto, y la cara se le oscureció.

—No puedo castigarla, pero puedo fingir que la castigo. ¿Me entiende?

—No.

—Esta noche, en el Casino, casualmente, tuve ocasión de decir que sí, que moriría pronto, pero no de su tuberculosis... Lo dejé caer, así, como si nada. Y otro día insinuaré otra cosa... Poco a poco haré creer a la gente que la estoy envenenando con arsénico, con la complicidad de la criada, que está con ella. Sin decirlo, pero dándolo a entender para que la gente lo sospeche.

—¡Don Baldomero!

Carlos rió estrepitosamente.

—¿Por qué hace usted esas tonterías?

—Tengo mis razones, mis graves razones. Lo he pensado mucho, don Carlos, y estoy decidido. Y también castigaré a Cayetano. En secreto, ¿comprende? La fórmula, ya la conoce usted: *a secreto agravio, secreta venganza.*

Se levantó y adoptó un aire solemne. Le flaqueaban las piernas y se arrimó a la pared, pero no perdió la compostura. Empezó a hablar; su mano, tajante, subrayaba las palabras.

—Escuche lo que le digo. Esta mañana escribí un anónimo a Cayetano. Le amenazaba con las penas del Infierno. Mañana le escribiré otro. Un anónimo cada día. Ya sé que se reirá al principio, pero acabará por no reírse. Aunque se trate de mi venganza personal, quiero que Cayetano llegue a temer la venganza de todo el pueblo. ¿Lo imagina usted, don Carlos? La venganza de tantos padres y maridos ultrajados, de tantas doncellas deshonradas... Un levantamiento general del pueblo contra el tirano, como en «Fuenteovejuna».

Dejó la mano en el aire, suspensa, y luego trazó con ella una lenta señal interrogante.

—¿No le parece, don Carlos, que eso no hay quien lo soporte? Si a mí me sucediera, acabaría por arrojarme a la mar.

La mano se cerró bruscamente, y el puño golpeó el espacio.

—Pues eso hará Cayetano. Si no, al tiempo.

Paquito el *Relojero* no asistió al entierro de doña Mariana. Se limitó a presenciar su salida. Eran las cinco de la tarde, y, frente a la casa, junto al pretil, esperaban grupos de marineros, de mujeres enlutadas, de curiosos. Paquito se mezcló entre ellos, fue de uno en otro. Cuando llegó el cura, se instaló en primera fila. Cuatro marineros jóvenes sacaron el ataúd. Carlos iba en el duelo, con Clara y el padre Eugenio. «Es todo lo que queda de los Churruchaos: un fraile, un loco y una zorra», dijo alguien; y Paquito le mentó a la madre. Los marineros y las mujeres siguieron al cortejo: ellos, serios; ellas, llorosas. « ¡Bah! No es de pena. Las mujeres lloran siempre en estos casos.» Había gente en puertas y ventanas. Miraban, pero no se santiguaban. Muchos hombres, por no sacar la gorra, se escondían, al paso del entierro, en los portales.

Las *Ruchas* también acompañaban a su ama: serias, enlutadas, dignas. La casa había quedado sola. Paquito entró en la cocina y se metió en el cuarto en que aquellos días había dormido. Empezó a sacar paquetes escondidos bajo la cama y flores secas. Ató los paquetes unos a otros, y los espacios intermedios los adornó con flores. Decoró, también, el sombrero con guirnaldas de papel, y un último adorno lo ató como pudo a la flauta. La campana de Santa María tocaba a muerto, y Paquito la remedó: «Din-don; din-don.» Serían como las cinco y media. El tiempo estaba claro, y la mar, tranquila. Con su carga, Paquito salió a la calle. Permanecían junto al pretil algunos rezagados. Paquito les saludó con un solo de flauta, y ellos le miraron, se rieron, se metieron con él: « ¡Paquito, que tu loca está preñada de otro! » « ¡Paquito, que ya estás viejo para estos trotes!» «¡Paquito, no vayas por el monte, que se te van a enganchar los cuernos en algún pino!» El *Relojero,* sin dejar de sonreír, terminó su tocata y echó a andar por el medio de la calle. Cada tantos pasos llevaba la flauta a la boca y ejecutaba una escala ternísima o unas enérgicas notas sueltas. Los chiquillos le seguían, se reían de él, le arrojaban guijarros. Al llegar al arco de Santa María se detuvo y, en medio de un corro de niños, castañeras, pescadoras y paseantes, anunció un concierto de despedida. Se hizo el silencio, y Paquito empezó a tocar y a bailar al son de su propia música: saltaba, se contoneaba, se mecía, de prisa o despacio; o se detenía ante un espectador y floreaba unas notas por la zona de los agudos, si era niño, o de los graves, si era adulto. De pronto, y sin dejar de tocar, se abrió paso y empezó a subir la calle: iba de una acera a otra, contoneándose, con los paquetes enguirnaldados a rastras, y la melodía saltaba también de lo dulce a lo burlón, de lo estridente a lo acordado. Le detuvieron en el Casino, donde se le obsequió con una copa y se le deseó toda clase de venturas. En la plaza, las gentes del entierro esperaban ante la iglesia, y las campanas seguían doblando. Paquito se guardó la flauta, atravesó la plaza de una carrera, y sólo al entrar en otra calle reanudó la música. Los chiquillos le habían abandonado. Las gentes que se asomaban a mirarle eran ya escasas. La calle se perdía en el campo, y Paquito desapareció entre los setos de los huertos, donde olía a primavera. Se oyó la flauta todavía durante un rato, cada vez más tenue y lejana. Por fin, dejó de oírse. También callaron las campanas, y la gente del entierro se dispersó tranquilamente.

V

La visita de Rosario y sus padres había durado justamente media hora. Venían enlutados, con caras de circunstancias. No habían querido sentarse: «¡De ninguna manera, señor! ¿Cómo vamos a sentarnos delante del señor?» La *Galana* llevaba la voz cantante. Su marido, en segundo término, asentía sin mirar de frente, mientras daba vueltas a la gorra. Rosario, arrimada a la pared, en la penumbra, no había levantado los ojos del suelo. A pesar del buen tiempo, se envolvía en un mantón largo, negro, como su madre.

Media hora de requilorios, de lamentaciones, de letanías. La finada, Dios la tuviera en gloria, había sido la madre de los pobres. El Señor sabría por qué se la había llevado, pero su falta ya se notaría. Tan señora, tan airosa. Siempre había parecido una reina. Tenía que estar en el cielo; por el mucho bien que había hecho en este mundo.

—¿No quieren tomar algo? Unos vasos de vino.

Al *Galán* le brillaron los ojos, pero su mujer dijo que no y que ya era tarde. Y aunque Carlos insistió en invitarles, marcharon sin catar el tinto. Rosario, delante, sin otra despedida que un «Adiós, señor; que usted lo pase bien», dicho entre dientes y con timidez. La *Galana* cerró la marcha: murmuraba las últimas bendiciones, los homenajes póstumos a la finada. Carlos les acompañó hasta la puerta, esperó a que bajasen las escaleras. Al llegar al portal, Rosario se detuvo, dijo que se dejaba algo arriba y subió rápidamente. Carlos no se movió. Al pasar junto a él, murmuró Rosario: «Esta noche, señor, en su casa. Hágame el favor.» Entró, recogió un bulto oscuro abandonado en un rincón y volvió a salir. La *Galana* repitió las despedidas y rogó a Carlos que se retirase.

Acababan de dar las siete, y anochecía. Carlos se asomó a una ventana abierta y vio a los tres bultos negros alejarse por la acera; el de Rosario, detrás. Unos chiquillos gritaban en medio de la calle. Sentadas en el pretil del malecón, las ataderas cosían sus redes.

—Ahora bajará Clara.

Fue a una alacena y hurgó entre un montón de llaves, cada una con su marbete colgante. Cogió una, grande, de hierro gastado, y la guardó en el bolsillo.

—¿El señor vendrá a cenar?

—Sí.

—Espere que le alumbre.

La *Rucha,* hija, trajo corriendo una vela encendida.

—Ahora bien podía poner bombillas. Esto de las velas era capricho de la señora, que gloria haya.

Carlos se miró, al pasar, en el espejo. La chaqueta de pana estaba deslucida, vieja. Tendría que comprarse alguna ropa. Pero antes había que buscar el dinero.

—Vendré temprano. He de salir después.

La *Rucha,* hija, dijo que estaba bien y le sonrió. Desde hacía dos días, la *Rucha,* hija, le sonreía abiertamente. Aquella mañana le había pedido permiso para cambiarse de habitación, «porque estaba cansada de dormir en la misma cama que su madre».

Clara le esperaba junto al arco de Santa María.

—No habrás olvidado las llaves.

Subieron, silenciosos, la calle. Al pasar frente al Casino, alguien les miró. Hubo cuchicheos. Dos o tres cabezas se asomaron a la ventana abierta.

—¿Sabes que pronto tendré el dinero? —dijo Clara—. Hoy me ha mandado Cayetano a un sujeto con unos papeles, para que firmase. Me da también un mes de plazo para desalojar la casa, sin cobrarme renta.

—Cayetano es un ángel.

En la plaza vacía resonaron las campanadas de un cuarto.

—Es allí —señaló Clara.

Se acercaron a una de las casas fronteras a la iglesia. De tres plantas, con soportal, y tres luces cada planta. Las de abajo estaban cerradas, menos el portal. Entraron y se detuvieron al fondo, ante una puertecilla pintada de amarillo viejo y chocolate. Carlos abrió y empujó.

—¿Quieres entrar?

—Claro. Para eso hemos venido. Tengo que ver cómo es.

—Está oscuro.

—Traje cerillas y un cabo de vela.

—Eres muy precavida.

Clara sacó una caja del bolsillo y encendió la vela. La llamita hizo las sombras más oscuras. Alzó el brazo y se adelantó por la habitación vacía.

Montones de cascote, roturas en el piso, vidrieras sin cristales, telarañas. Abrió las maderas, y el viento hizo temblar la llama de la vela. Cerró. Con el brazo levantado, recorrió las habitaciones, inspeccionó la cocina, abrió una puerta trasera y echó un vistazo al patio, donde crecía un limonero alto, más alto que las tapias. Todo estaba sucio, oscuro, ingrato, pero espacioso. Clara se arrimó a un quicio, bajó el brazo. La vela iluminó su rostro contento, esperanzado. A lo largo del recorrido había hecho comentarios. Añadió:

—Pero, en cuanto se arregle y se le den dos manos de cal, quedará precioso. Aquí puedo poner mi cama, y la de mi madre, en esa otra habitación, la que da al patio, para que esté bien aireada. Aquí, el comedor, y aún queda este otro cuarto para almacén. Blanco, limpio y con luz eléctrica, dará gusto. Y, en el patio, junto al pozo, pondré unas cuantas macetas.

—Estás contenta —dijo Carlos.

—Sí. Con el tiempo, tantos males serán para bien.

Desde el fregadero, un ratoncillo les miraba con ojos brillantes. Clara lo espantó.

—¿Te da miedo?

—En mi casa los hay como caballos.

Salieron a la calle. Había anochecido, y lucían los faroles en las cuatro esquinas de la plaza. Bajo los soportales paseaban unas parejas.

—Ahora —dijo Clara— tenemos que tratar de los arreglos. Si van por mi cuenta o por la de doña Mariana.

—¿Qué más da?

—¡Ya lo creo que da! Si los hago yo, la renta tiene que ser más baja. Pero prefiero pagar un par de duros más y no cargar con los arreglos. Cuando mande a mis hermanos lo suyo, voy a quedarme con lo justo.

—Entonces, ¿tengo que pagarlos yo?

—¡Tú, no, hijo! Doña Mariana.

Carlos no respondió. Llegaron, en silencio, hasta el extremo de la plaza.

—Y eso, ¿me obligará a tratar con albañiles y demás?

—Claro.

—No me conviene meterme en nada que pueda retenerme aquí. Quiero marchar cuanto antes.

—¿Lo tienes decidido?

—Sí.

—Y de lo de la Vieja, ¿quién se hará cargo?

—Supongo que vendrá su sobrina. Ya le ha escrito el padre Eugenio. En cuanto llegue y le entregue todo, marcharé.

—¿Y lo tuyo?

—Quizá venda, también.

—¿Todo?

—El pazo, no. Pero me desharé del resto, que yo mismo no sé qué es ni dónde está. Doña Mariana se cuidaba de administrarlo.

Clara sonrió.

—Te lo han dado todo hecho, como a un niño. Ya veremos cómo te las compones cuando tengas que vivir de tu trabajo.

Carlos se volvió con brusquedad.

—¿Me crees incapaz?

—Creo que te falta la práctica que ya debería tener un hombre de tus años. Como a Juan. Cuando se le acabe el dinero, Inés tendrá que trabajar para los dos.

Metió las manos en los bolsillos de la chaqueta y miró hacia el fondo de la calle, a la ría oscura, allá abajo, confundida con los montes y el cielo en la misma oscuridad.

—Habéis nacido para ricos.

Descendieron sin decir palabra. Al llegar al muelle, Clara preguntó:

—Y esa sobrina de doña Mariana, ¿la conoces?

—No.

—Pues va a ser un buen partido.

—No olvides que doña Mariana tenía un hijo.

—Era mujer capaz de dejarlo sin un céntimo. De modo que si todo va a parar a la sobrina...

Carlos se acodó en el pretil y contempló la mar. Una leve resaca golpeaba las piedras de la escollera y se rompía en espumas de un verde luminoso. Clara se acodó también y le cogió del brazo.

—¿En qué piensas?

—En mí mismo.

—Y eso, ¿te distrae? —dijo ella, riendo.

—Me preocupa.

Volvió la cabeza hacia Clara.

—Está claro que debo marcharme y que lo deseo. Pero ¿adónde y a qué? Eso ya no está tan claro. Vine a Pueblanueva huyendo; ahora huyo de Pueblanueva, y temo que mi vida será siempre eso, una huida. Pero no sé por qué ni para qué.

La mirada de Clara se perdía en la mar. Había soltado el brazo de Carlos y apoyaba la barbilla en las manos enlazadas.

—Por qué escapas, al menos, yo lo sé. Un hombre está en el mundo para tener un trabajo, una mujer y unos hijos. Pero vosotros, digo Juan y tú, que no queréis ser vulgares y que andáis no sé detrás de qué, a la postre acabaréis descubriendo que no andáis detrás de nada, pero os ha quedado la costumbre de andar, y no hay quien os detenga, porque nada os satisface.

—Yo he tenido una mujer y no me satisfizo. Vine aquí escapándole.

—A lo mejor te hubiera valido más quedarte.

—No.

Carlos encendió un cigarrillo. Al resplandor de la cerilla vio los ojos curiosos, interesados, de Clara.

—Era como un prisionero. Sólo escapando pude ser libre.

—Y ahora, ¿no eres prisionero de nadie?

—De mí mismo, quizá.

Clara le miró y sonrió.

—Eso no lo entiendo. Nadie puede ser prisionero de sí mismo.

—Por el contrario, todos lo somos, en mayor o menor medida, con más o menos dolor. Nuestro modo de ser es nuestra mayor prisión. Tú misma...

Clara le interrumpió:

—En ese caso, yo, al menos, estoy a punto de escaparme y, con un poco de suerte, lo conseguiré.

—Más bien te evades de una prisión a otra.

—Si es de mi gusto... —dio una palmada—. Ya verás cuando tenga mi tienda. ¡Lo que me va a importar a mí Pueblanueva del Conde!

—¿Te basta eso para ser feliz?

—Feliz, no. Pero, al menos, me sentiré digna... Si consigo lo que quiero, no tendré nada que reprocharme, y eso, a mí, me basta. Lo demás...

Tendió las manos hacia la mar, con las palmas hacia arriba, y luego las cerró suavemente.

—¿Qué mujer no ha sido tonta alguna vez? Sin embargo, tendré de ti un buen recuerdo. Si no hubieras venido, Dios sabe cómo acabaría. Me hiciste sentir vergüenza de mí y desear otra cosas, y, aunque no lo creas, me has ayudado mucho, y me sigues ayudando. A veces me dices tonterías que me irritan, como el otro día; pero sé que, en el fondo, apruebas lo que estoy haciendo, porque es bueno. Y como tú distingues lo que está bien de lo que está mal...

Carlos movió lentamente la cabeza.

—No lo distingo, o quizá empiece a no distinguirlo. No consigo poner de acuerdo lo que pienso con lo que veo. Te juro que estoy cada vez más confuso.

—Pues yo, no.

—Por eso sabes lo que quieres. También lo sabía la Vieja, y lo sabe Cayetano, y lo sabía tu hermana Inés hasta que su deseo se le desvaneció entre las manos. Yo, en cambio...

Hizo una pausa. Arrojó al mar la colilla.

—Antes dijiste que todo me lo dieron hecho. Pero eso no es lo malo, sino que han querido por mí y para mí, sin dejarme querer personalmente. Primero, mi madre; después, esa mujer de que te hablé antes; por último, la misma doña Mariana. Un día se me despertó el instinto de rebelión y escapé; pero mi instinto es débil. De doña Mariana hubiera escapado también, si no por rebeldía, por miedo. Pero, vuelvo a preguntarme: ¿para qué? Porque, el que hace su vida, descubre en lo que hace la verdad, o la mentira, lo bueno y lo malo. Pero, al dármelo todo hecho, mi cabeza se fue por su lado, y me he acostumbrado a pensar aparte de la realidad y, lo que es peor, a desear. Te aseguro que no quiero nada real, que no me importa nada real, que nada real me atrae lo suficiente como para hacer un esfuerzo continuado. Sólo hay cosas que no me gustan, que me repugnan o que me aburren. Y lo malo es que sé por qué me pasa esto y, aunque a veces pienso que podría remediarlo, luego pierdo la fe en el remedio.

Clara le puso la mano en un hombro y le miró con ternura.

—Hoy estás distinto, Carlos.

—Sí.

Clara dejó resbalar la mano a lo largo del brazo, hasta encontrar la de Carlos. Se la apretó.

—¡Cómo me hubiera gustado ser el remedio! Pero ahora comprendo que las cosas son mejor así. Equivocarse dos es un infierno.

Soltó la mano de Carlos y dejó caer su brazo.

—Me voy a comprar un poco de pescado. Ya me dirás si la obra del piso la hacemos por mi cuenta o por la de doña Mariana. Por lo pronto, mañana hablaré con el maestro de obras y te tendré al corriente. Dame la llave.

Carlos la buscó en el bolsillo y se la tendió.

—Hasta mañana, Carlos.

Marchó hacia la lonja, contra la luz. Carlos la contempló hasta que su figura se perdió en la sombra de una esquina. Luego, con las manos en los bolsillos, fue hacia la casa de doña Mariana.

El fuego de la chimenea empezaba a extinguirse. Carlos había abierto la ventana, y entraba el aire fresco, salobre, de la noche. Rosario, acurrucada en el sofá, le miraba ir y venir. Encima de la mesa lucía un quinqué. Carlos amortiguó la llama y lo llevó lejos. La habitación quedó en penumbra. Llegaba el rumor lejano de un motor jadeante.

—¿Quieres que cierre?

—Si el señor siente frío...

Carlos se sentó en una butaca y dejó las piernas reposar en el asiento de una silla. Ella rió.

—¿De qué te ríes?

—¿Está cansado el señor?

Saltó del sofá, cogió un mantón y tapó las piernas de Carlos.

—Así estará mejor.

Volvió a su rincón. Recogió las piernas y las tapó con la falda. Quedaban al descubierto, descalzos, los pies menudos.

—Ahora —dijo Carlos—, cuéntame cómo van tus cosas.

—¿Cuáles, señor?

—Las de tu casa.

—Como siempre —suspiró largo y entornó los ojos.

—Estoy decidido, ya te lo dije...

Rosario le interrumpió:

—¿El señor se marcha? ¿Está acordado ya?

—No iba a hablarte de eso.

—Pero yo quiero saberlo.

—El otro día te lo dije.

—Podía haber cambiado de pensamiento.

—No.

—Entonces, es que ya está cansado de una servidora.

—No es eso. Es que...

—¿Qué?

—No puedo estarme aquí eternamente. Tengo una carrera, ¿comprendes?, y he de ganarme la vida.

—Comprendo que este pueblo no es para el señor, ni yo tampoco. Eso lo supe siempre. Pero si el señor quiere llevarme consigo, yo lo dejo todo y me voy. El señor necesitará una criada.

Carlos sacudió el mantón que le embarazaba las piernas y acercó el asiento al sofá. Rosario no se movió. Carlos le acarició los pies.

—¿Sabes que no tengo dinero para mantenerme yo mismo? Va a ser muy duro.

—Si el señor vende lo que tiene, sacará para empezar. Por la Granja de Freame bien le dan los cuatro mil duros.

—Esa es para ti.

Rosario se sobresaltó, pero frenó inmediatamente el sobresalto. Miró a Carlos con dulzura.

—No entiendo lo que quiere decir. A no ser que... Si piensa poner el arriendo a mi nombre, pudo haberlo tratado esta tarde, cuando habló con mis padres.

—Voy a regalártela.

—¿Por qué, señor? —Rosario abrió los ojos, y en las pupilas la centelleó una rápida luz alegre.

—Porque me voy, y tú vas a casarte, y quiero que seas dueña de tu casa. Es mi regalo de boda.

A Rosario se le entristeció el rostro; pero los ojos, vivos, espiaban los de Carlos.

—Al señor le ofende que me case. Pero ya le dije que, si me quiere a su lado, me voy con usted. No me importa que sea pobre. Claro que si le estorbo... En ese caso, hace bien en no llevarme. Pero tampoco es para regalarme la granja. No porque la desprecie, sino que me parece demasiado. Además, ¿qué van a decir de mí?

—¿Qué hubieran dicho si fuese Cayetano el que te la regalase?

—¡Ay, señor, no es lo mismo!

—¿Por qué?

—No sé decir el porqué, pero el señor me comprende.

Carlos se levantó y paseó en silencio, del sofá a la ventana y de la ventana al sofá. Las manos en los bolsillos, la cabeza agachada.

—No le parecerá mal lo que le dije —susurró Rosario.

El tardó un rato en responderle.

—Mañana iré a La Coruña; tengo que arreglar asuntos de doña Mariana, y lo aprovecharé para hacerte la cesión de la granja ante notario. Y si vas a casarte, arregla los papeles para pronto, porque quiero ser tu padrino.

—¡Ay, señor!

Rosario saltó del sofá, corrió descalza hasta él y se colgó de su cuello. Buscó la boca esquiva de Carlos y la besó hasta borrarle el ceño y hacerle sonreír.

Cayetano hizo sonar el timbre. Acudió un ordenanza.

—Dígale al señor Martínez Couto que venga.

Esperó unos minutos. Martínez Couto entró y quedó junto a la puerta abierta, sonriendo.

—Mande.

—Váyase al coche de línea, y si viene en él don Carlos Deza, dígale de mi parte que a las siete pasaré a verle. Telefonéeme con la respuesta...

—Sí, señor. ¿Manda algo más?

Cayetano no respondió. Martínez Couto mantuvo unos instantes la sonrisa y luego se retiró y cerró la puerta silenciosamente.

Sobre la mesa de Cayetano había unos pliegos de papel, escritos con letra menuda, igual, de leguleyo. Los cogió y se puso a leerlos. De vez en cuando anotaba algo y volvía a la lectura. Se levantó un par de veces, consultó un grueso libro que guardaba en la caja de caudales. Parecía contento y silbaba por lo bajo. A alguien que le telefoneó con alguna consulta, respondió: «Que lo arregle mañana el capataz.» Se sirvió un vaso de *whisky*.

La última luz de la tarde se iba debilitando. Oscurecía

la madera de las paredes, y el oro de los cuadros perdía brillo. Sin dejar de leer, Cayetano encendió la lámpara de sobremesa. Dejó de silbar, rió. Sonó otra vez el teléfono; respondió secamente: «Está bien»; y luego: «Sí, puede quedarse.» Entonces guardó los papeles en un cajón, salió del despacho y cerró la puerta con llave.

Doña Angustias esperaba en el cuarto de estar. Se había adormilado. La merienda estaba en la camilla. Al entrar Cayetano, abrió los ojos, sobresaltada; sonrió y le preguntó por qué se había retrasado aquella tarde.

—Ya hace rato que salieron los obreros.

—Unos papeles importantes. Tuve que leerlos.

Cayetano sirvió el café.

—¿Estás de buen humor, mamá?

—¿Por qué lo dices?

—Ando buscando la ocasión, desde hace días, de decirte algo.

—¿Algo malo? —doña Angustias se estremeció y le miró acongojada—. Si es algo malo, no me lo digas, hijo mío. Bastantes disgustos me dan los demás.

Cayetano abandonó la silla en que se había sentado y se dejó caer al lado de su madre, en el sofá. Abrió las faldas de la camilla, introdujo las piernas y las retiró en seguida.

—No pases cuidado. No es nada malo, ni siquiera nuevo.

Ella suspiró aliviada.

—Me habías dado un susto.

—¿Sabes que el hijo de doña Mariana... no es mi hermano?

—¿Qué dices?

Cayetano le cogió una mano y se la acarició.

—Estoy convencido..., casi tengo las pruebas. Más aún: papá me lo aseguró y no mentía.

Doña Angustias le devolvió la caricia sin mirarle. Se le llenaban los ojos de lágrimas y volvió la cabeza.

—Pero ¿por qué le has hablado de eso? Y él, ¿qué va a decir?

—Muerta la Vieja, es algo que había que aclarar. Hay por medio mucho dinero, ¿comprendes?

—A mí eso del dinero no me importa.

Mojaba, con la mano libre, un pedazo de bollo en el café. La mano temblorosa no atinaba. Naufragó la sopa, y ella buscó la cucharilla para recogerla. Cayetano se adelantó. Acercó a la boca de su madre la cucharilla cargada de masa chorreante. Entonces le vio los ojos húmedos. Doña Angustias empezó a llorar.

—Bueno, no te pongas así. Si lo sé, no te lo digo.

Entre hipos, doña Angustias tragó el pedazo de bollo.

—Ahora tendré que perdonar a tu padre.

—¡Eso no, mamá! —se apartó bruscamente y derribó con el brazo la taza de café. Doña Angustias acudió con la servilleta a limpiarle los pantalones—. ¡Aunque no sea el padre de ese sujeto, eso no quita que te haya tenido humillada por la Vieja!

Abandonó el sofá, pero su madre le agarró y le atrajo hacia sí. Cayetano volvió a sentarse.

—Compréndelo, mamá. Ni yo puedo perdonarle nunca, ni tú tampoco. Fueron muchos los días que te vi llorar, un año y otro... ¿O es que ya no te acuerdas?

Doña Angustias suspiró y se limpió una lágrima.

—¿Cómo voy a olvidarlo?

—Entonces, no volvamos a hablar de perdón. No te lo dije para eso, sino para que estuvieras tranquila. Desde que enfermó la Vieja me he atormentado temiendo que el hijo de mi padre llegase a compartir con nosotros la propiedad del negocio. Ahora me he sacado la espina. El hijo de quién sea me importa menos.

Dio a su madre un cachete en la mejilla y se levantó.

—Además, van a cambiar las cosas. Pronto no habrá en la empresa más dinero que el nuestro.

Añadió que vendría a cenar y que, si se retrasaba un poco, lo esperasen. Doña Angustias le vio marchar enternecida. Luego se echó a llorar. El llanto le duró unos minutos. Secas las lágrimas, se levantó y fue al teléfono. Pidió que le pusieran con el capellán de Santa María.

—Ahora mismo le mando el coche. Necesito confesarme y no me encuentro en estado de salir.

El cura le preguntó si estaba enferma, pero ella le respondió que sólo preocupada.

La *Rucha,* hija, de traje y delantal negros y cofia planchada, le abrió la puerta.

—Pase, don Cayetano. Por aquí.

Le condujo hasta el salón y añadió que don Carlos vendría en seguida. Cayetano no se sentó. Estaban encendidas todas las velas de los candelabros y las de la araña central. Había fuego en la chimenea, un fuego reciente, que aún no calentaba. Cayetano dio una vuelta alrededor del salón y se detuvo ante el retrato de doña Mariana. Oyó abrirse la puerta, oyó los pasos apagados de Carlos, que se acercaban, pero no se movió. Cuando Carlos estuvo a su lado, dijo sin volverse:

—Buen retrato, ¿eh? Y no estaba nada mal la Vieja en sus años verdes. ¡Cualquiera lo diría!

—¿Quieres sentarte?

Señaló el sofá. Cayetano sonrió.

—Me da reparo sentarme ahí. ¿No mancharé el tapizado?

—Puedes quedar de pie, si te acomoda.

Cayetano se sentó cuidadosamente. Arregló los pantalones.

—Estos muebles tan bonitos piden señores de frac, no un trabajador como yo en ropas de faena. ¿Y estas velas? ¿Las has encendido en mi honor?

—Sí.

—Si me lo hubieras advertido...

Carlos acercó una silla y se sentó también.

—Bueno. ¿De qué se trata hoy?

—El pésame. Vengo a darte el pésame por la muerte de mi enemiga. No eres su pariente, pero sí su gran amigo. Mentiría si te dijera que lo siento, pero comprendo que lo sientas tú.

—Gracias.

—Ya sé que el entierro fue una importante manifestación de duelo democrático. Todos los pescadores como un solo hombre. ¡Los últimos siervos de Pueblanueva se despiden llorando de la señora feudal! Y ahora, ¿qué?

Carlos se removió, inquieto, en el asiento.

—¿Qué de qué?

—¿Qué van a hacer ellos? Y tú, ¿qué vas a hacer? Me han dicho que te marchas.

—En cuanto pueda. Unas semanas, todo lo más.

—Me dejas el campo libre. Perfecto. Pero ¿y esos pobres pescadores? ¿Vas a permitir que caigan bajo mi tiranía?

—No está en mis manos evitarlo.

—¿Estás seguro?

Carlos le miró largamente; Cayetano aguantó la mirada sin dejar de sonreír. Carlos dijo:

—Siempre hemos jugado con cartas a la vista, pero esta vez sospecho que ocultas algún as. ¿Es de triunfo?

—Según.

Cayetano sacó la petaca calmosamente, la abrió, ofreció a Carlos un cigarrillo.

—Hoy hablaremos largo, y no me encuentro cómodo en este sitio. Es demasiado elegante, y, además, me siento atraído por el retrato de la Vieja. Me mira, y esto me molesta, porque no me gusta que me miren los muertos. Allá, en tu torre, me encontraba mejor.

Carlos se levantó.

—Ven.

Le llevó al cuarto de estar, encendió los quinqués y señaló a Cayetano una butaca. Puso una botella y vasos encima de la camilla y sirvió vino.

—La Vieja vivía como una duquesa, ¿eh? ¿Es este sillón el que ocupaba ella?

—No. Este otro.

—Como una duquesa, con su vinillo y todo —probó un sorbo—. Del bueno. ¡Ya lo creo! Un excelente rioja.

Apuró el vaso y lo dejó sobre la mesa. Carlos se sentó.

—¿Y ese as?

—¿Conoces el testamento de la Vieja? —Carlos movió la cabeza, negando—. Yo, sí. Lo he leído, lo he estudiado esta tarde. Es el testamento de una loca.

—¿Vas a decirme que también tienes al notario a sueldo?

Cayetano rió.

—Nunca serías un buen político, Carlos. Al juez, al

notario, al cura, no se les debe comprar, habiendo chupatintas, secretarios y sacristanes. Un oficial de la notaría me manda copia de los documentos que necesito. En este caso, la del testamento de la Vieja. Por cierto que incompleto, porque hay un codicilo bajo sobre lacrado que mi... colaborador no ha podido abrir. Pero, de momento, no tiene importancia.

Se repantigó en la butaca; echó una bocanada lenta, larga, de humo. Miraba de frente, con la cabeza levantada, con una sonrisa que se acentuaba o menguaba, pero sin desaparecer. Y el tono de su voz era un poco insolente.

—Ese es mi as.

—Me has ganado sólo por unos días. El notario vendrá la semana próxima a Pueblanueva.

—Y tú, naturalmente, no te marcharás hasta que el notario haya venido. Pero yo puedo anunciarte que, a lo mejor, no te vas. De modo que, si de verdad quieres irte, no esperes al notario.

—Me iría aunque la Vieja me hubiera constituido en su heredero universal. Pero ella no ha hecho eso, estoy seguro.

—No, no lo ha hecho. Dejártelo todo a ti sería, en cierto modo, razonable, porque fuiste su único amigo en el mundo, y ya te dije que es el testamento de una loca. No te deja nada. Es decir, te lega su retrato y te autoriza a escoger lo que quieras entre sus alhajas y objetos de uso. Lo que se dice un recuerdo sentimental, como cumple a personas desinteresadas que se han amado mucho.

Le dio la risa repentinamente. Carlos le preguntó de qué reía.

—El testamento de una loca. Doña Mariana no tenía ni idea de lo que es un capital, a pesar de ser el suyo tan grande y de haberlo sabido conservar y acrecentar. Porque un capital, amigo mío, es algo que no debe dividirse, caiga quien caiga. Vuestras familias se arruinaron desde que tuvieron que repartir los bienes entre todos los hijos. Y si la de doña Mariana no se arruinó, fue porque ella era hija única de hijo único. Pues ya ves: ahora comete el error de repartir su fortuna; de repartirla, además, de una manera absurda. Deja esta casa, y todas las fincas rústicas y urbanas, a su sobrina; en cuanto a las acciones del astillero, que son un buen pico —¡si lo sabré yo!—, manda que se vendan —¿entiendes?, ¡que se vendan!— y que se divida el dinero, a partes iguales, entre la sobrina y mi hermano.

—¿Tu hermano?

Cayetano sonrió sencillamente.

—Sí, ya sabes, el hijo de la Vieja, ese que está en la Argentina.

—No es tu hermano —Carlos afirmó tajante, seco, y quedó erguido, mirando a Cayetano; éste no dejó de sonreír.

—Lo sabe todo el mundo.

—*Lo dice* todo el mundo, que no es lo mismo. Lo dice todo el mundo, porque necesitan que sea cierto. Tú mismo lo necesitas, pero no es verdad.

—¿Puedes probarlo?

Carlos vaciló.

—No sé... Yo conozco la historia; me la contó ella misma. Fue un militar ruso, agregado a la Embajada de Madrid, hace unos treinta y seis años. Era casado.

Cayetano se levantó, dio un paseo corto y se arrimó a la consola.

—Una bonita novela, pero falsa. No hubo tal ruso. La inventó la Vieja para hacerte creer que no había sido la amante de mi padre. Es natural. Mi padre era un hombre inferior, un sujeto que se enriquecía con su trabajo, no un señorito; pero también un hombre fuerte y guapo, ¿comprendes?

Carlos dijo:

—No.

—Sabes poco de mujeres. Ni siquiera la Vieja, con toda su soberbia, sería capaz de confesar que se había entregado al nieto de sus antiguos siervos porque le gustaba. Un militar ruso viste más. Pero... —interrumpió a Carlos, que iba a hablar— ¿qué nos importa ahora eso? Estábamos tratando del testamento.

—A mí me importa más que el testamento. Lo último que voy a hacer en Pueblanueva es desbaratar la leyenda de doña Mariana. Voy a dejar al Casino sin su cotilleo predilecto. Será mi último acto de fidelidad.

—Y nadie te creerá.

—Encontraré pruebas —golpeó el bolsillo y algo tintineó en el interior—. Como es natural, tengo todas las llaves. Habrá cartas...

—Si las encuentras, me gustaría conocerlas. ¡No pongas esa cara, Carlos! Ese asunto es la tragedia de mi familia, y estoy reñido con mi padre hace veinte años a causa de él. Imagina qué cargo de conciencia para mí si al cabo del tiempo descubriera que he sido injusto.

Carlos quedó en silencio. Cayetano encendió otro cigarrillo y volvió a sentarse. Miraba con una especie de seriedad burlona, de seriedad destruida por la burla de los ojos. Hizo un gesto a Carlos, como pidiéndole permiso, y se sirvió vino.

—Bueno. Aún no he terminado con lo del testamento.

Carlos se encogió de hombros.

—¿Qué me importa lo que la Vieja haya hecho con sus bienes?

—Más de lo que crees. Por lo pronto, te nombra su administrador universal hasta que su sobrina haya cumplido veinticinco años.

Carlos intentó reír. Apenas dijo:

—No, no es posible...

—De modo que la venta de las acciones del astillero tienes que tratarla tú... ¡conmigo! ¿Te das cuenta? ¡Porque yo soy el gerente del astillero, con plenos poderes, y mi padre ya no pinta nada!

Esta vez fue Carlos quien se levantó. Apoyó las manos en la camilla y miró a Cayetano, como si fuera a responderle; pero, de pronto, bajó la cabeza, dio la vuelta y se acercó a la ventana. Cayetano dejó de sonreír: había resplandores de triunfo en sus pupilas.

Carlos, de espaldas, con las manos en los bolsillos, parecía contemplar la calle. En el pretil del malecón cantaban unos marineros, y un poco más allá un grupo de mozas cuchicheaba, reía. Había salido la luna, y el aire limpio de la noche resplandecía.

—Aún hay más, Carlos. Aún queda el asunto de los barcos.

Carlos se volvió bruscamente.

—No quiero saber más. Estoy resuelto a marcharme.

—¿Quién te dice que te quedes? ¿La Vieja, desde el otro mundo? Pero lo de los barcos es bonito, francamente bonito. Los entrega al Sindicato de Pescadores para su explotación colectiva..., ¡a condición de que durante los cinco primeros años seas tú el gerente de la empresa! —soltó una carcajada grande, divertida—. ¡El gerente, Carlos! ¿Es que has estudiado alguna vez economía de empresa aplicada a la explotación sindical de la pesca?

Se levantó y se acercó a la ventana.

—Hay que estar como una verdadera cabra, hay que tener la cabeza de chorlito, para tomar en serio a ese pobre imbécil de Aldán y creer que su proyecto es viable. Porque yo no niego que se pueda explotar la pesca con un sentido moderno y hacer de ella un buen negocio: lo están haciendo en Vigo con bastante éxito. Incluso admito que la explote el propio gremio de pescadores. Soy socialista, Carlos; pero no por llevar la contraria a don Baldomero, sino por convicción. Estuve bastantes años en Inglaterra, conozco el mundo del trabajo, estudié mucho y sé que tarde o temprano desembocaremos en el socialismo o nos hundiremos; y como a mí no me coge nada de sorpresa... Pero en el estado actual de las cosas, para una empresa así hace falta un capital de resistencia, un capital muy fuerte. Nada más que para empezar y poner las cosas en marcha necesitan cincuenta o sesenta mil duros. Después, mientras el negocio no sea rentable, ¿cómo vas a pagar a los pescadores lo que necesitan para vivir? Porque, de momento, se entusiasmarán con la idea y hasta serán capaces de sacrificarse; pero cuando pasen unos meses y vean que el pescado se vende y que el reparto de los beneficios no llega, porque no puede llegar, porque todavía no los hay, empezarán a protestar y a decir que si tal y que si cual... ¿Comprendes? ¡Un capital de resistencia para hacer frente a los compromisos durante dos o tres años, que es lo que yo calculo que tardará el negocio en ser productivo! Pues bien: doña Mariana ha ignorado estos detalles. Y te entrega el embolado para que lo torees...

Puso la mano en el hombro de Carlos.

—Haces bien en marcharte. Estas cosas no son para ti. En cuanto a la sobrina...

Rió otra vez.

—Hasta los veinticinco años no entrará en posesión de la herencia; pero durante ese tiempo *tiene que vivir en Pueblanueva.* ¿Te haces cargo, Carlos? ¡Una muchacha acostumbrada a París, la mete en este agujero durante cinco años! ¿Para qué? Lo más probable es que acabe siendo mi amante. Y no porque a mí me interese, sino porque se aburriría mucho, y como tú te marchas...

Carlos miró furtivamente el retrato de Germaine. Se apartó del hueco de la ventana y se acercó a la consola hasta cubrir con su cuerpo el marco de plata.

—Reconozco que esta vez tu as era de triunfo —dijo con voz apagada.

—Pues aún no lo he jugado del todo.

—¿Para qué? Por mí, tienes ganada la partida. Insisto en que me marcharé en cuanto pueda. Antes quizá de lo que tenía pensado.

Cayetano se acercó a la camilla y, de espaldas, se sirvió el último vaso de vino. Carlos le miró con inquietud, mientras ocultaba el retrato de Germaine. Sin volverse, Cayetano dijo:

—Me interesa mucho el asunto de las cartas. Avísame si encuentras algo. Ya ves: estoy dispuesto a agradecértelo y hasta quedar tan amigo tuyo como antes...

VI

Había muchos papeles en casa de doña Mariana. Los había en una especie de archivo: testamentos, contratos, vejestorios en seguida descartados; cartas y minutas de cartas: en el secreter, en el escritorio, en una cómoda, en otra, dos cajones de cómoda atestados, cuarenta años de vida epistolar reunidos en paquetitos con balduque, pero sin marbetes. La primera inspección descorazonó a Carlos, porque las cartas estaban atadas sin orden. Eligió un montón y fue pasando pliegos amarillentos.

Le interrumpió un recado de Clara, que le esperaba en la casa de la plaza con el maestro de obras. Dejó la inspección para más tarde y fue allá. Clara había franqueado puertas y ventanas, la luz entraba en todas las habitaciones, un rayo de sol iluminaba el polvo denso del aire. También había barrido lo gordo de las basuras, y ahora daba instrucciones al maestro para que tapasen bien todos los agujeros por donde pudieran venir ratones.

—Conmigo ya está de acuerdo —dijo a Carlos—. Ahora falta que te arregles con él.

El maestro de obras tardó unos minutos en ir al grano.

Por fin, dijo que doña Mariana le había llamado una vez para hablar de unos arreglos de la iglesia, y que él le había llevado el presupuesto, y que como doña Mariana había muerto...

—También el cura me mandó llamar por dos veces, a ver cuándo se empezaba; pero como la señora estaba enferma... Y ahora pienso que, al venir el buen tiempo, se podrían aprovechar los días para andar en el tejado. Hay muchas goteras, y eso es peligroso, porque pueden salir grietas a las bóvedas.

Enseñó a Carlos un papel con la copia del presupuesto. Carlos lo leyó por cumplido y le respondió que empezarían en seguida, en cuanto lo tratase con el cura y con otras personas interesadas. Por lo que al arreglo del bajo se refería, podía comenzar cuanto antes, de acuerdo con la señorita.

—Es decir, mañana mismo —intervino Clara—. Mañana a las nueve quiero ver aquí a media docena de albañiles.

El maestro de obras respondió que tres bastaban y se despidió.

—Esto le importa menos que la iglesia —dijo Clara—, porque es menos dinero; pero no le dejaré en paz hasta que lo haya terminado.

Empezó a cerrar puertas y maderas.

—Ya me he enterado de que vas a ser rico —dijo, vuelta de espaldas—. ¡Y tú te lo tenías bien callado!

Carlos se sobresaltó.

—¿Cómo lo sabes?

—No se habla de otra cosa desde ayer. La Vieja lo dejó todo de tal manera que eres prácticamente el dueño. O, al menos, eso dicen. ¡Mira por dónde vas a ser mi casero!

—Las cosas no son así y, además, no las aceptaré. Sigo pensando en marcharme.

—Pues eres bien idiota, hijo. Te dan la vida resuelta y la rechazas.

Esperó a que Carlos saliera y cerró la puerta.

—Y los pescadores no te lo van a agradecer. Porque también se sabe...

Se interrumpió. Carlos había puesto la cara de vinagre.

—¿Te pasa algo?

—Me molesta que Cayetano haya ido contando lo que no es más que conjetura. El testamento de la Vieja aún está sin abrir.

—Pues por algo lo dicen.

Se despidieron. Sonó la sirena del astillero, y las campanas de la iglesia tocaron al ángelus. Unas viejas del mercado se santiguaron. Carlos pasó, metido en sí, entre el bullicio de vendedores. Al llegar frente al Casino cambió de rumbo y entró. No había nadie. Atravesó la calle y se llegó a la botica.

Don Baldomero, con la visera puesta y las gafas en la nariz, intentaba traducir una receta magistral.

—¡Este condenado médico! ¿Por qué no recetará específicos? Ganas de darme trabajo...

Pasó el papel al mozo e invitó a Carlos a que entrase con él en la trastienda. Tenía, sobre la mesa, un libro abierto y una copa mediada de aguardiente de yerbas. La apuró de un trago y ofreció a Carlos servirle otra.

—Bueno.

—¿Sabe que tengo noticias? De Lucía. Está peor. No creo que pase de este otoño. ¿Quiere que le lea la carta?

—Le ruego que no lo haga. Será una carta íntima.

—¿Y qué? Usted está al tanto de mis intimidades.

—Aun así...

—Como quiera. No voy a forzarle... Pero habría de interesarle.

Sirvió, por fin, el aguardiente y pasó la copa a Carlos.

—Anoche se habló de usted en el Casino. Claro que yo no creo una palabra de lo que dijeron. Según Cayetano, usted rechaza el testamento de la Vieja y se marcha.

—Sí.

—Pues, mire, lo voy a sentir. Porque si usted se va, ¿a quién voy a contar mis cosas? Además...

Le temblaron las palabras y miró a Carlos de soslayo.

—... es la gran ocasión para hacerse el amo. Anoche, Cayetano hablaba de usted con respeto. Y hasta dijo que, si a usted le diera por quedarse, no sería difícil que llegasen a un acuerdo; que a quien él quería mal era a la Vieja, pero que contra usted no tiene nada.

Le nació, bajo el bigote, una sonrisa cazurra.

—Ya ve. Todo por el dinero.

Carlos probó el aguardiente. Sacó tabaco y se sentó.

—Mire, don Baldomero. Vamos a suponer que todo ese bulo sea cierto, que yo todavía no lo sé, porque no he visto el testamento. ¿Piensa que debo quedarme? ¿No se da cuenta de que, si lo hago, me traiciono a mí mismo? No he pasado veinticinco años estudiando para acabar de administrador de una herencia, por mucho poder que esto me diera. Usted, que me conoce mejor que nadie, sabe que lo único que me interesa es el conocimiento de los hombres, no el mando sobre ellos. Me dedico a la ciencia, no a la política; como tal, hasta ahora, no he hecho más que acumular saberes. No le niego que estos meses que llevo en Pueblanueva me han servido de mucho, quizá sin proponérmelo. En las ciudades, los hombres son de otra manera. Aquí he visto muchas cosas claras y por lo menudo, como al microscopio. Pero ya va siendo hora de que todo esto dé algún fruto, ¿no le parece? Tengo que escribir un libro. ¡Sobre Pueblanueva, sí, no ponga esa cara! Un libro que a usted le gustará; no una novela, sino un tratado sobre una sociedad en la que he experimentado en vivo lo que sólo conocía por los libros. Ustedes me han visto entrar y salir, escuchar, discutir a veces. Han podido creer que poco a poco me iba metiendo en la vida del pueblo. Se equivocaron. Desde que estoy aquí no he hecho otra cosa que trabajar. Y a usted puedo decirle cuál es el resultado de mi trabajo, lo que voy a describir en este libro: una sociedad en pecado. El pecado es un concepto religioso. Yo voy a hacer de él una categoría científica. Mis predecesores han intentado descomponer en sus factores psicológicos la situación del que está en pecado, con lo cual lo reducen a mera ilusión subjetiva. Yo reconozco la entidad del pecado, su radical realidad, y esto, que a usted le parecerá vulgar, porque estudió teología, en el campo de la medicina psicológica es una revelación.

Don Baldomero le había escuchado sin pestañear.

—¡Claro! Si es así...

—Naturalmente, yo no diría esto en el Casino. ¿Qué es para ellos un hombre que escribe libros? Los puntos del tresillo no suelen ver más allá de sus narices, y el propio Cayetano ha limitado sus aspiraciones al dinero y a acostarse con muchas mujeres. Pero yo soy de otra manera. Tengo una ambición y una vocación. No me dejo llevar por la vida, sino que mi vida la llevo yo. ¿Comprende lo que esto quiere decir? No el poder sobre los demás, que es un engorro y una mentira, sino el poder sobre mí mismo, que es una realidad.

—Comprendo.

—Usted dirá que para todo esto se necesita dinero y que soy pobre. Yo le respondo que no hace falta tanto y que con lo que tengo me sobra. Porque si más necesitase..., doña Mariana me lo hubiera dejado.

Don Baldomero golpeó la mesa con la palma de la mano abierta.

—Mire, eso ya lo decía yo ayer. Porque lo que no está claro es que le haya nombrado administrador con plenos poderes, sin obligación de rendir cuentas...

Carlos alzó las cejas, interrogantes. Don Baldomero añadió:

—¿No lo sabía? ¡Sin rendir cuentas! Para eso, con dejarlo heredero de todo... Por eso digo que no está claro.

—No olvide que la heredera de doña Mariana no tiene más que veinte años.

—¿Usted la conoce?

—No.

Don Baldomero entornó los ojos y sonrió.

—¡Una francesa de veinte años! ¡La que se va a armar cuando aparezca!

Se enderezó en el asiento.

—¿Sabe usted cuándo viene?

—No.

—Pero no podrá tardar. ¡Y estamos en primavera...! ¿Sabe, al menos, si es bonita?

Carlos afirmó con la cabeza.

—Mucho.

—¡Dios nos coja confesados! ¡Y tiene que pasarse aquí cinco años...!

—Si de mí depende, se marchará en seguida. Obligarla a permanecer aquí todo ese tiempo me parece una mala faena. ¿No está de acuerdo?

Don Baldomero guiñó un ojo.

—Según Cayetano, la Vieja dispuso así las cosas para que usted y esa señorita acaben casándose. Y a usted no le vendría mal. Porque, aunque para escribir no haga falta ser rico, no me negará que una buena fortuna no estorba en ningún caso. ¡Hasta para ser santo hace falta dinero, como van los tiempos! Y, además, una mujer bonita siempre gusta.

Carlos hizo un gesto de indiferencia.

—Lo que tengo que hacer en el mundo no es compatible con el matrimonio. Usted, que sabe tanto, no puede ignorar que la ciencia es ocupación de solteros. Los hombres de ciencia deberíamos formar una especie de monacato, como en la Edad Media.

A don Baldomero le dio la risa; una risa alegre y picarona, de estar en el secreto.

—¡El monacato! ¡Pues buenos estaban los monjes! Como usted sabe, eso del voto de castidad...

—No me refiero a la castidad, sino a la familia. Lo que el hombre de ciencia debe evitar son las obligaciones familiares.

—Ya. Como Menéndez Pelayo, que nunca se casó, pero que fue toda la vida un borrachín —hizo una mueca y añadió—: A los curas no les gusta que se diga esto de Menéndez Pelayo, pero es la pura verdad.

—A mí el punto de vista de los curas no me preocupa tanto. Mis ideas sobre la vida sexual son científicas, no morales.

—En ese caso, ¿por qué no se lleva a la *Galana* consigo? La verdadera solución no está en casarse, sino en tener una criada para todo, usted me entiende. ¡Si yo lo hubiera sabido a tiempo! Porque un hombre necesita siempre una mujer que le sirva, además de dormir con ella. La *Galana* es una real hembra y, según dicen, machorra. Es lo que a usted le conviene.

—¿No sabe usted que la *Galana* va a casarse?

Don Baldomero dejó caer el cigarrillo.

—¡No me diga!

—Estuvo con sus padres en mi casa a darme el pésame y me lo comunicó. Voy a ser el padrino.

—¡El padrino!

Le dio otra vez la risa, mezclada de hipo. Riendo, se acercó a un rincón y bebió un vaso de agua.

—¡El padrino! Pues sí que tiene gracia. ¿Y quién es el marido?

No esperó a la respuesta. El mancebo le llamaba. Estuvo ausente unos minutos. Al regresar había olvidado la *Galana* y la boda.

—Ya deben estar en el Casino los del tresillo. ¿Vamos allá?

—Perdóneme, pero no tengo ganas de interrogatorios.

—Pues me gustaría que viniese para ver cómo han cambiado las cosas.

Metió dinero en el bolsillo.

—Y antes de irse tenemos que hablar largo. Esto de mi mujer... Y las cartas que le he escrito diariamente a Cayetano. ¿Sabe usted que no debe sospechar de mí? Porque no he notado nada... Me trata como siempre. Un día de éstos le amenazaré de muerte.

Se separaron en la puerta. Don Baldomero entró en el Casino. Le estaban esperando. El juez le gritó si se había dormido.

Don Baldomero ocupó un sitio vacante.

—Me retrasé por una visita. Y tengo noticias de las buenas.

Recogió las cartas que Cayetano le servía. Miró la pinta.

—Por lo pronto, señores, la sobrina de doña Mariana es una belleza, una verdadera belleza. He visto su retrato.

Llevó a los labios los dedos apiñados y los soltó con un beso.

—¡Opípara! Una de esas francesas de revista pornográfica...

—¿Estaba desnuda en el retrato? —preguntó Cayetano

con voz indiferente, sin levantar los ojos de las cartas.

—No sea bestia hombre.

—Creí...

—Pero don Carlos Deza dice que, si de él depende, podrá regresar a su tierra cuando guste; que él no piensa retenerla aquí los cinco años. Y él también se marcha.

Cayetano echó una carta.

—Me tiene miedo.

Don Baldomero triunfó y recogió la baza.

—Usted no concibe que nadie pueda obrar más que por miedo a usted. Si el doctor Deza se va, es porque le tiene miedo. ¿Y si se queda? ¿También por miedo?

Cayetano contó triunfos.

—Naturalmente. Todo lo que haga el doctor Deza, irse o quedarse, lo hará por miedo. Si renuncia a los cuartos de la Vieja o si los acepta. En cuanto a la sobrina, no dudo que la mande marchar, pero también será por miedo a que me acueste con ella. Arrastro.

El juez dejó caer, lánguidamente, un triunfo; don Baldomero vaciló. Cubeiro, desde su puesto de mirón, le advirtió:

—O toma y arrastra, o le dan codillo, don Baldomero.

—Como me lo darán de todos modos...

Tomó el basto y arrastró de espada. Cayó la mala. Don Baldomero dio un puñetazo en la mesa.

—¿Lo ve usted? —se dirigió a Cayetano—. Acabará convenciéndonos de que todos le tenemos miedo. Bien creí que tenía usted la mala... Pero ya lo ve. He sacado el juego. Lo mismo puede sacarlo el doctor Deza.

Contó las fichas y empezó a barajar. Cayetano sonreía.

—¿Saben lo que me ha dicho? Que va a escribir un libro sobre nosotros.

—¿Una novela? —preguntó Cubeiro.

—Un libro científico. El doctor Deza es un hombre de ciencia.

—¿Con nuestros nombres?

—Eso ya no lo creo.

—No escribirá el libro tampoco —Cayetano recogió, tranquilamente, sus cartas—. El doctor Deza nunca hará nada más que hablar. Y, a pesar de todo lo que dice, no creo que se marche.

—¿Por qué está usted tan seguro?

Cayetano examinó las cartas.

—Porque yo no quiero que se marche —sonrió y miró a los circunstantes—. Le he tomado cariño, ¿saben?

Echó las cartas sobre la mesa. Tenía un solo servido.

—Juego. Es decir…

Carlos y el padre Eugenio entraron en la iglesia por la sacristía. No había nadie. El padre Eugenio se coló por una puerta. Se oyó el resonar de sus pasos bajo las bóvedas y, un poco después, su voz. Carlos se sentó. Regresó el padre Eugenio con el cura. Venían discutiendo.

—No se trata de un arreglo de goteras ni de unas manos de cal. Está bien claro que el compromiso de doña Mariana fue de un arreglo a fondo, de devolver la iglesia a su pureza.

—¿Y de qué me sirve a mí la iglesia en su pureza? Dígamelo, padre Eugenio, ¿de qué me sirve?

El padre Eugenio se encogió de hombros.

—Pregúnteselo al arzobispo. Con él fue el trato y de él partió la idea.

El cura se sentó junto a Carlos.

—Total, por una bobada, van a dejarme la iglesia inservible. A esto no hay derecho.

—No olvide usted —intervino Carlos— que la iglesia es de propiedad particular y que usted está en ella de prestado.

—Sí. Y por eso me pregunto: ¿cómo puede una iglesia ser de propiedad particular? —cambió repentinamente de actitud—. En fin, hagan lo que quieran y carguen ustedes con la responsabilidad —miraba fijamente al frailes—. A mí, con que me avisen cuándo van a empezar las obras…

—El lunes, lo más tarde.

—Bueno. Pues el domingo quedará vacía. Aprovecharé la tarde, si hace bueno, para llevar el Santísimo en procesión a la iglesia de la playa. Será cosa de un mes, ¿no?

Carlos miró al padre Eugenio. Este bajó la vista.

—Más, más. Algo más. No olvide que, después de los albañiles, vendrán los pintores.

—¿Los pintores? ¿Es que también va a pintarse la iglesia? —el cura se echó las manos a la cabeza—. ¿No lo digo yo? ¡Ni en el verano lo terminan...!

No fue difícil desembarazarse del cura. Les dejó las llaves, marchó; repitió, rezongando, las protestas, mientras marchaba.

Fray Eugenio recorrió la iglesia en silencio. Carlos le seguía, miraba adonde miraba el fraile, y esperaba sus palabras. Pero el fraile permaneció mudo. Por fin, dijo:

—Mándeme al maestro de obras. Con un poco de suerte todo quedará listo para la Navidad.

—¿También sus pinturas?

—A ellas me refiero. Las obras tardarán sólo un par de meses.

—¿Me enviará usted las fotografías del conjunto?

—¿Cómo dice? ¿Es que no va a venir a verlo?

—¿Dónde estaré yo para la Nochebuena? No cuente conmigo. Ya le dije que quedaría usted encargado de todo y con plenos poderes. Yo no pienso volver... en mucho tiempo; años quizá.

Al fraile le salió el fuego a las pupilas.

—Entonces, ¿para quién voy a pintar la iglesia? Porque no pensará usted que pinto para el gusto del cura y de doña Angustias?

Había hablado con ira contenida, con brusquedad. Agarró a Carlos del brazo y lo sacudió. A Carlos le dio la risa.

—Pero, padre Eugenio, nunca pude suponer que pintase usted para mí —sintió que la mano del fraile aflojaba la presión, y vio que la mirada se calmaba, después de una vacilación—. Pensé que pintaba usted para el Señor...

—Sí, claro...

El fraile soltó el brazo y caminó unos pasos, como huyendo. Se detuvo y se encaró a Carlos.

—Para el Señor, claro. Una oración. Sin embargo, uno busca la aprobación de Dios en el entendimiento de sus criaturas. Y yo no puedo esperar la de nadie más que la de usted, porque de nadie espero el entendimiento.

—¿Quiere hacerme creer que, en materia de pintura, me considera como enviado de Dios?

—Aunque le parezca raro... —golpeó el suelo con el zapato—. Pero, ¡don Carlos! ¿Cómo se las compone usted para sacar las cosas de quicio? ¡Deje a Dios en el cielo! Comprenda usted que, en otra parte, mi obra podría esperar un beneplácito público, o, al menos, el de los eclesiásticos. Pero aquí... ¿Piensa usted que el prior alabará mis pinturas? ¡De sobra sabe que, en el fondo, se ríe de mí! Tampoco el cura, ni un solo feligrés... Doña Mariana, al menos, diría que eran buenas por ser mías. Pero doña Mariana ya está en el otro mundo...

—Precisamente debajo de usted —le interrumpió Carlos. Y señaló, con el dedo, la gran losa, a los pies del presbiterio, con la inscripción:

MARIANA SARMIENTO DE MOSCOSO
1860-1935

Fray Eugenio se hizo a un lado de un salto brusco.

—Perdón. No me había dado cuenta...

—Pero no se aparte. Písela, más bien, y, si le apetece, pisotéela. Si ella eligió este sitio, sabiendo que sería pisoteada por todos, lo haría por razones de humildad.

—¡No sea usted blasfemo!

Carlos se sentó en la esquina del primer banco.

—Tiene usted razón. No lo hizo por humildad. Lo hizo para que alguno de los que la pisoteen con ganas llegue a darse cuenta de que, al hacerlo, es un imbécil. Es el truco de que se valió para seguir despreciando a la gente después de muerta...

—Pero... ¿cree usted de veras que doña Mariana tenía el alma tan retorcida?

—Creo que quiso enterrarse aquí para continuar presente en el recuerdo de todos; para que nadie pueda descansar de ella, para que los que la obedecían en vida, la obedezcan; y los que la temían, la teman, y la odien los que la odiaban. Es una forma de seguir viviendo y que los demás hagan su voluntad. No hay nada que revele más deseo de vivir, más apego a la vida, que un testamento; y el de doña Mariana contiene muchas más cláusulas que las escritas en el papel. La primera y principal dice: «¿Piensan ustedes que me he ido? Pues no. Mientras vivan las generaciones que me conocieron estaré entre ellas.» Usted mismo, padre Eugenio, está aquí ahora mismo por obediencia a doña Mariana. Y yo voy a marcharme de Pueblanueva, y entregarme al cultivo de una ciencia que me importa un comino, y a brillar en ella, quizá, y hasta a ser catedrático de una universidad de provincias, si vienen muy mal las cosas, porque éste era el deseo de doña Mariana, y yo no puedo menos que someterme a su mandato. La única realidad de este mundo es que hay fuertes y débiles, y que los débiles se someten a los fuertes, como usted se somete al prior y yo a doña Mariana. Sus voluntades nos aprisionan. No tienen en cuenta para nada nuestras voluntades particulares. La de usted sería que yo me quedase para ver, día a día, cómo iba surgiendo en ese ábside la Faz de Cristo: y la mía sería quedarme y ver cómo la Faz de Cristo aparecía en la pared de la iglesia y quizá en la de mi alma. Porque, ¿quién le dice a usted que su pintura y su fe no harían el milagro de convertirme? Sería un delicioso y ejemplar episodio romántico. Hace unos meses hablábamos algo de esto; ahora, las cosas de la tierra nos han hecho olvidarnos de Dios, a mí, al menos. ¿Y sabe por qué? Porque la voluntad de doña Mariana tira de nosotros hacia lo terreno. A ella no le importaba que yo resolviese o no esas dudas que tengo, ni que echase de mí al demonio que me habita o lo dejase convivir conmigo. Lo que ella quería es que yo fuese un hombre de ciencia, no ignorado, sino reconocido de todos, para mayor lustre del linaje. Le importaba un pito mi felicidad, porque jamás creyó en la felicidad. Ella no creía más que en obligaciones. Y ahí tiene usted: me tengo que marchar porque es mi deber. Pero si me quedase, ¿quién le dice a usted que no hallaría mi felicidad aquí mismo, junto a esa muchachita cuya madre usted conoció y que doña Mariana creyó por un momento que era hija de usted y no de Gonzalo Sarmiento?

El fraile ahogó un grito y se tambaleó.

—¿Eso creía?

—Un momento, nada más. Y usted lo sabe. Ella me lo contó con detalle. Sin mentar para nada el asunto, usted la sacó de su error...

El fraile bajó los ojos.

—Sí.

—¿Y era un error?

El fraile se sentó en la esquina del banco frontero a Carlos, en el sitio que doña Angustias solía ocupar. Se sentó con los pies hacia el pasillo, de modo que le quedaron otra vez encima de la lápida. Dejó caer las manos sobre las rodillas, y preguntó en voz baja:

—¿Es que no lo cree?

—Es que me gustaría que Germaine fuera su hija, padre Eugenio. Es lo que falta para que el guiso esté sabrosamente condimentado; es lo que perfecciona el folletín en que nos metió a todos doña Mariana. Por lo que a usted respecta, el ser padre de Germaine aclararía muchos misterios.

—No lo soy.

—Pero ¿pudo haberlo sido?

El fraile no respondió. Bajó la cabeza, y la presión de las manos sobre las rodillas se relajó lentamente. Había poca luz en la iglesia. Carlos quisiera que un rayo de luz iluminase al fraile en plena cara, que no dejase arruga sin relieve, ni temblor que se pudiera disimular. En aquella penumbra no estaba seguro de si los ojos del fraile se escondían o miraban desde lo oscuro. Pero, repentinamente, sintió como si hubiese tocado un cuerpo sin piel, un cuerpo llagado, y sintió un escalofrío.

—Es una pregunta tonta. Perdóneme por haberla hecho.

El fraile se levantó.

—Es una pregunta que tiene su respuesta, aunque demasiado larga. ¿Me permite que la aplace? Sólo podré responderle satisfactoriamente cuando haya pintado la iglesia.

Se volvió hacia el altar.

—Ahí encima, cubriendo la piedra desnuda. Tengo que pintar, ¿comprende?, y después contarle a usted por qué lo necesito.

VII

El Sindicato Local de Pescadores, filial de la C. N. T., se había reunido en Junta General Extraordinaria. A falta de otro lugar capaz para todos los afiliados, servía la taberna del *Cubano*. Habían echado los cierres. Por una puerta lateral, Carmiña atendía a la clientela.

El presidente y los dos vocales ocupaban la parte larga de una mesa. El *Cubano,* como asesor, se sentaba en la cabecera. Los afiliados, de pie o sentados, se apretaban en la estancia. Olía a tabaco, a salmuera. La casa pagaba el vino.

El *Cubano* dijo que ya podían empezar, y entonces el presidente abrió la sesión. Echó un trago de vino y se limpió los labios con el dorso de la mano. Miró alrededor. La lámpara de carburo instalada en la mesa presidencial le alumbraba el rostro con luz cruda. La apartó a un lado y se quitó la boina.

—Bueno. Ya sabéis...

Levantó la cabeza, las manos le quedaron en el aire, con las palmas hacia arriba.

—Ya lo sabéis todo, y estamos aquí para ver qué se hace.

Dejó caer las manos y se dirigió al *Cubano*.

—¿Por qué no hablas tú? A mí no me sale, y tú tienes más costumbre.

El *Cubano* se ladeó en el asiento y estiró la pata de palo.

—Dame un pitillo.

Tres o cuatro paquetes se le ofrecieron. Un cigarrillo llegó por el aire hasta su regazo. Lo encendió.

—Las cosas no van como debían ir, pero van. La difunta lo arregló todo a su gusto. Tenía buena voluntad. No hay derecho a quejarnos.

Alguien dijo desde el fondo:

—Nadie se queja.

—Claro que nadie se queja. Pero eso no quiere decir que esté el asunto resuelto. La difunta tenía su modo de ver las cosas. Su falta de confianza en los trabajadores parece, a primera vista, ofensiva; pero no debe tomársele a mal, porque era una burguesa, y no se le puede exigir que piense como nosotros. Ella no comprendería nunca nuestros derechos. Nos hace un regalo. Es lo más que hay que esperar de una persona así. Claro que nosotros podemos darnos por ofendidos; pero yo le di varias vueltas a la idea y no la encontré razonable. Lo malo son las condiciones.

—Eso. Las condiciones. ¿Qué sabrá don Carlos de pesca?

El *Cubano* miró con dureza al que había interrumpido.

—¡Calla! Una persona de sus letras tardará una semana en ponerse al corriente. No es ése el problema.

Retiró el pitillo de los labios y clavó la vista en la punta humeante. No levantó la cabeza. En la penumbra, otros cigarrillos brillaban un momento, alumbraban los rostros expectantes, estirados, los ojos fijos, y se apagaban.

—El problema es el si nosotros tenemos derecho a pedir a don Carlos que se sacrifique.

Se irguió de repente y miró a todas partes.

—¿Lo entendéis? El problema es ése. ¿Tenemos derecho? Porque yo he oído decir que don Carlos se va de Pueblanueva. Fijaos bien en que no es hombre de vivir aquí ni de abandonar sus estudios por nuestra causa.

—Eso debió pensarlo la difunta.

—Pero no lo pensó.

—Sus razones tendría para hacerlo como lo hizo.

El *Cubano* golpeó el suelo con la pata de palo.

—¿Qué nos importan ahora sus razones? Se fueron con ella al otro mundo.

—¿Entonces?

—Entonces... Bueno, para arreglarlo nos hemos reunido.

—Pues ya dirás qué podemos arreglar nosotros.

—Eso...

El *Cubano* se levantó. El semicírculo entre la mesa presidencial y la concurrencia daba espacio para tres o cuatro zancadas. El *Cubano* se apoyó en la mesa, de espaldas al presidente y a la luz. Su ancha figura quedaba en la penumbra.

—Ahora sí que nos hacía falta Aldán para arreglar esto. Porque hay algo que teníais que entender...

Se volvió hacia el presidente.

—En fin... ¿Tú serías capaz de ir junto a don Carlos y pedirle que se quede en Pueblanueva y se haga cargo de los barcos?

El presidente se encogió de hombros. Entonces, el *Cubano* se dirigió a los demás.

—¿Vosotros? ¿Hay alguno que sea capaz?

—Habría que saber hablar —dijo alguien desde el fondo.

—Eso. Habría que saber hablar para poder convencerle. Pero vuelvo a mi pregunta de antes. ¿Tenemos derecho?

El segundo vocal pidió la palabra. Era un marinero delgado, alto, de ojos azules, de mejillas coloradas. Un marinero joven, nervioso.

—A mí me parece que si él sabe..., si él sabe que nos moriremos de hambre... Porque la cosa está así: que nos moriremos todos de hambre si el asunto no se arregla. Somos sesenta familias, eso es lo que hay que decirle.

El *Cubano,* medio vuelto hacia el vocal segundo, le respondió:

—Muy bien. Hasta ahí, de acuerdo. Pero ¿tenemos derecho? Fíjate bien lo que digo. ¿Tenemos derecho? Es lo que vengo pensando desde que supe lo del testamento. Porque don Carlos Deza es un intelectual y no tiene nada que ver con nosotros. No es propietario ni patrono —tartajeó—. Es un intelectual, ya sabéis, un hombre de libros. Y yo me digo: ¿hay derecho a pedirle que deje de serlo por nosotros?

—Por el pan de sesenta familias.

—Por el pan de todo el pueblo, aunque sea. Nosotros somos libertarios. Cada cual debe ser libre y trabajar en lo que quiera. ¿Y no queremos nosotros obligar a don Carlos...?

—Obligarle, no.

—¿Entonces?

—Pedírselo.

—¡Pedírselo, pedírselo! ¿Se lo pedirás tú?

—¡Hombre, yo...!

—Naturalmente. Tú, no. Ni yo, ni nadie. Hay que tener mucha cara para ir a un hombre y decirle... Decirle, ¿qué? Porque ésa es la otra cuestión. ¿Qué hay que decirle?

Del fondo de la estancia surgieron rumores.

—Aquí hay uno que quiere hablar —dijo alguien.

Un marinero bajo, achaparrado, de faz rojiza, oscura, se abrió paso hasta el semicírculo libre. Tenía la voz dura, urgente. No vacilaba.

—Yo digo: ¿por qué no mandamos una comisión a Vigo, a hablar con el Sindicato de allá? Ellos tienen abogado.

—Nosotros somos autónomos.

—Pero no tenemos abogado.

—Bien. Y un abogado, ¿qué podría hacer?

—Por lo pronto, hablarle a don Carlos.

—¿Y qué? La cosa está donde estaba. ¿Tenemos derecho o no lo tenemos?

—El abogado dirá si lo tenemos. Para eso está.

El *Cubano* se rascó la cabeza.

—Cuidado que sois bestias. No se trata de esa clase de derechos. No hay ninguna ley que obligue a don Carlos a aceptar. Es cosa de conciencia. De él y nuestra, fijaos bien.

El marinero achaparrado retrocedió hasta mezclarse a los espectadores.

—Pues si es cosa de conciencia, los barcos quedarán amarrados y moriremos de hambre.

El *Cubano* se plantó de un salto frente a él y lo agarró de la camisa.

—No tienes derecho a decir eso. Don Carlos es una persona decente.

—Sí. Y nosotros unas bestias. Por eso digo: ¿por qué no vamos con el cuento a alguien que no lo sea?

—No tiene por qué ser un abogado.

—Entonces, ya dirás quién.

—Algún amigo de don Carlos. Alguien que, por lo menos, le pregunte qué piensa hacer. Con buenos modos. Tiene que ser con buenos modos, sin exigencias, porque don Carlos no es un explotador de los trabajadores. Es un intelectual, ya os lo dije.

Una voz zumbona gritó desde un rincón:

—¡Rosario la *Galana!* Que se lo encarguen a Rosario la *Galana*.

El *Cubano* echó mano a un jarro vacío. Hubo risas y protestas. El *Cubano* dejó el jarro en su sitio e impuso silencio.

—Propongo que se nos comisione al presidente y a mí para tratar con alguien que pueda hablarle a don Carlos con toda confianza.

El achaparrado respondió:

—Bueno.

—Propongo que se apruebe por aclamación.

—Bueno.

—Porque lo primero, digo yo, es conocer sus intenciones, y que él conozca las nuestras.

—Lo que tiene que saber es que somos sesenta familias...

—Eso, por supuesto.

—Y que también tenemos un derecho.

—Sí, claro.

—Y que es el derecho de sesenta familias contra el de uno solo.

El achaparrado se iba metiendo en el espacio libre y acorralaba al *Cubano* contra la mesa. El *Cubano* alzó las manos, con las palmas levantadas, y las opuso al pecho del achaparrado.

—Eso es lo que hay que aclarar, naturalmente.

El semicírculo se reducía. El carburo alumbraba rostros hasta entonces en penumbra: morenos, curtidos, anhelantes.

—Por eso digo que una persona de su amistad..., quiero decir, alguien que sea amigo suyo... He pensado que Clara Aldán..., si os parece...

De pronto, el achaparrado dijo:

—¿No será que te estás rajando?

—¿Quién, yo? ¿Yo?

Miró a las caras próximas; miró al fondo, a las que permanecían oscurecidas. Sintió todos los ojos encima de su figura, como si quisieran inmovilizarlo. Dio una sacudida a su cuerpo y encaró al achaparrado.

—¿Piensas eso de mí? ¿Hay quien piense eso de mí?

Volvió a mirar. Se le había airado el rostro, había enrojecido. Con los puños cerrados se golpeó el pecho.

—El año pasado estuve en la cárcel por vosotros, y esta pierna la perdí por la libertad de los trabajadores. ¿Hay quien pueda decir otro tanto?

Se volvió al presidente.

—Porque si hay quien piense eso de mí, ahora mismo lo mando todo a la mierda. Y el que lo piense, que lo diga a la cara.

Agarró al marinero achaparrado de un brazo, lo zarandeó, lo empujó contra la mesa.

—Ya has oído.

El otro bajó la vista.

—Lo que yo digo es que no veo claro.

—¿Y qué me importa que veas o no veas? Pero aquel que se atreva a dudar de mi honradez...

Volvió a crispar los puños. Las caras anhelantes se retiraban a la sombra. El semicírculo se abrió, y quedó solo el *Cubano,* apoyado en la pata de palo, amenazador.

El presidente abandonó su sitio y pasó a su lado. Le palmoteó la espalda.

—Vamos, no te pongas así. Esto es una *parvada.*

Se volvió a los demás.

—Quedamos en que el *Cubano* y yo haremos las gestiones, y en que se os convocará para comunicaros lo que haya.

Ramón llegó al anochecer. Había lloviznado y estaba el aire fresco. Rosario esperaba junto al castaño y miraba al suelo oscuro. Ramón se le acercó.

—Hola.

—Hola.

Rosario se hizo a un lado, para que también Ramón pudiese apoyar la espalda. Una raya de luz que salía de la cocina partía en dos la penumbra del corral.

—¿Están los viejos ahí?

—Están.

—Entonces, ¿tengo que entrar a hablarles?

—Entra.

—¿Y tú?

—Yo esperaré aquí.

—Me da reparo.

—Tienes que hacerlo.

Ramón la miró largamente.

—Me puse el traje nuevo.

—Ya veo.

—Y cuando me pregunten si vengo para aquí, o si tú vas a mi casa, ¿qué les digo?

—Nada.

—Bueno.

Ramón adelantó un paso. Rosario le detuvo.

—Entretenlos. Yo voy a hablar con tu madre.

—¿Para qué?

—Tengo que hablarle.

Dejó a Ramón y salió al camino. Ramón vaciló; luego fue lentamente hacia el resplandor de la cocina.

Entonces, Rosario echó a correr, tomó el atajo y llegó, jadeante, a la casa de Ramón. La puerta estaba abierta y una sombra se movía en el fondo de la cocina. Rosario descansó unos instantes, apoyada en la cerca de piedra del corral. El perrillo se le acercó, saltando, y le lamió las piernas. Rosario le acarició la cabeza.

—Vamos.

Quedó de pie en el umbral y dijo: «Buenas noches.» La vieja atizaba unos leños. Alzó la cabeza y miró a Rosario.

—¿Y Ramón?

—Con los viejos.

—¿Por qué no vino?

—Quería que hablásemos nosotras...

—¡Ah!

La vieja siguió atizando. Rosario llegó hasta el hogar y se sentó en una esquina.

—Tengo un papel.

—¿A ver?

Rosario sacó del seno un pliego doblado y se lo tendió.

—¿Sabe leer?

—Un poco.

—Ese papel dice que la Granja de Freame es mía. Es un papel ante notario.

—¿Estás segura?

—¡Claro!

—Yo iría con él al secretario del Juzgado...

—Nadie tiene por qué enterarse.

—De todos modos...

—El papel es legal.

—Si tú lo dices...

Devolvió el pliego. Rosario lo recogió, lo guardó y dijo:

—De modo que, por mi parte, todo está arreglado.

—¿Y ahora?

—Usted dirá.

La vieja acercó una silla baja y se sentó.

—Yo digo que me voy con vosotros y esta casa la arrendamos.

—¿Está conforme Ramón?

La vieja sonrió.

—A Ramón no hay que pedirle conformidad.

—Es que, a lo mejor, le gustará mandar en su casa.

—Mal va la casa en que mandan los hombres.

—O me gusta mandar a mí.

—Eso, allá tú y tu madre.

—Mi madre, aquí, no cuenta.

La vieja alzó la cabeza y miró a Rosario.

—¿Qué es lo que quieres?

—Yo pongo la granja con la casa; usted, ¿qué pone?

—A Ramón.

—Eso se pone él.

—Llevará alguna ropa.

—¿Nada más?

—Dinero no tengo.

—Si Ramón va a ser el hombre de su casa, no va a llegar a ella con la chaqueta.

—Yo me quedo sin él.

—Usted bien vive.

—Un hombre en una casa siempre hace falta.

—En la mía, sobran dos.

—Entonces, ¿para qué quieres otro?

—Yo me entiendo.

El resplandor del hogar iluminaba el cabello, la oreja, la mejilla de Rosario, pero quedaban sus ojos en penumbra. La vieja dejó de mirarla.

—Bueno, pide.

—Usted puede arrendar las tijeras, porque no tendrá ya quién las trabaje.

—Sí.

—Nos dará los aperos. Tampoco le hará falta el carro.

—De todo eso tiene tu padre.

—Ya le dije que no cuenta. Y cuando necesitemos la vaca, nos la podrá prestar también, hasta que tengamos una.

—Os la arriendo.

Rosario asintió con un gesto.

—Ramón me dijo que usted le tiene dinero guardado.

—¡Bah! Cosa de nada.

—Más de cien duros. Se los da.

—Ese dinero lo tengo empleado.

—Podrá recobrarlo.

La vieja se irguió, enérgica.

—Ramón lo ganó cuando era mío.

—Lo ganó para él, no para usted.

—Yo soy su madre. El dinero, no lo doy.

Sostuvo la mirada de Rosario, sin pestañear, sin mover la cara. Rosario se encogió de hombros.

—Allá usted y él; pero él me dijo que teníamos ese dinero.

Se levantó.

—El domingo iremos a la iglesia. Lo del cura tiene que pagarlo él. De lo demás...

Se interrumpió, aguantó unos instantes la inquisición de la vieja.

—Bueno. El me estará esperando.

Salió, tranquilamente. El perro fue tras ella. La vieja siguió mirándola, hasta que se borró en las sombras.

Clara había acarreado hasta la cocina los muebles que no se usaban: los de Juan, los de Inés, y lo que todavía quedaba en la sala porque nadie lo había comprado. Cuando los tuvo juntos, empezó a trasladarlos al cobertizo del corral.

Hacía una mañana fresca y luminosa. Se veía, allá abajo, el mar azul, y en la otra banda de la ría, las playitas rubias y alguna barca inmóvil. Lejos, en alguna caleta aún no alcanzada por el sol, se demoraban jirones de niebla. Por encima de los montes, el cielo estaba claro.

Cuando llegaron el *Cubano* y otros dos, el presidente y el vocal del Sindicato, Clara bajaba con dificultad un enorme jergón metálico, de mallas oxidadas. Ellos quedaron de pie en la entrada y el *Cubano* le gritó:

—¿Qué? ¿Te echamos una mano?

Clara se limpió el sudor de la frente y les sonrió.

—No me vendría mal.

—Anda. Ve tú y ayúdala —dijo el *Cubano* al presidente.

El presidente se quitó la boina y la dejó encima de un poyete. Atravesó el corral y quedó al pie de la escalera.

—Buenos días.

—Hola.

—¿Cómo está usted?

—Pues ya ves: sudando.

El presidente no sabía cómo seguir. La miró y bajó la cabeza.

—Anda. Sube y coge el jergón por abajo.

Entre los dos lo llevaron en volandas y lo dejaron bajo el alpendre.

—¿Estás de mudanza? —le preguntó el *Cubano*.

Clara explicó que había vendido la casa y que se mudaría a un bajo de la plaza. Añadió que iba a abrir una tienda.

—No sé si tendré algo que daros. Subid a la cocina.

Entraron y quedaron en pie, cerca de la puerta. Clara buscó vasos y trajo una frasca con restos de aguardiente.

—Hay eso. Ahí tenéis banquetas. Sentaos.

Se sentaron. Los marineros bebieron; el *Cubano* rechazó el aguardiente y pidió un sorbo de agua. Clara estaba juntos a ellos, las manos en las caderas.

—Bueno. Vosotros diréis...

Ellos se miraron. Clara rió. «Vamos, que se decida uno.»

—Habla tú —dijo el *Cubano* al presidente.

—No. Habla tú.

—Bueno...

—Si venís a preguntarme por mi hermano no sé nada de él. Dónde vive, sí.

—No. No es eso.

—Como tú conoces a don Carlos...

—¡Ah! —Clara volvió a reír—. ¿Tenéis que hablarle y os da miedo?

—Miedo, no; reparo.

—Y pensáis que yo...

—Eso.

—Bueno. Pues hablad.

—Queremos que le preguntes qué piensa hacer con eso de los barcos.

—Se lo preguntaré.

—Que si va a marcharse o va a quedarse.

—Que es el pan de sesenta familias —intervino el presidente.

—Pero que nosotros no queremos obligarle. Esto, sobre todo, que quede claro.

—¿Y no sería mejor que le hablaseis vosotros?

—Acabo de decir...

—Sí, lo comprendo. Y yo le diré todo esto; pero después debéis hablarle.

—Después, sí, si él quiere.

—¿Cómo no va a querer? Es su obligación.

—Nosotros no decimos tanto. Pero, claro, será necesario que nos escuche. Tú puedes explicárselo. Tú nos conoces bien. Sabes cómo vivimos; bueno, cómo viven éstos y todos los demás que andan a la mar. Además, alguna vez habrás oído a Juan... Va la vida de todos en lo que se haga con los barcos.

Siguió el *Cubano,* pero Clara había dejado de escucharle. Recordó aquella vez que había visto y oído a Juan hablar a los pescadores en la taberna. Cerró los ojos. ¡Qué bien lo hacía Juan, y qué pasión ponía en sus palabras! ¡Y cómo le escuchaban todos, como a un apóstol!

Acompañó a la comisión hasta la salida del corral.

—Ahora mismo buscaré a don Carlos. Id tranquilos, que lo que yo pueda hacer...

Les tendió la mano. El presidente, al estrechársela, señaló los muebles del alpendre:

—No tiene por qué cargarlo usted. Con que nos avise, venimos dos o tres y, en un momento, hecho.

—Gracias.

—Pero mire que lo haga.

—Lo haré.

Se alejaron. Dos o tres veces volvieron la cabeza y se quitaron las boinas.

Clara subió las escaleras rápidamente, fue al cuarto de su madre, la lavó, la mudó y la dejó sentada frente a la ventana abierta, por donde entraba el sol. Después se arregló ella misma, con el traje y el abrigo negros, las medias finas y los zapatos de tacón. Dejó la casa cerrada, marchó de prisa por la carretera. Al llegar a la plaza se desvió y entró bajo los soportales. Cuatro obreros trabajaban en el arreglo del piso. Habían levantado los suelos, habían picado las paredes por alguna parte. Todo estaba lleno de polvo. Clara les habló desde la puerta:

—¿No estáis más que cuatro? ¿Es que el maestro piensa que voy a esperar un año?

Pero le satisfizo ver arrancada la cochambre. Al fondo, la puerta del patio, abierta, dejaba pasar la luz. Clara lo imaginó todo nuevecito, los anaqueles cargados de mercancías, un mostrador suave y brillante.

—Bueno, ya volveré. Si todo queda a mi gusto a lo mejor os hago un regalo.

Por la calle empinada, Clara taconeó y descendió erguida, sin hacer caso a los que, de un lado y de otro, la miraban. Alcanzó a oír algún cuchicheo, algún piropo por lo bajo. Llegó a la playa, compró una perra de castañas y las fue comiendo hasta llegar a la casa de doña Mariana. Esperó a terminarlas en el portal, se sacudió el abrigo y llamó. La *Rucha,* hija, la hizo pasar sin apenas mirarla. Clara esperó en la salita de estar, sin sentarse. Carlos llegó en seguida. Venía sin chaqueta, con un jersey y la camisa abierta.

—Estaba en el jardín, ¿sabes? Como está bueno el tiempo.

—Desde que murió la Vieja te das la gran vida.

—Poco me queda.

—Ya...

Le contó la visita del *Cubano* y de los pescadores. Carlos la escuchó sin interrumpirla. Luego dijo:

—Eso no tiene arreglo. Ya te dije que voy a marcharme. Además, el asunto en sí es un disparate. Aunque regalase los barcos al Sindicato, no podrían hacer nada. Para que el negocio sea rentable, para no perder al menos, hace falta un capital, un dinero con que empezar. De momento, unos cincuenta mil duros.

—Pero con eso ya contarán ellos.

—No lo sé, pero no lo creo. Esperarán que doña Mariana haya dispuesto también de ese dinero para arrancar. Pero a doña Mariana se le olvidó el detalle. Vamos, supongo, porque todavía no conozco el testamento.

Clara quedó pensativa unos instantes.

—Me gustaría que esto se arreglase, ante todo, por Juan, porque él fue quien lo inventó. Pero, además, porque los pescadores son la mejor gente de Pueblanueva y merecen otra vida. Tú no sabes cómo lo pasan. Cuando hay pescado, van tirando, y son alegres y generosos. Cuando no hay pescado fresco, se alimentan de sardinas secas al sol. Pero, con pescado o sin él, sus casas son sucias y miserables. Ellos, sin embargo, nunca son malos. Aguantan y callan. Fíjate qué va a ser de ellos si se venden los barcos. Hasta que a Cayetano le dé la gana de emplearlos...

Se levantó.

—¿Sabes que voy ahora mismo a cobrar el dinero de mi casa?

Carlos la miró de arriba abajo y sonrió.

—¿Te has puesto tan guapa por eso?

—Sí, pero no por Cayetano. A él no le veré; me entiendo con Martínez. Hoy me esperan a las doce en el astillero, a firmar la escritura y a recoger la pasta.

—Enhorabuena.

Clara se acercó.

—Tengo miedo de llevar a casa tanto dinero. Alguien se enterará, y a lo mejor van de noche a robarme. ¿Me lo guardarás tú?

—Bueno.

—Entonces volveré cuando haya terminado.

Salió. Carlos fue al mirador, levantó una cortina y la vio alejarse taconeando, con aire altivo. Cerca de la lonja, Clara se detuvo, habló a una mujer, acarició a un chiquillo. Luego se perdió.

—Esta también piensa que mi obligación es quedarme y echarme a cuestas la redención de los pescadores.

Carlos volvió al jardín, se sentó, cogió un libro, pero no pudo leer. Bajó la *Rucha,* hija, a preguntarle, de parte de su madre, si iba a comer solo. Carlos le dijo que sí. Al cabo de un rato, la *Rucha,* hija, volvió a decirle que Clara le estaba esperando. Carlos paseó por su habitación, se puso la corbata y la chaqueta. Se miró al espejo y vio los codos gastados, las bocamangas raídas. Hizo una mueca de disgusto.

Clara se había quitado el abrigo y esperaba sentada en el brazo de una butaca. La falda, subida, dejaba al aire las rodillas. Tenía en la mano un papelito alargado y verdoso.

—Me han dado esto.

Tendió a Carlos un cheque. Setenta y cinco mil pesetas.

—Como si te hubieran dado el dinero.

—Pero tendré que ir a cobrarlo a Santiago.

—Eso no será difícil.

—¿Por qué no me acompañas? Hazte cuenta. Nunca me vi con tanto dinero junto, ni metida en este lío. Además, aprovecharé para mandar su parte a mis hermanos. Si vas conmigo, me podrás ayudar.

Carlos cogió el cheque.

—Ven. Vamos a guardarlo.

La llevó al salón. Abrió las maderas de una ventana y apartó un cuadro que ocultaba una pequeña caja fuerte empotrada en el muro.

—¿Es aquí donde escondía la Vieja sus tesoros? —preguntó Clara.

—Una parte al menos.

Carlos abrió la caja, metió la mano y sacó unos cuantos estuches, pequeños, medianos y grandes.

—Mira.

Abrió uno de ellos. Clara se acercó.

—Puedes cogerlo.

Era un collar de esmeraldas, el mismo con que Sorolla había pintado a doña Mariana. Lo tuvo en el aire unos instantes.

—Muy bonito. Pero me da miedo.

Carlos balanceó el collar.

—¿Por qué?

—Me parece que es un pecado llevar esto mientras hay tanta gente pobre.

—¿No te gustaría que fuese tuyo?

—No.

—¿Por qué no te lo pones?

—No me tientes.

—Anda, póntelo.

Carlos dejó los estuches encima de una silla y desabrochó el collar. Clara se volvió de espaldas y dejó que se lo colgase. Le echó las manos, palpó las piedras; luego se acercó al espejo.

—Abre una ventana. No me veo bien.

Carlos abrió las maderas del balcón; luego, las vidrieras. Entró la luz meridiana, dio de lleno en el cuerpo de Clara, le alumbró el rostro, sacó resplandores del collar. Clara se miró.

—Si me casara contigo esto sería mío, ¿verdad?

—Podría serlo. Según dicen, doña Mariana me autoriza a escoger de sus cosas, como recuerdo, lo que más me guste. Podría ser el collar.

—Quítamelo.

—Si lo quieres, te lo regalo.

—Está mal que bromees conmigo, Carlos.

Echó las manos al cuello y forcejeó para abrir el broche.

—Quieta. Yo lo haré.

—Ya ves —dijo Clara—; creo que está mal tener eso y, sin embargo, si fuera mío...

—Va a ser de Germaine.

Carlos guardó el collar en su estuche; lo metió todo en la caja fuerte, metió también el cheque y cerró.

—¿Tú sabes para qué armó la Vieja todo ese lío de los barcos y de los pescadores? Pues para amarrarme a Pueblanueva todo el tiempo que esté aquí su sobrina y para que me case con ella. Le parecía que estando juntos y viéndonos cada día... Por eso lo puso todo en mis manos, ¿comprendes? Es un plan bien pensado. Pero yo se lo voy a desbaratar. Nadie puede exigir a Germaine que pase aquí cinco años más que yo, y yo le daré facilidades para que se vaya, ¿comprendes? Así también podré irme.

—¿Detrás de ella?

—¿Por qué lo piensas?

—Porque sería lo razonable. A lo mejor llegarías a ser feliz.

—A doña Mariana no le importaba mi felicidad ni la de nadie. Lo que ella quería es que todo esto, sus cosas, sus bienes, ese collar de esmeraldas, quedasen en manos de su sobrina y no saliesen de ellas. Y entonces se le ocurrió que, casándome con ella, fuese el guardián. ¡Y, ya ves, en otras condiciones no me importaría! Les he cobrado amor a esta casa, a estos muebles, a todo lo que hay aquí, porque son todo lo que queda de la Vieja. De buena gana haría que todo permaneciese igual, como en un museo, y entonces sí que sería su guardián. ¡Pero sin la sobrina!

—¿Es fea ella?

—No. Muy guapa.

La llevó a la sala de estar y le enseñó la fotografía de Germaine. Clara la miró curiosamente.

—Sí. Es guapa, pero yo valgo más. Esta chica, con esta cara, no me parece capaz de tener un hijo.

Devolvió el retrato a Carlos.

—Claro que yo no tendré nunca ese collar de esmeraldas...

Clara encargó a la *Chasca* que se cuidara de su madre. Le dio las llaves de la casa.

—Si la oyes gritar y hace bueno la bajas a la huerta, pero cuida que la tapa del pozo tenga el candado puesto. Si no ando alerta, un día se me cae y se me ahoga.

El coche esperaba ya ante la puerta de doña Mariana. Estaba la calle desierta. Un oleaje manso golpeaba las piedras del muelle y un vientecillo menudo rizaba la sobrehaz de la mar.

El chófer saludó a Clara:

—Don Carlos está esperando.

Pero Carlos no tenía prisa. Se empeñó en que Clara le acompañase a desayunar. Parecía especialmente amable aquella mañana. Le ayudó a quitarse el abrigo, le dijo que estaba muy guapa y mandó que sacasen para ella los tesoros de mermeladas guardadas por la Vieja.

Clara comió con ganas y elogió el desayuno. Carlos llamó a la *Rucha,* le dio algunas órdenes y mandó a la hija que, a media mañana, fuese a llevar un recado a Rosario.

Ya en el coche. Clara le dijo:

—Oí que se casa la *Galana.*

—Sí. Yo seré el padrino.

Clara le miró y Carlos sintió como si la mirada le acusase de sinvergüenza. Empezó a liar un cigarrillo.

Quedaron callados un buen rato. Carlos fumó pitillo tras pitillo; Clara se adormiló. Cerca de Santiago se pinchó una rueda. Clara se despertó. Mientras cambiaban el neumático, pasearon en silencio.

En Santiago fueron directamente al Banco. El cheque era nominal; Clara tenía que presentar algún documento, o dos firmas, al menos, de comerciantes en plaza. Ni traía consigo la cédula, ni conocían a nadie del comercio. A Carlos se le ocurrió telefonear a La Coruña, al Banco de doña Mariana, donde le conocían. Después de algunos trámites, pudo garantizar a Clara.

Allí mismo hicieron el giro a Juan. Treinta y siete mil quinientas pesetas. De la otra mitad, Clara se guardó cinco mil y con el resto abrió una cuenta corriente. De pronto, todo eran facilidades. Un empleado muy oficioso se lo dio resuelto. Después de media hora, Clara tuvo en el bolsillo el talonario de cheques.

—Ya soy rica.

Quiso devolver a Carlos el dinero que éste le había prestado en un par de ocasiones, pero Carlos lo rechazó.

—Era de doña Mariana.

—Pues no te vendría mal que lo aceptases. Podrías, al menos, hacerte un traje. Da pena verte con esa chaqueta y esos pantalones. Y tampoco te sobrará una gabardina.

—¿Para qué, si voy a marcharme?

—Pues para eso. No vas a andar por el mundo como un pordiosero. Además, si vas a la boda de Rosario tienes que ponerte guapo. No le gustará que se le rían del padrino.

Le convenció. Fueron a una tienda de ropas hechas, pero Carlos no encontró nada a su gusto.

—Aquí, en Santiago, había muy buenas sastrerías.

Entraron en un bajo oscuro: «Pozas e Hijos. Sastrería eclesiástica y civil». Clara, nada más entrar, se detuvo ante una sotana nuevecita, puesta en un maniquí. Una sotana con treinta y tres botones colorados y un cordoncillo de lo mismo. La acarició.

Carlos se dirigió a un hombre que llevaba colgada al cuello una cinta métrica. El hombre cortaba unos paños oscuros, siguiendo unas líneas trazadas con jaboncillo azul. Le dijo que quería un pantalón gris, de estambre, y una chaqueta de pana.

—Como éstos que llevo puestos.

Se quitó la gabardina, para que el sastre los viese. El sastre lo miró con un punto de desprecio. Alargó los dedos y tentó la tela. Luego quedó con la mano en el aire.

—En esta sastrería...

Clara se había acercado. Interrumpió:

—No sé por qué te empeñas en andar siempre vestido de sabio —dijo a Carlos.

—Quizá porque no sepa vestir de otra manera.

Carlos se volvió al sastre:

—Mire usted: hace muchos años que visto así y no quiero cambiar. Pero no me opongo a que la calidad de los tejidos sea mejor y el corte excelente. Usted tiene fama de buen sastre.

El sastre sonrió, halagado.

—Gracias a Dios, esta casa trabaja para la Mitra desde hace casi un siglo. Ya mi abuelo, que en gloria esté, vestía a los señores arzobispos de su tiempo y, desde entonces, ni uno ha dejado de hacerse la ropa aquí. Menos el actual, si he de ser fiel a la verdad. Como es andaluz... Pero, en cambio, vestimos a las dignidades del cabildo.

—Yo, en realidad, no quiero una sotana.

—Ya, ya, comprendo. Pero también vestimos al señorío y a muchos catedráticos. Aquí, en Santiago, la gente se precia de vestir bien.

—Entonces me hará usted la chaqueta de pana.

—En el caso de que se encuentre en plaza tejido de buena calidad. Sólo en ese caso. Nuestras confecciones son siempre de los mejores tejidos.

—Es que, además, tendría usted que probarme hoy. No vivo en Santiago y esta noche regresaré...

—¿A dónde?

—A Pueblanueva.

—¡Ah, sí, Pueblanueva del Conde! Allí tengo un buen amigo y correligionario, el presidente de la Comunión Tradicionalista. Don Baldomero Piñeiro, boticario.

—¡Ah, el boticario! —dijo Clara.

—¡Ah, don Baldomero! —dijo Carlos.

En la sastrería eclesiástica y civil de «Pozas e Hijos» —más propiamente hablando, nietos— surgieron las facilidades. Resultó que en aquella sastrería se había vestido también el padre de Carlos. Mientras tomaba medidas, se refirió el sastre a un canónigo muy culto, don Ceferino Tafur, que, visto en ropas menores, parecía enteramente un escarabajo, pero que, con la sotana y el manteo allí confeccionados, resultaba elegante. «Le hago traer las telas de la misma Roma, y las medias escarlata. Lleva además hebillas de plata en los zapatos, como Dios manda.»

—¿No será para él esta sotana? —preguntó Clara, y señaló la del maniquí.

—¡Oh, no! —dijo el sastre—. Don Ceferino cabe dos veces en ella... Y venga usted a última hora, hacia las ocho, y le haré la prueba...

Entonces, Clara anunció que también ella tenía que hacer sus compras, y metió a Carlos en una mercería y empezó a revolver en cajas de ropa interior, y a escoger y a rechazar, y a pedir consejo a Carlos sobre bragas, sostenes y otras cosas menudas y fascinantes, hasta que eligió cuatro o cinco juegos interiores, y una faja, y dos pares de medias. Lo pagó todo y mandó que se lo enviasen a tal sitio. Después preguntó a la mercera dónde se podían comprar aquellas cosas por junto.

La mercera le respondió que en el almacén, en tal calle y tal número, pero que el almacén no vendía más que a comerciantes establecidos.

—Es que yo voy a poner una tienda.

Llevó a Carlos al almacén. Les recibió un caballero de mediana edad, a quien las piernas de Clara encandilaron inmediatamente. Clara lo advirtió y no bajó la falda. El caballero le informó del modo de comprar, de la forma de pago: «Efectos a noventa días», y Clara preguntó que qué era aquello. El caballero le enseñó una letra de cambio y le dio una sucinta idea de la legislación mercantil acerca de las letras de cambio, y del tanto por ciento en que había que incrementar el precio de las mercancías para obtener ganancias, y... Hablaba mucho, con una mezcla de sorna y de entusiasmo, siempre con la cabeza baja, con la mirada fija en las rodillas de Clara. Le enviaría un viajante de la casa, al que podría hacer el pedido: un hombre con experiencia, que la aconsejaría bien.

—Si usted va a poner una mercería, no estaría de más que, antes, hiciese alguna práctica comercial. Nosotros no tendríamos inconveniente en admitirla aquí una corta temporada, pongamos quince días, y enseñarla.

—Gracias. Pero no puedo abandonar a mi marido y a los niños. Usted no se hace una idea de lo que es una casa sin la madre.

Miró a Carlos cariñosamente.

—Sobre todo a mi marido. Sin mí no sabría ni ponerse los calcetines.

El notario llegó puntual. Le pasaron al salón, y Carlos acudió en seguida. El notario le saludó con familiaridad exagerada. Carlos pensó que, en el fondo, se burlaba. El notario traía consigo una cartera negra, grande, abultada. Carlos temió que el testamento de doña Mariana alcanzase aquel volumen. Pero lo que el notario sacó de la cartera y se dispuso a leer era de dimensiones normales: no pasaba de diez folios, mecanografiados a tres espacios, copias aparte.

El notario era bajo, redondo, barrigudo; de voz chillona y marcado acento regional. Dejó el testamento sobre la mesa e hizo un preámbulo largo acerca de sus relaciones con doña Mariana; pasaba de treinta años que la conocía y había sido su amigo y el depositario de sus secretos. Al decir esto sonrió:

—Usted ya sabe...

Le había aconsejado como jurista ducho. Pero doña Mariana admitía consejos hasta cierto punto.

—El testamento que le voy a leer es un puro dislate, un capricho, casi una niñería, y perdóneme usted que me exprese en estos términos, aparentemente irrespetuosos. ¿Había entrado mi dilecta amiga en el período de senilidad, en esa segunda infancia que los médicos atribuyen a la arterioesclerosis cerebral? Me lo temo, porque este testamento lo hizo poco antes de morir, después de anular el anterior, que era más razonable. Existe, además, un codicilo cuyo contenido ignoro, y que seguramente será más disparatado todavía. ¡Y cuidado que yo le advertí y aconsejé debidamente! Pero mi conciencia está tranquila. Le aseguro que no tengo la culpa de que las cosas hayan sido así. Usted sabe que su voluntad nadie fue capaz de torcerla.

Empezó a leer:

—Por lo pronto, faltan las habituales disposiciones de carácter religioso. ¡Y cuidado que le insistí: encargue usted funerales, doña Mariana, funerales de lujo, como a su posición corresponde! Y ella me respondió: «¿Para qué, si no creo en Dios?» «Entonces, ¿por qué ese empeño de que la entierren en la iglesia?» «Porque la iglesia es mía y porque tengo mis razones.»

La información de Cayetano era excelente. El texto del testamento coincidía con lo que le había contado a Carlos. Había algunas cosas más, de las menudas: mandas para las sirvientas; condonaciones de rentas, donativos.

—Pero ¿y si no acepto ese encargo de administrar los bienes?

—Espere hasta el final, no sea apresurado.

En el caso de que la señorita Germaine Sarmiento no aceptase las condiciones estipuladas para que se la considere heredera de doña Mariana, o en el caso de que el señor Carlos Deza rechazase el encargo que se le hacía, el testamento se consideraría nulo y, en su lugar, todos habrían de atenerse al codicilo.

—Pues ya puede usted ir abriéndolo, porque yo no acepto.

—¿Por qué se precipita?

El notario apartó unas copias del testamento y guardó el original.

—Una de estas copias es para usted. La otra deberá enviársela a la señorita Germaine Sarmiento, que vive en París, plaza del Tertre, 2. Sería conveniente que le escribiese y le advirtiera que el testamento difícilmente puede impugnarse. La partida más disparatada, la de los barcos, aparte de que no sería conveniente litigar sobre ellos, porque los obreros armarían la de San Quintín, y ganarían, tal como van las cosas en este país, es perfectamente legal, porque el valor de los barcos apenas roza el tercio del total. En cuanto a usted... Su caso tiene dos aspectos: el primero, el de administrador, no creo que le dé muchas molestias. ¡A nadie se le entregó una fortuna con más libertad, amigo mío! Puede usted hacer y deshacer durante cinco años sin que nadie tenga derecho a exigirle cuentas. Tampoco estoy seguro de que un abogado lograse anular esta disposición. El segundo es más pesado, pero tiene muchas escapatorias para un hombre inteligente. ¿Ha pensado usted, por ejemplo, en que como administrador y gerente tiene perfecto derecho a nombrar un apoderado? Y un apoderado, amigo mío, le libraría a usted de todos los engorros. Si consideramos que los barcos son cosa perdida, es lo mejor que puede hacer Mi consejo es que se ponga al habla con los pescadores y que ellos elijan una persona de confianza. Usted le da plenos poderes, y allá ellos. Si roban, que roben; si fracasan, que fracasen. Usted se lava las manos. Lo que usted no puede hacer, lo comprendo, es echarse encima esa responsabilidad y ser blanco de las iras del populacho si las cosas terminan mal.

Abrochó la cartera, pero no hizo ademán de levantarse

—Hay un punto..., un aspecto secundario, sobre el que también me gustaría aconsejarle. Las acciones del astillero. Tiene usted que venderlas. ¿Ha pensado algo de esto?

—No.

—El señor Salgado las querrá comprar. Es natural Pero tengo entendido que alguna firma importante de Vigo está también interesada en el asunto. Aparte de que podría usted obtener una comisión considerable, estoy seguro de que le pagarían por ellas una buena cantidad Son acciones muy valiosas, todo el mundo lo sabe. Y los astilleros son un negocio que va para arriba; una de las industrias más potentes de todo el litoral gallego. De modo que, cuando usted haya tratado con el señor Salgado hable conmigo.

—Supongo que el señor Salgado está ya al tanto d

esto. ¿No sabe usted que hace más de una semana que tiene en su poder una copia de ese testamento?

—¡No me diga!

—Una copia puntual. Lo que usted acaba de leer coincide con lo que él me anunció en esta misma habitación.

El notario, puesto en pie, llevó la mano al pecho.

—¡Le doy mi palabra de honor...!

—No hace falta. Pero ¿sabe usted lo que me dijo? «Al juez, al notario y al cura no se les debe comprar, habiendo secretarios, chupatintas y sacristanes.»

—¡Chupatintas! ¡Hay tres en mi notaría!

—Uno de ellos puede estar enterado de que una firma de Vigo codicia las acciones que doña Mariana poseía de los astilleros Salgado. Puede usted estar seguro.

—En cualquier caso, eso a usted no le afecta.

—No. Pero Cayetano ya habrá tomado sus precauciones. Yo, en su caso, haría igual. Por otra parte, la comisión a que usted se refiere no me interesa gran cosa, y el dinero de la señorita Sarmiento y del otro beneficiario, otro tanto. No venderé tirado, por conciencia, pero no me romperé la crisma con nadie por lograr un buen precio.

—¿Debo inferir de lo que usted dice que acepta la administración de los bienes que fueron de la difunta señora Sarmiento?

—Al menos en este punto... Es un acto de cortesía con unas personas que no conozco.

El notario guiñó un ojo.

—Una chica muy hermosa, ¿no? Y con una dote excelente.

El notario aceptó una copa de vino y se marchó. Sus últimas palabras fueron de amenaza para el chupatintas traidor. «Pero ¿cuál de los tres será?» Inmediatamente, Carlos mandó recado al *Cubano* de que aquella misma noche, a las ocho, iría a hablar con él. «Sería conveniente que estuviera presente la Directiva del Sindicato», añadía la nota. Después cogió el carricoche y se fue a casa de Clara. La llamó desde el corral. Tuvo que repetir la llamada. Por fin, ella apareció. Venía del pinar, con una carga de leña a la cabeza. Vio a Carlos, dejó caer la leña y corrió al carricoche.

—¡Carlos!

Estaba colorada y un poco despeinada. Se echó atrás las guedejas.

—Ya ves, hijo. Trabajo como una mula; pero esto se acabará pronto.

Carlos le contó la visita del notario.

—Me ha dado una gran idea. Puedo nombrar un apoderado y descargar en él lo de los barcos.

—¿Y eso te parece justo?

—Sí, porque el apoderado puede ser Juan. Vengo a pedirte su dirección.

A Clara le tembló una tristeza súbita en los ojos. Se apartó del carricoche y se arrimó a la cerca. Carlos saltó al camino y la siguió.

—¿No te alegra?

—No. ¿Qué quieres? Empezaba a arreglármelas sin ellos y mis planes no los tienen en cuenta para nada.

—Me parece leal ofrecer a Juan esta oportunidad.

—Debes hacerlo.

—Sin embargo, no me gustaría dejarte al marchar el regalo de una situación incómoda, sólo porque sea más fácil para mí.

—¡Oh, no te preocupes! Por lo pronto, ni Inés ni Juan caben en la casa de la plaza. De modo que, si vienen, tendrán que buscarse un piso para ellos dos. Pero el miedo no me viene por ese lado. Me iba haciendo a la idea de ser independiente, ¿comprendes?, y lo más probable es que ellos me estorben de alguna manera. Ya haré algo que a Juan no le guste... En cuanto a Inés...

Quedó un momento silenciosa.

—Inés no puede ser la misma —continuó—. A lo mejor no quiere volver. Pero, si vuelve, ¿crees que seguirá como antes? Yo no podré verla entristecida, metida siempre en casa. En fin, que me entristeceré con ella, cuando lo que yo deseo es un poco de alegría. Además...

Cogió la mano de Carlos y le miró de frente.

—... sabes tantas cosas mías que también puedes saber ésta. Inés me hizo mucho daño. Sin quererlo ella, claro;

pero me lo hizo. Parecía como si me acusase constantemente, que me llamase sucia cada vez que me miraba. Y yo sentía necesidad de llevarle la contraria, de hacer lo que ella, sin hablar, me reprochaba. Cuando se fue, a pesar de la pena que me dio, se me quitó un peso de encima. Es horrible eso de tener siempre el juez delante.

El viento le jugaba con el cabello. No había soltado la mano de Carlos y le miraba con mirada franca.

—Aunque es cierto que, desde hace algún tiempo, no tengo nada de qué acusarme.

Apretó fuertemente la mano de Carlos y la soltó en seguida.

—También te lo debo a ti.

Bajó los ojos y se apartó corriendo del carricoche.

Empezaba a anochecer. Carlos dijo que no cenaría, y salió. A lo largo del pretil, grupos de mujeres remendaban las redes puestas a secar. Más allá, en la lonja del pescado, las vendedoras armaban su barullo.

—Por aquí andará Clara, quizá.

Se detuvo unos instantes en el malecón, a ver el agua estrellarse contra las piedras de la escollera. Después atravesó la calle, caminó arrimado a las casas, hasta el barrio de los pescadores. Se oía una canción cantada a coro por muchos hombres; no muy lejos, acaso bajo los mismos soportales. Cantaban a media voz, lentamente, sólo hombres, jóvenes y maduros. Supuso que los pescadores excluidos de la entrevista esperaban ahora su llegada, esperarían luego sus decisiones. Se hizo el silencio; luego, volvieron a cantar. La voz común le llegaba por encima de la pequeña dársena, donde media flotilla de pesca estaba amarrada desde la muerte de la Vieja. Las luces de las casas se reflejaban en las aguas tranquilas; una barca cruzó el espacio rizado, espejeante, con rumor rítmico de remos. Los hombres quizá esperasen sentados en el pretil, o mirasen las aguas mientras cantaban.

Carlos volvió la esquina, se metió en los soportales. Los pescadores estaban frente a la casa del *Cubano:* un grupo compacto. Arrimados a la pared, sentados en el suelo.

Le vieron llegar y enmudecieron repentinamente. Carlos saludó y entró en la taberna.

El presidente y los vocales, sentados junto a la mesa del fondo, se levantaron. El *Cubano* abandonó el mostrador y se acercó a Carlos, la mano tendida. Con la izquierda se quitó de la boca la colilla apagada. Tardó en decir «Buenas noches», como si no supiese decir otra cosa, o como si no pudiese decir lo que quería.

La Directiva del Sindicato se adelantó también: dijeron lo mismo, hicieron lo mismo que el *Cubano*. Luego, el presidente acercó una silla a la mesa y pidió a Carlos que se sentase. Vino Carmiña y puso un mantel, un jarro de vino, pescado frito, pan. Después se retiró.

Fuera, los marineros no habían vuelto a cantar.

—Le agradecemos que haya venido. Nosotros no nos atrevíamos... Ya le habrá dicho Clara..., la señorita Clara...

—Era mi obligación, ¿no les parece? No lo hice antes porque desconocía el testamento de doña Mariana; pero esta mañana vino el notario...

—Voy a leerles lo que les atañe.

El *Cubano* acercó una lámpara. La mantuvo un poco en alto, mientras Carlos leía. Los directivos adelantaban y retiraban las cabezas, silenciosos, serios. Carlos leyó lentamente; si salía en el texto una palabra abstrusa, la explicaba.

—Esto es todo. Como pueden ver, eran ciertos los rumores. Doña Mariana quiso resolverles a ustedes la papeleta. No puedo decirles que sea, jurídicamente, una donación; pero, prácticamente, lo es.

—¿Y usted? ¿También acepta usted...?

La respuesta de Carlos parecía causarles más ansiedad que la lectura del testamento.

—Yo no puedo oponerme.

—Entonces, ¿usted... va a llevar el negocio?

Carlos agarró del brazo al *Cubano*.

—¿Cree usted que lo llevaría bien?

—No sé. Claro que sí. Usted sabe más que nosotros.

—De estos achaques, menos que nadie. Estoy seguro de que si yo dirigiese el negocio, les arruinaría. El dinero y yo no nos llevamos bien. Y, como comprenderán, no puedo ni debo arriesgar el pan de tantas familias.

Se echó atrás en la silla y les miró.

—No hay ningún precepto en el testamento que me impida nombrar un apoderado, alguien que entienda de pesca y que sea amigo de ustedes. Quiero decir, alguien que les merezca confianza. Esa persona me sustituirá, y las cosas irán mejor.

Calló, guardó la copia del testamento en el bolsillo.

—Una persona que, al mismo tiempo, merezca también mi confianza. He pensado en Aldán.

El *Cubano,* los directivos del Sindicato, le miraron. El presidente bajó la cabeza. Uno de los vocales cogió un trozo de pan y lo metió en el vino de su taza. El otro vocal empezó a golpear la mesa con los nudillos. El *Cubano* no se movió ni apartó la mirada.

—¿Qué? ¿No les gusta?

El *Cubano* meneó la cabeza.

—Compréndalo, don Carlos. Hizo traición. Nos dejó en la estacada.

—Admito que les haya dejado en la estacada, pero no que sea un traidor.

—Será lo mismo.

—No es lo mismo. Son muchos los motivos que puede tener un hombre para hacer algo aparentemente malo, y de los motivos depende que el hecho sea malo o no. Es evidente que Aldán les abandonó a ustedes en un momento en que le necesitaban. Pero ¿por qué? Yo sé por qué, y les aseguro que cualquiera de ustedes, en su lugar, hubiera hecho lo mismo.

—A Juan ya no le quiere la gente —dijo el presidente.

—A Juan le han querido. Yo he estado alguna vez con él entre ustedes, y he visto lo que Juan era y lo que Juan podía.

—Bueno, pero ya se acabó.

—Puede volver a empezar.

El *Cubano* alzó la palma de la mano y la mantuvo en el aire.

—Mire, don Carlos. Déjeme hablar un poco. No sé si diré tonterías, pero tengo que hablar. Le aseguro que la gente tendría mucha más confianza en la empresa si le viera a usted al frente que si vuelve Juan. Ya ve que se lo digo con franqueza, y lo mismo le digo que nunca esperé que usted fuese a sacrificarse por nosotros, y a éstos les he explicado muchas veces que no tenemos derecho a pedírselo. Las cosas, como son. Encuentro razonable que usted se desentienda de todo y nombre un apoderado. Pero ¿por qué Aldán? Las partes son aquí dos. Juan, a usted, le merece confianza; a nosotros, no.

—Yo soy amigo de Juan y lo conozco. Les aseguro que no hay nadie capaz de entregarse a ustedes como él, y de trabajar para ustedes con el desinterés con que él lo haría, de romperse la cara con el lucero del alba por ustedes, y de perder la vida si hace falta. Por eso, porque sé todo esto, y a pesar de la desconfianza de ustedes, insisto en pensar que Juan es el único que puede llevar adelante el asunto.

—Si usted lo manda...

—No nos queda más remedio que hacer lo que usted quiera —dijo el presidente.

—Pero yo no pretendo hacer nada contra la voluntad de ustedes. Yo no mando, ¡Dios me libre! Sólo deseo que lleguen a comprender mi punto de vista y a ponernos de acuerdo.

—Nosotros no podemos decidir nada sin contar con la gente. Somos unos mandados.

—La gente está ahí fuera.

—¿Por qué no les habla usted?

—Yo no debo hacerlo. Son ustedes los que tienen que discutirlo. Vayan, háblenles. Yo esperaré.

—¿Y si no quieren?

—Entonces buscaremos otra solución, es decir, otra persona.

Los directivos del Sindicato se levantaron.

—Me quedaré —dijo el *Cubano*—. No vamos a dejar solo a don Carlos.

—No importa. Si usted cree que debe salir...

—No, no. Basta que hablen éstos.

Salieron los directivos. El *Cubano* se sentó frente a Carlos.

—Oiga, don Carlos. Yo soy hombre callado. Aunque me maten, no revelaré jamás un secreto. Y a usted le tengo por cabal. Cuando usted insiste tiene que haber una razón...

Se echó atrás la gorra de visera y se rascó la frente.

—Puede usted creerme si le digo que en la vida me llevé un disgusto mayor que cuando Juan nos abandonó. Le quería bien y tenía fe en él. Si usted me contase... Me gustaría volver a quererlo, ¿sabes? No se lo diré a nadie. Claro que si no puede saberse...

Extendió las manos encima de la mesa, con las palmas abiertas.

—Juan era mi amigo. Hubiera hecho por él cualquier cosa. Estuvimos juntos en la cárcel, y allí se conoce bien a las personas. Cuando se fue de aquella manera, sin explicarse, sin justificarse, tuve más disgusto que cuando perdí la pierna.

Cerró los puños.

—Me gustaría que Juan llevase el asunto, claro; él lo haría mejor que nadie. Me gustaría, si fuese el mismo de antes, es decir, si se demostrara que no nos traicionó.

Carlos inclinó la cabeza y se mantuvo así unos instantes.

—Usted sabe que Juan quería mucho a su hermana Inés.

—Sí.

—Escúcheme.

Habló un par de minutos. El *Cubano* no dejó de mirarle. Carlos habló del padre Ossorio, de Inés, de la escapada a Madrid, de la carta del fraile. El *Cubano* sólo interrumpió una vez, para exclamar: «¡Claro! Si los dejaran casar, no pasarían esas cosas.» Y volvió a su silencio.

—Juan no podía, en estas condiciones, dejar sola a su hermana. Me consta que marchó con dolor, a sabiendas de que sería mal juzgado y de que se tendría por traición lo que era, en realidad, un deber penoso e ineludible. Pero él no podía convocarles a ustedes y contarles el mal paso que había dado su hermana. Esto es todo.

El *Cubano* se levantó, atravesó la estancia y abrió la

puerta. Los marineros discutían con el presidente del Sindicato. La luz de la taberna iluminaba débilmente a través de la ventana sus rostros airados, decepcionados.

—Callarse un momento —dijo el *Cubano.*

—¿Pasa algo?

—Sí, pasa —cerró la cristalera y apoyó en ella la espalda—. No quiero meterme en vuestra deliberación. Pero os aseguro que si volviese Aldán sería para mí el de siempre. Y no tengo por qué explicarlo.

Vaciló, le tembló la voz:

—Ahora, allá vosotros.

Entró en la taberna. Carlos, medio vuelto hacia él, le sonreía.

Había tardado mucho tiempo en escribir la carta; había ensayado estilos, desde el irónico y juguetón al dramático y acuciante; la había encabezado de mil maneras —hasta quedar con el «Querido Juan», por el que había empezado—; había iniciado el texto con rodeos y había ido directamente al toro. El primer borrador ocupaba las cuatro carillas de dos folios; el definitivo apenas pasó de cien palabras. Puso la carta en limpio, escribió el sobre, la cerró y selló. Como no valía la pena mandar a aquella hora a la *Rucha* al correo, la carta quedó encima de una consola. «Mañana, a primera hora, llevarás esta carta.» Cogió un libro y se puso a leer. Le trajeron la cena y siguió leyendo mientras cenaba. La *Rucha* le preguntó si iba a salir, y dijo que no sabía. Se sentó junto a la chimenea apagada —el hogar limpio y barrido, relucientes los cobres de los trebejos— y dejó el libro a mano, con una señal. Cerró los ojos. Hasta que llamaron a la puerta.

—Está ahí el señorito Cayetano —dijo la *Rucha.*

Carlos se sobresaltó.

—Lo hice pasar. Espera en el salón.

—Que venga aquí.

Salió la *Rucha.* Carlos se anudó la corbata, guardó rápidamente lo escrito y retiró el retrato de Germaine. La *Rucha* abrió la puerta y dejó paso al señorito Cayetano. Vestía de azul mahón y traía la cachimba entre los dientes. Sonreía. Carlos le sonrió también, y Cayetano retiró la pipa de la boca y se la guardó en el bolsillo.

Carlos le preguntó:

—¿Tomarás café?

—Bueno. Si me lo ofreces.

Carlos hizo una señal a la *Rucha.* Indicó a Cayetano un sillón, pero Cayetano no se sentó. Palmoteó, riendo, el hombro de Carlos.

—Estás completamente loco; estáis todos locos.

—¿Ha funcionado ya tu servicio de espionaje?

—No fue necesario. Todo el pueblo lo sabe. ¡Qué disparate! Nos habíamos librado de Aldán y ahora se te ocurre traerlo justamente del modo en que más daño puede hacer. No a mí, claro, sino a los demás. Ante todo, a los propios pescadores. Te apuesto lo que quieras a que ese negocio de los barcos no dura un año.

—Si te empeñas en que no dure, es posible.

—¿Yo? ¿Empeñarme yo? ¿Para qué? El pandero va a estar en manos de toda garantía.

—¿Y es para decirme esto para lo que has venido?

—No. No valdría la pena. La visita de hoy estaba prevista. El notario estuvo aquí esta mañana...

—Sí.

Cayetano puso las manos en los hombros de Carlos y le miró a los ojos.

—En este momento, Carlos, eres para mí la persona más importante del mundo. Vengo a tratar contigo en la mejor disposición. No quiero que riñamos, y estoy dispuesto a esforzarme por comprender tus puntos de vista. ¿Entendido?

—Menos mal.

Carlos se sentó. Cayetano se arrimó a la chimenea, cogió una figurita de porcelana y la examinó atentamente.

—Es bonito esto, ¿eh? Ya ves. En mi casa tenemos alguna de estas chucherías, pero metidas en una vitrina, para que se puedan ver sin romperlas. Vosotros, en cambio, las usáis a diario.

—Quizá eso sólo baste para establecer una diferencia.

—Ya lo creo —replicó Cayetano vivamente—. La diferencia que hay entre los que destruyen lo que no les costó ningún trabajo adquirir, porque lo han heredado, y los que sabemos el valor de las cosas porque las hemos ganado con nuestro trabajo.

—Mejor dirías el precio.

—Y el valor. No sé lo que se puede pagar por esto, pero sé lo que vale. Y sé también que un día cualquiera, al limpiarlo, se le caerá a la criada y se hará mil pedazos. Pero si yo tengo hijos algún día, les enseñaré a respetar lo que tiene valor y a conservarlo.

—En una palabra: si algún día tienes hijos, los educarás de manera que no puedan hacer un disparate equivalente a la cesión de los barcos al Sindicato.

Cayetano se encogió de hombros.

—Eso no lo harán jamás mis hijos, aunque no los eduque. Eso no lo hace nadie con sentido de la responsabilidad, Carlos. Yo tengo un negocio, un gran negocio. Me da dinero, me da la satisfacción de ser el amo del pueblo; pero eso mismo, ser el amo, me hace sentirme responsable. Sé que una mala dirección, una mala administración, me arruinarían a mí y arruinarían a todos. En Pueblanueva se come porque yo trabajo más que nadie. Eso lo saben mis amigos y mis enemigos, y ya tenías tiempo de haberte enterado.

Carlos se irguió en el asiento.

—¿Quieres hacerme creer que eres un filántropo?

Cayetano dio un paso en silencio, con las manos en los bolsillos y la cabeza agachada. Luego dijo:

—Hay muchas cosas que no entenderás jamás. Y, sin embargo, el único que podía entenderlas eres tú —sacó la pipa y jugueteó con ella—. No sé si una vez te conté que, cuando niños, cuando yo ya era quien soy y vosotros os acercabais a la ruina, cuando yo tenía un balandro mío y vosotros andabais detrás de mí para que os dejase tripularlo, una vez se nos ocurrió subir a las ruinas del castillo, y no me dejasteis ir porque yo no era un Churruchao. ¿Lo recuerdas? Pues bien: ahora ya os he vencido, y el único a quien no vencí está muerto, y puedo, si quiero, ir a bailar encima de su sepultura. Hace dos días que he comprado el pazo de Aldán, ya lo sabes. No me hace falta ninguna. Lo voy a derribar y a construir allí un sanatorio antituberculoso para mis obreros.

Dio una fuerte patada en el suelo.

—Y esta casa, y estas chucherías, y todo lo que fue de la Vieja, también será mío. Inevitablemente —silabeó—. Ya no queda nadie que me haga frente.

—¿Piensas casarte con Germaine? —dijo Carlos, riendo.

—No —Cayetano apretó los puños y miró al aire con dureza—. Eso, no.

La *Rucha* entró con el café. Dejó la bandeja en la mesa y salió silenciosa; Carlos sirvió las tazas.

—¿Echas azúcar? ¿Quieres también un poco de coñac?

—Sí. Azúcar y coñac.

Cayetano se sentó. Estuvo silencioso y hosco mientras Carlos buscaba en el armario botella y copas. Tomó un sorbo de café; cogió el coñac, pero no bebió. Balanceaba la copa hasta hacer que el líquido llegase al borde. Una de las veces se derramaron unas gotas sobre la alfombra.

—Perdona.

—No importa.

Dejó la copa encima de la mesa y se alisó el cabello.

—Me gustaría que esa muchacha no viniese nunca a Pueblanueva. Te lo digo francamente. Será difícil que no haya líos por su causa, y yo no los deseo.

—Líos, ¿con quién? Porque yo, ya lo sabes, no estaré aquí. O estaré sólo el tiempo indispensable para liquidar la herencia de la Vieja.

Cayetano respondió distraído:

—No pensaba ahora en ti, ni siquiera en la francesa.

Calló un instante, miró después a Carlos fijamente. De pronto, sin transiciones, se le había dulcificado la expresión.

—Si no te hubieras puesto de parte de la Vieja, hubiéramos podido ser buenos amigos. Pero, te lo aseguro, tu conducta, al llegar, me sorprendió. Te suponía otra clase de hombre, un hombre moderno.

—Lo soy... fuera de Pueblanueva. Intento volver a serlo. Por eso marcharé.

—De todos modos, a ti no te odio. He aprendido a respetar a los hombres como tú. Sé que sois necesarios para cambiar el mundo. Ya ves: si, cuando viniste, hubieras aceptado mi ofrecimiento...

Carlos intentó interrumpirle, pero Cayetano alzó la mano y le detuvo.

—No digas nada. No pretendía comprarte, como quizá hayas pensado. Después, sí. Pero al principio, no. Quería que comprendieses lo que hice por el pueblo y que me ayudaras.

—¿Te refieres a las muchachas con las que te has acostado?

Cayetano golpeó la mesa con el puño. Tambalearon las copas de coñac.

—¡No seas imbécil, Carlos! ¡Si alguien puede entender por qué lo hice, eres tú!

Se levantó y se acercó a la ventana.

—Doña Mariana tuvo la culpa, pero ya está muerta. Estoy dispuesto a hacer las paces contigo.

Carlos sonrió fríamente.

—¿No influye para nada en tu actitud el hecho de que yo tenga que vender unas acciones que te interesan?

—Es lógico que pretenda que mi negocio sea sólo mío.

—¿Nada más que por eso? ¿No existe, además, cierta firma importante que quiere comprar esas acciones?

—Te pagaré el diez por ciento más que ellos. Y te prometo, por mi madre, no estorbar el asunto de los barcos ni ocuparme para nada de tu prima, cuando venga.

—Acabas de decir que por nada del mundo te casarías con ella.

—Casarme, no. Pero ¿te imaginas con qué gusto la metería en mi cama? Os he ido destruyendo, y ése sería el final de la destrucción. Pero renuncio, porque mis astilleros me importan mucho más. Necesito ser su dueño absoluto.

Carlos volvió a reír.

—Esas palabras cuadran muy mal a un socialista.

—Estoy dispuesto a aceptarlo enteramente cuando el socialismo sea una realidad; pero, mientras tanto, mientras los bienes de producción sean de propiedad privada, ¿por qué no he de sentirme dueño de lo mío, de lo que yo he engrandecido con mi esfuerzo?

Se sentó y bebió un poco de coñac. Parecía cansado y abatido.

—Es algo que nunca podrás comprender, porque no tienes nada verdaderamente tuyo, que hayas creado tú, que sostengas con tu esfuerzo diario.

—Tengo una casa que amo. No sabes cómo. Una casa destartalada que me retiene aquí contra mi voluntad; tengo el recuerdo de mi padre, que me sujeta y, al mismo tiempo, me empuja a marcharme. Y Pueblanueva. También quiero a Pueblanueva, tanto como puedas quererla tú, aunque de otra manera. Porque a mí me gustaría que estos hombres fuesen libres.

Cayetano movió las manos con ademán de desesperación.

—Eres un soñador. Los dejarías ser libres, aunque se muriesen de hambre. Cuando hablas así, cuánto te pareces a Aldán...

—¿Me odias también?

—Te compadezco, porque te empeñas en aferrarte a un mundo que ya no existe. La libertad se ha terminado. La gente quiere vivir mejor, y para eso tiene que renunciar a hacer su real gana, tiene que obedecer. Lenin ya dijo que la libertad era un mito burgués.

Apuró el coñac y se levantó. Carlos jugueteaba con la cucharilla y miraba su copa, intacta.

—Lo dicho, Carlos. El diez por ciento más que esa gente, y la paz entre nosotros. Vete a Vigo y háblales, y elige. Pero no olvides que la ley me da derecho preferente en igualdad de condiciones.

—Entonces, ese diez por ciento, ¿es un regalo?

—No, porque sé que no te lo guardarás, y a los otros no tengo por qué regalarles nada.

Carlos soltó una carcajada.

—¿Has olvidado ya que, según tú, uno de los que van a beneficiarse de ese dinero es tu hermano?

Cayetano frunció los ojos y apretó los puños contra los muslos.

—Sabes que no lo es; y yo también lo sé; pero el secreto quedará entre nosotros. Es, óyeme bien, la condición de nuestra paz.

VIII

Por la ventana abierta entraba un olor acre de gambas a la plancha, rumor de conversaciones, voces agrias de vendedores y pregoneros. Un sol caliente, crudo, iluminaba las filas de baldosines, rojos y amarillentos, hasta el pie mismo de la casa.

Juan acabó de afeitarse, se puso la corbata y se asomó. Ante las ventanillas de la reventa se habían formado largas colas. Los carteles anunciadores de la primera novillada rompían con sus colores calientes la monotonía ocre de las fachadas.

—¡Tendidos bajos, barreras, andanadas!

Entre la masa oscura brillaban algunos sombreros de paja, prematuros.

—¡Un trece mil!

Juan cerró la ventana, se puso la chaqueta y salió. La criada de la pensión barría el pasillo. Le preguntó por Inés.

—La señorita se ha marchado a eso de las diez.

En el descansillo, Juan sacó tabaco y encendió. La portera, sentada junto a la calle, zurcía un calcetín. A su lado, en el suelo, un crío sucio jugaba con una caja de cartón. La portera, sin levantarse, le dijo:

—Tiene usted carta.

Revolvió en el bolsillo del mandil. Juan recogió el sobre y dio unas perras a la portera.

—También hubo para su hermana. Se la di cuando marchó.

Tuvo que abrirse paso, calle abajo, entre el gentío. Bajó por la carrera de San Jerónimo, por la calle de Sevilla, hasta Alcalá. Llevaba el sobre en la mano, doblado. Compró un periódico en la esquina y lo fue leyendo. Más abajo entró en el café, casi vacío a aquellas horas, dulcemente penumbroso. El camarero estaba a la puerta. Saludó a Juan.

—¿Lo de siempre?

—Sí.

Juan se sentó junto a una ventana y rasgó el sobre. La carta era de Carlos. La leyó, la releyó, la guardó en el bolsillo, quedó pensativo. El camarero trajo un café con leche y media tostada.

—¿Ha visto usted el discurso de Gil Robles?

—Todavía no.

—Esto va a durar poco. Tienen los días contados.

El café estaba oscuro. Por la puerta del fondo se veía, reluciente, el patio. Venían del piso alto ruido de billares, voces de jugadores. En la calle, frente al café, grupos de gente que discutía y gesticulaba, paseantes estacionados en el borde de la acera, de espaldas a la calzada, prestos al piropo y a la mirada procaz. Una gitana con el churumbel a la cintura vendía décimos de lotería. Por el medio de la calle, entre los automóviles, pasaba un coche de caballos con auriga «à la grande daumont». Un tranvía renqueante pedía paso con timbrazos fuertes.

—Lo que le digo. Tienen los días contados. Ayer, en el turno de la noche, don Perengano decía...

Don Perengano era un escritor recientemente ingresado en el Partido Comunista. Presidía una peña nocturna en el patio, a la derecha. Juan prefería el café por la mañana, cuando no había gente conocida, cuando se podía entrar y ocupar una mesa sin que, en veinte lugares, veinte personas se preguntasen quién era el pelirrojo de la nariz larga.

—No me importa lo que diga —respondió Juan—. Su solución no nos sirve. La nuestra es el anarquismo.

El camarero movió la cabeza.

—No lo crea. Un socialismo bien administrado sería lo mejor. Yo soy de la U. G. T.

—Ya.

El camarero se refirió a Prieto y a Largo Caballero, repitió frases y consignas, y empezaba a trazar las líneas generales de su personal utopía, cuando entró Paco Gay en el café. Hizo con la mano visera de los ojos y miró hacia el lugar donde Juan se había sentado. Paco Gay era también gallego y profesor auxiliar de la Universidad.

—¿Qué hay, Juan?

—Lo de siempre.

Gay se acercó y se sentó.

—Un café, Pedro. Con leche, en vaso.

Traía una cartera de cuero, usaba gafas de concha oscura, se cortaba el pelo al rape. Tenía la cabeza grande, dolicocéfala y los pómulos anchos. Tampoco se atrevía a venir de noche al café, aunque le hubiera gustado que todos le conocieran y poder sentarse aquí y allá, y escuchar a don Fulano y a don Zutano, y contarlo al día siguiente a los chicos, en clase.

—La Universidad anda otra vez revuelta. Hoy no entraron.

—¿Y vosotros?

—Los chicos tienen razón, y el día está excelente. En la Universidad hace frío, ¿comprendes? Hemos marchado todos.

Paco Gay llevaba tiempo en Madrid y se había acostumbrado a usar el pretérito perfecto en vez del indefinido.

—¿Sabes algo de la tierra?

—También allí hace buen tiempo.

—No me faltan ganas de ir; pero hasta el verano... Y quizá tampoco en el verano. Si me dan esa Lectoría en Francfort, me marcharé.

—Yo podría irme en seguida. Me ofrecen un cargo interesante. Algo que, hace tres meses, me hubiera hecho feliz.

—¿Ahora no?

—No sé.

Contó a Gay lo que le proponía Deza. Describió la situación en Pueblanueva y, por encima, su propia actuación.

—¿Quién ese ese Deza?

—Uno de allá. Algo pariente mío —Juan engoló la voz y dio gravedad al movimiento de sus manos—. Es psiquiatra y estudió en Viena con Freud. Un tipo estupendo, ¿sabes? Entiende de literatura y de filosofía, lo que se dice un hombre culto y agudo.

Gay le escuchaba estupefacto.

—¡Con Freud! ¿Y está en Pueblanueva?

—Ya ves. Lleva unos meses y sin trazas de marcharse. Quizá haya tenido un lío sentimental.

—A nosotros, si nos coge la tierra, nos deshace. ¡Y esas mujeres! Con una mujer por medio no hay quien arranque.

—Por eso me da miedo aceptar. Lo de los barcos fue cosa mía. Eran de una vieja rica que no entendía el negocio. La gente pasa hambre. Se me ocurrió hacer una experiencia de explotación sindical.

—¿Y has tenido que marchar?

—Sí.

—En esta situación, la Guardia Civil estaría de parte del capital.

—Aquello no es nada claro socialmente. El mayor propietario, el amo del pueblo, el verdadero tirano, es socialista.

Gay entornó los ojos y sonrió.

—Esas cosas sólo pasan en España.

El camarero trajo el café con leche, en vaso. Llegaron dos contertulios más: un periodista, que venía de las Cortes, y un sujeto gordo, ordinario, que vendía libros y colaboraba en *Claridad*. El periodista empezó a contar lo que había oído en los corrillos. El de los libros dijo:

—La mayor responsabilidad de este Gobierno estúpido

se refiere al incremento del fascismo. Mucho decir Gil Robles que él no lo es, pero, a su capa, el fascismo prospera. Tengo noticias de Valladolid.

A Juan, aquella mañana, no le interesaba la política. Parecía escuchar, pero por su memoria andaban los recuerdos de Pueblanueva.

—Unicamente se sacará algo en limpio si las izquierdas dejan a un lado sus diferencias y se unen contra el enemigo común. El defecto de los españoles es su falta de unidad. Todos queremos ser cabezas, nadie acepta una disciplina. Los únicos con sentido político son los comunistas, y eso porque los dirigen desde fuera.

—Eso se viene diciendo hace lo menos un siglo.

—Pues habrá que repetirlo hasta que nos demos cuenta de que es la única verdad que importa.

A aquellas horas, con buen tiempo, en Pueblanueva resplandecería el aire. En las mañanas claras de primavera, las casas se reflejaban en el agua, temblaban rítmicamente sus imágenes, movidas por las olas mansas. A veces, restos de la niebla nocturna, jirones blanquísimos, se demoraban sobre las olas y velaban los reflejos. Era hermoso, y en alguna ocasión había intentado ponerlo en verso.

—Pues los fascistas nos dan ejemplo de unión y disciplina.

—¡Quiá! También andan a la greña. Todos quieren ser jefes.

Inés llegó pasado el mediodía. Vestía una falda gris, una camisa blanca y, sobre los hombros, llevaba una chaquetilla negra. Estaba muy bonita, y la gravedad, la sonrisa contenida, la quietud de sus manos, ayudaban a componer una imagen elegante y tranquila. Solía recoger a Juan en el café. Cuando llegaba, se sosegaban las conversaciones y dejaban de oírse los tacos con que el vendedor de libros y colaborador de *Claridad* reforzaba la energía de sus afirmaciones. Se levantaron todos.

—Aquí, Inés.

—Siéntate aquí.

Ella les sonrió.

—No puedo. Tenemos prisa. ¿Verdad, Juan?

Juan asintió.

—¿Por qué no tomas un vermut? —le dijo Gay—. Yo te convido.

—No, gracias. Tenemos prisa.

Juan pagaba ya su café. Los otros se sentaron, menos Gay.

—Ya sé que, a lo mejor, os vais. Juan me ha leído una carta.

Inés se encogió de hombros.

—Me gustaría que os quedaseis. Al menos, tú.

—Yo no tengo que hacer en este mundo más que ir a donde vaya mi hermano.

—¿Es que no tienes derecho a tu vida propia?

—De momento, mi vida es ésa.

Juan se puso la gabardina y el sombrero.

—Vámonos ya. Hasta la noche, Paco.

—Tráete a Inés contigo.

Salieron. Juan la cogió del brazo y se abrieron paso entre la gente de los corrillos. El sol empezaba a iluminar el borde de la acera.

A la altura del Ministerio de Instrucción Pública, Juan dijo:

—Tuve carta de Carlos.

—Yo, de Clara.

—¿Te dice lo de los barcos?

—Sí.

—¿Qué te parece?

—Lo que tú quieras.

—¿Para hablar de esto tenías tanta prisa?

—Para saber lo que decides.

—Por ahora, nada.

—Tendrás que pensarlo bien.

—Hay muchas razones para marchar, pero también para quedarse. Con el dinero que nos tocó de la casa podemos vivir un par de años.

Después de comer, Inés dijo que fuesen a su habitación, pero Juan prefirió marchar a un café.

Se metieron en uno, cerca de la Puerta del Sol, donde nadie les conocía. Había mucha gente. En una parte alta, contra la barandilla de una tarima, se apoyaba, enfundado, un violoncello, y el piano se cubría de una tela azul ribeteada de blanco. Los camareros hacían sus pedidos en voz baja, y nadie metía ruido. Debían de ser clientes habituales y acostumbrados al silencio de los conciertos cafeteriles. Inés, al sentarse, arrastró una silla, y la miraron, airados, de tres o cuatro lugares.

Se sentó junto a su hermano en el diván.

—Esta mañana estuve viendo pisos —dijo—. Encontré uno de tres habitaciones, muy arreglado.

—¿En el centro?

—En Alberto Aguilera. Interior, con muy buena luz. No queda lejos y está bien comunicado. También fui a una casa de muebles. Con mil pesetas podremos comprar lo indispensable. La ropa, aparte, claro, y lo de la cocina. Unos cien duros más.

—¿No te parece bien lo de Pueblanueva?

—Eso depende de ti. Ya te lo dije.

—Pero ¿no me aconsejas?

—No entiendo de eso.

Juan sirvió un vaso de agua y lo bebió. Se acercó el camarero; Juan encargó dos cafés y una copa de coñac.

—A ti te pretende Gay, ¿verdad?

—Sí.

—Es un excelente muchacho y será catedrático de Universidad, seguramente.

—Eso no me importa.

—¿Te gusta?

—No más que cualquier otro.

—Es que, si te gusta Gay, no se vuelve a hablar de lo de Pueblanueva.

—Nunca he pensado en separarme de ti.

Habían llegado los músicos. Dos hombres, gordo uno de ellos, y una mujer. Subidos a la tarima, desenfundaban los instrumentos. El flaco bebía el café traído por un mozo.

—Te habrás fijado en que Carlos dice que nadie comentó tu marcha. Suponen que te fuiste al convento.

—Ahora podrían suponer que el convento no me sentaba y que salí.

—Es decir, que por tu parte...

Inés le cogió la mano.

—¿Tú quieres irte, Juan? Porque si quieres irte...

—Lo bueno del caso es que no estoy seguro.

—Lo de los barcos fue tu ilusión.

—Ya no lo es tanto.

El músico templaba el violoncello; la mujer, con el violín en la mano, miraba a Inés con insistencia. Había cesado todo rumor. Juan bajó la voz y habló muy cerca del oído de su hermana:

—No me tengas por veleidoso. Estábamos en Pueblanueva, la gente nos era hostil, había que pelear. Conseguir aquello hubiera sido definitivo, pero conseguido por mí. Yo sabía que la Vieja no había de ceder tan fácilmente. Hubiéramos planteado una huelga, la hubiéramos ganado. Ahora se ha logrado sin esfuerzo.

—Y ya no estamos en Pueblanueva.

—Eso.

El pianista empezó a tocar los primeros compases de una obertura, «La viuda alegre», arreglada para piano, violín y cello; entró el violín y, en seguida, el violoncello. La violinista miraba a Inés de vez en cuando. Alguien hablaba en alto. Le chistaron desde un rincón:

—¡Silencio!

Juan dijo:

—Aquí, en Madrid, tengo con quién hablar. Los del café me respetan y me escuchan. Leo libros, estoy al corriente de lo que pasa en el mundo y no pienso para nada en Cayetano Salgado. Me gusta Pueblanueva, pero la gente... Aunque, claro, ahora no sería lo mismo. Tenemos dinero, y allí nos duraría más que aquí.

—Te darían un sueldo.

—¿Un sueldo? ¡De ninguna manera! Trabajaría gratis, ¡no faltaba más! ¡Para que luego dijesen en el Casino que chupábamos la sangre de los trabajadores!

—Aquí también puedes encontrar empleo.

—También. Pero sin prisas. Si nos quedamos aquí...

Inés le interrumpió:

—¿No has pensado nunca en el extranjero?

—No.

—Yo lo he pensado muchas veces. A la Argentina, por ejemplo. Allí las modistas están muy bien pagadas.

—¿A la Argentina?

Se acercó el camarero con los cafés y el coñac, y lo dejó todo sobre la mesa, silenciosamente. La orquesta había llegado al vals, y un centenar de cabezas llevaba el ritmo balanceándose. Inés rompió el papel del azúcar, puso un terrón a Juan, dos a ella. Juan se sacudió de la solapa un poco de ceniza y acercó su taza.

—Me gusta más París. Ahora que todo lo de Pueblanueva se ha olvidado, sólo recuerdo que, en un tiempo, quise ser escritor. Anoche, cuando llegué a casa, estaba desvelado y me puse a leer papeles viejos, los que escribía allá. No están mal, ¿sabes? Yo tengo talento. Debo ponerme a escribir, pero en castellano, no en gallego. Gay me dijo el otro día que escribir en gallego es condenarse al anonimato. Un año en París, poniéndose al día, y volver después y escribir en los periódicos. Podría también hacerlo ahora... Me han hablado de colaborar en la *Soli* de Barcelona. Ellos necesitan gente de un nivel superior al de los obreros, gente culta. No he dicho que sí todavía... Tendría que prepararme antes...

—¿Fue Gay el que te lo ofreció?

—No. Gay es socialista. Cuando le hablo del anarquismo se ríe.

—¿Gay tampoco cree en Dios?

Juan se encogió de hombros.

—No sé. Quizá no.

Quedaron callados. El trío remató la obertura. Le aplaudieron. La violinista, con el instrumento bajo el brazo y el arco en la mano, inclinaba la cabeza.

—De todos modos, no hay que precipitarse —dijo Juan.

Inés cerró los ojos.

—El piso de Alberto Aguilera es muy bonito. Interior, pero le da el sol. Tiene un balcón a un patio. Creo que me sería fácil encontrar clientela entre la vecindad.

Cesaron los aplausos. El pianista descendió de la tarima y ayudó a la violinista a que bajase. El del violoncello quedó arriba, sentado, liando un cigarrillo. Sujetaba el instrumento entre las rodillas y el arco bajo el sobaco. Era un hombrecillo calvo, bonachón.

Después de cenar, Juan dijo que no le apetecía salir. Se metió en su cuarto y entreabrió la ventana. La calle estaba silenciosa. Permaneció unos minutos acodado, mirando a un gato que jugaba en el portal de enfrente; un gato negro, gordo, aristocrático, de movimientos lentos y seguros. Jugaba con un burujo de papel. Hasta que una mujer salió a cerrar el portal. Llamó al gato, y el gato entró tranquilamente. Quedó el burujo al borde de la acera, junto a un montón de desperdicios. Entró la portera y salió a poco con el cajón del polvo: lo volcó y golpeó luego contra el suelo. Juan, entonces, cerró la ventana. Se sentó ante la mesa y empezó a leer sus cuartillas.

Al poco tiempo entró la criada a decirle que el señor Gay le esperaba.

—Que pase aquí.

Gay traía una gabardina puesta y sonreía.

—Iba a dar una vuelta y se me ocurrió pasar a recogeros.

—No me encuentro muy bien. Además, tenía ganas de escribir.

Gay se sentó al borde de la cama y sacó tabaco.

—¿Cuándo vas a leerme algo? —tendió a Juan el paquete de cigarrillos. Juan, sin levantarse, alargó la mano y cogió uno.

—Está en gallego, ya lo sabes —dijo Juan.

—Lo entiendo...

—De todos modos...

Juan le pasó un montón de cuartillas manuscritas y encendió el pitillo.

—Es el poema cosmogónico del que te hablé. Quiero contar la formación del mundo sin participación de Dios. En este pasaje —arrebató a Gay las cuartillas que acababa de entregarle— describo la oquedad del cielo, el vacío del infinito. Las energías dispersas, ante la urgencia de la creación, se preguntan si necesitan un Creador, y lo buscan, lo llaman, pero el Creador no responde porque no existe. Entonces, ellas se deciden a ser creadoras. Es un pasaje largo.

Tendió a Gay unas cuartillas escogidas. Gay empezó a leer.

—Es bonito esto.

Mientras Gay leía, Juan espiaba su rostro, sus ojos.

—Lucrecio, al menos, cantó a Venus creadora —dijo Gay al devolvérselas.

—Yo, ni eso.

—Es una clase de poesía que ahora no se usa.

—Por falta de alientos. Yo mismo no sé si los tendré para acabar el poema; los tuve, pero las cosas vinieron mal. Ahora puedo recobrarlos. Por eso me pregunto si haré más servicio a la humanidad con mi poesía o dedicándome a la política. Ya ves: la humanidad necesita de vez en cuando que se le diga la verdad en verso, que se le diga con pasión y poesía. Pero ésta es una verdad terrible, y Dios, en cambio, es una mentira esperanzadora. A veces pienso que los hombres no están maduros para el ateísmo y que decirles la verdad es hacerles daño. Mi poema lo hará, indudablemente, a algunos; pero si me hago cargo de ese asunto de Pueblanueva, puedo hacer mucho bien. Estoy perplejo.

—Un comunista te diría: acepta lo de Pueblanueva, porque el mundo hay que modificarlo por la acción, no por la poesía.

—Pero tú no eres comunista.

—No.

Juan ordenó las cuartillas y las volvió a la carpeta.

—Dime, Gay: tú, ¿qué eres?

Gay se encogió de hombros.

—Un poco de todo y nada en concreto. En eso de Dios, tampoco estoy seguro, pero no me preocupo. Si existe, ya me valdrá lo mucho que mi madre reza por mí.

—Pero hay que tomar una decisión. En los tiempos que corren es una exigencia moral. Hace cuatro años, cuando vino la República, se puso de moda una frase: «Hay que definirse.» No sé si sigue o no de moda, pero no ha perdido vigencia.

Gay rectificó su postura en el borde de la cama; se echó un poco adentro, cruzó las piernas y buscó apoyo para la espalda.

—Yo no sería capaz de plantearme ese problema que tú te planteas, si serviré mejor a la humanidad dedicándome a la política o ganando unas oposiciones a cátedras. Por las dudas, voy a ver si gano las oposiciones.

—Pero eres republicano.

—Eso lo es todo el mundo.

—Los intelectuales —dijo Juan con cierta solemnidad— tenemos una obligación...

Le interrumpió una llamada en la puerta. Entró la criada.

—La señorita dice que, si no se ha acostado, que vaya a verla.

A Gay le resplandecieron los ojos. Arrojó el cigarrillo a un rincón.

—¿Está en casa Inés? Yo creí...

—Dígale que está aquí el señor Gay y que si podemos ir los dos.

Gay saltó de la cama.

—A lo mejor, le gustaría salir un poco conmigo.

—Díselo —le echó una mano por el hombro y lo empujó hacia la puerta. Luego repitió—: Díselo. Probablemente le gustará dar un paseo.

Habían llegado hasta el convento de la Encarnación. Estaba oscuro y silencioso. Inés se detuvo.

—¿Por qué me traes aquí?

—Es una parte muy bonita de Madrid, que quizá no conozcas.

—Me da miedo. Vámonos.

—La plaza de Oriente queda aquí mismo, a un paso. Podemos llegar hasta allí.

—No importa.

Parecía inquieta. Gay la cogió del brazo y se volvieron. Pasó un coche de caballos, una berlina cerrada, de alquiler, con el letrero de «Libre» levantado. Gay sintió la tentación de detenerla, de meterse en ella con Inés, pero no se atrevió. Atravesaron la plaza de la Opera y entraron en un café frente al teatro. Gay ayudó a Inés a quitarse el abrigo.

—Perdona, pero tenía ganas de estar a solas contigo.

—¿Para qué?

Gay vaciló.

—Para hablar.

Se sentaron juntos. Inés recogió las manos y las cruzó sobre el regazo.

—Aquí podemos hacerlo.

—No es lo mismo. Hay gente, y soy bastante tímido. Ya lo habrás notado.

—¿Qué quieres decirme?

—Que si te parece bien salir conmigo... algunas veces. Ir al cine, o a merendar, o a dar un paseo, como hoy. Aunque trabajo mucho, tengo a veces un rato libre y me gustaría pasarlo contigo.

—¿Para qué? Te aburrirás. Soy de pocas palabras, ya lo sabes.

—Eso no importa. Yo, cuando tengo confianza, hablo bastante. Y estoy solo en Madrid, sin nadie a quien contar mis cosas. Porque también tengo problemas.

—¿También?

—No como los de tu hermano, claro. Soy de otra manera. Pero no todo marcha, y a mí me gustaría que alguien se interesase...

—¿Por qué yo?

—Inés, porque...

Gay bajó la cabeza.

—Estoy bien contigo. Me da la impresión de que eres buena, y...

—No soy buena.

Gay la miró bruscamente, asustado. Se apartó un poco.

—Hay alguien a quien mataría, si pudiera —continuó Inés—. Supongo que eso no es ser buena.

Gay se echó a reír.

—Creí que tu maldad era de otra clase. Todos mataríamos a alguien, estoy seguro. Al que más y al que menos nos han hecho daño. Mira: hay un punto en la Universidad, uno de derechas, que desde hace dos años me viene haciendo la sombra. Me birló el premio extraordinario de doctorado, me ganó unas oposiciones a auxiliar de la Facultad. Y no es que valga más que yo, sino que es más hábil. Cuando se encuentra conmigo, me mira con tal aire de superioridad y me sonríe con tal impertinencia que le echaría las manos al cuello hasta estrangularlo.

—He aguantado muchas sonrisas así en la vida.

Gay la miró con simpatía, se acercó un poco a ella, aproximó una mano a la de Inés, pero la retiró en seguida.

—Inés, ¿a ti te engañó algún hombre?

Se apartó. Inés le miraba a los ojos con frialdad.

—Más bien me engañé yo.

—Pero ¿te abandonó? Quiero decir..., ya me entiendes.

Inés movió la cabeza, sin dejar de mirarle fijamente. Gay esquivó la mirada.

—¿Le quieres... todavía?

—No.

—Entonces, podrás querer a otro. Digo yo...

Inés se encogió de hombros.

—¿No te has dado cuenta de que vivo para mi hermano? Es lo único que me importa en el mundo. Y no quiero que vuelva a Pueblanueva. Aquí es más feliz.

—Y porque lo sea, ¿te sientes capaz de sacrificar tu vida?

—Naturalmente. Pero no me cuesta sacrificio.

—No lo entiendo. Una mujer de tu edad y tan bonita como tú... —Gay enrojeció—, lo natural es que... En fin..., ya me entiendes.

—Sí; pero tú a nosotros, no. Tendrías que saber muchas cosas. No estaré nunca tan unida a nadie como a mi hermano, y no deseo estarlo.

Hablaba con dureza tajante, sin mirar a Gay. El intentó otra vez aproximarse un poco y habló suave, dulcemente:

—Me gustaría casarme contigo, Inés. A pesar de todo.

—No pienses en eso.

—Tengo la impresión de que a tu hermano no le disgustaría. Cuando esta noche le pregunté si podría salir contigo, sonrió y me dio facilidades. A lo mejor se siente un poco prisionero en tu compañía, se siente obligado a ti. Si te casaras, sería mejor para él.

—Aún así...

—Conozco muchos hombres que se han frustrado, humanamente quiero decir, por una madre o una hermana a las que querían demasiado. Un hombre necesita, en ciertas ocasiones, ser absolutamente libre. Y Juan también lo necesitará, más que otro, probablemente. Sabes que Juan es anarquista. Cualquier día de éstos se armará una gorda en España, y a Juan le tocará actuar. No es lo mismo hacer poesías que pegar tiros. ¿Y cómo va a hacerlo, si es la única persona que tienes en el mundo?

—Juan me necesita —dijo Inés con calor, con la vista perdida en el fondo del café—. Tengo que trabajar para él, ¿comprendes? Juan no sabe vivir, no supo nunca. Esta mañana, al hablar de lo de Pueblanueva, le pregunté si le darían un sueldo, y él me respondió que no lo aceptaría. Después le pregunté si pensaba buscar algún empleo en Madrid; me dijo que sí, pero sin prisa. Fue una disculpa. El no sabe pedir. En cuanto a eso que dices, yo no le estorbaré jamás. Sé defenderme sola.

Gay metió las manos en los bolsillos, bajó la cabeza, hundió los hombros.

—Es monstruoso —susurró—. Y, sin embargo, ya ves, tu hermano me es simpático y lo quiero bien. Pero yo sería incapaz de permitir que una mujer trabajase para mí. No sé, no me atrevería a salir a la calle.

—De momento, nadie trabaja para Juan. Vivimos de nuestro dinero.

—¿Sois ricos?

—Hemos vendido la casa que teníamos, un pazo.

Gay se sobresaltó.

—¿Sois gente de pazo? Ahora empiezo a comprender...
Levantó la cabeza lentamente. Miró a Inés a hurtadillas, con interés, con algo de admiración.

—... que quieras matar a un hombre y todo lo demás. Y comprendo también a tu hermano.

—Tienes que ayudarme a convencerle, ¿comprendes?

Saldré contigo cuando quieras. Porque si él se va, me iré yo también, y así...

Se interrumpió, volvió el rostro hacia Gay y, repentinamente, le cogió una mano.

—Dime: ¿crees en Dios?

—¿Por qué?

—Porque de los que creen en Dios no me fío.

La pensión estaba silenciosa. Inés avanzó a tientas por el pasillo. Al abrir su habitación vio una rendija de luz bajo la puerta de Juan. Se acercó y llamó:

—Soy yo, Juan.

Entró. Juan estaba sentado ante la mesa, vuelto a medias hacia la puerta. Tenía ante sí un montón de papeles y un lápiz. Se había quitado la corbata, y el pelo revuelto le caía sobre la frente.

—Hola.

Llegó hasta él, le acarició la cabeza, le arregló el pelo.

—¿Qué tal lo has pasado con Gay?

—Bien.

—Yo he intentado trabajar. ¡Hace tanto tiempo que tengo esto abandonado! Encontrar, al cabo de dos años, una obra incompleta es como tropezarse con una persona a la que no se ve hace tiempo. Siempre da sorpresas.

—¿Serás capaz de seguir?

—Creo que sí.

Inés se apoyó en la mesa, muy cerca de su hermano.

—Juan, Gay me dijo que le gustaría casarse conmigo.

—¿Y tú?

Inés cerró los ojos.

—¿Quién sabe?

Juan le cogió las manos.

—¡Esto me alegra, caramba! ¡No sabes cómo me alegra!

—¿Por qué, Juan?

Juan dejó de sonreir.

—Es lo natural. Siempre pensé que deberías casarte. Es el destino natural de una mujer. Recuerda, hace meses, cuando llegó Carlos a Pueblanueva. Claro que entonces tenías otros proyectos.

Inés se apartó de la mesa, dio unos pasos hacia el rincón y habló de espaldas.

—¿No piensas que sería un estorbo para ti? ¿Que acabaría por hacerte daño si sigo soltera? Hay hombres que fracasan por una madre o una hermana a la que quieren demasiado... o que le quieren a él demasiado.

Juan se levantó y fue hacia ella. Se arrimó a la pared y atrajo a Inés hacia sí. Inés le echó los brazos, cruzó las manos detrás de la nuca de Juan. Este dijo:

—Nunca lo he pensado. Tú no me estorbarías nunca. Y no quiero que lo pienses. Pero si Gay te gusta, sal con él, y cuando quieras, te casas. Por cierto que... —apartó la mirada— tu dinero. Hay que guardar para ti la mitad del dinero. Te hará falta para el ajuar y esas cosas... Con el mío podremos arreglarnos, ¿verdad? Tendré que buscarme algo por ahí, aceptar esas colaboraciones para ayudarnos. No será difícil.

—¿Renuncias a lo de Pueblanueva?

Juan sonrió, se soltó de ella y volvió a la mesa.

—¡Claro! Si tú y Gay... Y aunque no fuese así. Lo he estado pensando. Es mejor que se encargue a otra persona sin compromisos. Yo, a lo mejor, acabaría por perjudicar a los propios interesados. Pensándolo bien, entender de negocios de pesca, lo que se dice entender, no entiendo. Quizá de una manera teórica. Pero una cosa es planear y otra llevar los planes a cabo. ¿No lo encuentras razonable?

Inés se acercó y volvió a acariciarle la cabeza.

—Me voy a dormir. Piénsalo y no te decidas hasta mañana.

Le dio un beso en la frente y salió. Abrió silenciosamente la puerta de su habitación, encendió la luz. El armario estaba entreabierto. Lo cerró, se arrimó a la cómoda y se miró al espejo de tres lunas: un espejo pequeño, con marcos de caoba; se miró a los ojos con el gesto sombrío y decidido. Después empezó a desnudarse.

«Querido Carlos: ¿Qué quieres que te diga? A pesar de todas tus seguridades, ni Inés ni yo creemos conveniente volver a Pueblanueva. Ella no es demasiado explícita en sus razones, pero la comprendo y espero que tú la comprenderás también. En cuanto a mí, me daría mucha vergüenza comparecer ante esos camaradas por los que tanto trabajé, pero a los que abandoné en un momento decisivo. Nunca me creería perdonado, porque, en el fondo, creo que no deben perdonarme. Sin embargo, aquí sigo peleando por ellos, pero en otro frente. Un día de éstos empezaré a escribir en la *Solidaridad,* que, como sabes, es el diario de la C. N. T. en Barcelona. Si llega ahí, ya veréis mi firma. También tengo a la vista colaboraciones y trabajos de la misma índole, que probablemente me permitirán algún día presentarme con la frente alta ante mis antiguos compañeros de lucha, los pescadores de Pueblanueva, a los que desde aquí saludo.

»Me doy cuenta de que mi negativa te traerá, momentáneamente, dificultades, pero quizá yo mismo pueda ayudarte a resolverlas. ¿No has pensado que el *Cubano* sería el mejor apoderado de esa empresa con la que tantas veces soñé? A su honradez, a su entusiasmo por la causa de los oprimidos, une una serie de excelentes cualidades, como la práctica de su negocio, la confianza de los pescadores, la reputación en el pueblo. Habla con él.

»Inés está muy bien. Dentro de pocos días nos mudaremos de la pensión a un piso que vamos a alquilar. Ya te mandaré la dirección.

Aldán.

»P. D.—He vuelto a trabajar en mi poema cosmogónico. Poco a poco vuelvo a ser el que fui, como si saliera de un largo sueño. Me han convencido de que lo escriba en castellano. ¡No sabes lo difícil que resulta esta especie de traducción de mí mismo en que estoy metido! Pero, créeme, mis versos castellanos resultan excepcionalmente musicales. Estoy contento.»

—Por mí me alegro —dijo Clara—; pero por ellos,

no. A Juan le vendría muy bien acostumbrarse a trabajar todos los días.

Se habían ido los albañiles. Las paredes ya estaban encaladas, y los pisos, puestos. Faltaban el arreglo de la cocina y algún trabajo de carpintería.

Carlos y Clara, arrimados a los quicios de la puerta, miraban la plaza. El sol iluminaba las torres de Santa María, que parecían de oro viejo. En la plaza unos chiquillos se perseguían, saltaban por encima de las tablas y los tablones puestos allí para levantar un andamiaje, gritaban, corrían.

—Quizá sea mejor así —dijo Carlos—. Me disgustaría mucho el fracaso de Juan.

—¿Tan seguro estás de que fracasaría?

—No; pero no me gustaría que se hundiese el negocio en mis manos o en las suyas.

—En el fondo, estás convencido de que es un disparate.

—Quizá.

—En cualquier caso, tú quedas bien. Juan te estará agradecido.

Los chiquillos, en sus juegos, se metieron en los soportales. Uno de ellos llegó corriendo, tropezó con Clara, rió y se alejó.

—Bueno, voy a echar un vistazo a esto. ¿Verdad que queda bonito? Estoy decidida a mudarme. Me han dicho que el lunes. Porque los carpinteros no me estorbarán.

Sacudió un cascote que había quedado en el suelo.

—Esta mañana estuvo a verme un viajante. De parte de aquel tipo de Santiago que tanto me miraba las piernas. Ya le hice el pedido. Pasa de veinte mil pesetas. Me dijo que lo mejor sería pagar la mitad al recibir los géneros y la otra mitad a plazos. En letras, ya sabes. De todas maneras, tendrás que ayudarme.

—Si estoy aquí.

—¿Cuándo viene la francesa?

Carlos tardó en responderle.

—Le escribí hace días, le mandé la copia del testamento. Espero que vendrá en seguida.

—Tengo ganas de verla —miró a Carlos—. ¿Y tú?

Carlos hizo un gesto de indiferencia.

—Me es igual. Lo que deseo es despacharlo todo pronto. Me viene demasiado ancha y demasiado pesada esa carga de administrar la herencia.

—Y la *Galana,* ¿cuándo se casa?

—Dentro de quince días.

—Iré a la boda, ¿sabes? Siento verdadera curiosidad por ver la cara que pones de padrino.

Se oyeron, lejanos, los bocinazos de un coche y el ruido de un motor. De las tabernas, de las tiendas, salieron mujeres, mozalbetes. Formaron grupo ante la estación del autobús, hablaban a voces. Los bocinazos se repitieron más cerca, y el autobús pasó ante la iglesia.

—Me estoy acordando de mi llegada a Pueblanueva —dijo Carlos—. Fue por la mañana, un día de mercado. Llovía mucho. La *Galana* y su madre venían a mi lado, y Rosario me tapó con su mantón.

Clara no le escuchaba. Se había alejado unos pasos y hablaba con una mujer.

—Espera un momento, Carlos.

El autobús se detuvo. Clara cogió del brazo a la mujer y la metió en la casa. Empezó a explicarle cómo iba a ser la tienda. Después la mujer se fue.

—Conviene que se vayan enterando —dijo Clara—. ¿Sabes qué me preguntó? Que cómo una señorita de mi clase iba a poner una tienda. Entonces le respondí si encontraba mejor que me muriese de hambre. Se tuvo que callar.

Unos mozos empezaron a descargar el autobús. Pasó el cartero, cargado del saco de la correspondencia. Dijo: «Buenas tardes.» Detrás de él llegó un chico con un paquete: una caja bastante grande, achatada.

—Don Carlos, que traen esto para usted.

Entregó el paquete y quedó esperando. Carlos le dio unas perras.

—Es tu traje, Carlos. Tu traje nuevo. ¿O es que ya lo habías olvidado? Mira, en la caja tiene la marca del sastre:

POZAS E HIJOS
Sastrería eclesiástica y civil

—Anda. Vete a casa y póntelo. Tengo ya ganas de verte con él. Yo, mientras, cerraré esto. Ve a buscarme a la lonja.

Carlos se sintió alegre. Corrió, calle abajo, con el paquete bajo el brazo. A la puerta del Casino estaba don Baldomero.

—Don Carlos, ¡que no se le ve el pelo hace unos días! Ya creí que se había marchado sin despedirse.

—Luego vendré por aquí.

—Tenemos que hablar, don Carlos. No deje de venir.

El portal de la casa de doña Mariana estaba oscuro; pero Carlos advirtió en un rincón el bulto de alguien sentado, quizá dormido. Se acercó y reconoció a Paquito el *Relojero*. Le alzó la cabeza. El *Relojero* entreabrió los ojos y los volvió a cerrar. Olía a aguardiente.

La *Rucha*, hija, le explicó:

—Llegó nada más marcharse usted. Quería entrar en la casa, pero yo no lo permití sin permiso del señor. Entonces se fue a la taberna y no volvió hasta que tuvo la mona cogida.

—Llevadlo a una cama y acostadlo.

La *Rucha* hizo aspavientos.

—¡Ay, señor! ¿Cómo vamos a acostarlo nosotras? Ni mi madre ni yo podemos con su cuerpo.

—Buscad quien os ayude. No vamos a dejarlo ahí toda la noche.

Subió a su cuarto y se cambió. Halló, en el espejo, su facha transformada, casi atractiva. Hizo un esfuerzo por no mirarse, sino sólo por mirar a aquel sujeto que aparecía en el espejo; dictaminó que la figura, así vestida, y con camisa y corbata nueva, tenía clase, aquello mismo que había descubierto en la de doña Mariana, nada más verla, el día de su llegada.

—Le hubiera gustado así, tan elegante.

Se quitó la chaqueta, pero cambió de opinión y volvió a ponérsela. En el fondo de la casa se oían voces agudas, chillonas: los insultos de las *Ruchas* al cuerpo inerte del *Relojero*. Con la gabardina al hombro Carlos se echó a la calle. Encontró a Clara junto a la lonja. Traía en la mano un paquete pequeño.

—A ver, quítate la gabardina. ¡Pareces otro!

Acarició la pana de la chaqueta.

—Ya verás cómo la *Galana* presume más de padrino que de marido. Y a propósito: acaban de decirme en la lonja que has regalado a la *Galana* la casa donde vive.

Carlos miró hacia el fondo de la ría.

—Sí.

—Pues sí que pagas bien a tus queridas, hijo. Ni Cayetano es tan rumboso.

—Las mujeres no entenderéis jamás por qué los hombres hacemos esas cosas.

—Ya.

De pronto, Clara echó a correr, sin decir adiós, sin volver la cabeza. Se perdió, calle arriba, en la sombra. Carlos quedó quieto, sorprendido. La siguió con la mirada, y cuando ella desapareció, siguió mirando.

El jolgorio de la lonja se apagaba. Las últimas pescadoras recogían sus cestos. Empezó a rugir un motor, y un camión colorado pasó, con los faros encendidos, por su lado. Carlos se apartó y, sin prisa, se dirigió al Casino. Entró sin quitarse la gabardina. El salón estaba vacío, pero se oían voces en la sala de juego.

Dejó la gabardina en el perchero y se acercó a la mesa del tresillo. Don Baldomero y el juez discutían a gritos una jugada. Carlos dijo: «Buenas noches», y nadie le contestó. Sólo Cubeiro, que acababa de ganar gracias a la torpeza del juez, le hizo señal de saludo con una mano y le sonrió.

Buscó un asiento y esperó a que se calmase la trifulca.

—Pues si está dormido, váyase a la cama.

El rostro de don Baldomero se había puesto colorado. El juez recogía cartas y seguía disculpándose.

—Como usted comprenderá, nadie puede averiguar...

—Con la disputa —dijo Cubeiro— no han echado de ver que don Carlos se ha hecho un traje.

Se volvieron hacia él.

—¡Hombre, don Carlos, ya iba siendo hora! ¡A ver, póngase en pie!

Fue examinado a conciencia. Tuvo que enseñar el marbete del sastre. Don Baldomero garantizó que era el mejor de Santiago y, probablemente, de Galicia.

—Lo que yo no me explico —dijo Cubeiro— es cómo se ha gastado los cuartos en una chaqueta de pana. Son ganas de llamar la atención, ¿eh?

—Es el traje de los sabios —explicó, zumbón, el juez.

—Se equivoca —dijo Carlos—. La pana dura; por eso la prefiero. Tengan en cuenta que lo menos en tres años no podré hacerme otra.

—¿Tan mal anda de cuartos?

—Ahora tendrá de sobra quien le preste. Los bienes de doña Mariana son buena garantía.

—Los bienes de doña Mariana tienen dueño.

Cubeiro le palmoteó la espalda.

—¡Que todo se sabe, don Carlos! El verdadero dueño es usted.

—¿No saben que marcharé dentro de unos días?

—Unos dicen que sí, otros dicen que no. Anteayer se hicieron apuestas.

—Pues ganarán los que apostaron que sí.

Don Baldomero dio un brinco.

—¡No me deje perder, don Carlos! ¡Puse diez duros a que no se iría!

Había acabado la partida cuando llegó Cayetano.

—¡Ahí tiene a don Carlos, que se nos va! ¡Y se hizo un traje nuevo para el viaje!

—Pues sentiré que te vayas, Carlos, porque no podrás asistir a mi entierro.

Quedaron en silencio repentinamente, como sobrecogidos. Cubeiro se incorporó en el asiento y preguntó anhelante:

—¿Qué le pasa? ¿Está enfermo?

Cayetano sacó un papel del bolsillo.

—Desde hace algún tiempo vengo recibiendo anónimos, en que me pronostican la muerte; pero el de hoy dice que moriré asesinado. Será un gran día para Pueblanueva.

Arrojó el papel encima del tapete verde. Nadie alargó las manos para cogerlo.

—Léanlo, léanlo. Es para echarse a temblar.

El juez cogió el papel con manos vacilantes y empezó a leer:

«Si tiene usted la Biblia, busque en el capítulo treinta y uno, versículo dos, de Isaías, y encontrará su condenación: 'Se levantará contra la casa de los malvados, contra el socorro de los que obran en la iniquidad.' Y más adelante: 'Asur caerá a la espada —que no es espada de hombre— herido por espada que no es de un mortal.' » Levantó los ojos, extrañado:

—¿Qué quiere decir esto?

Cayetano recobró el papel y lo guardó. Acercó una silla a la mesa, hincó en ella una rodilla y apoyó los brazos en el respaldo. Quedaba un poco más alto que los jugadores, la cara en penumbra. Alargó hacia la luz una mano abierta, explícita.

—Está bien claro: que cualquier día de éstos bajará un ángel del cielo y me apuñalará por la espalda.

—Eso lo habrá escrito algún loco.

—O un protestante —dijo don Baldomero con tranquilidad—. Seguramente algún protestante que anda por ahí. Va habiendo muchos. Los protestantes leen siempre la Biblia.

—Ya lo sabe, juez, para cuando me maten. Entre mis papeles encontrará muchos como éste. Servirán de testimonio.

Hablaba Cayetano con voz burlescamente solemne, con fingido gesto de temor. El juez, oficioso, se le acercó.

—¿Por qué no me presenta una denuncia? Se harían averiguaciones.

—¿Para qué? Sé lo que tengo que saber, y entre esos papeles hay uno en que declaro el nombre de quien me manda los anónimos.

Don Baldomero jugaba con las cartas: las barajaba diestramente. De vez en cuando levantaba la vista, miraba de frente a Cayetano, escuchaba con atención.

—Claro que, a lo mejor, me lo cargo yo a él antes de que baje el ángel a asesinarme —continuó Cayetano—. No me costará trabajo.

—Yo no haría caso —intervino Cubeiro—: Esto de los

anónimos, ya se sabe, viene por rachas. Hace años hubo una temporada en que los recibía todo el mundo, hasta que se descubrió el autor, aquella pobre loca, tía de Sarita Couto. Ya lo recordarán ustedes.

Cayetano se dirigió a Carlos:

—No te vayas, Carlos, si quieres acompañarme a la última morada. Y, por cierto, ¿cuándo vendrá Aldán? A ése tampoco le disgustaría verme con los pies para adelante.

—No vendrá.

—¿Has cambiado de opinión?

—Es él quien no quiere venir. No le interesa ya lo de los barcos. Le va muy bien en Madrid. ¿Saben ustedes? Escribe en la prensa.

—¿En la prensa... de Madrid? —Cubeiro ponía ojos de incredulidad—. ¿En periódicos de esos que se venden por la calle?

—En la *Solidaridad* de Barcelona.

—¡Bah! —dijo Cubeiro—. Yo, mientras no escriba en el *ABC*...

Cayetano dio la vuelta a la silla y se sentó.

—Para que te fíes de los amigos, Carlos. Ahora no encontrarás quien te saque del atolladero —ofreció tabaco al concurso—. ¡Acabarás teniendo que llevar personalmente un negocio del que no entiendes una palabra! Si no, al tiempo.

Sacó un mechero nuevo y lo pasó al más próximo.

—Encienda. Estos caballeros son testigos de que te ofrezco ayuda, si no tienes a mal recibirla. Y sin el menor interés. Ese negocio, como cualquier otro, sólo yo podría sacarlo adelante.

Todos miraban a Carlos. Parecían exigir, con sus miradas, una respuesta. Carlos se echó un poco atrás en el asiento, como si quisiera esconder la cabeza en la zona de sombra, y respondió:

—Ya veremos.

Acompañó al boticario hasta su casa y hubo de esperar un rato hasta escuchar el parte facultativo de la salud de doña Lucía: don Baldomero había tenido carta y, con ella, la enumeración y casi la descripción de fiebres, desmayos y hasta vómitos.

—Me escribe una vez por semana y siempre me dice que morirá al día siguiente. Y es lo que yo me pregunto: si está tan enferma, ¿de dónde saca las fuerzas para escribir tanto? Y si está tan arrepentida, ¿a qué viene eso de contarme sus males tan por lo menudo? ¡Como si uno no tuviese bastante penitencia con lo de aquí!

Le dio, de pronto, la risa.

—¿Se ha fijado en Cayetano? ¿Lo ha escuchado bien? ¡Mis cartas empiezan a hacer efecto!

—Yo dejaría de escribirlas.

—¿Tiene miedo a que me descubra? ¡Ni lo piense! Quizá sospeche, pero una sospecha no es una certidumbre. Nunca podrá probar que soy yo. Desfiguro la letra, y el papel no es del que se vende aquí. ¡Y, ya ve, las amenazas no caen en saco roto! Hace como que se burla, pero, en el fondo, está preocupado.

Quedaron para el día siguiente en el Casino. Carlos dio un rodeo y, por unas callejas, bajó al barrio de los pescadores. Era cerca de media noche cuando llegó al muelle desierto. Olía a marea baja y a pescado puesto a secar. Antes de entrar en la casa del *Cubano* se acercó al pretil y estuvo un rato allí, acodado, mirando las aguas oscuras.

En la taberna, cuatro marineros jugaban al tute en un rincón. Respondieron al saludo de Carlos, le miraron unos instantes y cuchichearon. Carlos pidió a Carmiña que avisase a su padre, si no se había acostado.

—Pues no lo sé. Espere. Tome algo mientras.

Carlos se sentó y bebió un sorbo de tinto que le sirvió Carmiña. Los marineros habían vuelto al tute, pero con menos brío. No levantaban la voz ni arrojaban las cartas con ira, entre denuestos.

El *Cubano* tardó unos minutos: se apretaba el cinturón y traía los cabellos revueltos.

—Tiene que perdonarme. Ya me había acostado.

—Le dije a Carmiña que en ese caso...

—¡No faltaba más! Aunque fuesen las cuatro de la mañana.

Carlos sacó del bolsillo la carta de Juan.

—Vine para que lea esto. Ha llegado hoy.

El *Cubano* cogió la carta y miró, anhelante, a Carlos.

—¿Es de Aldán? ¿Acepta?

—Lea.

—En este caso... —señaló con un gesto a los jugadores de tute—, será mejor que entremos.

Se apartó y dejó paso a Carlos. Se metieron en un comedor chiquito, con sillas de rejilla. El *Cubano* esperó a que Carlos se sentase. Entonces sacó unas gafas, se las puso en medio de la nariz y empezó a leer. Dos o tres veces levantó la vista de la carta, miró a Carlos por encima de las gafas y siguió leyendo. Luego dobló el pliego, lo metió en el sobre, lo devolvió a Carlos y se sentó.

—Pensándolo bien —dijo—, cualquiera haría lo mismo. Pero yo lo siento, ¡qué caray!, le tengo ley a Aldán y hemos hablado mucho, aquí mismo, en este comedor, y hasta hemos arreglado el mundo en nuestras discusiones. Porque discutíamos, ¿sabe? Los dos somos anarquistas, pero cada cual a su manera. Yo no tengo tantas lecturas.

Indicó el breve anaquel en el que yacían unos cuantos libros desgualdramillados.

—El difunto Nakens y unos números de la *Revista Blanca.* Cosas que ahora ya no lee nadie. Lo demás lo aprendí por el mundo. Aldán sabía más, pero le faltaba experiencia. Aunque ya tiene mérito que un hombre como él se haya puesto de nuestro lado. Eso de escribir en los periódicos, claro, le irá mejor.

Quedó como pensativo. Después abrió las manos.

—¡Bueno! Pues usted dirá.

—Yo sigo el consejo de Aldán y le ofrezco el cargo de apoderado. Confieso que no se me había ocurrido antes, pero tengo en usted la misma confianza que en él.

Dejó caer el brazo, con la mano abierta, sobre el mantel de hule, floreado de rosa y azul. Abrió la mano, larga y estrecha, de dedos un poco torcidos.

—Supongo que el Sindicato no tendrá nada que oponer y que usted estará conforme.

El *Cubano* recogió los brazos y miró a Carlos con mirada franca, sincera.

—Yo lo comunicaré al Sindicato y me someteré al acuerdo de la mayoría.

—Podemos dar por sentado que aceptarán. Y, en ese caso, es conveniente que vaya prevenido. Los pescadores tienen que ser conscientes de lo que van a emprender y de las condiciones en que lo emprenden. Doña Mariana Sarmiento, según el testamento que ustedes conocen, cede sus barcos; pero para llevar adelante el negocio hace falta dinero, y ni ustedes lo tienen ni yo puedo disponer de él, al menos en la cantidad necesaria para constituir un fondo de reserva. Supongo que habrá que empezar por una hipoteca.

El *Cubano* abrió mucho los ojos.

—¿Una hipoteca?

—Un barco. Quizá dos. Ademas, la cesión habrá de hacerse de modo legal, mediante un documento. Corre de mi cuenta, pero es menester que lo sepan y que los responsables se dispongan a firmar. En cuanto a usted, el poder le dejará las manos libres para hacer y deshacer según lo necesite.

El *Cubano* se rascaba la cabeza y entornaba los ojos.

—Sí, sí... Pero una hipoteca... ¿No le parece que es un mal modo de empezar?

—Evidentemente; pero no conozco otro medio de allegar fondos. Como usted sabe, en los últimos tiempos doña Mariana perdía unas treinta mil pesetas anuales; pero ella podía perderlas.

—Es que si nosotros perdemos eso, estamos arruinados.

—La idea de Aldán era, si no recuerdo mal, que los barcos, explotados con un criterio moderno, no darían pérdida, sino ganancia. Pero no inmediatamente, supongo.

—Sí. Eso pensaba Aldán, y todos con él.

Carlos se inclinó sobre la mesa.

—¿Era una buena idea o un disparate? ¿Cree usted honradamente que es una buena idea o una quimera?

El *Cubano* se levantó, apoyó las manos en la mesa y aguantó la mirada de Carlos.

—Le doy mi palabra de hombre honrado de que la creo una buena idea, una idea salvadora. Si no lo creyera así, no aceptaría...

Carlos se levantó también y le palmoteó el hombro.

—Entonces, no hay más que hablar. Yo no puedo dar mi opinión porque no entiendo, pero confío en usted... En ustedes, en todos los pescadores. Prácticamente son ya propietarios de los barcos.

—Pero..., ¿nos abandonará?

—¿Qué quiere decir?

El *Cubano* parecía embarazado y le temblaba algo en la mirada. Sacó un pañuelo y se limpió las narices.

—Don Carlos, usted sabe que desde que empezó este asunto mi preocupación fue no estorbarle. Pero ahora...

Le echó las manos a los hombros y le apretó fuertemente.

—... comprendo que nos hará usted falta. Al principio... No sé... Tendrá que echarnos una mano. Ya sé que usted quiere irse de Pueblanueva. Pero ¿no podría esperar un poco, al menos hasta que esto marche?

Bajó los ojos y, lentamente, dejó caer los brazos.

—Yo soy un analfabeto. Y usted tiene que darse cuenta de que esto no lo ha hecho nadie ni sabe cómo se hace. Y habrá que equivocarse hasta dar con el quid... Y si Cayetano se mete por medio y nos lo estorba...

Carlos volvió a sentarse. El *Cubano,* de pie, un poco doblado hacia adelante, le tendió una mano. Carlos no le miraba. Dijo:

—Algún tiempo, no mucho... Sí, el que haga falta. Pero yo...

Levantó la mirada. El *Cubano* sonreía.

IX

El *Relojero* esperaba en el cuarto de estar: sentado, metido en sí, con las manos cruzadas sobre el cayado de su bastón y la vista clavada en las sortijas. Se levantó cuando llegó Carlos y se quitó la pajilla.

—Ya estoy de vuelta —dijo—. Las *Ruchas* son unas putas: me tratan mal.

Carlos le ofreció la mano; el *Relojero* dejó el bastón y la pajilla en el suelo y, antes de tomar la mano que Carlos le ofrecía, restregó la suya contra la chaqueta.

—Me alegra verte otra vez por aquí. Lo de las *Ruchas* lo arreglaremos.

—Si a usted no le importa puedo seguir en el zaguán del pazo. Nuestro trato no fue de que yo viviera aquí.

—Hemos quedado en que eres libre.

—Gracias.

—Y ahora, si no lo tienes a mal, desayuna conmigo.

El *Relojero* echó un vistazo a la mesa puesta. Se acercó y acarició la cafetera. Retiró la mano rápidamente y se sopló los dedos.

—¿Es de plata esto?

—Sí.

—¡Rediós!

Carlos se había sentado y le señalaba un sillón.

—Usted hace mal, don Carlos. Usted no debe acostumbrarse a esta vida de rico. En el pazo ya no queda plata. Después cuesta caro acomodarse a la pobreza.

Se sentó y colocó sobre el regazo el bastón y la pajilla.

—Toma el café y cuéntame cómo te fue con tu novia.

—Se lo digo por su bien, y porque viviendo pobre le tengo más respeto. Me recuerda a su padre.

Carlos quedó en silencio. Desvió la mirada del *Relojero* a la ventana. Estaba claro el día y se veía un cuadro de cielo azul ligeramente velado.

—¿Sabes que voy a marcharme?

—¿Quién? ¿Usted? —al *Relojero* le dio la risa—. ¿Marcharse de Pueblanueva?

—Sí. Voy a marcharme, quizá pronto, pero no pienso por eso desahuciarte. Podrás vivir en el pazo hasta que te mueras.

El *Relojero* hizo una higa y en sus ojillos apareció una sombra de terror.

—¡Fuera brujas! De la muerte, ni hablar. Pero usted no se irá.

—Lo tengo todo preparado. No falta más que...

Interrumpió el *Relojero:*

—De la cuestión de mi novia le diré que allá quedó. A las mujeres no hay quién las entienda. Lo pasábamos tan bien, y de pronto, una mañana, cuando me desperté, no estaba. La esperé todo el día y toda la noche y no volvió. Entonces fue cuestión de coger mis bártulos y venirme. Pienso si ya se estará cansando.

—¿Por eso te emborrachaste ayer, a la llegada?

Paquito negó con la cabeza, seria, solemnemente, y apoyó la negativa con movimientos pausados del bastón.

—Unos me invitaron y me pusieron el aguardiente a tiro. Estaban muy contentos de verme y querían tirarme de la lengua, ¿sabe? Que les contara lo que hice con mi novia —cerró los ojos y frunció el ceño—. Las *Ruchas* son unas zorras. No me dejaron entrar.

Cogió con remilgos la taza de café, bebió un sorbo y la dejó sobre la mesa.

—A mí, esto del café con leche... Donde esté un pedazo de pan con ajo y una copa de aguardiente.

Se oyó el ruido de un automóvil. El *Relojero* abrió mucho los ojos. Se le movieron las orejas y las aletas de la nariz.

—Ese es el coche de Cayetano —dijo—. Lo conozco a un kilómetro.

Corrió a la ventana y fisgó.

—Viene aquí, viene a visitarle.

—En estos últimos tiempos lo ha hecho con frecuencia.

—¿Ya son amigos?

—No.

—Si no le importa, prefiero que no me vea.

Carlos se levantó. De pie, vació la taza y mordió un trozo de pan.

—Toma tranquilo tu café. Le recibiré en otra parte.

—Marcharé en seguida.

—Cuando quieras.

—Iré a dormir al pazo.

—Eres libre.

—Gracias.

Le sonrió. Carlos salió. Se encontró a Cayetano en el pasillo, con la *Rucha*. Le invitó a pasar al salón. Cayetano venía de tiros largos.

—No. No me siento. Tenemos prisa.

—¿Tenemos?

—Vengo a buscarte para que me acompañes a Vigo —Carlos alzó las cejas y arrugó la frente—. Sí. A Vigo. Quiero que arreglemos eso de las acciones.

—Ya te dije que no hay prisa.

—Puedo tenerla yo.

—Pero éste es un asunto entre dos.

—Te equivocas. Es un asunto entre tres, y precisamente por eso te pido que me acompañes. Fíjate bien: te lo pido. Y, como estoy dispuesto a jugar limpio, puedo decirte que alguien tiene el proyecto de visitarte mañana, para comprarlas, y yo quiero adelantarme.

Carlos se arrimó a la pared. No miraba a Cayetano,

sino a la alfombra, las manos en los bolsillos del pantalón y los hombros derribados.

—¿No has pensado en que quizá yo tenga interés en escuchar al visitante?

—Justamente es a él a quien vamos a ver.

—¿Para qué?

—Para ganarle por la mano.

Rió.

—Las cosas pueden plantearse de muchas maneras, cada cual tiene su estilo, y yo tengo el mío, que es ir al toro. Debo recordarte, por si lo has olvidado, que me asiste el derecho de retracto sobre tus acciones, que puedo comprarlas al precio que te ofrezcan. De lo que ahora se trata es de evitar que alguien haga el imbécil.

Metió los pulgares en la sisa del suéter y miró a Carlos de frente.

—Y si me apuras, de cuidar tus intereses. Voy a pagarte por las acciones lo que valen y un poco más, pero no demasiado, sino lo razonable. La intervención de un tercero podría complicar las cosas.

—¿Temes que me ofrezcan más de lo que valen?

—Eso no lo harán nunca. Son gente estrecha, ¿comprendes? Lo haría yo si estuviera en su lugar, y a la larga no perdería dinero.

—Entonces, no te entiendo.

—Pueden engañarte, o intentarlo al menos.

—Supongo que habrá un modo de conocer el valor real de esos papeles.

—Sí. Yo te lo diría honradamente. Pero no es ésa la clase de engaño que preparan. Conozco aproximadamente su propuesta: una cantidad muy inferior a la que te daré yo, o quizá igual, y un regalo particular de cierta importancia a condición de que aceptes firmar un falso contrato de venta estipulado en una cifra que, según calculan, yo no podría pagar. ¿Te das cuenta? Hacer un buen negocio y eliminarme a mí. Una maniobra muy burda. Piensan que somos enemigos y que te prestarás.

—¿Y si me presto?

Cayetano dejó caer los brazos a lo largo del cuerpo.

—¿Es una amenaza?

—Sólo una hipótesis.

—En ese caso, no hay que tomarla en consideración.

—¿Por qué?

—Porque entre nosotros cierta clase de armas sucias no se han usado nunca y no te creo capaz de faltar a ese... pacto —sonrió—. Advierte, además, que el que impuso las armas fuiste tú y que yo lo acepté. Si ahora te metieses en una maniobra asquerosa y pueril por unas pesetas, te despreciaría.

Carlos no respondió. Empezó a buscar el tabaco en los bolsillos. Cayetano sacó rápidamente la petaca y le ofreció el suyo. Carlos lo tomó y fue a encenderlo junto a la ventana. Cayetano, después de una vacilación, le siguió.

—No todo el mundo puede hacerlo todo, e incluso yo, que tengo fama de inmoral, sé dónde debo detenerme. Tú pudiste haberme birlado una mujer, pero una cerdada de esta clase no la harás nunca. Aquello, después de todo, tenía una explicación. La chica se te dio y era mi querida. Soplármela era algo así como imponerte a mí mismo y a los demás, como decir a la gente que no me tenías miedo. En el fondo, si lo miramos bien, era mía la culpa, aunque no te niego que me dolió y que la primera vez que fui a tu casa iba dispuesto a matarte. Pero ya pasó. Ninguno de los dos la quería. Me hiciste que te respetase, porque me habías ganado en un terreno en que creí que nadie podría ganarme. Y no te portaste mal, no fuiste por ahí alabándote de tu conquista. Por eso, probablemente, estoy ahora aquí, una vez más con las cartas boca arriba. Y no podrás quejarte de mí. Si lo haces, eres injusto.

Mostró las palmas de las manos. Carlos bajó la vista.

—Bueno. Vámonos a Vigo.

Habían almorzado en un restaurante de lujo. Al terminar, Cayetano sacó una petaca grande y de ella puros con su nombre en la sortija: Hoyos de Monterrey, cortos, de color pálido.

—No se fuma nada mejor en España.

Le dio uno a Carlos, cortado ya. Como Carlos fuera a encenderlo con una cerilla, se lo arrebató de las manos.

—Eso le estropeará el gusto. Espera.

Pidió una lámpara de alcohol y encendieron en ella los cigarros: Carlos, torpemente; Cayetano, con calma, con cuidado, casi con regodeo. Después dio una chupada.

—¡Qué aroma!

Acercó las narices al humo azulado, denso, y lo sorbió. Cerró los ojos.

—¡Qué aroma! ¿No notas la diferencia?

Carlos cogió el puro sin garbo, con torpeza.

—Si vamos a ver a esos señores, ¿no será incorrecto presentarse fumando? —le preguntó Carlos.

—Quizá, pero no es gente con la que haya que gastar cumplidos.

—Entiendo que el cumplido es, ante todo, respeto a uno mismo.

—Y la falta de cumplido, desprecio a los demás —se puso en pie, riendo—. Recordarás que siempre te he tratado con toda clase de cumplidos. ¿Vamos?

Lo llevó en su coche hasta una calle no muy apartada que bajaba en cuesta hasta el muelle. La mirada se detenía, allá abajo, en la mole negruzca de un barco cuyas grúas se movían cargadas de fardos. Dejaron el coche allí mismo, arrimado al bordillo, bien echados los frenos.

La casa era grande, de piedra gris. La escalera, ancha. Llegaron ante una puerta pintada de oscuro, con un Corazón de Jesús estampado en hojalata. Una doncella de cofia les mandó pasar. Muchos cuadros en el vestíbulo y en el pasillo oscuro. En el salón, cortinajes de terciopelo, tresillo tapizado de cuero rojo, jarrones de cristal, alfombra gruesa, paisajes regionales en las paredes. En un rincón, un gato negro inmóvil. La doncella abrió las maderas.

—Los señores vendrán en seguida.

Se sentaron. La doncella salió. Carlos miró al gato. Distraídamente, primero; después, intencionada, fijamente.

—Bonito bicho.

—Capital sólido —dijo Cayetano—, pero sin porvenir. Cuando gobernemos nosotros, los barreremos.

—¿Vosotros?

—Sí. Los socialistas.

La ceniza gris, blanquecina, se mantenía al cabo del puro. Cayetano la sacudió en el cenicero.

—Pero si se retrasa, los barreré yo solo.

Se oyeron pasos. El gato seguía inmóvil, los ojos brillantes, dorados, clavados en Carlos. Alguien abrió la puerta. El gato no se movió. Entró el dueño de la casa con un señor bajo, rechoncho, y un joven alto, estirado. Sonreían los tres, a Cayetano, a Carlos, al aire. Sonreían e inclinaban las cabezas, uno tras otro.

Cayetano les presentó a Carlos.

—El doctor Deza. Y estos señores son el Estado Mayor de Astilleros Masquelet: don Jorge Masquelet; don Francisco Baró, su cuñado, y Alejandro Baró, su sobrino. Alejandro es a los Astilleros Masquelet lo que yo a los míos. ¿No es así, Alejandro?

Mientras Carlos les daba la mano, Cayetano aclaró:

—Gente importante, gente seria, muchos millones detrás.

—Es usted muy amable —le respondió Masquelet, y señaló los asientos—. Nos traerán café.

Todavía se demoraron unos segundos: el joven Baró alargaba el cuello y la cabeza de pájaro mojado: parecía empeñado en que los demás se sentaran antes que él, y el señor Masquelet insistía en ser el último en sentarse. Carlos, sonriente, dudaba. Se dejó empujar por el joven Baró, que, inmediatamente, se sentó a su lado. Cayetano se había dejado caer en un sillón y contemplaba a los demás a través del humo del cigarro. Don Jorge Masquelet se estiraba la chaqueta a cuadros, ribeteada de cordoncillo; don Francisco Baró componía el gesto de su cabeza enérgica: sacaba y metía la mandíbula inferior, como ensayando. Llevaba bigote recortado y dentadura postiza.

—¿Ustedes fuman? —preguntó Cayetano—. He traído conmigo unos vegueros.

Los repartió. Baró, el joven, no fumaba.

—Gracias, gracias. Cuido mucho mis pulmones.

—Es tu cabeza lo que tienes que cuidar, Alejandro. El porvenir de la industria naval está encerrado en ella.

Alejandro Baró sonreía y daba las gracias con gesto tímido.

—No tanto, no tanto. El verdadero talento, como todo el mundo sabe...

La bandeja en que trajeron el café era grande, ancha, pesada, de plata oscura. La cubría un mantelillo de encaje. El coñac venía en un frasco de cristal blanco, tallado, irisado en las aristas. La doncella, silenciosa, encendió una lamparilla y calentó unas copas. Mientras, Alejandro sirvió el café. Tenía manos largas, cuidadas, llevaba una alianza y, en el mismo dedo, una sortija de brillantes. Cada vez que centelleaban, Carlos cerraba los ojos. También centelleaban los ojos del gato, como si estuviese iluminado por una luz interior, una luz cambiante: dorada, verdosa, gris. Carlos apartó la mirada de los brillantes y la fijó en los ojos del gato.

—Son unos puros estupendos. Me los preparan especialmente.

Don Jorge Masquelet cortó con precisión la cabeza del cigarro.

—También este coñac me lo preparan especialmente. Ya lo verán ustedes: un verdadero coñac francés. Me aficioné a él cuando joven, y no puedo prescindir de una copita a la hora del café. Una copita nada más. Entona. Sin abusar, el coñac es muy sano para el organismo.

—El coñac bueno —le interrumpió Alejandro: las luces de sus brillantes cambiaron de orientación, pero Cayetano no paró mientes en ellas.

—Claro. El bueno, por supuesto. Por algo es bueno. También el café...

—El café no es bueno —dijo Cayetano, después de probarlo; y don Jorge Masquelet alzó violentamente la cabeza—. Es extraordinario.

Don Jorge sonrió y se tranquilizó su rostro, prematuramente alarmado.

—Excepcional. ¿Dónde lo compra, don Jorge? Yo no consigo un café así.

—Mi señora. Es un secreto de mi señora. Ella lo mezcla: caracolillo, Moka, Puerto Rico... Todo consiste en las proporciones. Y en el tueste, claro, o, más, bien, en el retueste, según tengo entendido. Para tratar de negocios no hay como un buen coñac y un buen café. Lo facilita odo, creo yo. Si le gusta, tendré mucho gusto en obse-uiarlo con un paquetito.

Cayetano acercó la taza a las narices.

—¡Qué aroma! —la apuró y la tendió a Alejandro, ara que le serviese otra.

Carlos dejó de mirar al gato: miraba a Cayetano; luego, don Jorge, y otra vez a Cayetano.

—Sí, un buen café —dijo—. Pero —se dirigió a don orge— perdóneme la pregunta. Ese gato, ¿es de verdad?

Señaló el rincón, y todos volvieron la cabeza.

—Sí, claro, naturalmente. ¿Por qué lo pregunta?

—Es que... ¡está tan quieto! Desde aquí, parece de orcelana.

Alejandro alargó el brazo y acarició el lomo del bicho.

—¡Pobrecito! Es muy discreto. ¿Le molesta, señor)eza?

—¡No, no! Al contrario. Me gusta verlo. ¡Tan quieto hí, como una porcelana...!

La doncella sirvió el coñac y marchó en silencio. El gato novió la cabeza, hacia arriba, hacia abajo. Don Jorge co-ió su copa. La levantó.

—En fin... Para que nuestra conversación...

Alejandro alzó también la suya.

—Eso. Para que nuestra conversación sea amistosa y ructífera.

La copa de Cayetano permanecía junto a la taza del afé. Don Francisco Baró, con la suya también alzada, le reguntó:

—Y usted, ¿no brinda?

—¿Yo? ¿Para qué? Si ustedes ganan, yo pierdo, y vice-ersa. No podemos brindar juntos.

—Siempre habrá una manera de acomodar intereses —don Jorge, sin esperar a los demás, bebió el coñac—.)espués de todo, hasta ahora no somos precisamente ene-nigos.

Lentamente, disimuladamente, Carlos volvió la cabeza, un poco los hombros, hacia el gato.

—Es usted muy amable, don Jorge. O quizá sea que onsidera tan alta su posición en la construcción naval ue no se digna concederme categoría de enemigo...

—¡No, no, señor Salgado; eso, no! ¿Cómo vamos a ignorar que sus astilleros, dentro de poco tiempo, serán una empresa de importancia regional?

—Lo son ya —interrumpió, seco, Cayetano—. Mi próxima quilla será de un barco de quinientas toneladas. Y, en lo sucesivo, no los construiré menores.

La mirada de don Jorge se dirigió a su cuñado; luego, a su sobrino: dos miradas rotundas, como señales.

—Como nosotros —dijo Alejandro.

—De momento. El año que viene, más que ustedes.

Don Jorge dejó el coñac encima de la mesa y alzó las cejas.

—Bien. Razón de más, entonces, para que nos entendamos. Incluso... —vaciló— para que colaboremos.

Carlos, con la cabeza francamente vuelta, parecía atraído por el gato. Alejandro le enviaba miradas cortas, inquietas.

—Vamos a suponer que los Astilleros Baró y Masquelet, Sociedad Anónima, adquieren esas acciones... Y que ofrecemos a usted una participación en nuestro negocio por un capital equivalente.

—¿Para qué?

—Está claro. Puede ser el primer paso para una fusión posterior de Astilleros Salgado y...

Cayetano empezó a reír.

—Pero, don Jorge, ¿es que ha encontrado usted manera de mezclar el agua y el aceite?

Se levantó bruscamente. El gato dio un salto, asustado; quedó en medio del salón, arqueado el lomo, la cola en alto; en seguida, volvió a su sitio, bajó el rabo y recobró la postura inmóvil.

—A ustedes puede interesarles asociarse conmigo, pero a mí no me interesa la sociedad de nadie, ni siquiera la de ustedes, con todos los respetos.

—Es usted muy soberbio, Cayetano —advirtió, enérgicamente, el señor Baró, padre.

—Quizá, pero soy mejor hombre de negocios que ustedes. Mi astillero va viento en popa porque mis métodos son buenos. ¿Por qué voy a asociarme con ustedes, cuyos procedimientos están anticuados?

Alejandro se levantó también, con la cabeza erguida.

—No querrás decir con eso que soy un mal ingeniero.

Cayetano le empujó hacia el asiento.

—No pensaba en ti, Alejandro. Ya sé que eres un ingeniero estupendo. El primero de nuestra promoción y el asombro de los mejores de Southampton, cuando estuvimos allá. Pero yo me refería a otros métodos.

Bebió un poco de coñac y se sentó en el brazo de la butaca.

—Actualmente —sus manos se movieron con calma— puede calcularse que el precio de coste por tonelada en mis astilleros es un doce setenta y cinco más barato que el de ustedes. El año próximo espero alcanzar el quince, y quizá pronto el veinte por ciento. En cuanto a la calidad técnica..., estás invitado, Alejandrito, a visitar mi factoría y a repasar mis barcos plancha por plancha y remache por remache. Puedes examinar lo que quieras, los libros inclusive.

—¿Para qué?

—Para comprobar que mis métodos son mejores.

Don Jorge extendió el brazo y la mano abierta.

—Aceptado. Por lo tanto, se explicará usted nuestro interés en una colaboración. Admitida en principio, discutiríamos más tarde las condiciones. Le adelanto que estamos dispuestos...

—¿A pagar a los obreros como yo les pago? —interrumpió Salgado—. ¿A darles los beneficios que les doy? ¿A construirles casas higiénicas y asegurarles una vida decente?

La mano de don Jorge descendió. Había cerrado el puño y ahora lo abría. Cayetano se dejó resbalar hasta el fondo de la butaca y rió.

—Creo que hemos llegado al fondo de la cuestión, señores. Por lo pronto, puedo asegurarles que no soy mejor ingeniero que Alejandro, pero sí que entiendo el negocio mejor que ustedes. Mis obreros trabajan ocho horas diarias; los de ustedes, no. Mis obreros trabajan contentos; los de ustedes, desesperados. En mi astillero se construye más pronto y más barato porque la gente trabaja con alegría. Ese es mi método.

—Su gente —dijo sordamente don Jorge— será una fuerza al servicio de la revolución.

—Es posible, pero no tengo la culpa. Por otra parte, no me perjudica.

—¡Usted es un socialista, Salgado! —gritó don Jorge, fuera de sí.

—Lo sabe todo el mundo y no lo he ocultado jamás. Con lo cual se prueba que tengo más vista que ustedes. El mundo será socialista, tarde o temprano, pero no tan tarde que nosotros no lo veamos. Y entonces, todo lo que depende de la propiedad privada se irá a paseo.

Don Francisco Baró se levantó, solemne.

—Está usted en un error, Salgado. Nadie podrá destruir las sagradas instituciones de la patria, de la familia, y, como usted sabe, la propiedad es la base de la familia y de la patria. Dios está con nosotros; el diablo con ustedes, y Dios vence siempre en la última batalla.

Don Francisco Baró había hablado con tranquilidad, con ponderación. Sus manos empezaron a moverse.

—¿Para qué meter a Dios en esto? —Cayetano rió—. Si El no se mete, resulta sospechoso que lo metamos nosotros. En Europa hay ya países prácticamente socialistas, y Dios no parece haberse interpuesto en su camino. Ahí tienen ustedes a Rusia...

—Es usted joven, ha visto en el extranjero cosas que no son aplicables a nuestro país, cosas que nuestro país, gracias a Dios, rechaza, y, acaso, acaso, las malas lecturas le han llevado a esos errores. Pero es usted propietario como nosotros, y un día u otro tendrá que convencerse de que la razón está de nuestra parte. ¿Por qué no ha de ser hoy ese día? Me gustaría que me escuchase. Podría demostrarle el enorme daño que hace usted con esas innovaciones peligrosas. De momento, tiene usted éxito. ¿Y qué? ¿De qué le serviría eso que llama sus métodos si el día de mañana sus obreros se presentan en la factoría y se apoderasen de ella pura y simplemente? Porque a eso es a lo que conducen sus procedimientos. El obrero es peligroso. No cree en Dios ni obedece a la autoridad legítima. De nada vale mimarle, porque se encarama en el hombro del que lo mima. Hay que tenerlo a raya, aunque sea con el látigo. Y el que se descuida paga su equivocación, como el domador distraído. Ya ve usted las cosas que hemos pasado en octubre del treinta y cuatro, y las que pasaremos, quizá, si Dios no nos ayuda. ¿Por qué? Porque una serie de gobernantes débiles han tolerado, han permitido e incluso han alentado las asociaciones obreras. ¿Habrá disparate mayor? Fue permitir al enemigo que se hiciera fuerte. Y ahora, nosotros, ante esa fuerza, ¿qué podemos hacer sino imitarlos? Contra la fuerza de los obreros desmandados no hay más que la de los patronos unidos. Pero usted se opone a esa unión, usted se porta como un muchacho díscolo, y, con sus originalidades, da alas a los trabajadores. Cuando nos hacen frente, le citan a usted como modelo de patronos progresistas. Y a usted le consta que sus excentricidades en materia de salarios fueron la causa de los últimos conflictos. Nos hemos visto precisados a subir los jornales por su culpa. ¡Mi querido señor Salgado, la situación de la industria no puede soportar jornales elevados! Usted lo sabe perfectamente.

—La mía los soporta, señor Baró.

—¿Por cuánto tiempo? ¿Piensa que esa alegría va a durar mucho?

—Por lo pronto, todo el que yo dure. No aspiro a cambiar de método, sino a perfeccionarlo. ¿Han pensado ustedes alguna vez en asociar a los obreros a su empresa? Pues yo los asociaré a la mía si las cosas marchan, que marcharán.

Don Francisco se santiguó solemnemente. El gato alargó la cabeza y se estiró.

—Es usted peligroso, Salgado. Es usted un aliado de los enemigos de la sociedad. Y nosotros lo comprenderíamos si hubiera usted surgido de la nada. Pero usted se crió en pañales muy finos, y fue alumno de los jesuitas, como mi hijo, y estudió con él la carrera... Entonces era usted otra clase de muchacho. ¿Qué le ha sucedido para dar ese cambiazo?

Cayetano respondió con toda seriedad:

—Que soy inteligente. Que las veo venir y me anticipo. Y, aunque ustedes no lo crean, que tengo cierto sentido de la justicia. En la cuestión social estoy de parte de los obreros.

—¿No será para tiranizarlos mejor, Salgado? Porque todo el mundo sabe que en Pueblanueva es usted una mezcla de señor feudal y de sultán —sonrió—. Sobre todo, sultán.

Cayetano sonrió también.

—¿Me tiene usted envidia? ¿O es su hijo el que me la tiene? Porque don Jorge ha pasado ya de esos calores...

Don Jorge Masquelet miró a su cuñado y a su sobrino; don Francisco Baró, a su cuñado y a su hijo; Alejandro Baró, a su padre y a su tío. El gato miraba al aire y Carlos miraba al gato.

—Supongo —a don Francisco le temblaba la voz— que bromea usted, ¿verdad? Porque ni mi cuñado, ni mi hijo, ni yo...

Cayetano alzó las manos con las palmas extendidas.

—Perdón. No siga. Hemos llegado a hablar claro en lo concerniente al negocio. ¿Tienen mucho interés en que hablemos claro también en este asunto? Personalmente, me da igual: no escondo a mis queridas. Las tengo a la luz del día, todo el mundo las conoce, y lo que gasto con ellas es mío.

Dejó caer las manos sobre los brazos del sofá.

—Pero como me gusta saber el terreno que piso procuro estar al tanto de los trapicheos ocultos de quien los tiene. Conozco la vida secreta de todos los miembros de la Patronal —pasó la mirada alrededor—. De todos.

Don Jorge Masquelet sacó el reloj y miró la hora. Don Francisco Baró cogió, con mano temblorosa, un terrón de azúcar y lo mojó en el coñac. Alejandrito se distrajo acariciando su copa, en cuyo interior curioseaba.

El gato dio un salto y atravesó la habitación. Fue un salto inesperado, sin preparación. A Carlos le cogió de sorpresa.

—¿Les parece, pues, que tratemos de lo que nos trae aquí? Una parte de las acciones de mi astillero están en venta. Ustedes quieren adquirirlas, no por interés que tengan en mi negocio, sino porque, poseyendo esas acciones, esperan poder controlarme. No está mal pensado.

Ahora bien: las leyes me conceden un derecho preferente, si me avengo a pagar la misma cantidad que ustedes ofrezcan al vendedor.

Dio un golpe en la mesa.

—¡Por la madre de Dios, Carlos! ¿Quieres estar atento y dejar de mirar al gato?

Carlos se sobresaltó.

—Perdón. Me tiene obsesionado. ¿Han visto ustedes...?

Cayetano le interrumpió:

—Estos señores van a hacerte una oferta.

—Nosotros... —don Jorge hizo una seña a don Francisco.

—Nosotros preferiríamos tener antes una conversación privada con el señor Deza. Espero que no le parezca mal, Cayetano. Es incluso normal que así sea.

—De acuerdo. Me voy a esa habitación a donde ha entrado el gato. Pero les advierto, para que no pierdan el tiempo, que conozco sus intenciones, y el señor Deza conoce las mías, y entre él y yo todo está claro. El señor Deza no se avendrá a firmar ninguna supuesta venta por cantidades superiores a la real, ni tampoco aceptará el regalo personal que ustedes pretenden ofrecerle.

Don Jorge se levantó bruscamente.

—¿Cómo se atreve...?

Cayetano se levantó también, pero tranquilo.

—Cálmese. En la Patronal hay quien trabaja para mí y me tiene al tanto. Es lo lógico, ¿no les parece? Ustedes pretenden ganarme la partida, y yo me defiendo como puedo.

Dio unos pasos hacia el centro de la habitación y se volvió.

—Mi capital personal asciende a dos millones de pesetas. Las acciones pueden valer entre ochocientas mil y un millón. Sepan ustedes que estoy dispuesto a quedarme sin un céntimo para adquirirlas. De modo que ofrezcan de dos millones para arriba.

—¡Usted está loco, Cayetano! —la voz de don Jorge era un chillido.

—No. Defiendo la obra de mi padre y la mía. Defiendo

mi independencia y defiendo también, aunque ustedes no lo crean, el bienestar de mis obreros.

—¡De sus esclavos! ¡Sus obreros no son libres ni para declararse en huelga!

—Bueno. Eso es cuenta mía.

Se dirigió a la puerta por donde había desaparecido el gato. No llegó hasta ella. Don Francisco Baró dijo a Carlos:

—Lo sentimos mucho, señor. No podemos gastar dos millones en un capricho. Somos gente seria y sabemos lo que vale el dinero. Pero le confieso que no esperábamos de usted este comportamiento. Hemos creído que estaría de nuestra parte y que guardaría lealtad a la difunta señora de Sarmiento...

—Señorita —interrumpió, desde el fondo, Cayetano.

—Es igual. Era una señora. Pero se equivocó al elegir a este caballero como administrador.

Hizo una pausa. Miró a Carlos con dureza.

—En el mundo hay planteada una batalla, y usted se pone de parte de los enemigos de Dios y del Orden. Allá usted con su conciencia. En cuanto a su modo incorrecto de asistir a una reunión de negocios...

Vaciló. Su cuñado y su sobrino le animaron con un gesto.

—... mis parientes y yo nos sentimos ofendidos de que nos haya hecho menos caso que al gato.

—No es un gato —respondió Carlos con ingenuidad—. Estoy convencido de que es el mismo demonio.

....

Cayetano se había repantigado en el sillón del bar. Jugaba con la pipa y, a ratos, bebía un sorbo de cóctel. Carlos no había tocado el suyo.

—Me atrajo en cuanto lo vi, me tuvo fascinado. Su inmovilidad, su brillo, el resplandor de sus ojos, no parecían naturales o, al menos, normales. Por eso pregunté si era de porcelana. Se me ocurrió que fuese un juguete trucado, y que aquella luz cambiante de los ojos procediese de algún sistema de iluminación, y que el gato estuviera allí adrede, para llamar la atención, una de esas cosas con las que se enorgullecen los dueños de la casa y que hay que alabar. Pensaba hacerlo. Cuando me dijeron que se trataba de un verdadero gato, no sé por qué me sorprendí, me sentí engañado y, ¿cómo te lo diría?, en peligro. Tuve miedo. No aceptaba la idea de que fuese un gato inofensivo, un gato sociable, que puede estar en visita y que se deja acariciar por los visitantes. Prevalecía la primera impresión, la de ser una apariencia de gato. Empecé a observarlo. No estaba verdaderamente inmóvil, sino que se movía imperceptiblemente, con unos movimientos suaves y lentos. A veces, el movimiento me pasaba inadvertido, porque estaba de frente cuando acababa de estar de perfil, porque me miraba en vez de miraros a vosotros. ¿Cómo era esto posible, si yo no le quitaba los ojos de encima? Pero es el caso de que no le había visto mover la cabeza y que me miraba. Al mirarme, sus ojos, por un lado, parecían humanizarse, y me recordaban los de alguien; por otra parte, parecía mirada sobrehumana, no de animal, sino de espíritu. Como si tuviera alma y una inteligencia superior y burlona, una inteligencia por encima de las nuestras. Se me ocurrió la extraña idea de que fuese doña Mariana, de que el alma de doña Mariana hubiese encarnado en aquel gato, o que, al menos, se hubiera alojado allí. Y entonces el gato me dijo que no.

Cayetano soltó la pipa de los dientes y rió.

—¡No te rías! Meneó la cabeza como una persona, como tú o como yo podríamos menearla, y yo me quedé asustado. Porque comprendí que era el diablo. Y ahora, dime, ¿qué hacía allí? ¿A cuál de los dos bandos protegía? Estoy muy preocupado; no me importa que el diablo me ronde, pero no deseo para nada su protección. Los negocios en que el diablo anda metido acaban siempre mal.

Cayetano le palmoteó una rodilla.

—El nuestro terminará bien a pesar del diablo. Prácticamente, ya está terminado, porque tendremos listos los papeles dentro de una hora, y dentro de una hora y cinco minutos los astilleros serán enteramente míos, y tú tendrás en el bolsillo un cheque. ¿Qué harás con ese dinero?

—Repartirlo. La mitad, para Germaine; la otra mitad para el hijo de doña Mariana. Ya lo sabes.

—Cometes un error. Quizá sea ahí donde interviene e diablo. Porque al no poder exportar el dinero tendrá que depositarlo en unas cuentas corrientes, es decir, inmovilizarlo. Y eso es, desde todos los puntos de vista, u disparate, y me atrevería a decir que una inmoralidad Será un dinero del que se beneficie el Banco. Dile qu no al diablo y hazme caso, que también tengo algo d diablo, aunque pertenezca a otro bando. Empléalo. Pued aconsejarte buenas inversiones...

Cayetano titubeó, dejó que sus ojos se enredasen e las decoraciones del techo. En la mesa de enfrente, un señorita rubia sorbía su cóctel por una paja y enseñab las piernas, largas y finas.

—Hay un negocio que nadie ha visto todavía y qu podríamos empezar. Una flota y una factoría para explotar el bacalao. Hace falta más dinero, pero lo encontraríamos. En Pueblanueva hay un excedente de trabajadores que mi astillero no puede todavía asimilar; so los que andan a la pesca. Mientras esa gente no se acomode, en Pueblanueva no habrá prosperidad. Y cuand el famoso Sindicato dé en quiebra, que la dará, ¿qué haremos de esa gente? Ellos piensan siempre que estoy y detrás, y que cuando las cosas vayan mal les daré emple en el astillero. Pero yo no sé si podré hacerlo. Es mu caro transformar a un pescador en obrero. En cambio, e que está acostumbrado a pescar sardinas lo mismo pescaría bacalaos. Tenemos las tripulaciones...

Carlos escuchaba inmóvil. Una orquesta había empezado a tocar y unos muchachos pasaron bulliciosament hacia la barra. La chica de las piernas largas encendi un cigarrillo con un mechero de oro, dio dos chupadita cortas y envió el humo hacia Carlos.

—Tenemos las tripulaciones y un dinero. Voy a estudiarlo, Carlos. Y si te decides a ser, por una vez en t vida, inteligente...

—Ese dinero no es mío.

—Pero puedes administrarlo con entera libertad.

Acercó el sillón al de Carlos. Le habló en voz baja

—Tienes la posibilidad de hacerte rico, de alcanzar una posición y una fuerza. ¡No me digas que no te interesa! Ya lo sé. Pero me pregunto y te pregunto: ¿Por qué no te interesa? ¿Qué demonios te pasa que no te atrae lo que atrae al resto de los hombres?

Carlos bajó la cabeza y se encogió de hombros. La chica de las piernas largas sacó del bolso una revista y se puso a hojearla.

—Me gustaría saberlo, ya lo creo. Quizá sea una enfermedad...

Abrió los ojos y miró a Cayetano con sonrisa casi jubilosa.

—El diablo. Lo que me pasa es que el diablo me tiene cogido, ¿comprendes? No me deja hacer nada más que pensar...

Se levantó.

—Vamos, si quieres firmar esos papeles. Y como lo del Sindicato ya está moralmente hecho, aconséjame un abogado que dé forma jurídica al asunto. Quizá sea, como piensas, un disparate, pero que sea al menos un disparate escrupuloso.

Cayetano hizo una seña al camarero.

—No tienes remedio, Carlos. Los Churruchaos no tenéis remedio. Sois tercos...

El padre Eugenio apareció un poco antes de las doce, con un gran cartapacio de dibujo bajo el brazo y una bolsa en la mano. Carlos revolvía papeles. En la mesa, el desayuno esperaba, a medio tomar. El padre Eugenio, riendo, le preguntó si buscaba el plano del tesoro.

—Y déme tabaco. Estos días el monasterio atraviesa una crisis económica grave. Comemos mal, y el prior no me da un solo cigarrillo. Aunque quizá sea que quiere castigarme.

Carlos le echó una cajetilla sin abrir.

—Quédesela.

—El cura me mandó recado de que la iglesia está lista para empezar los trabajos. Convendría que viniera usted también. El maestro de obras espera a las doce.

Carlos miró el reloj.

—Tenemos tiempo. Siéntese. ¿Quiere un poco de café?

—Hoy es viernes.

—¡Ah!

Carlos bebió el suyo y untó de mermelada un trozo de pan tostado.

—Desde que vivo aquí me doy buena vida. Doña Mariana era una golosa secreta, y en sus alacenas hallé el repertorio más variado de golosinas en lata que se pudiera imaginar. ¡Y qué calidad! Jamás he probado mermeladas como éstas.

—¿Qué me dice de los planos del tesoro?

—Buscaba unas cartas y he encontrado otras —señaló varios montones—. Cualquier día que me sobre tiempo escribiré la biografía de la Vieja, como mi padre escribió la de Mariana Quiroga, tía tatarabuela de usted.

—Sí. Ya sé.

—Doña Mariana Sarmiento fue una amiga excepcional. ¿Sabe usted que los almirantes de las escuadras que combatieron en Skagerrak eran amigos suyos, y que por medio de ella se mandaban recuerdos? Los había conocido en Madrid, cuando eran agregados navales a sus Embajadas respectivas. Se cartearon durante muchos años. Aquí hay retratos, mire...

En una fotografía apagada, doña Mariana, joven, con velos, sombrero y sombrilla, paseaba entre dos oficiales de Marina.

—Ahí la tiene usted, con Jellicoe y Scheer. Jellicoe debe de ser éste. Y mire.

Le mostró una esquela, fechada en Wilhelmshaven. Cuatro líneas en francés, la firma y una posdata: «Recuerdos a Jell.»

—Es hermoso, ¿verdad?

El fraile empezó a hurgar en la faltriquera.

—También yo tengo una carta...

Sacó un sobre doblado y se lo tendió a Carlos.

—De Germaine. Lea.

—¿Viene?

—Léala, hágame el favor.

Carlos sacó el pliego, empezó a desdoblarlo, pero se detuvo. Juntó las cejas, dio vueltas al papel.

—No. No lo leo. Cuénteme lo que dice.

Dejó la carta sobre la mesa.

—También me escribirá a mí, supongo.

El fraile alargó la mano y recogió el sobre.

—Lamenta la muerte de su tía, a quien hubiera deseado conocer. Ha leído la copia del testamento; lo encuentra muy extraño. Y puesto que se le obliga a residir aquí, retrasará su venida hasta que termine sus estudios.

Carlos empezó a guardar los montones de papeles.

—Es lógico, en cierto modo.

—Añade que... anda mal de dinero. Y que de lo que va a heredar se le mande alguna cantidad. Tiene muchos gastos. Su padre está enfermo y no puede trabajar.

Movió la mano, con el sobre apretado entre los dedos.

—Es una petición razonable, ¿no le parece?

—¡Oh, sí, claro! ¡Pobrecita! Y usted no duerme pensando que pueda pasar hambre, ¿verdad? Ha sido una falta de precaución.

El fraile se levantó y se acercó a Carlos.

—Le mandará usted dinero, ¿verdad?

Carlos, sonriente, se levantó también.

—Le veo a usted muy dispuesto a darle la razón.

—Es natural. Hay un testamento, usted es el que manda, y si se interpreta muy a la letra...

—Vámonos a la iglesia.

—Pero le mandará el dinero.

—¡Sí, padre, sí, le mandaré el dinero! ¿Cómo voy a permitir que la princesa pase apuros? Sería un descrédito para la familia que llegase aquí desnutrida. Le mandaré todo lo que las leyes de la República me permitan enviar. Y se lo mandaré en seguida; además, por la vía más rápida.

Bajaron a las cuadras. El fraile ayudó a Carlos a enganchar el caballo.

—¿Sabe usted que ya he vendido a Cayetano las acciones del astillero? Interpretando el testamento a la letra, la mitad de ese dinero pertenece a Germaine. Sin embargo, no se lo mermaré. Hay otros fondos. Dispondré de ellos para estas pequeñeces.

Salieron a la calle. Estaba una mañana nublada y

dulce, sin lluvia, casi sin viento. Subía de la mar baja un olor acre. Aquí y allá, pescadores solitarios, barcas dulcemente movidas por la mar gris, tranquila, espejeante.

—Y dígale al prior que, puesto que empiezan las obras de la iglesia, puedo pagarle ya el segundo plazo. Así no le privará a usted del tabaco.

—Anda metido en eso del colegio, y no hay dinero que le llegue. Y yo no lo veo claro.

—¿Se lo ha dicho usted así?

—Todavía no.

—No se lo diga. Ese monasterio ideal con que soñaban el padre Ossorio y usted no existirá jamás. Y un colegio les permitirá, al menos, comer decentemente y fumar unos pitillos al día.

El padre Eugenio suspiró hondamente. El carricoche enfilaba el arco de Santa María y la calle pina. Alguien saludó desde el Casino.

El maestro de obras esperaba a la puerta de la iglesia. Entraron. La iglesia estaba oscura y vacía. El maestro de obras se quitó la gorra.

—Puede seguir cubierto —le dijo el padre Eugenio—. Ahora, esto es como una casa cualquiera.

—Pues ya me dirá lo que hay que hacer aquí dentro. Porque del tejado y de eso ya sé...

Carlos se desentendió de las instrucciones que el fraile daba al maestro de obras. Encendió un cigarrillo. El fraile hablaba en voz alta, señalaba altares, lienzos de pared encalada y sucia, adornos de oro apagados.

—Sí, todo, absolutamente todo. Tiene que quedar la iglesia desnuda, con la piedra al descubierto.

—¿Y de los santos? ¿Qué haremos de los santos?

Carlos dio una voz y les dijo que, mientras hablaban, él saldría un momento. Atravesó la plaza y entró en la tienda de Clara. La halló atareada en desembalar paquetes, en destapar cajones.

—Ya ves, hijo. Me lo han dejado todo aquí, amonnado. Tengo trabajo para tres días.

Brincó por encima de unos bultos y llegó hasta Carlos con la mano tendida. Se había atado a la cabeza un pañuelo rojo.

—Me parece mentira. ¡Tener mi tienda! En cuanto acomode estas cosas me vendré a vivir aquí.

—¿Estás contenta?

—De cómo marcha esto, sí.

—De lo demás, ¿no?

—La procesión va por dentro. Pero como tengo trabajo, la olvido.

Carlos se sentó en un montón de paquetes, cogió un atadijo y empezó a desanudar la cuerda.

—La francesa no viene todavía.

—¿Y eso? ¿Te trastorna?

—No me parece honrado largarme y dejarlo todo como está, sin dueño ni nadie que lo vigile. Tengo una obligación mínima con doña Mariana. Además, están los barcos.

Clara, puesta en jarras, le miraba sonriente.

—En una palabra, que ya has encontrado pretexto para quedarte.

Dejó de sonreír, aflojó los brazos. Una ráfaga triste le tembló en los ojos.

—Me había hecho a la idea de perderte de vista.

—¡Oh! Eso tiene siempre arreglo.

En el cuadro luminoso de la puerta apareció una sombra: una vieja encorvada, enlutada, apoyada en un bastón, cantaba su saludo:

—¡Ave María Purísima!

Clara le dio unas perras. La mendiga le preguntó si iba a vivir allí, si iba a abrir una tienda, si...

Cuando se fue, Carlos había desatado el paquete y tenía en las manos media docena de cajas.

—¿Dónde pongo esto?

—En cualquier parte. En el suelo.

—Si quieres, puedo ayudarte. No ahora, que me está esperando el padre Eugenio en la iglesia; pero después, o mañana...

—¿Es así como piensas perderme de vista?

Carlos se levantó.

—Un día me iré para siempre, lo sabes. Mientras tanto...

—Mientras tanto, hay veces en que necesitas hablar

con alguien, o hablar conmigo, y Clara que se fastidie. Hasta que un día...

—¿Qué?

Clara levantó hacia él la cara, desafiante:

—Puedo tenderte una trampa.

—¿Piensas que caería en ella?

—Estás hecho de carne.

—Gracias, Clara. Eres la única persona que tiene fe en mí. Crees que soy capaz de algo, aunque sólo sea de caer en una trampa. Yo no me creo capaz ni aun de eso.

—En la que tendió la *Galana* caíste como un mirlo. Y yo...

Adelantó un paso y miró a Carlos al fondo de los ojos.

—... yo valgo más que ella, y soy más bonita, y te quiero más. Y si te agarro no te permitiré que te deshagas de mí casándome con otro.

Le dio la risa.

—Y tengo un cómplice, ¿sabes? Alguien que me abriría de buena gana la puerta de tu casa.

Carlos se arrimó al mostrador vacío, lustroso; cruzó los brazos y movió la cabeza.

—¿Quién sabe? Sería quizá una solución, quiero decir una solución para mí. Pero tú no lo harás nunca...

—¿Por qué lo aseguras?

—Eres demasiado limpia, demasiado noble.

Clara crispó los puños y los levantó hasta la altura del pecho.

—Y si lo sabes, ¿por qué no te vas de una vez y me dejas que te olvide? ¿O es que te sientes más hombre sabiendo que sufro?

—No, Clara.

La cogió de las muñecas y la acercó a sí.

—Si hay una persona en el mundo cuya felicidad desee, eres tú.

Clara se soltó y se apartó bruscamente.

—Cuando oigo hablar de felicidad me da la impresión de que escucho mentiras. Yo no te quiero para ser feliz contigo. Nadie es feliz, y nosotros no lo seremos nunca, ni juntos ni separados. No se trata de eso...

Llevó la mano a la cabeza y se quitó el pañuelo. Carlos había quedado con las palmas abiertas y tendidas.

—Pero ya que hay que sufrir, mejor es sufrir con alguien y consolarse en compañía. Tampoco se puede ser bueno a solas. Ni tú ni yo lo somos ahora, pero estoy segura de que juntos... Y, además, cuando hay que defenderse...

Empezaba a temblarle la voz. Se detuvo y golpeó el suelo con el pie.

—¿Por qué no te largas junto a tu fraile de una vez? ¿O es que también te divierte sacarme el alma a la cara y verme acongojada?

Escondió el rostro en la sombra de la puerta.

—Anda, vete. Y ven esta tarde a ayudarme.

Carlos, al pasar, le puso la mano en un hombro y le habló, casi al oído:

—Me gustaría no ser perezoso y mendaz, puedes creérmelo. Me gustaría de veras.

Atravesó de prisa la plaza. Daba la hora y unos albañiles trepaban por los andamios. Entró. El padre Eugenio se había parado en medio de la iglesia y miraba a lo alto.

—¿Ya está usted ahí?

Carlos avanzó por la nave y contempló las bóvedas.

—¿Sucede algo?

—Imaginaba esto renovado, restituido a su ser. Hágalo usted también. Limpie la iglesia de esos altares, de esas escayolas, de esos manchones de humedad. Vea desnuda la piedra de las columnas y de las pilastras, y esas bóvedas, sin cal, y también las paredes. ¿Recuerda los dibujos que hice la primera vez que estuvimos aquí? Algo así será la iglesia dentro de unos meses. Y los ábsides pintados, claro.

Empujó a Carlos hacia el fondo de la iglesia.

—Venga acá. Vamos a hacer un ensayo.

Entreabrió la puerta. Entró por la rendija una raya de luz violenta, que partió las sombras y las hizo más oscuras. Carlos se arrimó a la puerta, apoyó en ella la espalda y esperó.

—Vaya abriendo esto. Mientras, preparo las acuarelas.

El padre Eugenio le tendió el cartapacio y sacó de la

bolsa los trebejos de pintar: pinceles y unos frasquitos de color. Los acomodó en la paleta y se situó de modo que la luz caía sobre el pliego de papel.

—Ahora aguante usted el tablero. Voy a intentar una visión de la iglesia dentro de seis meses. Con ocres, grises y un poco de azul.

Movía la mano ágilmente; alzaba la cabeza y lanzaba la mirada al espacio cerrado, o se inclinaba y miraba el papel. Carlos mantenía la cabeza apartada.

—Puede ver lo que hago; no hay misterio alguno. Es decir...

Carlos adelantó un poco la cabeza. En el dibujo esbozado aparecían claras las líneas arquitectónicas, como un esquema, dentro del cual los pinceles iban creando cuerpo y profundidad. Era la misma iglesia, pero en el dibujo aparecía como revelada, como si, en virtud de unas pinceladas, el verdadero ser apareciese en toda su evidencia. Carlos experimentaba la atracción de los pinceles en movimiento, de la mano enérgica y rápida. Veía surgir ante sí, como por sortilegio, una realidad que nunca había sospechado. Un toque de luz, la caricia de una pincelada blanca sobre un fondo oscuro, le estremeció.

—No hay misterio en mi trabajo, pero esto tiene alguna relación con el misterio. Porque la realidad última de un templo es misteriosa. Vea.

Le arrebató el cartapacio y lo apartó un poco, de modo que la luz le caía de lleno sobre el dibujo.

—La iglesia *fue alguna vez así*. Hace muchos siglos, claro. Entonces el arte era distinto, y la gente también. La gente, al entrar aquí, quedaba sobrecogida. El misterio se hacía presente. Si he acertado con mi acuarela, la impresión predominante debe ser de misterio. Esto es un lugar sagrado.

Cogió los pinceles y completó la acuarela. En los vacíos del fondo trazó unos garabatos de color.

—La iglesia, repito, fue alguna vez así, y también sus pinturas. No había en ella bancos, ni siquiera el banco del privilegio, ni altares laterales, ni retablo. Fuera de la iglesia había señores y siervos; dentro, sólo una comunidad cristiana. Sentían el mismo misterio del mismo modo, el misterio expresado por el lugar cerrado, por la forma especial de su espacio interior, por el color de las piedras, por la luz. Era un misterio concreto, pero sin determinación, el misterio divino que se determinaba luego en la mesa del sacrificio, en la Eucaristía. Participando en El se sostenía la comunidad como tal; pero la forma material de la Eucaristía, las Especies Sacramentales, simbolizaban algo que había existido históricamente y que seguía existiendo de modo misterioso: la Humanidad de Jesús. La Humanidad de Cristo es la garantía del cristianismo y es el lugar en que la comunidad se realiza amorosa y metafísicamente. Aquellos cristianos necesitaban un símbolo visible. No un retrato, fíjese bien, sino un símbolo, o toda una simbología. La pintura servía para eso.

Alejó el dibujo hasta dejarlo bien iluminado por la luz de la rendija.

—He aquí lo que quiero reconstruir: un sistema de formas plásticas que de doble manera expresen el misterio.

—¿Y para qué? La comunidad cristiana que asiste a esta iglesia ni es verdaderamente comunidad ni le importa el misterio. Lo que apetece, ya escuchó usted al cura a su debido tiempo, es una serie de imágenes sin misterio alguno. Algo, precisamente, que carezca de misterio. El misterio los desasosiega, y ellos buscan reposo, tranquilidad.

—Ya lo sé. Si usted deja de mirar mi dibujo y contempla la iglesia, verá cómo una serie de añadidos, desde los retablos hasta los asientos, recubren la estructura arquitectónica expresiva y rompen el significado de las líneas, del espacio, de la luz. Es que esa comunidad fue dejando de serlo al mismo tiempo que perdía sensibilidad para el misterio, en cuya fe y comunión la unidad se realizaba. Paralelamente, las significaciones se perdieron, las líneas, los colores y las figuras enmudecieron. Un día, el Cristo del ábside habrá parecido feo, y la iglesia, desnuda y pobre. Para cubrir su desnudez vinieron los pegotes. ¿Sabe usted que ese San Antonio tan guapo de la izquierda lo regaló mi madre? ¡A saber qué desolada soledad, o qué espantoso vacío, quiso llenar con él! Soledad y vacío físicos de la iglesia, pero también espirituales, de su propia alma. Pues bien: lo que yo pretendo al restituir la iglesia a su forma primitiva, al repetir los símbolos pictóricos, es situar al pueblo, de pronto y sin trámites, ante el misterio.

—Sigo preguntándome para qué.

El padre Eugenio arrancó el dibujo del cartapacio y se lo ofreció.

—Quédeselo. Se lo regalo.

Cerró el cartapacio y guardó los útiles de pintar.

—¿Me cree capaz de sentir para mi pueblo alguna clase de amor, hasta el punto de desear redimirlo? Estoy convencido de que si todos estos hombres y mujeres, y hasta nosotros mismos, llegásemos a tener una clara conciencia de Cristo, dejaríamos de ser monstruos y seríamos hombres.

—Es curioso —dijo Carlos—. También Cayetano Salgado, a su modo, piensa convertirse en redentor de Pueblanueva.

El fraile le miró con inquietud.

—¿Eso piensa?

—En estos últimos tiempos he tenido que tratar bastante con él. Quizá su hambre de poder tenga alcances más amplios que compensar su complejo de inferioridad. Quizá desee sinceramente remediar la pobreza del pueblo.

—Yo no pienso en riquezas. Hablo de redimir por el amor.

—Cayetano no piensa en el amor —cogió al fraile del brazo y salió de la iglesia—. Y yo, tampoco. Porque también yo aliento secretamente mi utopía, también yo poseo mi panacea de felicidad.

Se detuvo y miró a la plaza. Estaba casi vacía. Allá, en un extremo, unas mujeres recogían sus tenderetes y, frente al Ayuntamiento, un grupo de hombres discutía.

—Imagínese que todos los habitantes de Pueblanueva, uno por uno, a razón de diez por día, van por mi casa con deseo de curarse, me escuchan, se acuestan en un diván y van contándome sus cosas. Calculando que cada uno de ellos necesitaría de cuarenta a cincuenta sesiones para hallarse totalmente libre de sus complejos, es decir, restituido a sus posibilidades teóricas de convivencia pacífica y razonablemente normal, serían indispensables..., ¿cuántos años? ¿Usted sabe multiplicar y echar cuenta cabal de cuántos años me harían falta para curar a toda Pueblanueva?

—Toda una vida, supongo. Lo que le queda a usted de vida.

—Tengo treinta y cinco. Pongamos otros tantos. Pero mientras curaba a los actualmente vivos, los que fuesen naciendo adquirían también sus complejos y necesitarían la misma terapéutica. El cuento de nunca acabar. De modo que renuncio. Mi fórmula no es viable más que individualmente, y eso no resuelve nada. En cuanto a la de usted...

—La mía tiene detrás a Jesucristo.

—¿Quién lo duda? No voy a discutirla. Pero... si consideramos algunos detalles técnicos... Porque, si le he comprendido, usted, después del fracaso de su predicación semanal durante un montón de años, se propone, primero, meter al pueblo entero, de rondón y sin previo aviso, en el seno del misterio, para lo cual piensa valerse de unos medios plásticos...

—...acreditados por varios siglos de uso.

—Exactamente. Por varios siglos muertos. Y, una vez convencido el pueblo creyente de que el misterio está ahí, de que Dios nos rodea...

—...recordarles que el mensaje de Cristo sólo fue uno: amaos los unos a los otros.

—Es decir, y aplicándolo a varios casos concretos: que nadie debe odiar a Cayetano; que la señora de Mariño no debe quitar el pellejo a sus amigas; que el amigo Cubeiro no debe envidiar a todo bicho viviente; que don Baldomero no debe desear a más mujer que la suya... Y que Cayetano, en vez de dominarnos, debe amarnos a todos. Como un inmenso padre poderoso.

En la mirada del fraile había una inmensa desolación.

—¿Por qué se ríe usted del cristianismo?

—No me río, pero le presento a usted la realidad. Si la señora de Mariño, al confesarse, dijera al cura que es la peor lengua del pueblo —pongamos por caso: no sé si es la peor, y hasta me inclino a creer que todas son las peores—, el cura le diría que, o dejaba de murmurar, o se condenaría. Y entonces la señora de Mariño se vería metida en un conflicto de conciencia insoportable; porque, si de una parte, tiene miedo real y verdadero al infierno, por otra es incapaz de no ejercer la murmuración, que es su forma auténtica de vida. Entonces, para evitarlo, no se confiesa murmuradora, no se acusa de falta de caridad. Y lo hace sinceramente, porque, antes, ha disfrazado de verdadera justicia su pecado, que no le parece tal, sino virtud. Si usted le pregunta si ama a su prójimo, le dirá que sí, que únicamente censura a los malos por el daño que hacen. Métala usted en la iglesia con ochocientas como ella, acúselas colectivamente de falta de caridad, ponga ante sus ojos la cólera divina en forma de inmensos hornos llameantes. Le escuchará con atención, con aprobación, con entusiasmo, y a la salida cogerá del brazo a doña Angustias y le dirá: «¡Cuántas verdades dijo hoy el padre Eugenio! ¡Y cómo apuntaba a Fulana, y a Zutana, y a Perengana! Porque está claro que se refería a ellas.» Y doña Angustias estará conforme, y convendrá con la señora de Mariño en que Fulana, Zutana y Perengana arden ya en las llamas del infierno, y que varios cientos de demonios feísimos las pinchan en las nalgas con sus enormes tridentes: «¡Bien merecido se lo tienen!», pensarán, con la mayor tranquilidad de conciencia. En tantos siglos de cristianismo, los fieles han aprendido muchos trucos para nadar y guardar la ropa.

—Es que, precisamente, lo que yo pretendo al ponerles enfrente del misterio...

—Al meterlos en él, más bien. ¿O me equivoco? Al bañarlos en la luz misteriosa de la iglesia, al rodearlos del misterio jeroglífico de sus líneas.

—No olvide usted las pinturas. Quiero ponerlos ante una imagen incómoda del Señor. Una imagen que acuse y que ofrezca una vía de perdón: la del amor.

—Estoy seguro de que su Cristo será verdaderamente incómodo. Los fieles de Pueblanueva lo rechazarán a causa de sus incomodidades. El Cristo que ellos toleran es l que parece aprobarles con su sonrisa de azúcar, o, al ıenos, hacer la vista gorda: un falso Jesucristo.

—¿Por qué me descorazona? —dijo el fraile, con voz ngustiada.

—Sólo quiero prevenirle y evitar que, sin querer, se parte de la realidad. Pase lo que pase, habrá hecho usted na hazaña gigantesca: habrá dicho la verdad. Siempre más ue yo, porque yo, ante la imposibilidad de tener pacienia y esperanza, renuncio de antemano a mi utopía y coneno de por vida a nuestros amigos al uso y abuso de ıs complejos. Pero siempre menos que Cayetano. Cayetao nos ganará porque su fórmula consiste sólo en dar de omer a todo el mundo, lo cual es compatible con seguir diándose, con seguir envidiándose, con hacerse daño los nos a los otros, que es lo que verdaderamente apetecen. Jsted quiere hacerlos buenos; yo me contentaría con que ıesen apacibles. Ni la paz ni el amor les interesa. Recharán a Cristo con la misma energía con que rechazarían Freud. Pero no creo que rechacen un jornal suficiente, a ıenos si se ofrece a los demás sin merma el jornal proio. Porque, en ese caso...

Habían atravesado la plaza. Se oyó, súbita, ronca, sorecogedora, la sirena del astillero.

—La hora de comer —dijo Carlos—. Muy tarde para ue regrese al monasterio. ¿Quiere almorzar conmigo? ;ambiaremos de conversación. Podemos hablar de nuesra bella princesa desconocida, que también es un misteio. ¿Cómo supone que será Germaine? Porque usted coociió a su madre, y si se parece a ella...

—Casi no la recuerdo.

X

Rosario, la *Galana,* dejó las zuecas en el último esc lón. Sus pies, calzados de escarpines, pisaron silencios mente el entarimado. Se detuvo a la puerta del cuar de estar. La *Rucha* la franqueó y la invitó a pasar y esperar, con un gesto. Rosario entró, miró alrededor caminó hasta la ventana, volvió la espalda a la luz y qu dó de pie. Carlos llegó en seguida. Iba a acercarse, pe Rosario le detuvo con un movimiento de la mano y u gesto. Carlos quedó en medio de la habitación, sonrient

—Mañana es la boda, señor.

—Siéntate.

Señaló un sillón. Rosario adelantó un paso y bajó cabeza.

—No me atrevo, señor. ¿Qué dirá ésa, si me ve?

—Siéntate.

—Bueno, señor.

Se sentó, con las rodillas juntas y la falda baja.

—¿Quieres desayunar?

—Gracias, señor. Ya lo hice.

Levantó la cabeza. Carlos se había arrimado a la ch menea, con la taza del café en las manos.

—Mañana es la boda. A las siete.

—¿Por qué tan tarde?

—Pensé que sería mejor al anochecer. Aun así, habrá mirones.

—Iré a buscarte en un automóvil.

Rosario levantó las manos, implorante:

—¡Ay, señor, no haga eso! ¡No es propio de una mujer de mi clase!

—Entonces, ¿qué quieres? ¿Que vayamos a pie por la calle, con todo el pueblo detrás?

—Iré con mis padres y mis hermanos, y el señor me esperará en la iglesia. Ya sabe, en la parroquia. Ser padrino no le obliga a más. Habrá después cena para los invitados. Si el señor quiere, puede ir. Me gustaría que fuese y que llevase a algún amigo... Porque los que estarán allí no son para hablar con el señor.

Miraba la puerta entreabierta. Bajó la voz y se inclinó hacia adelante, hasta acercarse a Carlos lo más posible.

—Esa está escuchando. Y tengo que decirle...

Carlos hizo sonar la campanilla. Rosario se incorporó rápidamente. Entró la *Rucha,* sofocada.

—Perdón, señor. Estaba en la cocina.

Carlos le entregó la taza vacía.

—Llévate esto. Pero antes abre la ventana.

—Va a haber corriente.

—Pues cierras la puerta.

—Sí, señor.

Cuando la puerta estuvo cerrada, Rosario se levantó y se acercó a Carlos.

—Señor, mañana ya seré de mi marido.

—Por tu voluntad.

—Sí, señor. Y me da mucha pena pensar que ya no podré volver a su casa... como antes. Al menos, de momento...

Le echó las manos al cuello. Tenía los ojos húmedos y le temblaba la voz.

—Esta noche, si el señor quiere...

—Ahora no vivo en mi casa, lo sabes. Sería sospechoso, después de haber estado tú aquí, que no viniese a dormir.

—El señor puede ir a la mía, aunque sea poco tiempo. Ramón se va a las once. A las doce duerme todo el mundo. Encerraré al perro, para que no ladre.

—No está bien, Rosario. Mañana es tu boda.

Ella le miró anhelante, pero su voz era como un mandato.

—Entrará por mi ventana. Si mi luz queda encendida, pasa de largo; pero si está apagada, entra…

Acercó los labios a los de Carlos, cerró los ojos.

—Tengo una cama nueva. Vendí todas las cosas de oro que tenía, y la compré, con otros muebles. Es muy hermosa. Con sábanas finas.

Se apretó más todavía.

—Si el señor viene —susurró—, las que use esta noche no las volveré a usar.

Las manos de Carlos recorrieron los brazos de Rosario hasta la cintura, y la abrazó también.

—¿Y tus padres?

—Duermen arriba. No tenga miedo el señor. Cuando le digo que vaya…

Escondió la cara en el pecho de Carlos, quedó silenciosa y quieta unos instantes; luego le miró con los ojos húmedos.

—¿Irá?

—Sí. Quizá…

Rosario le dio un beso y se apartó.

—Ahora marcho. Recuérdelo bien: pasadas las doce. Y mañana lleve a un amigo.

Llegó a la puerta con pasos menudos, se volvió y sonrió.

—Gracias, señor.

Carlos se acercó a la ventana. La vio salir, tranquila, con la cabeza erguida, y atravesar airosa la calle. Alguien la saludó. Una mujer enlutada se paró con ella y hablaron unos instantes. Después, Rosario continuó su camino hasta perderse.

«Eres un indecente.»

Marchó al salón, se sentó al piano, lo abrió y estuvo unos instantes con los dedos inmóviles sobre las teclas y la mirada perdida en las escayolas del techo. De pronto empezó a tocar, furiosamente; luego, con suavidad. Int rrumpió la melodía, cerró el piano de golpe y salió a la calle. Pasó adelante del Casino y, por la ventana abierta, miró al interior. No había nadie. Llegó a la plaza, la atravesó y entró en la iglesia.

—¡Padre Eugenio!

No le respondió nadie. Estaba a oscuras y, al fondo de la nave del Evangelio, se adivinaba una plataforma montada sobre postes de pino. Llegó hasta ella y trepó por la escalera de mano. Habían picado la cal del ábside y se veían las piedras desnudas y la argamasa de las junturas. Curioseó en un montón de papeles y cartones. Descendió, se arrimó a una pilastra y miró hacia arriba y hacia abajo. Los restos del retablo central ocupaban el presbiterio: columnas, santos de palo, doseles dorados, todo en desorden, revuelto con cubos de cal, cubetas de argamasa, sacos de cemento. Un montón de cascote cubría la sepultura de doña Mariana.

Salió.

Pasó entre los puestos de las vendedoras con las manos en los bolsillos y la cabeza agachada. Sintió que alguien le llamaba.

—¡Don Carlos!

Paquito, el *Relojero,* medio sacaba el cuerpo por el ventanuco de su tenderete. Llevaba puesto un extraño monóculo, montado en una especie de tubo corto de celuloide sucio.

—¿Va usted a ver a la señorita Clara?

—No. ¿Por qué?

—Hoy abrió la tienda. Y convida a un vaso a todo el que va allí.

Un aldeano cargado de harneros y canastos tropezó con Carlos. Iba a protestar, pero, al verle, inició las disculpas.

—Perdone el señor. No fue con intención de molestar.

Intentaba desprenderse de la carga para quitarse la gorra. Carlos lo tranquilizó. El aldeano repetía:

—No fue con intención...

El *Relojero* le tiró de la chaqueta. Carlos se volvió.

—Déme un pitillo antes de irse.

Le tendía la mano abierta. Carlos sacó unos pitillos.

—Le pedí uno.

—Los demás, para luego.

Siguió caminando entre las vendedoras. Una brisa suave agitaba las lonas de los puestos y acercaba el humo de un freidor de churros. Pregones de mercancías, disputas de precios y calidades.

—No deje de visitar a la señorita Clara... —gritó el *Relojero.*

En un extremo de la plaza, un truhán anunciaba la suerte del pajarito. Le rodeaban mozas y niñas; entre preocupadas y risueñas, entregaban las perras, asistían a las manipulaciones del canario con los papeles de colores y, recibido el destino, se escondían a leerlo. El truhán preguntó a Carlos si quería conocer su fortuna.

—No, gracias.

—El canario, a un precio especial, trabaja también para señores.

Carlos se alejó. Ya en los soportales, se arrimó a una pilastra y contempló la iglesia y el mercado. Por fin, se acercó a la tienda. Al lado de la puerta, un gran letrero anunciaba la apertura.

Clara vendía cinta elástica a una aldeana vieja. Carlos esperó a que saliera.

—Me dijo Paquito que hoy convidas a tus clientes.

—Sólo a mis amigos.

—¿Me darás un vaso?

—Tengo que pensarlo.

Rió, echó mano a una frasca y la puso sobre el mostrador.

—Te traeré un vaso. Espera.

Desde dentro, Clara preguntó:

—¿Te gusta la tienda?

—No veo ninguna novedad. Las cosas permanecen tranquilas, donde yo las puse. Todavía no se han sublevado.

—Pero ya está todo limpio.

Apareció con el vaso en las manos y sirvió el vino.

—Bebe a mi salud.

Carlos levantó el vaso y miró a Clara a su través.

—Por tu felicidad.

—¡Déjate de eso!

—Entonces, por tu propiedad.

Apuró el vino y dejó el vaso en el mostrador. Clara lo cogió rápidamente, lo volvió a llenar y lo levantó.

—Ahora, yo brindo por…

Se interrumpió.

—¡Cualquiera sabe, tratándose de ti, por lo que vas a brindar!

—Por mi salud. Es lo más socorrido.

—Un día me dijiste que eras prisionero de ti mismo. Brindo por tu libertad.

Bebió un sorbo y abandonó el vaso. Se había arrugado la frente de Carlos, y su mirada quería desviarse.

—¿Te parece mal?

—No.

—Te has quedado serio y como triste.

Carlos se acercó una banqueta y se sentó.

—¿Sabes que mañana se casa la *Galana?*

—¿Y eso es lo que te entristece?

—No. Ya lo sabes. Pero…

Inclinó la cabeza. Clara, acodada en el mostrador, empujó hacia él el vaso de vino.

—Anda, bebe.

—No. No quiero más.

—¿Qué sucede ahora con la *Galana?*

—¿Te conté alguna vez lo que me pasó con la otra, con la judía?

—Viniste huyendo de ella. Al menos, eso dijiste. No recuerdo otra cosa.

Carlos cruzó los brazos y miró al aire de la plaza.

—Hay mujeres cuyo amor hace libre. Tú eres seguramente una de ellas. Enamorado de ti, tendría que ejercer mi voluntad, porque me pondrías constantemente en necesidad de hacerlo. Cuando llegué a Pueblanueva, había reconquistado mi libertad en peligro y deseaba mantenerla. Si entonces, precisamente entonces, te hubiera encontrado, me habrías ayudado mucho. Pero, cuando nos conocimos, doña Mariana, por un lado, y Rosario, por otro, se habían metido en mi vida. Desde un principio comprendí que doña Mariana pretendía gobernarme. Entonces hice de Rosario mi defensa: doña Mariana no aprobaría jamás mis relaciones con ella. Apoyado en

Rosario, fui libre ante doña Mariana, pero, sin estar enamorado, dejé de serlo ante Rosario. ¿Cómo? Sería difícil de explicar, y yo mismo no he llegado a entenderlo. No hice la corte a Rosario, no fue tampoco el pretexto de que me he valido, como piensan por ahí, para ganar una baza a Cayetano. Todo me lo dio hecho. Fue a mi casa por su voluntad, deliberadamente, y, sin querer, hice lo que ella se había propuesto. Quedé desde entonces prisionero, no de ella, sino de la situación. Esto es, de la situación; de mil cosas y matices de cosas que no son Rosario, ni mucho menos amor, ni siquiera el gusto de acostarme con ella. ¿Cómo iba a rechazarla, si por mi culpa había sido golpeada? ¿Cómo iba a dejarla indefensa? Quizá yo entonces necesitase, sin saberlo, que alguien me quisiera, y ella me quería. Me quería como se quiere a un objeto del que uno se apodera con riesgo, y construía a mi alrededor murallas de mimos y de compromisos que me protegieran para ella, murallas que pusieran en juego mi corazón y mi hombría. Era una criatura desvalida, y yo su única protección. ¿Entiendes?

Clara sonrió.

—¡Menuda lagarta está hecha! ¡La muy zorra!

—Un día me dijo que tenía que casarse, y otro hizo que le regalase la Granja de Freame. Pensé entonces que el asunto estaba liquidado y que, una vez casada, recobraría mi libertad. Pero esta mañana estuvo a verme y le he prometido ir a su casa y dormir con ella.

Clara se estremeció.

—¿Has sido capaz de eso?

Carlos se puso en pie y miró a Clara fijamente. Parecía esforzarse en mantener la frialdad de la voz y la impasibilidad del rostro.

—A ciencia y conciencia de que es una vileza y a sabiendas de que se repetirá siempre que Rosario quiera.

Apoyó el codo en el mostrador y la barbilla en la palma abierta de la mano. Empezó a sonreír...

—Te lo he contado para que me insultes.

—¡Pobre Carlos!

—¿No me insultas?

Ella movió la cabeza. Extendió hacia Carlos las manos, hasta casi tocarle. Luego las cerró fuertemente. El la miró un instante.

—Bueno. Si no me insultas, será que no lo merezco. A lo mejor no es tan grave la cosa como pienso.

Sacó un cigarrillo y papel para liarlo. Clara empezaba a agitarse; respiraba fuerte y escondía las manos sin sosiego.

—Todo depende del punto de vista. ¿Existen el bien y el mal? Si no existen, ¿qué más da que Rosario duerma conmigo un número indefinido de veces, qué más da que tenga un marido o no, qué más da que yo sea libre o prisionero? Quizá el bien y el mal sean ideas que no se corresponden a ninguna realidad. Si el Universo está vacío y mudo, que Rosario y yo durmamos juntos es tan indiferente como el choque de dos piedras. Y la libertad, otra ilusión. Las causas engendran los efectos, y lo que yo hago es el resultado de un sistema de causas...

—¡Cállate!

—¿Por qué? No conozco otra manera de librarme de mis sentimientos que analizarlos. Ahora siento vergüenza de mí mismo; pero es un sentimiento espontáneo, incontrolado. Con poner las causas en claro, la vergüenza quedará reducida a simple efecto de esas causas. ¿Y por qué va uno a avergonzarse, a desesperarse de ser un efecto entre millones de efectos?

Buscó las cerillas, encendió una. Clara se había echado atrás y ahora se aproximaba.

—Si dejo que esta cerilla arda, me quemaré el dedo. Si soplo, la apagaré. Como sé que la llama me causará dolor, soplaré antes de que llegue a quemarme. El miedo al dolor será la causa...

Clara sopló sobre la cerilla y la apagó.

—Con esto no contabas —dijo con voz resuelta.

—¿Qué quieres decir?

—Esta es la última noche que duermo en mi casa. Mañana por la mañana, a las ocho, traeré los muebles y a mi madre.

Se irguió violentamente y agarró con fuerza el borde del mostrador.

—No cerraré la puerta y te esperaré. Te esperaré hasta las doce.

Bajó la cabeza, escondió la cara entre las guedejas revueltas. Carlos se había quedado con las manos levantadas. En una, el cigarrillo sin encender; en la otra, la cerilla apagada.

—Y, si duermo, tampoco cerraré. Cuando vayas a casa de Rosario, recuerda que estoy esperándote. Cuando salgas, te esperaré todavía. Hasta el amanecer.

Levantó la mano y apretó el cabello.

—Pero si mañana no despiertas a mi lado, no vuelvas jamás junto a mí. Ni para que te escuche, ni para que te consuele, ni para que te insulte. No vuelvas más porque me harías daño. Y en ese caso...

Le agarró con fuerza la muñeca. Carlos abrió la mano y dejó caer la cerilla.

—... vete de Pueblanueva. Escapa otra vez, como de la judía. Cualquier cosa menos quedarte aquí, envilecido. No dejaría de quererte, pero te perdería el respeto. Y eso sería horrible.

Trajeron una carta en la que el abogado le comunicaba la solución del asunto del Sindicato, «a falta de algunas firmas». Señalaba el primer martes como el mejor día para que Carlos se trasladase a La Coruña, con el apoderado y con la Junta directiva, para dar estado legal a la situación.

Carlos se metió la carta en el bolsillo y marchó al barrio de los pescadores. Halló al *Cubano* en la taberna, le dio la carta y convinieron el viaje.

—¿Puedo decírselo a todos? —preguntó el *Cubano*.

—Debe decirlo cuanto antes. Después de tanta espera merecen esta alegría.

El *Cubano* intentaba prolongar la conversación, pero Carlos le escuchaba distraído y acabó por marcharse. Buscó a don Baldomero en el Casino. Le dijeron que se había marchado de mal humor. Fue a la botica. Don Baldomero, medio borracho, leía un libro de Vázquez de Mella sobre la Eucaristía.

—Sublime —dijo—. Sencillamente sublime. ¡Y qué

prosa, amigo mío, qué admirable retórica! Esto es escribir, y no lo que hacen ahora. ¡Si yo fuera capaz...!

—¿De qué?

—De escribir un libro sobre el matrimonio cristiano. Un libro, también sublime, como éste. Tengo grandes ideas, créame, pero me da pereza ponerme.

Cerró el libro y se levantó. Dejó dos copas sobre la mesa y el aguardiente de hierbas.

—Sírvase. ¿Qué le trae por aquí?

Carlos escanció el aguardiente verde y lo miró al trasluz.

—Hermoso color, ¿no le parece?

—El color no emborracha, don Carlos. ¿Qué le trae?

—Vengo a invitarle a una boda.

—¿A la suya?

—A la de Rosario la *Galana*. Voy de padrino, ya sabe. Y como después hay convite...

A don Baldomero le dio la risa: ancha, sonora, regocijada. Le temblaron el vientre y la sotabarba, le bailaba en los ojillos una luz picaresca.

—¡Buen pirandón está hecho! ¿Conque al fin la casa? ¿Y dónde van a vivir?

—No les he preguntado, pero supongo que en la Granja de Freame. Es de ella.

—Mal hecho. Tenía usted que habérselos llevado al pazo. A él le daría igual, y usted, con ella en casa, estaría mejor servido.

Volvió a reír. Riendo, se dejó caer en la silla.

—¿Para qué preocuparse mientras haya cabrones en el mundo? El cabrón es cómodo y servicial, y debería ser más considerado en la sociedad. Aunque tengo entendido que en las altas clases sociales se les estima ya en lo justo. Aquí, en cambio...

Se echó al coleto el contenido entero de la copa. Carraspeó y se limpió con el dorso de la mano el sudor de la frente.

—... Prescindo de mi caso particular. A veces, me estremezco al tocarme las sienes. Otras, las encuentro vírgenes de protuberancias. No sé si soy cabrón o no. De modo que dejemos aparte mi caso. Iba a decirle que en estas tierras al cabrón se le desprecia; pero tampoco crea usted que por mucho tiempo. Sólo al comienzo, y lo suficiente para quedar bien, para que se vea que uno respeta los principios. Después, la costumbre... ¿Sabe usted que mañana le darán una cencerrada a la *Galana?* Lo oí decir en el Casino.

—¿Una cencerrada?

—Es lo normal. Para que los novios trabajen con música. Pero, pasada una semana, se habrá olvidado. Si hubiera que recordar a los cabrones del pueblo que lo son, no llegarían las horas del día.

Dejó caer la mano pesadamente sobre el libro de Vázquez de Mella. Desapareció la alegría de sus ojos, quedó como melancólico y habló con voz profunda y rota, de borracho:

—Un libro sobre el matrimonio cristiano. ¿Se lo imagina usted? Un libro caritativo, pensado con el corazón. Un libro escrito exclusivamente para los cabrones de Pueblanueva, para que aprendieran a perdonar. Porque aquí, aunque no lo crea, todo el mundo está amargado por lo mismo. No hay confianza en las mujeres. Y a mí se me ocurre que en esto hay algo de exageración. Porque, por muy gallo que sea Cayetano, acostarse con todas, lo que se dice con todas..., ¿no le parece a usted que no es posible? De algunas se sabe, claro. Y porque se sabe de ésas pensamos que las otras pueden hacer lo mismo. Aquí, los hombres viven con la mosca tras de la oreja. Le repito que prescindo de mi caso, que es dudoso...

Enmudeció de repente y miró a Carlos con ojos vidriosos, con mirada desvaída.

—Porque mi caso es dudoso, ¿verdad?

—No, don Baldomero. No es dudoso en absoluto. Puede usted estar seguro de que doña Lucía le ha sido carnalmente fiel. Se lo he dicho otras veces.

Se animaron los ojos ebrios del boticario.

—Ya lo sé. Tengo una carta de ella en que me lo asegura, y una mujer que va a morir no miente. Es una carta escrita con sangre, una carta que no me deja dormir. Pero ¿será igualmente seguro para los demás? ¿No pensarán los del Casino, cuando me ven entrar: «Ahí viene uno de los nuestros»?

—Lo pensarán, quizá, para que no haya excepciones.

—Eso. Para que no haya excepciones. Y como nadie será capaz de convencerles de lo contrario, hay que tenerlo en cuenta. Aunque sea falso, es una historia que requiere su remate. Tengo mi plan para cuando muera Lucía, un plan magnífico, bien madurado. Ya le contaré...

Quedó en silencio. Sus dedos jugaban con las hojas del libro y miraba al fondo de la habitación con una sonrisa debajo del bigote, entre pícara y feliz. De pronto:

—¿De modo que mañana? Iré, cuente conmigo. Y, si quiere, puedo servir de testigo. Habrá buena bebida, ¿verdad?

—No sé.

—¿Es que no la paga usted? ¡Está en la obligación de ser rumboso, don Carlos! Por padrino y por las otras razones que todos saben. Hasta el novio. Porque él no lo ignora. Sabe que la Rosario se acuesta con usted y que se acostó con Cayetano. No digo que no le guste también la moza. ¡Carajo! ¿A quién amarga un dulce? Pero si no estuviera usted detrás, no se hubiera casado. ¡Le sacarán los ojos, don Carlos! Es lo tradicional. Y, bien mirado, no es censurable. Ella pone el cuerpo sandunguero, y usted, la Granja de Freame, y luego tierras, y si se descuida, el pazo acabará siendo para ellos. Casos se vieron y se verán. Por eso le pregunté si no los llevaba a vivir consigo.

Se levantó pesadamente.

—Váyase. Voy a acostarme un poco. Esos hijos de puta del Casino me han sacado seis duros, y quise ahogar en vino el berrenchín. Me estoy cayendo.

Carlos se marchó a casa y se acostó también. No pudo dormir. Echó mano de un libro, leyó unas páginas, lo cerró. Empezaba a oscurecer, y las cosas iban desapareciendo en la penumbra. Le andaban por la cabeza Rosario y Clara, Clara y Rosario: como si cada una de ellas tirase y quisiera arrebatarlo y guardarlo para sí. Rosario y Clara, Clara y Rosario: insistentes, obsesivas, con sonrisa de miel o con mirada dramática; con palabras melosas o con palabras sollozantes. Se imaginó entre las dos, girando como un muñeco, con los brazos abiertos. ¿Era eso lo que hubiera hallado en el papel encarnado de la suerte del pajarito? Precio especial para señores. Hasta que se levantó, con la cabeza doliente, y salió al pasillo. Pidió una taza de té y se encerró en el salón. Paseó un rato. Después se sentó al piano. Le andaban ahora por la cabeza unos compases de Chopin: reconstruyó de memoria el vals entero, lo tocó, lo repitió, con ritmo rápido, con ritmo lento; alargando las frases o acortándolas. Así una hora o más. La *Rucha* vino una vez a preguntar si necesitaba algo y volvió después a enterarse de si el señor iba a cenar en casa.

—Sí, cenaré aquí.

—Pues cuando quiera.

Cenó poco, sin decir palabra. Pidió luego café y tomó dos tazas. También coñac. La *Rucha* le seguía el aire; pero en la cocina comentaba con su madre:

—No sé qué le pasa. Está como ido.

—A lo mejor es por la boda de la querida. No puede gustarle.

—Pues, si quisiera, las tendría mejores y más nuevas.

La *Rucha,* hija, se miró, al pasar, en el espejo del corredor.

—Seguramente saldré esta noche. Ustedes pueden acostarse —dijo Carlos.

Mandó apagar las luces, abrió la ventana y se sentó junto a la chimenea apagada. Fumó un pitillo, y otro, y otro. A las once salió a la calle. Pasó de largo frente al Casino; pero unos metros más arriba se detuvo, retrocedió, escuchó. Se oían voces de una disputa: por encima de todas, la de don Lino. Hablaban de política. Don Lino peroraba en el centro de un corro.

—¿Que el pueblo quema iglesias? ¿Y cómo no va a quemarlas, si los curas han traicionado al pueblo? ¡Desengáñese, don Baldomero! La quema de las iglesias es un acto de fe. Si el pueblo no creyera, ¿por qué iba a quemarlas? Y eso es lo que siento, que el pueblo tenga fe todavía. Hasta que curemos a los españoles de todo atavismo, no podremos fundar una sociedad justa y pacíica. Entonces a nadie se le ocurrirá quemar iglesias. 'erá en ellas lo que son, obras de arte, y no tendrá sen-ido la venganza, por el fuego, de la traición clerical...

Tenía el sombrero puesto, un poco echado sobre el co-ote; la mano izquierda, apretada contra el pecho, y con diestra accionaba ampliamente.

—¿Qué le trae por aquí a estas horas, don Carlos?

—Ya ve. Haciendo tiempo.

—¿Alguna cita?

—Falta de sueño.

—Pues si tiene alguna cita, procure llegar puntual. A ıs mujeres no les gusta esperar, aunque a veces den lantones.

Carlos se sentó en una mecedora.

—No quería interrumpirle, don Lino. Puede usted con-nuar.

—Es que, como va a haber elecciones, don Baldomero eme que vuelvan a quemar iglesias —explicó el juez.

—Le decía aquí, al boticario, que la quema de iglesias s un acto de religiosidad y justicia. Pero don Baldomero e empeña en que es cosa de ateos y masones. Y yo me regunto: ¿qué sentido tiene para un ateo quemar un anto de palo, si no es más que una madera pintada? e ha dicho muchas veces que sólo el creyente blasfema.

Patatín, patatán... Carlos dejó de percibir los concep-os: sólo le llegaba el ruido, sólo veía la gesticulación mpulosa, el brazo enérgico que apuntaba alternativa-ıente al techo y a las planchas del entarimado... Un rui-o que hacía balancear las imágenes, que daba sueño.

—Bueno, señores. Parece que ya llegó el momento...

Salió. Los disputantes quedaron en silencio. El juez ijo:

—Sería cosa de seguirle...

—¿Para qué?

—¿Adónde va a estas horas?

—Pues a dormir. ¿No lo ha oído?

—No sé por qué me da mala espina. No estaba como tras noches. Así como preocupado. ¿No lo notaron?

Carlos subió la calle hasta la plaza, se metió bajo los oportales, paseó. La plaza estaba vacía, las torres de la iglesia emergían del andamiaje y, en silencio, se agrandaban las voces y los ruidos. Clara se había olvidado de quitar el cartel: estaba allí, junto a la puerta cerrada. Lo cogió Carlos y estuvo tentado de escribir algo en él. Tuvo el lápiz en la mano, pero lo guardó y dejó el cartel en su sitio. Atravesó la plaza, llegó a la iglesia y se metió en las tinieblas del pórtico. Tropezaba en los cascotes, en los trozos de madera. Empujó la puerta y la halló abierta: en aquella negrura apenas se adivinaban las formas de las pilastras, más negras todavía. Crujían las maderas y, en algún rincón lejano, volaba un ave. Cerró la puerta y salió a la plaza. Dieron entonces, en el reloj, las doce menos cuarto. Arrimado a las paredes, por callejas, salió del pueblo, tomó la carretera que conducía a casa de Clara, entró en las sombras. Iba con paso sosegado, silencioso, por un lado de la carretera, bajo los árboles. Se oyó en el fondo del camino el rumor de unas esquilas; Carlos se escondió detrás de un tronco y esperó a que pasasen la sombra de un hombre, con ruido de zuecos contra el morrillo del camino, y el esquileo de unas cabras. Después continuó hasta llegar frente a la casa de Clara. Había luz en la puerta de la cocina y en una ventana: una luz débil, como remota y un poco temblorosa. Quedó junto a la puerta del corral, con la vista clavada en los rectángulos de luz. Vio aparecer una sombra, moverse, desaparecer. Entonces se apartó con sigilo, volvió a la carretera, se alejó unos pasos, silencioso, y luego echó a correr hasta llegar a un atajo. Se metió en él, se detuvo y encendió un cigarrillo. Alzó la cerilla hasta iluminarse el rostro y la apagó.

Por el atajo llegó a la otra carretera. Al pisarla acortó el paso. Asomaba la luna y, un poco más arriba, en una casa de la ladera, ladraba un perrillo.

Frente a la casa de Rosario volvió a detenerse y arrojó la colilla. Estaba todo oscuro y en silencio. Tentó la cancela y la halló abierta. Empujó, atravesó el corral, se arrimó a la ventana.

—Con cuidado, señor. Venga, déme una mano.

Las tendió abiertas. Rosario le agarró por las muñecas y tiró fuerte.

Había frito un huevo y unas patatas para cenar. Comió sin prisa, deteniéndose a cada bocado. Al terminar apartó el plato vacío, cruzó los brazos sobre la mesa y escondió en ellos la cabeza. Las brasas del hogar amortecían; en la vela, el pabilo se doblaba y daba una llama larga, temblorosa: la esperma caía en chorretones, rebasaba la copa de la palmatoria, hasta la taza del pie; allí, las gotas se cuajaban, primero tiernas, luego duras; primero brillantes; luego opacas.

Cuando el cabo se consumió, el pabilo, acostado sobre la esperma líquida, empezó a chisporrotear. Clara levantó la cabeza y contempló la llama con ojos soñolientos y tristes. Abrió el cajón de la mesa, buscó otro cabo, lo encendió y lo hincó en la palmatoria. Saltó un chorro ardiente: unas gotas le salpicaron las manos. Se la llevó a la boca y chupó la quemadura.

—¡Caray!

Se restregó los ojos; luego estiró los brazos. Con ellos abiertos contempló, en la pared blanca, desnuda, la cruz de su sombra. Recogió los brazos rápidamente. Se levantó.

—Debe de ser muy tarde.

Sacudió la cabeza, se echó atrás el cabello. Dejó el plato y el cubierto en el fregadero y caminó despacio hasta el hogar. Sobre las trébedes se calentaba un puchero de agua. Lo destapó y volvió a taparlo. Quedó de pie, inmóvil, con las manos cruzadas sobre el vientre, y así durante un rato. Las brasas se habían apagado y griseaban las cenizas.

Retiró el puchero, vertió el agua en un barreño, lo apoyó en la cadera y salió. La habitación de su madre estaba a oscuras. Buscó a tientas una silla, dejó en ella el barreño, trajo después una vela encendida.

Su madre estaba acostada de cualquier manera, entre un revoltijo maloliente. Se acercó, la alumbró con la vela. Tenía los ojos cerrados, la boca entreabierta, y su respiración parecía un estertor. Al sentirse movida gimió y estiró los brazos.

—¡A ver, espabila!

La movió, con gesto de repugnancia, hasta dejarla encima de un trozo de hule. La vieja se removía y protestaba.

Empezó a lavarla. La vieja le sujetó una mano con fuerza. Clara dio un chillido y chupó la sangre de un rasguño.

—¡Quieta, leche! ¡Tú tienes la culpa de todo! ¡Bien podías morirte de una vez!

La vieja lloriqueaba, y de su boca sin dientes salía un hedor amargo. Terminó de lavarla, la desnudó y la acostó. Recorrió luego la alcoba, contó los bultos de ropa recogidos en un rincón, abrió la ventana y respiró el aire fresco de la noche. Llegaba el perfume de una mata de madreselva; lo sorbió con calma, hondamente; alargó una mano, arrancó una rama y la acercó a las narices. Trasparecía la luna entre los pinos, y un alacrán cantaba al pie del muro; se mezcló a su canto el de la lechuza y, en seguida, otros cantos, próximos, lejanos, despertaron. Clara se inclinó fuera de la ventana, como escuchando. Después se retiró, dejó la ventana entornada. La vieja se había dormido: respiraba con un ronquido fuerte, gutural. Le arregló el embozo y la besó. Se apartó, con la vela en la mano, y cerró la puerta suavemente.

—¡Qué culpa tiene la pobre!

La luna entraba de lleno por la ventana del fregadero. Cerró las maderas y se puso a fregar. Después limpió la mesa y barrió el suelo. Un ratón acechaba las migas de pan, le golpeó con la escoba, el ratón huyó por un agujero y, en seguida, asomó el hociquillo.

—Anda, que ya te queda poco.

Se lavó las manos y echó un vistazo a la cocina: a los vasos vacíos, al canasto en que había guardado las ollas y los platos. Metió en él la loza que acababa de lavar y arrimó la mesa a la pared, junto a unos fardos.

—¡Y que una se esfuerce en ser decente para gustar a un hombre y que el hombre resulte imbécil!

Colgó de un clavo el delantal.

—También es mala suerte.

Se olió las manos y volvió a lavarlas. Enjugadas, las contempló a la luz de la vela, las levantó, las remiró. Hizo un mohín de indiferencia y salió al pasillo. La llama trémula alargaba las sombras. Empujó la puerta de su cuarto, bruscamente, con gesto torcido. La brisa marina entraba por la ventana abierta y meneó la llama. Cerró tras sí, quedó arrimada a la puerta, con la palmatoria en la mano. Por la ventana llegaban los rumores lejanos, los primeros rumores de Pueblanueva, y un suave resplandor.

—Y total, ¿para qué?

Dejó la vela encima de una silla, se acercó a la ventana y se acodó al antepecho. La luna alumbraba un trozo de camino, lo hacía blanquear entre las sombras inmensas. El camino estaba vacío y no se oían pasos. Del lado de la playa llegó el silbido agudo de una sirena, seguido de otros, más roncos. Y después, el rugido lejano, jadeante, de un motor. Por encima del monte, el alba clareaba, y en el borde de la oscuridad del cielo temblaba una estrella. Clara levantó la cabeza hacia lo más alto y volvió a escrutar las sombras del camino. Los ruidos del pueblo crecían, espaciados, distintos; ahora, una voz de hombre llamaba: « ¡María! », sin respuesta. Pero el camino seguía vacío y silencioso.

Se desabrochó la blusa, aflojó el cinturón. La vela, en cima de la silla, enviaba al techo las sombras. Dejó caer las prendas en el suelo, una a una, conforme se las quitaba, hasta quedar desnuda. Lanzó las zapatillas a un rincón y se arrojó, de bruces, sobre la cama. Hipaba, y los sollozos le hacían temblar la espalda, como sacudidas, y resonaban en el silencio de la mañana. Poco a poco se aquietó.

Un ave nocturna cruzaba el espacio oscuro, con vuelo torcido. Tropezó en el cristal de la ventana abierta y cayó dentro de la habitación. Clara alzó la cabeza y miró al murciélago.

—¡Sus! ...

El ave, deslumbrada, se arrastraba torpemente. Clara se levantó, la agarró por un ala y la arrojó a la oscuridad. Clara tenía los ojos húmedos, rojizos. Sintió, de repente, la desnudez; se llevó las manos al pecho y se lo apretó con fuerza. Luego se vistió el camisón y se sentó en el borde de la cama, los codos en las rodillas y la barbilla en las palmas de las manos. El murciélago seguía volando cerca de las ventana, rompía el silencio con su aleteo sordo. Clara miró al vacío un largo rato y después sonrió, cerró los ojos, echó el cuerpo atrás, se apoyó en las manos, dejó colgar la cabeza. Bruscamente empezó a santiguarse, pero no terminó la cruz.

—Da lo mismo.

Se acostó sobre la colcha, hecha un ovillo, la cara oculta. De repente se estiró, cruzó los brazos bajo la nuca y miró al techo. Se le entreabrían los labios, la sonrisa crecía, le arrugaba la nariz, ascendía hasta los ojos, los turbaba. El murciélago entró de nuevo, voló por encima de la cama, tropezó, salió rebotado, volvió a tropezar. Dio un chillido y se lanzó al suelo. Clara no se movió. Respiraba con anhelo creciente, se le agitaba el pecho, tentaban en el aire las manos temblorosas. Dobló las rodillas; una primero, luego otra. La mano izquierda buscó el tobillo y lo acarició; la mano diestra tentó en el aire hasta encontrar la silla y la palmatoria. Acercó la vela a los labios, sin mirarla. Sopló y se extinguió la llama.

El murciélago, en la habitación oscura, cruzaba el aire. A veces gruñía. Fuera, lejos, se oían las primeras campanas.

De la parra en que apuntaban los pámpanos colgaban las bombillas. La mesa, en forma de C, ocupaba el fondo, y la mitad del patio quedaba libre, hasta un murete de piedra y losas en que se iban dejando las botellas vacías y los platos sucios. Rosario y Ramón, sentados en el centro de la parte más larga, vestían de oscuro; quietos, mudos, la vista siempre al frente, sin mirarse y sin mirar. Un mocetón peneque, con una flor en la oreja, le dio un cachete a Ramón.

—¡Vamos, hombre, anímate, que no es para estar serio! Mujer como ésta...

Ramón hizo una mueca que pareció una sonrisa. La madre de Rosario comentó:

—Para los novios, más que una boda, parece un velatorio.

—Siempre es muy serio casarse —dijo la madre de Ramón.

Estaban juntas y habían hablado de tierras, de ganados, de dineros. En voz baja, sin que oyera el *Galán*.

La música era de gramófono, y en el medio del patio bailaban las parejas: mozos vestidos de pana negra, con las boinas muy hacia atrás o muy hacia adelante y una vara en la mano, que no soltaban; y muchachas rollizas, grandonas, con trajes verdes, colorados. Una mujer madura, con los ojos encendidos de vino, se acercó a Carlos.

—¿Qué clase de padrino es éste que no saca a bailar a la novia? Dispensando...

—No sé bailar.

—¿Y el boticario? ¿Tampoco sabe bailar el boticario?

—¡Eso! ¡El boticario! ¡Que baile el boticario!

Rodearon a don Baldomero. «Que baile también.» «¡Que baile!» Le agarraron de la chaqueta y lo sacaron del asiento. Don Baldomero alzaba las manos.

—¡Bueno, bueno, bailaré!

Miró alrededor. Tres o cuatro mozas, riéndose, se agrupaban en un rincón. Don Baldomero se acercó a ellas, con las manos por delante.

—¡Váyase! ¡Mirad el viejo! ¡Busque pareja de sus años!

—No hay que fiarse de las apariencias, muchachas, porque yo...

Agarró del brazo a una de las mozas, rubia, de trenzas gruesas, y la arrastró al medio del patio.

—¡Déjeme! ¡Rayo de boticario...!

—Vamos a demostrar a ésos que sabemos bailar y todo lo que pidan.

Se abrochó la chaqueta, enlazó a la moza por el talle y empezó a dar saltos. Los invitados reían.

—¡Y qué buena pareja hacen! ¡Puede casarse con ella cuando quede viudo!

—¡Y que tiene buenas tetas, don Baldomero! ¡Palpe, palpe! ¡Ahí hay dónde agarrarse!

Don Baldomero se detuvo y apartó un poco a la moza.

—De eso no puedo dar fe. Aquí hay algo que estorba, pero ¿quién me asegura de que no son dos almohadillas?

—¡Dos almohadillas! ¡Meta la mano y vea! ¡Dos almohadillas!

Don Baldomero encaró a la moza. Ella le miraba con burla.

—Y tú, ¿qué dices?

—No digo nada, señor.

—Esos quieren que te meta la mano.

—Usted verá.

—Habría que pedir permiso a la novia.

—La novia manda en su cuerpo, y yo, en el mío.

—Entonces, ¿no me dejas?

—¡Atrévase!

Don Baldomero, consternado, se volvió a los invitados. Se aflojó el nudo de la corbata y tendió las manos.

—No me deja.

—¡Le tiene miedo!

Reían, abucheaban. Don Baldomero alzó los brazos.

—¡Haya silencio! Está en su derecho al no dejarse tocar; pero, si no fuesen almohadillas, se dejaría.

—¡Es que le tiene miedo! ¿Dónde están los pantalones?

El gramófono seguía tocando. Las parejas hacían corro a don Baldomero y a la moza. Otros invitados se levantaban, se acercaban: con risas anchas, con palabras de aliento y desafío.

—¡Animo, don Baldomero!

—Si usted fuera un hombre como Dios manda, se las tocaba a la fuerza.

—¡No te dejes, muchacha! ¡Que se toque las narices!

La moza miraba, siempre riendo; miraba alrededor.

—Lo dejaré si es capaz...

La boca ancha, los ojos grandes, desafiaban. Don Baldomero pasó la mano por los labios resecos y pidió vino. Le alargaron un frasco y bebió un trago largo. La moza se había puesto en jarras y esperaba. Don Baldomero devolvió el frasco y fue hacia la moza lentamente. La miraba, y ella aguantó la mirada.

—Si es capaz...

Le empujaron. Sus manos buscaban el escote de la moza. Ella se las cogió, se las agarrotó.

—Dije que si es capaz...

El corro se había estrechado. Bocas abiertas, ojos en-

ndidos. Don Baldomero se sintió apretado, arrojado en-
ma de la moza.

—¡Animo, don Baldomero! ¡Al suelo con ella!

Los brazos de la moza le agarraron, le sujetaron; una erna joven se metió entre las suyas, una pierna dura poderosa, que le atenazaba la pantorrilla, que le hacía erder pie. Alrededor, jadeaban, gritaban, le animaban, le ucheaban. Se agarró donde pudo. Al caer arrastró a moza consigo. Quedó debajo, aplastado. Las rodillas e la moza, en su vientre; los brazos, sujetos. Encima de cara, otra cara, rojiza, sonriente, unos ojos azules que guían burlándose y unas trenzas que le rozaban el cuello.

—Ya le dije que si podía... ¡Ande! ¡Métame mano!

Los otros reían, chillaban. Se empujaron, cayeron tamén. Dos, tres, cuatro mozas, todas encima de don Balomero. Las trenzas y el pecho de la rubia le sofocaban, ahogaban. Chilló, pero sus chillidos se perdían.

—¡Que me vais a matar!

También los viejos se habían acercado, también reían gritaban ante el revoltijo de piernas al aire, de puntias rotas, de faldas remangadas, de muslos desnudos. amón y Rosario no habían sonreído ni parecían mirar. arlos, sentado en una esquina, se sirvió un vaso de aseosa con tinto y se aproximó al tumulto. Los mozos, e pie, cantaban. Una muchachita intentaba esconderse.

—¡A ésa! ¡Esa también!

Empezaba a caer la luna hacia los montes del Oeste. esde lo alto del camino se veían sus brillos, amortiuados, en las aguas de la ría.

—¿Adónde quiere que vayamos, don Baldomero? -preguntó Carlos.

—Me da igual un sitio que otro, pero le confieso que e gustaría echar un trago.

—¿Más?

—¿Por qué no? Una vez empezado...

—Estamos cerca de mi casa. Algo habrá...

Don Baldomero se agarró al brazo de Carlos y se apoó en su costado.

—Permítame. Empiezo a tambalearme.

Carlos rió.

—Yo también.

—¿Usted? ¿Borracho usted? ¡Por la Santa Madre c Dios, don Carlos! Es la primera vez...

—¿Qué más da?

Don Baldomero se detuvo, soltó el brazo de Carlos se plantó delante. Espiaba su rostro a la luz de la lun

—No será para olvidar...

—¿Para olvidar? —Carlos volvió a reír—. ¿Para olv dar qué? ¡No tengo nada que olvidar! No me gusta h cerlo. Los recuerdos olvidados hacen daño.

El boticario arrugó el ceño.

—Eso es cierto, ya ve. Lo reconozco. Pero ¡qué leñe ¿No es verdad que hacen más daño cuando no se l olvida?

Carlos le agarró por los hombros y empezó a camina

—¿De qué recuerdos me habla, don Baldomero?

—No quiero ser indiscreto, pero hoy me he convencid de que está usted enamorado de la *Galana.*

—No. Se lo aseguro.

—¿Va a decirme que no fue su querida?

—Eso es otra cosa.

—¿Y no le duele que se haya casado con ese bestia

—Yo se lo aconsejé. Le doy mi palabra.

—Lo creo. Pero ¿no está imaginando ahora a la *Gal na* en la cama, con su marido encima, y no se pone triste

—No tengo el menor interés en imaginarlo.

Llegaban al camino del pazo, estrecho y largo com una cinta clara en medio de oscuridades. Cantaba, e unos abedules, el ruiseñor. Don Baldomero tropezó en u guijarro. Carlos, al querer agarrarlo, se le echó encima Cayeron al suelo. A don Baldomero le dio una risa aguda alta. El ruiseñor quedó en silencio.

—Estamos como cubas, don Carlos.

—Todavía no.

—Echeme una mano, si puede.

Se ayudaron. Don Baldomero buscó otra vez el braz de Carlos.

—Los recuerdos son una cosa jodida, créamelo. Ya ve Bien pensé que al marcharse Lucía me quedaría tran ıilo. Pues no... En cuanto estoy solo, empiezo a recorırla... Cuando éramos novios, cuando nos casamos. ¡Qué ıbécil es uno, don Carlos! En mi caso, ¡qué imbéciles ›s dos! Lo teníamos todo para ser felices, y lo echamos perder.

Estaban cerca de la verja. Carlos se adelantó a abrirla. speró a que pasara don Baldomero y volvió a cerrar.

—Bueno. Todo, no. Ya le dije una vez que mi mujer ınca tuvo tetas. Pero ¿es tan importante eso para des'ozar un matrimonio? ¿No fui yo el primer imbécil? orque echar a perder un matrimonio porque ella no ːnga tetas...

Carlos empujó el postigo.

—Pero ¿tiene siempre esto abierto?

—¿Por qué no? No hay nada que robar.

El zaguán estaba oscuro. Don Baldomero empezó a anar a tientas. Tropezó con un banco y soltó un taco.

—Espere.

Carlos buscó cerillas, encendió una.

—Por aquí debe de haber un cabo de vela. Es el chisón del *Relojero*.

Revolvió entre los cachivaches del loco. Paquito desertó con el ruido. Abrió los ojos, miró sin decir nada, ›s volvió a cerrar.

—Sí. Aquí está.

Subieron. En el cuarto de la torre, Carlos encendió n quinqué. Don Baldomero se dejó caer en el sofá.

—Ya tenía ganas de sentarme.

Cerró los ojos y quedó espatarrado. Carlos volvió con asos y una botella. Don Baldomero parecía haberse dorıido. Le sacudió por un hombro.

—¿Ha venido usted a beber o a dormir?

—Abra una ventana. Hace calor aquí.

Carlos abrió la ventana. Don Baldomero, apoyándose n las paredes, llegó hasta ella. Una luz de plata, morteina, envolvía el pueblo y la ría.

—¡Qué hermosa vista!

Le dio otra vez la risa.

—Como le decía, tengo recuerdos. Y cuando Lucía nuera, será peor. ¿Sabe usted...?

Se interrumpió y miró a Carlos con espanto.

—¿... sabe usted que he deseado la muerte de Lucía ¿Sabe usted que la deseo? ¿No se lo he contado nunca

Carlos no le contestó. Había llenado de vino dos vasc y ofrecía uno al boticario.

—Espere, porque, si caigo, no le podré decir esto.

Carlos echó un trago del suyo y los dejó en el ant pecho de la ventana.

—En el caso de que no le moleste —añadió don Ba domero.

—No. Diga lo que quiera.

—Pues le deseo la muerte. Contra mi voluntad, ¿com prende? Estoy pensando y, de pronto, la veo entre cuatr velas, vestida con el hábito de San Francisco. O me ve a mí mismo regresando del cementerio, donde acabo d dejarla bien enterrada. ¿Le molesto?

—No. Siga.

—Esas cosas me ocurren desde hace mucho tiempc desde antes que ella estuviera tan mala. Y se me ocurrí también que, muerta ella, volvía a casarme.

—¿Con su criada?

—Con una chica de veinte años.

Echó mano al vaso y lo vació.

—Eso es desear su muerte, ¿verdad?

—Sí.

—Soy un miserable.

Tendió el vaso a Carlos.

—Déme un poco más.

—¿Está dispuesto a dormir aquí?

—¿Qué más da? Mal será que alguien se ponga a mo rir y necesite medicinas.

Empezaba a hablar con lengua gorda. Carlos le sirvi más vino.

—El mundo sería perfecto si no existiese Dios —dij don Baldomero—. Dios lo estropea todo.

—Sí —dijo Carlos.

—¿A usted también?

—A mí como a todo el mundo.

—Pero ¿usted cree?

—Cuando estoy borracho, sí.

—Usted no está borracho nunca.

—Pero ahora lo estoy, y creo en Dios.

—Cómo nos la ha jugado, ¿eh? Porque sin El, ¿qué me importaba a mí desear la muerte de Lucía? Y a usted...

—A mí, ¿qué?

—A usted también le hará la puñeta de alguna manera. Y si cree usted en Cristo, peor. Porque a mí se me ocurre que si fuese como antes, en tiempo de los judíos, la cosa sería más llevadera. Pero pensar que Cristo vino a sufrir por nosotros... para esto. Lo que a mí me remuerde la conciencia es hacer sufrir a Cristo. Y que no sirva de nada, al menos en mi caso, porque voy a condenarme...

—Ya está usted condenado.

Don Baldomero abrió los ojos con dificultad.

—¿Usted cree?

—Todos estamos ya condenados. Pueblanueva es el infierno y no podemos salir de él. ¿No me ve a mí? Llevo dos meses diciendo que me voy mañana, que me voy pasado, y aquí estoy, y aquí me quedo. No puedo marcharme, no podré hacerlo nunca. A veces pienso si no habré muerto y si esto no será eterno.

—¿También usted piensa tonterías?

—Como cualquiera.

—¡Ah! Creí que usted no pensaba tonterías.

Con el vaso en la mano fue hacia el sofá. Tropezó, se le derramó el vino, tendió otra vez a Carlos el vaso vacío; pero Carlos había quedado en la ventana, miraba a la madrugada. Entonces se sentó en el sofá y cerró dulcemente los ojos.

—Personalmente, no me molesta que también sea usted, a veces, tonto. Un hombre que no es tonto alguna vez, no parece humano.

Carlos no se había movido. Permanecía de espaldas, acodado al antepecho.

—¿Me escucha, don Carlos?

Carlos no respondió. Don Baldomero se extendió en el sofá trabajosamente. Primero, una pierna; luego, la otra. Se quedó un brazo encima del vientre, y el otro colgando.

Las puntas de los dedos rozaban el suelo. Abrió la boca y empezó a respirar: largo, fuerte, pausado. A veces se le escapaba un pequeño ronquido.

Se despedían los últimos convidados: dos mujeres de luto, un mozo pescador, un viejo. Ni Rosario ni Ramón se movieron: el cuidado de despedirles y acompañarles hasta la puerta quedó a cargo de la *Galana* y de la madre de Ramón.

—Bueno, ¿y ahora?

—Cada uno a su casa, y Dios a la de todos.

—Amén.

Marcharon en grupo: las dos madres, delante; el *Galán* y sus hijos, casi pegados a ellas; Rosario y Ramón, detrás, un poco alejados. Sólo hablaban las madres. La de Ramón se despidió a su tiempo.

—Que la boda sea para bien.

—Dios la oiga.

Hablaban con tono lúgubre. Se besaron. La de Ramón besó también a Rosario. A Ramón le dijo:

—Ya irás mañana por casa.

—Iré.

Se alejó. Los hermanos de Rosario habían entrado. Los padres se dirigieron a la puerta. Rosario tomó de la mano a Ramón.

—Ven.

Se encendió una luz en la cocina. El *Galán* se sentó en una banqueta. La *Galana* vieja se dirigió al fregadero y sacó del barreño unos cacharros. Rosario y Ramón llegaron al umbral y quedaron en él, de pie.

—Y ahora, a dormir todos, que mañana hay que trabajar.

—Espere, madre.

Rosario soltó la mano de su marido y entró en la cocina.

—Levántese, padre, y saque las vacas y el carro. Y usted, madre, y mis hermanos vayan bajando las cosas. No guarde la loza, que no hará falta.

—¿Qué dices?

—Lo que oye, mi madre. Que ahora mismo se marchan

de esta casa, y se llevan los muebles, y el cerdo, y las gallinas, y todo lo que no es mío. Ahora mismo.

La *Galana* vieja llevó las manos, lentamente, a los ijares. Encaró a su marido.

—Pero ¿tú oyes esto?

—Claro que lo oye, y no lo voy a repetir. Ya aguantaré bastante si les permito recoger la cosecha, que también es suya. ¡Andando! ¡Y no quiero verles más en la vida, ni han de pisar mi casa, aunque me coma una centella! ¡Por éstas!

Tranquila, erguida, besó los dedos en cruz.

—Ya puede llamar a mis hermanos. Que no se acuesten.

La vieja apartó, de una patada, la banqueta en que el *Galán* había estado sentado.

—¡Claro que los llamo! ¡Pepe, Miguel, bajad en seguida! ¡A ver si con ellos te atreves...!

Le salía a los ojos una furia súbita, se le había endurecido el rostro y levantaba al aire las manos oscuras, clavaba en el aire los dedos como garfios.

El *Galán*, junto al llar, blando, encogido, miraba sin entender: a Rosario, a Ramón, a su mujer.

—Pero, mi hija, la casa...

Tendía los brazos con las palmas abiertas.

Rosario se acercó a Ramón.

—Ramón, la tranca.

Cerró la puerta y cogió una barra de hierro.

—Toma. Tú, ahí, con eso. Y que te toquen. Yo voy a desnudarme.

Miró a sus padres duramente y entró en el dormitorio. Oyó los pasos de sus hermanos en la escalera, las voces de su madre, cada vez más altas. Imprecaciones, insultos. Siguieron llantos.

—¿Y vas a dejar que tu mujer eche a sus padres de casa? ¿Vas a dejarlo?

—¡Cría cuervos! ¡Tráela regalada veinticinco años! ¡Y todos trabajando para ella!

En calma, Rosario cerró la ventana y la contraventana. A su madre le había dado un patatús. Pero en el piso se oían golpes y arrastrar de muebles. Entreabrió la puerta y vio a Ramón, armado y erguido, delante de la cocina. Fuera, el *Galán* ajetreaba con el carro, y el perro ladraba. Empezó a desnudarse. Vestida a medias, abrió el armario y sacó un camisón, lo desdobló y lo dejó encima de la cama. Quedó desnuda, se miró al espejo del armario y se vistió el camisón. Después, quitó la colcha, la dobló con cuidado, la guardó. Deshizo el embozo, arregló las almohadas.

Había ruidos en la escalera. Una vaca mugía en el corral.

Abrió la puerta del dormitorio. La *Galana,* tirada en un rincón, gimoteaba. En el suelo se mezclaban las ollas con los platos, las sábanas con las bolsas de maíz.

Pepe y Miguel, fuera, hablaban en voz alta.

—¡Ponla encima! ¡Más atrás! Luego yo ato.

—No nos va a caber todo.

Entraron, pasaron sin mirarla, sacaron una cama. La *Galana* se incorporó penosamente.

—¡Permita Dios que te salga un cáncer en las entrañas, y te vea pidiendo por los caminos, y que te escupan a la cara!

—Menos prosa, madre, y más espabilar, que estoy caliente y quiero dormir con mi marido.

A Ramón le brillaron los ojos. Apoyó la barra en la piedra del umbral y esperó en su lugar descanso.

....

Iba el *Galán* delante, tirando de las vacas, con la aguijada en una mano y en la otra un farol encendido. Pepe y Miguel, cargados de fardos, a los lados del carro. Detrás, la *Galana,* con una cesta a la cabeza, y en la cesta, tapadas, las gallinas. El cerdo la seguía, gruñendo, atado de una soga.

La noche estaba clara, sin viento. La luna había alcanzado la mitad del cielo: pegaba por la izquierda y lanzaba contra el seto de zarzas las sombras trashumantes. El campaneo de las esquilas se mezclaba al chirrido del carro.

—¡Ay, *Marela! ¡Xubenca!*

La *Galana* lloriqueaba:

—¿Y adónde vamos a ir, pobriños de nosotros? ¿Quién será el alma cristiana que nos recoja en esta noche de lobos? ¡Todo por una hija sin alma, por una perra sin corazón!

—Calle, mi madre, que, llorando, se reirán de nosotros.

—¿Y qué voy a hacer más que llorar?

—Callar, mi madre. Hay que tener vergüenza.

En los bordes del cielo brillaban las estrellas, y allá abajo, en el fondo del valle, un resplandor plateado envolvía a Pueblanueva. De pronto, de las sombras, surgió un tropel de gente, hombres y mujeres con calderos de metal, con sartenes, ollas, cubos, almireces. Iban en silencio, de uno en fondo, por la cuneta, amparados en la sombra. Los grupos se cruzaron. Alguien dijo:

—¡Buenas noches nos dé Dios y la compaña!

—Buenas noches.

El tropel silencioso desapareció.

—¿Y adónde iban? —preguntó la *Galana.*

Nadie le contestó. Poco rato después se oyó un estrépito furioso.

—Es la cencerrada, mi madre.

—¡Y si le ponen fuego a la casa, con ellos dentro, harán justicia! ¡Desalmados!

Habían llegado al cruce de caminos y no sabían por dónde ir.

Madrid, Mallorca, Madrid.

Enero-mayo 1960.